WEET JE NOG?

Van Harriet Evans verschenen eerder:

Bij ons thuis
Een hopeloze romantikus
De liefde van haar leven

Harriet Evans

Weet je nog?

H&W
VAN HOLKEMA & WARENDORF
Uitgeverij Unieboek | Het Spectrum bv, Houten – Antwerpen

Oorspronkelijke titel: *I Remember You*
Vertaling: Monique Eggermont
Omslagontwerp: Wil Immink
Omslagillustratie: © Tadahiro Uesugi, HarperCollins Publishers Ltd. 2010
Opmaak: ZetSpiegel, Best

www.unieboekspectrum.nl
www.harriet-evans.com

ISBN 978 90 475 1475 6 / NUR 302

Oorspronkelijke uitgave: HarperCollins Publishers

Voor de Don, mijn geweldige vader Phil,
met alle liefs

When my life is through,
And the angels ask me to recall
The thrill of it all,
Then I will tell them I remember you.

– Johnny Mercer, 'I Remember You'

Proloog

Het was dit jaar vroeg lente in Langford. Hier en daar waren wat grasklokjes te zien, en narcissen wuifden fier in de wind die van de heuvels achter het stadje kwam. Toen Tess Tennant vanaf de bushalte de heuvel op rende, zag ze haar moeder met haar vriendin Philippa voor het huis van de Tennants staan. Ze stonden te lachen in de zon.

'Hallo, Tess, lieverd!' riep Emily Tennant naar haar dochter, die hijgend aan kwam lopen. 'Ik vertelde Philippa net het nieuws.'

'Je hebt het toch nog niet aan Adam verteld?' zei Tess tussen twee ademteugen door. Ze trok haar schooltas van haar schouder en probeerde er nonchalant en volwassen uit te zien; ze was per slot van rekening bijna achttien. Toen Cleopatra zo oud was als zij, voerde ze samen met haar broer het bewind over Egypte. Op haar tweeëntwintigste had ze zich ontdaan van haar broer, Caesar verleid en zijn kind ter wereld gebracht. Tja, ze was natuurlijk wel al dood op haar negenendertigste en ze had Egypte ten onder laten gaan aan een burgeroorlog, dus misschien kon ze haar voorbeeld maar beter niet volgen – maar ze was wel in Rome geweest en had intussen het bed gedeeld met Marcus Antonius, ze had fantastische gouden juwelen gedragen en alle macht in handen gehad, dus het was niet allemáál verkeerd.

'Nee, natuurlijk niet,' zei Philippa terwijl ze haar wilde donkere haar uit haar gezicht streek en naar Tess lachte. 'Maar wel gefeliciteerd, lieverd. Dat is geweldig. Hij zal zo blij voor je zijn.'

'Hij heeft een beurs voor Cambridge,' zei Tess. Ze harkte met haar vingers door haar haar. 'Over een paar maanden weet hij niet meer wie we zijn, dan is hij te belangrijk geworden. Dan heeft hij chique universiteitsdiners met E.V. Rieu en Oliver Taplin, dat soort mensen.'

'E.V. Rieu is gestorven in 1972,' zei een stem achter haar. 'Het zou me bijzonder verbazen als hij op een diner zou verschijnen.' Tess draaide zich om zag Adam, van jongs af aan haar beste vriend, met een verwachtingsvolle blik op zijn gezicht.

'Ik ben toegelaten,' zei ze stralend. 'Ik ga erheen. Ik ga naar de universiteit van Londen. Als ik drie zevens haal.'

'Jemig,' zei Adam, en hij grijnsde van oor tot oor. Hij sloeg zijn armen om haar heen. 'Dat is fantastisch. Jij bent helemaal fantastisch.'

'Binnen is thee,' riep Tess' moeder, en Philippa lachte naar hen toen ze elkaar stevig omhelsden.

'Nee, bedankt, later misschien,' zei Tess. Adam liet haar los, sloeg zijn arm om haar schouders en drukte haar dicht tegen zich aan. 'Hoera,' fluisterde ze blij. 'Naar de uiterwaarden?'

'Jep,' knikte hij.

'Oké,' zei Philippa blij. 'Veel plezier! Neem wat knoflook voor me mee op de terugweg, Adam. En veel – o, ja. Dag!'

Toen ze samen de zandweg af liepen, wierp Adam een veelbetekenende blik naar Tess. Ze wisten allebei dat ze door hun moeders werden nagekeken.

'Voor iemand die de conventies van het huwelijk veracht, is jouw moeder verbazingwekkend burgerlijk,' zei Tess (ze had politieke wetenschappen in haar vakkenpakket).

'Ja, vreemd hè,' zei Adam, kauwend op een grasspriet. 'Zo raadselachtig en bohemien, en toch wil ze dat haar tienerzoon het aanlegt met zijn buurmeisje.'

Niemand wist waar Philippa vandaan was gekomen. Negentien jaar daarvoor was ze als een Mary Poppins op een onstuimige, winderige dag aan het begin van de lente in het stadje verschenen. Ze had haar intrek genomen in de cottage tegenover de familie Tennant: Frank was huisarts en hij en Emily hadden één kind, Stephanie, van bijna twee. Philippa was acht maanden zwanger, bij Emily was het nog maar net te zien.

Ze had lesgegeven in Dublin, vertelde ze, en de vader van haar kind was een Ier, een collega aan de hogeschool waar ze toen werkte. Ze sprak over hem zonder rancune, maar ze wilde hem niet meer zien. Verder had Philippa niets over zichzelf verteld. Ze had blijkbaar geen familie of vrienden; ze kon nauwelijks rondkomen van het corrigeren van schriftelijke examens en het schrijven van geschiedenisboeken over Engeland. Veel mensen in Langford spraken schande over haar; maar Emily, die een klein kind had en met Frank uit Londen was gekomen naar dit kleine, vreemde stadje, was onmiddellijk dol op haar. Philippa accepteerde de vriendschap van haar buren – hun uitnodigingen om een hapje mee te eten, hun terloopse manier om te kijken of alles met haar in orde was – tot op zekere hoogte, en leefde verder teruggetrokken in haar tochtige huisje, met haar boeken. Voor iemand die vrijwel niets had – geen familie, geen andere vrienden, geen verhalen – was ze opvallend trots.

Philippa beviel zes weken nadat ze in Langford was komen wonen van Adam; Tessa (zoals haar volledige naam luidde) werd een paar maanden daarna geboren, en de twee baby's groeiden als vanzelfsprekend met elkaar op. De lange blonde Adam en zijn vastberaden vriendinnetje met haar blauwe ogen en zwarte haar dat als een krans haar gezicht omlijstte, leverden een onweerstaanbaar plaatje op als ze hand in hand naar de winkel om de hoek trippelden. Bij iedereen verscheen dan een glimlach en vertederd zeiden ze: 'O... wat een schatjes...' En toen ze dertien waren – Adam, die nog steeds lang en iets donkerder blond was en dankzij een combinatie van een staatsbeurs en een toelage naar een goede school kon, en Tess, nog steeds klein en stevig en vastberaden, maar allebei wat bedeesder – was het aandoenlijk om te zien dat ze hun kinderlijke aanhankelijkheid verloren en een beetje verlegen tegenover elkaar werden. Mensen vroegen zich niet meer af waar Philippa vandaan kwam en glimlachten nu vol genegenheid wanneer haar vriendelijke, verlegen zoon ergens verscheen met de dochter van Frank en Emily.

'Ik geloof dat hier twee mensen een tikje verliefd op elkaar zijn...' fluisterde iemand goedbedoeld en verrukt toen Tessa op een feestje nonchalant naar Adam toe slenterde om hem gedag te zeggen.

'Je kunt zien dat hij stapeldol op haar is,' zei een ander dan. 'Kijk ze nou!'

Tess en Adam hadden allang geaccepteerd dat er niets aan te

doen was. Het lag niet aan hun ouders. De hele stad deed eraan mee: mevrouw Sayers, de secretaresse van de basisschool. Mevrouw Tey, de vrouw van de notaris, de krantenverkoopster – zelfs Mick, die de beste pub van Langford, de Feathers, uitbaatte, had gezegd: 'Wat is het toch een lief stelletje.'

Het was een van de redenen waarom Tess popelde om weg te gaan.

De weilanden liepen in de winter onder water, maar als het voorjaar kwam en het water zich terugtrok, vielen ze droog, zodat het gras, zelfs in de hete zomerzon, altijd mals en groen was, met volop kleurige vlinders en zoemende bijen. Op deze zonnige dag in april konden ze op de boom aan de rivier zitten, met hun benen schommelend boven het kolkende water, met het bier dat Adam in een gat in de boom bewaarde, en verboden sigaretten, waarvan ze de peuken altijd zorgvuldig weggooiden als ze weggingen. Niet alleen om zichzelf niet te verraden, maar omdat ze buitenkinderen waren en nog eerder een peuk zouden opeten dan dat ze die in de natuur lieten liggen, vooral in de uiterwaarden. Ze zouden ook nooit een hek open laten staan. De uiterwaarden hadden als decor gediend in een film van Merchant Ivory, en de kroonprins had ze vorig jaar bezocht. Heel Langford was er trots op.

Adam nam een trek van zijn sigaret. 'Dus je gaat echt naar Londen,' zei hij.

'Ja,' zei Tess, gelukzalig met haar benen schommelend. 'Ik kan het nog niet geloven. Je moet me komen opzoeken.'

'Dat doe ik, maar ik ben niet zo dol op Londen,' zei hij.

Ze gaf hem een por. 'Doe niet zo gek. Je kent de stad niet eens!'

'Goed genoeg om te weten dat ik het er niet fijn vind.'

Tess staarde hem aan en probeerde haar ongeduld te verbergen. Adam stond niet echt open voor nieuwe dingen, en dat stoorde haar. Ze hoopte dat zijn leven op de universiteit daar iets aan zou veranderen. Zij wilde de wereld omarmen, alles meemaken. Hij liet liever de wereld aan zich voorbijtrekken terwijl hij aan het werk was.

'Ik meen het,' zei hij. 'Cambridge vind ik wel oké – weliswaar een beetje plat, maar de omgeving is in elk geval landelijk. Londen...' Hij haalde zijn schouders op. 'Te veel lawaai. Te onrustig. Te veel mensen! Geen groen, niets. Ik denk dat je dat zult gaan missen.'

Tess draaide zich naar hem toe en keek hem aan. 'Ben je helemaal gestoord geworden?' zei ze halfernstig. 'Ik ben achttien, man! En jij ook! Dat we Latijn en Grieks leren, betekent nog niet dat we oude mensen moeten worden met een dikke snor en leren stukken op de ellebogen die het over die goeie ouwe tijd hebben.'

'Nou, vooral jij,' zei Adam. 'Ik zou je wel eens willen zien met een dikke snor, Tess.' Hij gaf haar een por, maar ze keek kwaad tot hij toegaf. 'Oké, ik kom je opzoeken.'

'Dat is je geraden,' zei ze kordaat. 'We gaan daar de bloemetjes flink buitenzetten. Toen Cleopatra Caesar voor het eerst zag, zei ze...'

'Ach, hou toch op over Cleopatra,' zei Adam, die Tessa's obsessie met Cleopatra behoorlijk zat was. 'Haar ouders waren broer en zus, geen wonder dat ze gestoord was.'

'Adam!' zei Tess verontwaardigd.

Adam sloeg zijn blik ten hemel. 'Oké, oké.' Hij klopte haar op haar rug. 'Je zit echt te popelen om ernaartoe te gaan, hè?'

Ze keek hem aan en verschoof, ineens niet meer zo op haar gemak, over de brede tak. 'Zo is het niet. Ik wil gewoon iets anders, weg van hier, weet je wel? Ik heb het gevoel dat er van alles op me ligt te wachten, en ik ben het zat om altijd maar dezelfde koppen te zien, dezelfde stomme toeristen die zich aan dezelfde saaie dingen lopen te vergapen.'

'Mja,' zei Adam langzaam. 'Ik weet het. Maar toch... ik zal het wel missen.' Hij keek naar de uiterwaarden die zich om hen heen uitstrekten, het felle groen van de bomen in de knop, de blauwe lucht, de akkers die tot aan de horizon te zien waren. 'Het leven is hier goed, dat is alles.'

'Natuurlijk heb jij hier een goed leven,' zei Tess. 'Jij bent Adam Smith. De rijkste vrouw van de stad heeft je opleiding betaald. Je bent lang. Je bent superintelligent. Je hebt een toffe fiets. En alle meisjes bij mij op school vinden je helemaal te gek, en je kunt krijgen wie je maar wilt. Je bent een superster.'

'Tess!' Adam lachte verlegen. Hij bloosde. 'Wat een onzin.'

'Nee hoor,' zei ze. 'Waarom zou je hier weg willen? Je hebt hier een perfect leventje.' Ze stond op, een stukje bast prikte in haar huid. 'Maar ik wil hier weg. Ik wil in Londen wonen. Ik wil niet voortijdig in een oude theetante veranderen.'

'Maar je komt wel terug,' zei Adam, die nog op de tak zat. 'Ja toch?'

Tess was ineens bedroefd, zonder te weten waarom. Ze draaide zich naar hem toe en ging tussen zijn benen in staan. Ze kneep zachtjes in zijn wang. 'Reken er maar niet op. Ik zie mezelf hier niet wonen.'

'Ik weet wat je bedoelt, maar *omnia mutantur*. Alles verandert,' zei Adam.

'Ja, dat is zo,' zei Tess. 'Maar wij veranderen mee, luidt het citaat verder.' Ze zwegen allebei even en namen nog een slokje bier. 'Maar,' zei ze. 'We hebben nog zeeën van tijd voordat we weg moeten. We hebben nog de hele zomer. En dan...' Ze pakte haar bier op en klonk met haar flesje tegen het zijne. 'De rest van ons leven.'

Ze hadden natuurlijk gelijk. Dingen veranderen, maar geen van hen had kunnen voorzien op welke manier. Want de toekomst van Tess en Adam lag voor een deel al lang voor hun geboorte vast.

Deel 1

Ik zal je vertellen over een kleine republiek die iets laat zien wat je bewondering waard is – ruimhartige leiders, een heel volk dat volgens planning werkt. Hun moraal, groepering, verdediging – ik zal het in de juiste volgorde vertellen.

Vergilius, *Georgica*, boek IV

Langford College

Gevraagd voor onmiddellijke indiensttreding:

Docent Klassieke Oudheid m/v, eerstegraads

Langford College is een van de belangrijkste en meest gerenommeerde volwassenenopleidingen van het land. Dit particuliere instituut is gevestigd in een victoriaans monument, dat vroeger werd bewoond door de familie Mortmain, op een schitterend landgoed van acht hectare aan de rand van het historische marktstadje Langford.

Als gevolg van onvoorziene omstandigheden is er een vacature ontstaan voor het vak Klassieke Oudheid. We zoeken dringend iemand die in februari kan beginnen met de zomercursus. Sollicitanten hebben minimaal MA Latijn en Grieks. Drie jaar onderwijservaring is noodzakelijk. Van de sollicitant wordt verwacht dat hij of zij de cursisten één keer per jaar begeleidt op een excursie.

Sollicitanten worden uitgenodigd een brief met cv en twee referenties te sturen naar mw. Andrea Marsh, p/a Langford College, Langford, Langfordshire. Geen sollicitaties per e-mail.

'Per Artem Lumen'

1

De oude vrouw zat op haar gebruikelijke plaats voor het raam afwachtend naar buiten te kijken. Het was twaalf uur en als er in de hoofdstraat van Langford (door DK Eyewitness beschreven als 'een van de mooiste straten van Engeland', in de Rough Guide als 'schilderachtig mooi' en in de gids van Lonely Planet als 'prullerig') enige activiteit te bespeuren was, was het nu.

Misschien liepen er een paar dames naar de tearoom om te lunchen. Of misschien kwamen er een paar weekendgasten uit Knick-Knacks, een van de vele cadeauwinkels die briefpapier van de Medici Society verkochten, kussens van Cath Kidston en 'vintage' spiegels. Of misschien een groepje Amerikaanse toeristen, minder gebruikelijk in deze tijd van het jaar, veel te luidruchtig na een bezoek aan het huis waar Jane Austen een paar maanden had doorgebracht bij een oude vriendin. (Het huis, voorheen bekend als St Catherine's Street 12, was nu het Jane Austen Centre, een museum waarin een handschoen van de fameuze schrijfster werd bewaard, een brief waarin ze Langford beschreef als 'niet ongerieflijk of aanstootgevend, maar toch bevalt het me niet', en een eerste druk van *Emma*, waarin stond: 'Dit kleine geschenk is voor lord Mortmain, met respect voor zijn geweldige kennis'. Maar aangezien de schrijfster tot haar dood anoniem was gebleven, was men het er in het algemeen over eens dat zij het toch niet was geweest.)

Misschien zag ze een bus die mensen naar Langford Regis bracht, de beroemde Romeinse villa in de nabije omgeving (met een paar van de mooiste mozaïeken van het Romeinse Brittannië; een nieuw stuk erfgoed dat een dagje uit voor de hele familie beloofde.) Misschien zelfs een filmploeg – die zag je tegenwoordig steeds vaker in Langford. Maar wat het ook was, Leonora Mortmain zou het, in wat voor vorm ook, al eens hebben gezien.

Want, zoals ze graag tegen haar huishoudster Jean zei, ze had de meeste dingen in de stad al gezien. En niets verbaasde haar nog.

Ze zag hen met vermoeide laatdunkendheid langslopen: de toeristen die voor een dagje uit Londen of Bath waren gelokt, zelfs op deze koude ochtend in januari, elkaar voorlezend uit hun gids. En daar was haar oude tegenstander Mick Hopkins, de uitbater van de Feathers. Hij zette een bord op de weg – wat stond erop? Leonora kon de heldere krijtletters niet lezen, en haar bril lag aan de andere kant van de kamer in het bureau. Ongetwijfeld iets irritants: iets over een spelletjesavond, wat inhield dat iedereen schandelijk dronken de straat op wankelde, luidruchtig scheldend, waardoor ze wakker zou worden uit een rusteloze slaap. Leonora Mortmain zuchtte en greep met haar lange vingers haar rok vast. Soms vroeg ze zich echt af waar het met de wereld naartoe ging. De stad die ze al haar leven lang kende veranderde. En het beviel haar niets.

In het stadhuis (dat in de jaren tachtig het stadskantoor werd genoemd, maar nu gelukkig weer de oude naam had gekregen) hing een foto. Leonora had er ook een reproductie van. Daarop stond de parochieraad van Langford afgebeeld op eerste paasdag 1904, voor St Mary's Church, achter de hoofdstraat. Mannen in kostuum, met hoge hoed en handschoenen, wandelstok, hun sepiakleurige gezichten ernstig en respectabel, hun echtgenote zedig aan de arm, uitdrukkingsloos en ingesnoerd in japonnen met ruches uit de tijd van koning Edward. Allemaal onberispelijk, respectvol. Het mededelingenbord van de kerk op de achtergrond was pas geschilderd. Zelfs het jongetje dat op de straat ervoor aan het spelen was, onzichtbaar voor degenen die op de foto stonden, was schoon en toonbaar! De vorige dag had Leonora vol verbazing en afschuw toegekeken toen een moeder – ze ging ervan uit dat het de moeder was – haar kind met één hand in een wandelwagen voortduwde. De vrouw was dik en bezweet, ze had een rood gezicht en hield een sigaret in de hand die de wagen voortduwde en in de andere een of ander broodje. Ze droeg een roze joggingbroek; het kind was smoezelig. En tijdens het lopen schreeuwde ze: 'Hou je kop, Tiffany!' toen het kind huilde. En later die dag, tegen de avond, liep een groep meisjes, tieners nog, rokend en drinkend uit blikjes naar de bushalte in spijkerbroek en gympen, en in topjes die meer dan genoeg van hun decolleté onthulden. Een van hen – niet ouder dan veertien, schatte Leonora – bleef staan en kuste tegen alle regels van fatsoen een jongen van haar leeftijd, wiens handen over haar lichaam gleden als – als olie in een pan. En onder haar kleren! Leonora had het achter haar raam allemaal gadegeslagen.

Gekkenwerk! Ongelooflijk! Dat het zover was gekomen met de stad, en Leonora kon er steeds minder tegen doen. *O tempora, o mores*, had haar vader altijd gezegd (hoewel hij het in vele opzichten niet eens was met Cicero). Tja, wat zou sir Charles Mortmain nu van zijn geliefde stad vinden, dacht ze huiverend. Ze kon het zich gewoonweg niet voorstellen. Leonora Mortmain schoof op haar stoel heen en weer en streelde onrustig de bel die altijd naast haar lag.

Haar vader was een man die een lange schaduw voor zich uit had geworpen: een gepassioneerd classicus, auteur van *De Romeinse samenleving* (Heinemann, 1933), waarin de deugden van het Romeinse keizerrijk uiteengezet werden – de organisatie, de regels, de meedogenloosheid – met weglating van de interessantere verdorvenheden: braakmiddelen, vergiftiging, slavernij. Toen Leonora klein was (velen twijfelden aan deze mogelijkheid, maar ze was echt klein geweest) was ze altijd bang voor hem geweest en had ze alles gedaan om zijn goedkeuring te krijgen. Hij was gestorven in 1952. Ze vroeg zich vaak af hoe hij nu over dit alles zou hebben gedacht.

Dat zijn eigen dochter zich vanwege successierechten genoodzaakt had gezien om Langford Hall, het gotische landgoed in victoriaanse stijl aan de rand van de stad, te verkopen, was iets wat haar na bijna veertig jaar nog tot nadenken stemde. Langford Hall heette nu Langford College, een particulier instituut waar in elk geval respectabele vakken werden gedoceerd als kunstgeschiedenis, Frans, de klassieken natuurlijk, enzovoort. Maar hoe respectabel ook, ze wist dat haar vader het niet gewaardeerd zou hebben.

Leonora Mortmain haalde diep adem. De gedachte aan haar vader bracht pijnlijke herinneringen bij haar boven. Ze voelde de laatste tijd dat ze ouder werd en tegenwoordig dacht ze constant aan het verleden. Steeds vaker. Ze had nog een laatste plan – een plan waarvan ze wist dat het goed was, maar dat soms zelfs haar aan het twijfelen bracht over waar ze mee bezig was...

Leonora leunde iets naar achteren toen haar blik door iemand werd getrokken. Een lange, donkerblonde jongen – nou ja, hij zou inmiddels wel een man zijn. Hij kwam uit de pub en begon een praatje met Mick Hopkins. Hij gaf de oudere man een gemoedelijk klap op zijn rug terwijl ze lachten, en zijn brede glimlach was aanstekelijk.

Leonora kende hen allebei. Mick Hopkins stond al meer dan veertig jaar in de Feathers. Ze zeiden dat hij een goede kastelein was – Leonora was nooit in de pub geweest, maar ze woonde er al veertig jaar tegenover. Ze nam aan dat hij niet aanstootgevend was, vergeleken met een paar mensen die ze regelmatig voorbij zag komen, maar ze was niet erg over hem te spreken. Hij was verantwoordelijk voor heel veel aanstootgevends dat zich voor haar raam afspeelde, en elke keer dat ze klaagde veegde hij haar bezwaren beleefd van de tafel, maar ze voelde dat hij haar niet serieus nam... Verschrikkelijk vond ze dat.

Haar blik gleed bijna gretig naar de man naast hem. Het was Adam Smith, de zoon van Philippa Smith. Leonora nam hem aandachtig op, in de wetenschap dat ze zat te loeren, maar voor deze ene keer liet ze haar nieuwsgierigheid de vrije loop.

Op zijn elfde had Adam op de basisschool van Langford op grond van zijn bijzondere prestaties de hoogste prijs gewonnen. Leonora had aangeboden zijn schoolgeld te betalen. Het was een goede investering. Hij was een bijzonder intelligente jongen, hij had een gedeeltelijke beurs gekregen als kostschoolleerling, en zijn moeder kon het niet betalen. Leonora was bijgesprongen, en genoot daarbij van het enigszins verbaasde goedkeurende gemompel als reactie op de mededeling dat zij zijn opleiding wilde bekostigen. Ze zei dat ze elk jaar de knapste leerling van de school zou blijven steunen, ter nagedachtenis aan haar vader.

Maar tot Leonora's grote ongenoegen was het met Adam misgelopen. Toen hij bijna achttien was, was zijn moeder plotseling overleden – ze was dood neergevallen op straat als gevolg van een aneurysma. Een verschrikkelijke schok voor iedereen, maar Adam was helemaal kapot geweest. Kort na zijn moeders dood was hij er niet in geslaagd om de benodigde resultaten te behalen voor Cambridge, en sindsdien had hij alleen maar slecht gepresteerd. Hij leek niets meer te doen met dat goede verstand van hem; in plaats daarvan hing hij rond op straat, kletsend en lachend als een idioot, helemaal niet als een heer. Ze had zoveel hoop op hem gevestigd, hem als haar kans gezien om van niets iets te maken, en het was mislukt... Leonora Mortmain knipperde met haar ogen toen ze besefte dat ze te ingespannen uit het raam zat te turen naar de jongeman.

Ze rinkelde heftig met de bel, terwijl ze verongelijkt haar hoofd schudde. Ze moest nu niet aan al die vervelende dingen denken.

'Mevrouw Mortmain?' Jean Forbes kwam haastig de kamer in. 'Alles goed, mevrouw Mortmain?' Dat 'mevrouw' was een beleefdheid – niemand wist precies waarom of wanneer dat was begonnen, maar niemand durfde haar nu nog 'juffrouw' te noemen.

'Met mij wel,' zei Leonora, terwijl ze zich beheerste. Ze keek uit het raam en probeerde kalm te worden. Haar oog viel op een meisje in spijkerbroek en lichtblauw topje, dat langzaam de straat door slenterde naar de plek waar Adam Smith met Mick van de Feathers stond. 'Zeg, wie is dat?'

De bewoners van Langford meenden dat Jean Forbes het zwaar te stellen had. Leonora Mortmain betaalde weinig en was een bijzonder moeilijke vrouw, die zo onaangenaam mogelijk leek te doen. Arme Jean, zei men. Die zure ouwe heks – stel je voor dat je bij haar moet wonen! Heb je gehoord dat ze Ron Thaxton over haar wandelstok heeft laten struikelen omdat hij haar in de weg liep? Toen Jan Allingham geld kwam inzamelen voor het kankerfonds, heeft ze tegen haar gezegd dat ze alleen in liefdadigheid achter gesloten deuren geloofde, en nergens anders. En zo gingen de klaagzangen maar door.

Jean wist wel wat de mensen zeiden – op sommige dagen kon ze het hun niet kwalijk nemen. Maar gelukkig voor Leonora had Jean een vriendelijk karakter en, nog belangrijker, veel geduld. 'U belde zo hard. Ik dacht dat u...' begon ze.

'Wat?' snauwde Leonora. 'Ik vroeg je wie dat...' Ze wees met een spitse rozegelakte vinger waar ze een zware gouden ring met granaat om droeg naar het raam, '... was.'

Jean keek alsof ze op het punt stond iets te zeggen, maar ze bedacht zich en leunde uit het raam. Het meisje en Adam hadden elkaar herkend en omhelsden elkaar, terwijl ze hartelijk lachten. Hij klopte haar op haar rug en tilde haar van de grond toen Mick naar binnen ging en hen gezellig kletsend achterliet. Jean tuurde door haar wimpers.

'O, gut,' zei ze na een ogenblik. 'Is dat niet de dochter van Frank en Emily?'

'En wie mogen dat wel zijn?' vroeg Leonora Mortmain.

'Tess,' zei Jean. 'Ik weet zeker dat het Tess Tennant is. Ach! Dat lieve meisje. De dochter van de dokter. Dokter Tennant! Hij is bij u geweest toen u zo'n last van uw voet had. U waardeerde het nog zo, weet u nog, toen ze klassieke talen ging studeren. Zij en Adam waren goed bevriend. Het lijkt erop dat ze hem een poosje niet heeft gezien.' Ze sloeg haar handen ineen. 'Natuurlijk! Carolyn Tey heeft me verteld dat ze over een paar weken op Langford College komt. Ze gaat daar lesgeven in de Klassieke Oudheid.'

'O ja?'

Jean knipperde met haar ogen. 'Ja, zeker. Herinnert u zich Derek hoe-heet-hij nog, die voor kerst weg moest omdat hij gordelroos kreeg? Sinds die tijd zijn ze heel hard op zoek naar een vervanger.' Ze keek haar werkgeefster aan, besefte dat ze stond te kakelen en slaakte een zucht. 'Carolyn heeft zich ingeschreven voor een cursus, mevrouw Mortmain! Ze gaan in mei op excursie naar Rome!' Jean zuchtte. 'Ooo, wat zou ik graag naar Rome gaan.'

Rome. Rome in mei... In de plannen die Leonora had gekoesterd toen ze jong was, had Rome een grote rol gespeeld. En het zou betekenen dat ze weer in het huis zou komen, nu als cursist, niet als het jonge meisje dat daar gewoond had. Nog één keer, voor ze doodging. Leonora deed alsof ze Jean niet hoorde en boog zich weer naar het raam, waar ze Tess iets aan Adam duidelijk zag maken. Hij stond aandachtig te luisteren, met zijn handen onder zijn oksels. Tess ging met haar handen door haar zwarte haar, zodat het van achteren een beetje rechtop bleef staan. Rome. Rome...

'Hm,' zei Leonora. 'Nee, ik herinner me haar niet.' Ze fronste haar voorhoofd, alsof ze haar geheugen aftastte.

'Jawel, mevrouw Mortmain,' zei Jean. 'Ze speelde vroeger altijd met Adam – Adam Smith. Ze waren de beste maatjes vroeger. Leuk om haar weer te zien,' zei ze peinzend. 'Leuk om een jong gezicht in de stad terug te zien, toch?'

'Ja-ja,' zei Leonora langzaam, zonder echt te luisteren. Haar blik was van het meisje naar de poster gegleden die ze nu stond te lezen die op het oude, zwart geworden hout van de poort was geplakt. 'Jean, wat staat er op die poster?' vroeg ze.

'"Geen supermarkten buiten de stad!!!",' las Jean langzaam. "Weg met de Mortmains! Red Langford!" O,' zei ze toen ze besefte wat ze had gezegd. 'O, mevrouw Mortmain, daarmee bedoelen ze vast niet...'

Leonora kwam overeind, zwaar steunend op de vensterbank. Ze trilde. Ze tuurde om de poster beter te kunnen zien:

Geen supermarkten buiten de stad!!!
Weg met de Mortmains!
Red Langford!
Red de uiterwaarden!!!

Wilt u ook dat Leonora Mortmain onze stad niet langer verpest met haar plannen voor 2 megasupermarkten, een interieurzaak en 4 outlets op de historische uiterwaarden van Langford, die haar rijk maken en waar de stad en onze prachtige uiterwaarden aan ten gronde gaan, kom dan op 15 maart voor een bijeenkomst naar de Feathers. Bel Andrea Marsh, Ronald Thaxton of Jon Suggs voor meer informatie. Laat het niet gebeuren!

'Hemeltje,' zei Jean, toen haar werkgeefster zich weer snel ademend in de zijden fauteuil liet zakken. 'Ik wilde niet dat u het zag...'

'Doe niet zo stom,' snauwde Leonora. Ze dacht razendsnel na, bijna even snel als haar hart klopte. 'Het moest vroeg of laat een keer gebeuren. En hoe eerder ze beseffen dat het ons land is en dat we ermee kunnen doen wat wij willen, hoe beter. De plannen zijn in principe al goedgekeurd.' Ze keek om zich heen naar haar prachtige zitkamer en daarna weer naar de straat, naar de poster, toen Tess en Adam, nog steeds pratend, wegliepen. Adam keek naar de overkant, naar het huis. Leonora kroop weg achter de gordijnen. Ze wilde niet dat hij haar zag.

'Zo,' zei ze, 'dus het is begonnen.' Ze zweeg even. 'Nou, iedereen moet begrijpen dat dit het beste is.'

Jean Forbes zei niets toen Leonora Mortmain zich weer naar het raam toe draaide en naar buiten bleef turen.

2

'Wanneer is je trein aangekomen?'

'Ongeveer een uur geleden. Ik heb mijn spullen gedumpt in de pub, en jij bent de eerste die ik tegenkom.'

'Logeer je daar?'

'Ik moet snel ergens iets huren. Het is duur in de Feathers – wat is er?'

'Ik kan niet geloven dat je terug bent,' zei Adam, en hij lachte zijn beste vriendin toe toen ze door de hoofdstraat liepen. Hij wilde zijn arm om haar heen slaan.

'Au!'

'O, sorry,' zei hij, en hij wreef haar schouder op de plek waar hij haar had gestompt.

'Geeft niet.' Tess ging sneller lopen; ze was klein en hij was lang en ze herinnerde zich dat ze samen altijd uit de pas hadden gelopen. Er viel een lastige stilte.

'Je bent het echt! Jemig.' Adam schudde zijn hoofd terwijl hij haar aankeek. 'Het is zo lang geleden, Tess. Ik kan me niet eens herinneren wanneer ik je voor het laatst heb gezien.'

Ze keek naar hem op. 'Ik weet het.' Ze keek hem onderzoekend aan. 'Je haar is donkerder geworden,' zei ze ten slotte.

Hij trok eraan. 'O. Nee toch?'

'Je was altijd blond,' zei ze. 'Vooral in de zomer.'

'Al jaren niet meer,' zei hij. 'Dat was toen ik klein was.'

'Weet je nog dat Philippa je altijd de Milkyway-jongen noemde, en dat je daar zo kwaad om werd?' Ze glimlachte, maar er gleed een gepijnigde blik over Adams gezicht bij het horen van Philippa's naam. Ze had meteen spijt. Kon hij na al die tijd nog steeds niet over zijn moeder praten?

'Ik was het vergeten,' zei hij, hoewel ze wist dat dat een leugen was – hij wist alles nog. 'Je hebt me gewoon een hele tijd niet gezien, dat is alles. Je bent een harteloos wezen.'

Tess schudde nadrukkelijk haar hoofd, opgelucht dat het gesprek weer zijn gewone loop kreeg. 'Jij komt nooit naar Londen, dat is het probleem.'

'Zeg...' Hij trok een grimas. 'Jij bent nooit naar huis gekomen, dát is het probleem.'

'Onzin,' zei Tess. Ze vermeed zijn blik en probeerde niet verdedigend over te komen door haar toon luchtig te houden. 'Maar goed, pap en mam wonen hier niet meer, dus waarom zou ik?'

'Typisch,' zei Adam. 'Ik ben al die jaren als een broer voor je geweest, en het kan jou gewoon niet schelen.'

'Een broer?' Tess lachte en onwillekeurig sloeg ze haar blik ten hemel. 'Juist ja.'

Adam leek haar niet te horen. Hij keek op zijn horloge. 'En, hoe is het met Stephanie?'

'Heel goed. Zij en Mike zijn onlangs naar Cheltenham verhuisd, maar dat wist je al.'

'Zeker,' zei Adam, en hij bleef staan om een oud dametje dat een groene tas tegen zich aan geklemd hield in de drukke straat te laten passeren. 'Ze heeft me een kerstkaart gestuurd. Goedemorgen, mevrouw Store! Hoe gaat het met u?'

'Goedemorgen, Adam, jongen,' klonk het opgewekt. 'Heel goed, dank je. Ik heb lekkere rabarber, als je soms trek hebt? Zei je niet dat jullie later langs zouden komen?'

'Ja, graag, dat lijkt me fijn,' zei Adam lachend, en ze liepen door. Tess grinnikte.

'Wat is er zo grappig?' vroeg Adam. 'Ze is een heel vriendelijke dame.'

'Oké, oké,' zei Tess. 'Waar gaan we later naartoe?'

'Ik zal het zo uitleggen,' zei Adam. 'Ik hoop dat je het leuk vindt.'

Tess trok haar paardenstaart los en wreef over haar hoofdhuid toen haar haar los op haar schouders viel. Ze keek weer fronsend om zich heen. 'Nou, ik ben terug.'

Ze moest zich voorhouden dat de baan op Langford College haar vlak voor kerst – gedumpt, werkloos en ongelukkig – letterlijk een wonder had geleken. Niet alleen was het een baan, wat in deze tijd al een zeldzaamheid op zich was, vooral voor iemand als zij, een classicus, die niet overal aan de slag kwam. Het was ook een oplossing, een nieuw begin, een manier om de ellende achter zich te laten en opnieuw te beginnen. Maar nu ze hier was... Het was anderhalf jaar geleden dat ze hier was geweest; langer nog, besefte ze nu, sinds ze poolshoogte was komen nemen in Langford, wat haar nieuwe omgeving zou worden. Als iemand die zijn nieuwe huis door loopt en zich afvraagt of hij niet een verschrikkelijke vergissing heeft begaan, bekeek ze nu deze stad met een nieuwe – en tamelijk mismoedige – blik.

Neem nou de hoofdstraat. Het was alsof ze door een miniatuurstadje liep. De winkels leken gekrompen; de kerk van St Mary achteraan was piepklein. Zelfs de poort naar een van de middeleeuwse wandelpaden die om de stad heen liepen leek haar minuscuul, alsof een kind eroverheen kon klimmen. Vergeleken bij Londen, bij haar oude straat in Balham, die drie keer zo lang was als de hoofdstraat hier, stelde het niets voor. Ze was vergeten dat alles in Londen, toen ze er voor het eerst kwam, enorm leek, zelfs toen ze de stad al kende. Dat ze eeuwenlang rond het Bloomsbury moest dolen om te wennen aan de afmetingen van de pleinen, de enorme klassieke zuilen van de universiteitsgebouwen, de hoogte van de huizen, zelfs de grootte van de theaters. Een vriendje van de universiteit nam haar mee naar het ballet en Covent Garden leek haar net zo groot als een voetbalveld.

En de winkels! Hier had je alleen antiekwinkels of cadeauwinkels of tearooms, of een waardeloze buurtsuper waar ze alleen bevroren pannenkoeken en kant-en-klare yorkshirepuddings verkochten. Ze tuurde in de etalage van een delicatessenwinkel, Jen's Deli, en constateerde opgelucht dat er in elk geval één winkel was waar ze Parmezaanse kaas en prosciutto verkochten. Zelfs in Balham was een winkel waar ze exclusief Frans brood verkochten.

'Een stuiver voor je gedachten,' zei Adam achter haar.

'Wat?' zei Tess, even van haar stuk gebracht. Ze keek op en zag hem weerspiegeld in de etalageruit waarin hij naar haar stond te kijken. Ze streek haar haar uit haar gezicht. *Ik bedacht alleen hoe blij ik ben dat hier tenminste één min of meer fatsoenlijke winkel is die verse Parmezaanse kaas verkoopt.* Ze was verschrikkelijk. 'O, nee, niets!' riep ze vrolijk. 'Eh – vertel eens. Hoe gaat het? Hoe gaat het met – alles?'

Een tijdlang had Tess niet geweten hoe ze Adam het best kon benaderen over zijn plannen, maar ze wist dat hij niet omzichtig behandeld wilde worden. Na Philippa's dood pakten de mensen hem met fluwelen handschoenen aan als ze wilden weten wat zijn plannen waren. 'Je... je gaat niet naar Cambridge? O! Wat ga je dan doen? In de pub werken? Klinkt goed, Adam. Dan sta je in elk geval achter de bar, in plaats van ervoor! Ha, ha!'

'O, dus je werkt nu ook in het museum? Nou, er is geen beter museum dan dat van Jane Austen! Als je dat gaat doen... En, hoe lang denk je dat je – o, dat weet je natuurlijk niet, dat snap ik helemaal!'

Tegen Frank, de vader van Tess, die Adam een paar maanden na zijn moeders dood op de man af had gevraagd waarom hij niet naar Cambridge ging, of waarom hij het niet een jaar uitstelde, had Adam simpelweg gezegd: 'Alles is nu anders, vrees ik. Ik ga niet.'

'Ik denk dat Philippa zou hebben gewild dat je ging,' had Tess' vader gezegd. Tess had er met kromme tenen bij gestaan.

Adam had op vlakke toon gezegd: 'Ik weet dat ze zou hebben begrepen waarom ik niet ga. Ik heb mijn redenen. Ze zou het begrijpen, geloof mij maar. Evengoed bedankt.'

'Waarvoor?' had dokter Tennant verwonderd gevraagd.

'Omdat je het me recht op de man af vraagt.' Adam had het op zo'n beleefde manier gezegd dat Tess bijna wanhopig naar hem had gekeken, en daarna naar haar moeder, die met haar hand naar haar hart ging, alsof ze daar pijn had. Het was hartverscheurend om te zien hoe deze jongen, helemaal alleen op de wereld, op het punt stond om de grootste kans in zijn leven te vergooien. Maar wat konden ze doen? Ze konden hem moeilijk vastbinden en achter in de auto zetten, oostwaarts rijden en hem voor de universiteit neerzetten. En er was niemand anders met wie ze konden praten. Het enige wat Adam – of Frank of Emily – over Adams vader, de Ierse professor, wist, was dat hij vele jaren geleden naar Amerika was gegaan, en er waren geen details over hem bekend; Adam wist zelfs zijn achternaam niet.

Hij was nog maar net achttien, en hij was alleen op de wereld. Er was niet echt iets wat de Tennants nu voor hem konden doen, behalve een oogje in het zeil houden en hem zoveel mogelijk steunen: deze populaire jongen die zijn adolescente jaren doorbracht in het kleine huisje waar hij met Philippa was grootgebracht, die nooit ook maar één van haar bezittingen weggooide en afwisselend naar zijn werk achter de bar in de Feathers ging en naar het Jane Austen-museum, waar hij tweeënhalve dag per week receptionist was. Hij sprak nooit over zijn moeder, of hoe het had kunnen zijn. Met geen woord.

Nu Tess naar Adam keek, wist ze dat ze nooit een antwoord van hem zou krijgen.

Hij zei: 'Alles gaat nog net zoals altijd.'

'Nog steeds bij de Feathers? Ik kende de barman niet die ik zag toen ik er mijn spullen neerzette.'

'O ja,' zei Adam. 'Suggs werkt er een paar avonden in de week.'

Suggs was Adams beste vriend en huisgenoot.

'Hoe gaat het in het Jane Austen-museum?'

'Z'n gangetje,' zei Adam. 'Druk. Vermoeiend.'

'Echt?'

'Ja, je kent het wel. We zullen binnenkort Hare Heilige Handschoen anders moeten neerleggen, en sommige mensen hebben het over het verplaatsen van de meubelen in de Schrijfkamer. Poeh.' Hij zag haar gezicht. 'Ik maak een geintje, malle.' Hij gaf haar een duwtje. 'Het is er een dooie boel, dooier dan een dodo. Vooral in deze tijd van het jaar. Er komen toeristen, maar niet meer dan tien per dag. Zelfs ik kan nog wel tien kaartjes afscheuren.'

Tess voelde zich in verlegenheid gebracht en probeerde dat te verbergen. 'Juist, ja. Nou, het klinkt alsof je jezelf bezig weet te houden!' Hij keek haar bevreemd aan. 'Eh, zullen we even binnen kijken?' vroeg ze bijna onstuimig en ze duwde de deur van de delicatessenwinkel al open voordat Adam haar kon tegenhouden.

'Nee, eh... Tess...' riep hij haar na toen ze naar binnen ging, maar ze negeerde hem.

'Hallo,' zei een vriendelijk ogend meisje achter de toonbank terwijl ze haar handen aan een handdoek afveegde. 'Kan ik je helpen?'

Ze schonk haar een veel te hartelijke glimlach, die Tess, die nog geen twee uur geleden met de trein uit Londen was aangekomen, onmiddellijk wantrouwig maakte. 'Ik kijk alleen even rond, dank je,' antwoordde Tess afwijzend, en ze richtte haar aandacht op de schappen.

'Ze hebben hier goede spullen,' zei Adam zachtjes. Hij draaide zich om, zodat ze allebei naar de schappen keken. 'Lekkere pasta, en de groente is vers. Die halen ze bij George Farm, dat is goed geregeld.'

'Ik ben dol op koken,' zei Tess. Ze zuchtte vergenoegd.

'Hoe lang logeer je in de pub?' vroeg Adam.

'Tot ik iets anders heb gevonden,' zei Tess.

'Je had bij mij moeten komen,' zei Adam. 'Het is belachelijk dat je moet betalen om daar te logeren.'

'Ik heb niet...' begon Tess, en ze zweeg abrupt. 'Dat is ontzettend lief van je.' Geroerd en dankbaar dat hij er was tikte ze hem op zijn arm, en schudde toen haar hoofd.

'Het is al goed,' zei Adam nog steeds zachtjes.

'Waarom praat je zo zacht?' vroeg Tess. Ze draaide zich om naar de toonbank. 'Misschien kan ik wat...'

'Adam?' zei het vriendelijke meisje gretig, en haar gezicht klaarde op. 'Ik dacht al dat jij het was. Hallo!'

'Hallo Liz,' zei Adam onaangedaan. 'Hoe gaat het.'

Hij zei dit niet op vragende toon, maar omdat hij iets moest zeggen. Tess keek toe terwijl het haar begon te dagen.

Liz veegde haar handen weer af aan de doek en straalde van genoegen. 'Wat leuk om je te zien! Ik vroeg me al af waar je was.'

'O – ja.' Adam deed een stap naar achteren, en Tess glimlachte spottend, met haar blik neergeslagen. Net als vroeger; er was niets veranderd. Ze wist wat er hierna kwam.

En ja hoor. 'Dit is Tess,' zei Adam, en hij sloeg zijn arm om Tess en drukte haar even tegen zich aan. Hij kuste haar kruin. 'Tess, dit is Liz. Zij komt ook uit Londen.'

'Eigenlijk uit Nantwich,' zei Liz. 'Maar ik woon nu hier. Vanaf vorig jaar.' Ze stak dapper haar hand uit, met een iets te enthousiaste glimlach. 'Leuk om je te leren kennen, Tess!'

'Ja,' zei Tess terwijl ze haar een hand gaf. 'Aangenaam.' Ze schraapte haar keel. 'Ik ben net teruggekomen, en het is heerlijk om mensen als Adam terug te zien,' zei ze houterig. 'Hij is namelijk mijn beste vriend. En hij is als een broer voor me.'

'Oké!' Liz probeerde zonder veel succes haar opluchting te verbergen en staarde Tess met een blik vol adoratie aan. Adam keek intussen boos en met iets van afkeer in zijn blik naar zijn beste vriendin.

'Dus...' vervolgde Tess, die de smaak te pakken had. 'Leuk om je te ontmoeten. Zijn jullie...'

'Dat was niet eerlijk,' zei Adam even later, toen hij Tess mee de winkel uit troonde nadat hij uit schuldgevoel een overdaad aan veel te dure delicatessen had gekocht en Liz met een stralende glimlach had achtergelaten.

'Het was niet eerlijk van jou om me weer dat oude spelletje mee te laten spelen,' zei Tess kordaat. 'En ook niet tegenover dat aardige meisje. Ík ken jou door en door, Adam. Maar die arme Liz weet dat allemaal niet.'

'Wat moet ze dan weten?' zei Adam geërgerd.

'Dat je hoofdzakelijk bij de Feathers werkt om het met meisjes aan te leggen,' zei Tess. 'En dat je in de toeristengids zou moeten staan als beroemd monument.'

'Ik ben maar een paar keer met haar naar bed geweest,' zei Adam zonder hier verder op in te gaan.

Tess gaf hem een tik op zijn arm. '"Ik ben maar een paar keer met haar naar bed geweest,"' bauwde ze hem boos na. 'Bah, mannen. Jullie denken dat dat niets te betekenen heeft! Jullie snappen er niets van. Ze is gek op je! Ze heeft zitten wachten tot je haar belt!'

'Nou...' zei Adam. 'Ik durf te wedden dat dat niet zo is. Ik bedoel, ik vind haar leuk, maar...'

'O, ik weet het al, je wilt de moeite niet nemen om met haar te praten nadat je een wip met haar hebt gemaakt,' zei Tess. Het kwam er snibbiger uit dan ze bedoelde.

'Het is moeite dóén, niet nemen,' zei Adam lachend. 'Noem jij jezelf een classicus?'

'Dit is niet grappig,' zei Tess. Ze liepen over de weg naar de pub, en na een paar minuten barstte ze uit: 'Bah, soms heb ik echt de pest aan mannen.'

Adam keek haar even zijdelings aan en zei toen: 'En eh, heb je nog iets gehoord van Will?' Hij tikte op haar arm. 'Je moet me niet meer slaan. Ik meen het. Het spijt me van jullie twee. Ik dacht dat het allemaal goed ging.'

'Dat dacht ik ook,' zei Tess. 'En ik had het kennelijk mis.'

'Weet je ook waarom...' Adam maakte zijn zin niet af.

'Ja. Hij heeft een ander,' zei Tess. Adam knikte. 'Iemand die Ticky heet.'

'Ik weet niet wat dat betekent.'

Tess keek op naar de zware witte januarihemel. 'Nee, ik ook niet. Alleen dat ik de pest aan haar heb.'

'Zie je nou wel, echt een meisje,' zei Adam. 'Je zou de pest moeten hebben aan hém, hij is degene die je heeft bedrogen.'

'Je klinkt als Mae West,' zei Tess en ze probeerde niet al te ongelukkig over te komen.

'Ik meen het. Ik heb nooit gedacht dat hij...' Zijn stem stierf weg. Tess knikte en gebaarde met haar hand 'ik weet het, ik weet het'. Adam had Will een paar keer ontmoet en ze had uiteindelijk geaccepteerd – maakte ze zichzelf althans wijs – dat er een paar mensen bestonden met wie Will nooit door één deur zou kunnen. Adam was er een van. Hij was te goedlachs, hij plaagde Tess graag; ze kenden elkaar misschien wel te goed, zodat Will zich bij hen altijd te veel zou voelen.

Will was niet zo goedlachs geweest. Dat was zelfs een van de dingen die Tess aanvankelijk prettig had gevonden. Zij was een arm leraresje geweest dat haar jaren als twintiger verbeuzelde in pubs in Zuid-Londen, waar ze in iets te korte rokjes pernod and whisky dronk, de enige manier waarop ze zich kon beroepen op haar culturele superioriteit als classica (hoewel het niet bepaald van het hoogste academische niveau getuigde om verveelde veertienjarigen te vermaken met een bloederige beschrijving van de wrede moord door keizer Nero op zijn moeder Agrippina als een manier om hen over de val van het Romeinse Rijk te vertellen). Hun vriend Henry, die Tess kende van de universiteit en Will van school, had hen aan elkaar voorgesteld op een verjaardagsfeestje. Het was een warme zomerdag en Tess droeg een hemdjurkje waarin haar vrouwelijke vormen goed uitkwamen; haar ogen straalden, haar volle, donkere haar glansde en ze was met een bruin kleurtje teruggekomen van een vakantie in Griekenland met Fiona, ook een vriendin van de universiteit.

Will was onder de indruk geraakt van dit pientere, knappe meisje en aangezien lengte bij hem gevoelig lag – omdat hij met schoenen aan maar 1.68 was – genoot hij vooral van de manier waarop ze met haar gebruinde gezicht naar hem opkeek toen ze met een lach in haar blauwgrijze ogen over haar vakantie vertelde. Hij had nauwelijks geluisterd naar wat ze zei, en dus hoorde hij niet dat het een all-inclusive vakantie was geweest, en ook op zijn vraag 'Ben je ook in Mycene geweest?' hoorde hij het antwoord niet.

'Nou, we zijn naar een karaokebar geweest die Mycene Mike heette.' Hij glimlachte slechts terwijl ze doorbabbelde, en vroeg zich af hoe gemakkelijk het jurkje dat net genoeg van haar borsten te zien gaf uit te trekken zou zijn.

Na hun derde afspraakje gebeurde dat; tegen die tijd was Tess, die in het begin niet zo zeker van hem was geweest aangezien hij in veel opzichten anders was dan zij, gevallen voor zijn vleierige opmerkingen, en tegen de kerst was ze stapelverliefd op hem. Het eerste jaar was alles fantastisch. Het beviel Will wel dat ze een beetje anders was dan de vriendinnetjes (lang, dun, blond, chic) die hij tot dan toe had gehad, en het beviel Tess op haar beurt dat hij een beetje anders was dan haar vriendjes (jong en onstuimig) tot dan toe. De verschillen tussen hen waren in haar ogen kenmerkend: ze waren niet elkaars gebruikelijke type, hield ze zichzelf voor en iedereen die het wilde horen, onder wie Adam. Daarom ging het zo goed tussen hen – om maar één ding te noemen.

'Ik heb me afgevraagd of ik het niet had kunnen zien aankomen,' zei Tess. Ze liepen naar de rand van de bebouwde kom, langs de eeuwenoude muren. Het was midden op de dag, maar de lucht trok dicht, alsof het al bijna avond was.

'En wat waren je conclusies?' vroeg Adam.

Ze keek hem zijdelings aan en streek haar haar uit haar gezicht terwijl ze over de winderige straat verder liepen. Hier, aan de rand van de stad, was de wind vaak het hardst en blies hij als een derwisj over de wandelpaden. Tess wilde dat ze hem de waarheid kon vertellen. Maar juist met hem wilde ze er niet over praten. Ze stokte even alsof ze een onbekende taal sprak, in een poging de juiste woorden te vinden.

'Hij...' Ze haalde haar schouders op. 'Hij zag het gewoon niet meer zitten, denk ik. Ik was niet de juiste voor hem.'

'Nou, hij was anders ook niet de juiste voor jou,' zei Adam, maar Tess was nog niet zover dat ze dat kon horen, ze dacht nog steeds aan de Will die opstond als ze de kamer binnenkwam, die altijd op tijd was, die haar regelmatig bloemen stuurde op haar werk, die op een geamuseerde, tamelijk hopeloze manier de baas over haar speelde, waardoor ze zich een ondeugend schoolmeisje voelde in plaats van de matroneachtige lerares die ze vreesde te worden.

'Dat was hij niet,' zei ze langzaam. 'Maar... ik dacht van wel.'

'Maar je had wel een Struikelblok, toch?' vroeg Adam.

'Een wat?'

'Kom op!' zei Adam lachend. 'Je weet toch nog wel wat een Struikelblok betekent?'

'Jemig, gebruik je dat woord nog steeds?'

Het Struikelblok was het punt waarop Adam afknapte, het moment wanneer je volgens hem aan iets kleins wist dat iemand niet je ideale partner was – en hij stond erop dat Tess dit ook op mannen toepaste. Het was zijn excuus om kieskeurig te zijn, dacht ze altijd. Dit had het einde betekend voor Cathy (smakte tijdens het eten), voor Laura (lelijke tenen), voor Alison (had nog nooit van Pol Pot gehoord) en voor Belinda (had naar verluidt haar op haar borst). Tess schudde verwonderd haar hoofd. Twaalf jaar geleden was ze afgestudeerd, negen jaar geleden was ze definitief naar Londen verhuisd, en Adam werkte nog steeds voor dezelfde baas en gebruikte dezelfde terminologie, nog steeds hetzelfde oude liedje. Maar wie was zij om erover te oordelen? Zij was hier per slot van rekening teruggekomen, en ze wist totaal niet meer wie zij was. Hij scheen dat in elk geval nog te weten.

'Natuurlijk,' zei hij. 'Het functioneert goed, moet ik je zeggen. Er is altijd een Struikelblok. De fatale onvolkomenheid. In elke relatie, tenzij je de Ware tegenkomt.'

'Er is altijd een fatale onvolkomenheid, als je maar goed genoeg zoekt, Adam,' zei Tess scherp. 'En, waarop knapte je af bij Liz?'

'Dat vertel ik niet,' zei Adam. 'Maar het is nogal wat.'

Ze keek hem nieuwsgierig aan. 'Toe, vertel.'

'Nee,' zei Adam, en ze wist dat hij het meende. 'Wat was het Struikelblok met Will? Kom op, er moet er een zijn geweest.'

'Dat was er niet...' Ze schudde haar hoofd.

'Jemig, Tess,' zei Adam. 'Wil je me nu echt vertellen dat dat er niet was? Ik weet dat het wel zo was.'

Langzaam zei ze: 'Oké, er was eigenlijk wel iets.'

'Nou?'

Tess keek hem lachend aan, met pretlichtjes in haar ogen. 'Dat ga ik ook niet vertellen.' Hij glimlachte. 'Niet omdat jij het niet doet, echt niet. Alleen omdat... Het is...' Ze schudde weer haar hoofd. 'Te gênant. Als je me dronken voert zal ik het je vertellen.'

'Beloofd,' zei Adam. 'En,' ging hij op een ander onderwerp over, 'wat moet je nu als eerste doen?'

'Een plek vinden om te wonen,' zei Tess. 'Geen idee waar ik moet beginnen. Waarschijnlijk zal ik een woning met iemand moeten delen.'

'Wanneer begin je?'

'Over vier weken. Maar mijn huurcontract liep af, en ik wilde gewoon weg uit Londen.' Tess liep snel om hem bij te kunnen houden. 'Bovendien wilden ze me hier vroeg hebben om me te kunnen voorbereiden op de zomercursus.'

'Wanneer liep je betrekking ten einde?'

'Vorige week,' zei Tess. 'Ze laten mijn lessen overnemen door meneer Collin – hij is hoofd van de vakgroep Klassieke Talen.'

'Twee mensen die Latijn en Grieks doceren op een middelbare school in Zuid-Londen,' zei Adam. 'Wauw.'

'Zeg dat wel, daarom moest ik als eerste afvloeien,' zei Tess met een klein stemmetje.

'Ik vind het rot voor je,' zei Adam, en hij sloeg weer een arm om haar heen. 'Nu ben je terug. En je hebt ook tijd zat om je te installeren.'

'Precies. Ik bedacht dat ik dan maar vroeg hierheen moest gaan om rond te kijken naar een woning voordat ik aan het instituut begin.' Ze schudde haar hoofd. 'Vreemd eigenlijk. Heel chic, de overstap van Fair View naar dit instituut.'

Ze waren bij de grens van de stad aangekomen en stonden op het laatste pad dat uitkeek over de middeleeuwse stadswallen. Het was nog steeds vreemd donker. Tess tuurde over het dal naar de heuvels aan de andere kant en de wolken die zich erboven samenpakten. 'Hé,' zei ze rustig. 'De uiterwaarden.'

'Ja,' zei Adam. 'Wist je dat ze...' begon hij, maar hij zweeg abrupt en stak zijn hand uit. 'Het regent.'

'Wat wilde je zeggen?'

'Niet belangrijk.' Hij tikte op haar arm. 'Tess – fantastisch dat je weer thuis bent.'

'Ik moet eerst ergens wonen,' zei ze, niet erg op haar gemak. 'Dan zal ik me pas thuis voelen.'

'Mooi,' zei Adam, en hij klapte in zijn handen. 'Dan gaan we nu naar mevrouw Store.'

'Wie? O, die oude dame met die tas – waarom gaan we naar haar toe?'

'Omdat,' zei Adam met een zelfgenoegzame blik, 'haar buurvrouw pas is vertrokken en haar huisje te huur staat, bij de kerk, wat jou waarschijnlijk wel zal bevallen.'

Ze keek hem aan. 'Adam, dat is... Wauw!'

'Ik heb het je gezegd,' zei hij. 'Ik weet alles van dit stomme stadje. Ik ben een echte regelneef.' Ze lachte. 'En ik wil dat mijn beste vriendinnetje gelukkig wordt nu ze terug is. Zullen we gaan?'

'Heeft het zo'n soort naam als Ye Olde Cottage?'

'Het heet Easter Cottage,' zei Adam lachend. 'En het staat in Lord's Lane.'

'Natuurlijk,' zei Tess. 'Je bent geweldig.'

'Kom mee,' zei hij, en ze liepen weg van de uiterwaarden.

'O.' Ze bleef staan en omhelsde hem, en haar stem klonk gesmoord tegen zijn jasje. 'O, Adam. Ik heb je gemist, man. Het spijt me dat het zo lang geleden is.'

''t Is al goed,' zei hij, haar stevig omhelzend. 'Ik heb jou ook gemist, Tess. Maar nu ben je terug. Terug waar je hoort. En dat is fantastisch.'

3

Een paar weken later zat Tess op de bank in de zitkamer van Easter Cottage met haar schoenen tegen de versleten zijden bloemetjesstof te schoppen. Haar voeten sloegen een gestaag, echoënd ritme in de stille kamer, terwijl ze in gedachten uit het raam staarde. Het was laat in de middag. Vanuit de richting van de hoofdstraat bereikten haar de geluiden uit de stad – elk geluid ademde de sfeer van de wereld waarin ze nu was, elk geluid benadrukte de wereld die ze had achtergelaten nog eens extra. Het geluid van vrienden die elkaar tegenkwamen tijdens een wandeling. Het rinkelen van de winkelbel in de cadeauwinkel. Een hond die blafte. Het werd nu snel avond, weer een avond alleen in deze ongewoon stille cottage. Ze woonde in een cóttage, nota bene. Ze huiverde. Tess was niet op haar gemak. Ongelukkig zelfs.

Ze herinnerde zich, zoals ze al vaker had gedaan, het gesprek dat ze met haar moeder had gevoerd op de avond voordat ze naar Langford was teruggekeerd.

'Ik weet zeker dat je het daar weer fijn zult vinden,' had Emily Tennant tegen haar dochter gezegd. 'Pas alleen op dat je geen theetante wordt.'

'Een theetante?' had Tess geamuseerd gereageerd. Drie jaar geleden, in de week na Stephanies trouwdag, had haar vader zijn praktijk verkocht en waren hij en haar moeder aan de kust gaan wonen. Tess had ze voor gek verklaard dat ze weggingen. Dat deed ze nog steeds, vooral nu ze zelf weer op het punt stond terug te keren. 'Ik begrijp nog steeds niet waarom jullie er weggegaan zijn. Ik bedoel, het nieuwe huis is prachtig, maar... Langford is Langford! Het is er zo mooi.'

'Natuurlijk,' zei haar moeder op geruststellende toon. 'Maar we wilden een bungalow. Een huis dat gemakkelijk te onderhouden is. We wilden frisse lucht, vlak aan zee. Rustig met de honden naar buiten kunnen, dubbel glas en een satellietschotel als we die willen.' Ze zuchtte. 'Ik was het gewoon zat om me een toerist in mijn eigen stad te voelen. Langford zit vol mensen met een tweede huis, en dagjestoeristen, en tearooms. Ze willen aan de tafel zitten waar Jane Austen ooit zat, dat soort dingen. Geloof mij, ik weet het,' had ze er raadselachtig aan toegevoegd. 'Het is er beeldschoon, Tess, maar... laat je niet door al dat gepraat over erfgoed meeslepen. Je bent nog jong.'

'Hè mam, rustig maar!' had Tess een beetje verontwaardigd gezegd. Had ze de week daarvoor niet nog op een bar in Vauxhall staan dansen, en drie tequila's achter elkaar gedronken voordat ze met de barman had gezoend? 'Ik ben dertig. Ik ben in de bloei van mijn leven. Ik ben geen oude tut.'

Die middag had Tess in het schattige winkeltje naast het toeristencentrum, helemaal aan het eind van de hoofdstraat, een theedoek gekocht met de plattegrond van Langford erop. Hij was echt leuk en ze kon wel wat theedoeken gebruiken. Easter Cottage was schattig, maar er stond vrijwel niets in. Maar toen ze er zes pond voor moest neertellen, begon ze in te zien wat haar moeder bedoelde. Ze was bijna platzak en ze had geluk dat ze deze baan had gekregen.

De zomercursus zou binnenkort beginnen; Pasen viel dit jaar vroeg. Het leek onvoorstelbaar dat het pas drie maanden geleden was dat ze met Meena in Balham woonde, diep in de put nadat ze was gedumpt door Will en ontslagen (nou ja, er was haar heel vriendelijk gezegd dat haar baan opging in die van een ander). En als klap op de vuurpijl was ze de week voor kerst beroofd door een jongen van een jaar of tien, vlak voor de ingang van de metro bij Stockwell. Dat was de druppel geweest.

Er was nu ruim een maand verstreken sinds ze Easter Cottage had gevonden, en ze had nog steeds geen medebewoner gevonden. Tess begon in te zien hoe roekeloos ze was geweest. In een stadje als Langford liep het niet storm met mensen die op zoek waren naar woonruimte. Ze waren ofwel gepensioneerd, of pasgetrouwd, of ze hadden er een weekendhuisje. Heel anders dan Tess in elk geval.

En dan had je Adam nog. Maar Adam woonde nog in het huis

waarin hij was opgegroeid. Hij kon het zich niet permitteren ergens anders een woning te huren. En je had Suggs, Adams beste vriend, maar Suggs stonk naar uien en hij had maar één paar sokken, en bovendien woonde hij bij Adam in huis. Ze wist niemand anders te bedenken. Misschien lukte dat binnenkort. In elk geval was het een schattige cottage. Ze wist zeker dat ze er heel gelukkig zou kunnen worden.

Tess keek met een zucht rond in de zitkamer en het kleine aangrenzende keukentje. Ze had geprobeerd er iets vrolijks van te maken. Haar bekers hingen aan de muur; in de oude haard had ze een kan met narcissen gezet, en de ingelijste poster van Marcus Aurelius te paard hing boven de bank, waarop ze lichte, mooie sierkussens had gelegd. Het was een koud voorjaar, en ze genoot van de frisse nachten en de knusse avonden in haar kleine, gezellige woning. Meestal vond ze het fijn als het avond werd, dan trok ze de gordijnen dicht en installeerde ze zich op de bank.

Maar deze avond kon ze de sombere gedachten die ze de hele dag had geprobeerd van zich af te schudden niet uit haar hoofd krijgen. Tess nam zichzelf onder handen. Het aftellen voor haar nieuwe baan was begonnen; ze hoefde zich alleen maar voor te houden dat het na Fair View Community College een fluitje van een cent zou zijn om mensen van middelbare leeftijd iets te leren over Augustus en gladiatoren en de Senaat. Waarover maakte ze zich dan zo druk? Ergens had ze het gevoel dat er iets niet goed zat, het maakte haar onrustig, en dus deed ze wat ze in dit soort situaties altijd deed, namelijk hardop haar zorgen uitspreken tegen een levenloos voorwerp. In haar flat in Balham was dat de foto van Kanye West geweest die aan de keukenmuur hing (Meena was bezeten van hem en kende de hele tekst van 'Gold Digger' uit haar hoofd).

Nu keek ze zoekend rond naar iets soortgelijks. Maar mevrouw Store, van wie Tess Easter Cottage had gehuurd, was duidelijk geen fan van *Late Registration*. Marcus Aurelius was niet geschikt – dat paard hoorde er niet bij. Er hing een oude kaart van een graafschap aan de muur, gedrukt op papier dat voor perkament moest doorgaan, en daarnaast een afbeelding van Jane Austen, de bekende aquarel die haar zusje Cassandra had gemaakt. Het was een nogal choquerende afbeelding. Jane had een kleur alsof ze aan zowel zeeziekte als geelzucht leed, maar het was in elk geval beter dan niets. Tess knikte.

'Juist,' zei ze hardop. 'Daar gaan we dan, een voor een. Oké?'

Het bleef doodstil. Ze voelde zich idioot toen haar stem door de kleine kamer schalde. 'Oké,' liet ze Jane Austen zeggen, hoewel ze niet echt dacht dat Jane Austen zoiets in werkelijkheid zou zeggen, en ze nam zich in gedachten voor het woord 'oké' op te zoeken, om te zien of het al in het vroeg-negentiende-eeuwse Hampshire werd gebezigd.

'Ik maak me zorgen over mijn nieuwe baan,' zei ze met een klein stemmetje, terwijl ze haar benen op de bank onder zich trok. Toen ze het hardop zei, klonk het – tja – hoe? Dwaas? Of nog erger dan ze had gedacht?

'En waardoor komt dat?' hoorde ze Jane Austen zeggen.

'Eh...' Tess kneep haar ogen half dicht en staarde naar de afbeelding om zich voor te stellen dat dat kleine, op elkaar geknepen mondje bewoog. 'Nou... ik ben bang dat de mensen lastiger zullen zijn, ook al zal het werk minder zwaar zijn dan mijn vorige baan.'

'Hoe bedoel je?' vroeg Jane Austen, en ze klonk een beetje als Julie Andrews in *Mary Poppins*, vond Tess.

'Ik heb nu meer te verliezen,' erkende Tess. 'Ik ben hier opgegroeid.'

'Dat klopt,' zei Jane Austen, 'maar ik zou denken dat lesgeven in de Klassieke Oudheid op een scholengemeenschap in Zuid-Londen aan een stel tieners die nergens belangstelling voor hebben, laat staan voor het Romeinse Rijk, veel meer waard is dan indruk maken op mevrouw Flibbertigibbit uit Langford, toch?'

Tess zweeg even. Toen zei ze: 'Daar zeg je zo wat, Jane. Vind je het goed als ik Jane zeg?'

'Eigenlijk niet. Liever mevrouw Austen. Verder nog iets?'

'Nou, ik maak me zorgen over geld.'

'Wie niet, liefje,' zei Jane Austen. Tess besefte dat ze haar nu liet klinken als iemand uit een *Carry on*-film. 'Ga door, lieve Tess,' corrigeerde ze.

'Ik heb een medehuurder nodig, anders red ik het niet,' zei ze. 'Ik ben echt stom geweest.'

'Ja, dat is nogal naïef van je, om dit huis te huren zonder iemand om de lasten mee te delen,' zei Jane Austen. 'Heb je een advertentie opgehangen bij de herberg?'

'Ja,' zei Tess.

'Nou, dan ga je vanavond naar de pub en vraag je Mick of er iemand heeft gereageerd.' Dat was niet de juiste toon. 'Wellicht moet je je naar de herberg begeven en informeren naar de resultaten van je advertentie.'

'Ik ben gisteren al geweest... en eergisteren,' zei Tess bedroefd. 'Straks denkt hij nog dat ik hem stalk.'

'Spreek er dan af met Adam,' zei Jane Austen een beetje ongeduldig.

Tess zuchtte. 'Ik heb hem ge-sms't. Hij zei dat hij vanavond al iets te doen heeft.' Ze steunde haar kin in haar handen en zei somber: 'Hij wilde niet zeggen wat hij te doen had. Ik denk dat hij van me baalt. Nu al. Hij is verdorie mijn enige vriend hier, en nu probeert hij van me af te komen.'

Ze zuchtte nog eens diep, wat klonk als een motor die steeds langzamer pruttelt.

'Nou,' zei Jane Austen op verstandige toon, 'ik krijg het idee dat je nieuwe kennissen moet opdoen. Per slot van rekening ben je uit Londen weggegaan voor een nieuwe start. Denk aan wat Will zou zeggen als hij je hier zielig in je eentje zag zitten kniezen.'

Dat was raak.

'Je hebt gelijk, verdomme,' zei Tess hardop terwijl ze opstond. 'Inderdaad, Tessa Tennant. Wat is er met je aan de hand? Ga iets doen. Je bent weg uit Londen, je bent terug in dit leuke stadje. Geen metrostakingen meer, geen rekeningrijden.' Ze haalde diep adem. 'Niet meer tien minuten wachten in de pub voor je wordt geholpen, geen vreemde mannen meer die je aanstaren in vreselijk hobbelende bussen, geen magere tieners meer die je aanstaren in TopShop, en gelukkig al helemaal geen verschrikkelijke vriendjes meer die ervandoor gaan met meisjes met een stomme naam!' Ze sloeg met haar vuist tegen de muur; het galmde verontrustend. 'Je bent terug! Dat is goed! Je hebt verdomme een prima baan, je bent een geluksvogel!'

Ergens in de dakgoot van het oude pand kwinkeleerde een vogel een vroege avondgroet. 'Vooruit met de geit,' hield Tess zich voor. Ze tuurde weer naar de afbeelding, die onbewogen terug tuurde. 'Naar de pub, bestel een drankje, en kop op.' Ze sloot het raam en zette haar inmiddels koud geworden kop thee op het aanrecht.

'Bedankt, Jane!' riep ze toen ze naar de deur liep. 'Ik ben naar de pub! Tot straks!'

Ze riep zichzelf tot de orde. 'Ik word gek,' zei ze zachtjes, terwijl ze hoofdschuddend naar de afbeelding bij de voordeur keek. 'Sorry.'

4

De Feathers bestond al vierhonderd jaar. In de tijd van de diligence was het een van de belangrijkste rustplaatsen geweest voor de adel die op weg was naar een van de landgoederen in het Zuid-Westen. Charles I had zich daar een paar weken in een kelder verscholen en Beau Brummell had er de nacht doorgebracht voordat hij de Romeinse villa bezocht, en hij had het gastenboek getekend. 'Heel comfortabel,' had hij geschreven. 'Een bekoorlijk stadje, Langford. Met de complimenten. Brummell.' Langford, dat zichzelf altijd als een uiterst correct stadje had beschouwd en met achterdocht volgde wat men zei over steden als Bath (vulgaire *nouveau regency*), Stratford-upon-Avon (overal Amerikaanse toeristen) en Rye (smokkelgeld!), was hiermee destijds zeer in haar nopjes. En bijna tweehonderd jaar later was het dat eigenlijk nog steeds; het gastenboek lag in de grote hal waar de eetzaal op uitkwam; in een glazen vitrine, geopend op de bladzijde waar Brummell met de stad had gekoketteerd. Hierdoor was de Feather, geografisch en symbolisch gezien, het hart van Langford.

In de eetzaal waren nisjes met grote houten zitbanken, zodat de koetsier en de edelman in dezelfde zaal konden eten zonder dat ze met elkaar aan één tafel hoefden te zitten. Door een reusachtig glas-in-loodraam, dat uitkeek op de hoofdstraat, viel het licht binnen, en achterin was nog een raam met een schitterend uitzicht op het land, aangezien het stadje op een heuvelrug lag, net tot voor het dal.

Toen Tess die avond in maart de eetzaal binnenkwam, slechts gewapend met het boek *Persepolis*, dat ze herlas, en de krant, werd ze wederom getroffen door wat ze hier ervoer: het heldere, bekoorlijke licht, de ietwat verschaalde geur, de geruststellende geluiden van een pub op een lome woensdagavond in het voorjaar. De bar, in een lange L-vorm, was laag en uitnodigend. Tess trok een kruk naar voren en wachtte tot Mick verscheen, terwijl ze haar blik richtte op het bord waarop de specialiteiten van de dag geschreven stonden; ze had ineens razende honger.

En op dat moment klonk er een stem achter haar.

'Neem me niet kwalijk,' zei een hese vrouwenstem. 'Kan ik deze kruk pakken?'

Tess draaide zich met een wantrouwige blik om en zag een meisje van haar eigen leeftijd naar haar staan kijken. Natuurlijk. Het was Dat Ene Meisje. Dat Ene Meisje, zoals ze haar in gedachten steeds had genoemd, logeerde in de Feathers, en was, qua uiterlijk, het type dat Tess heimelijk altijd had willen zijn. Mondain, mysterieus, met een aangeboren gevoel voor stijl. Tess had een paar dagen geleden, toen ze haar op straat voorbij was gelopen, een Mulberry-tas aan haar arm zien hangen. Tess was bezig geweest haar advertentie vast te prikken, worstelend met een roestige speld op een hardhouten bord. Dat Ene Meisje was parmantig langsgelopen en had haar vriendelijk toegelachen. Het haar van het meisje was... tja, toffeekleurig, dat was het enige juiste woord. Haar kleren zaten haar als gegoten. Ze kwam beslist niet uit deze buurt, Dat Ene Meisje.

'Eh,' zei Tess, terwijl ze de kruk die naast haar stond wegtrok, met het gevoel dat ze zich als een onhandige puber gedroeg. 'Ja, natuurlijk, hier...'

Dat Ene Meisje schudde haar haar naar achteren. 'Sorry,' zei ze. 'Ik ben Francesca.' Ze glimlachte even en stak haar hand uit. 'Ik zag je gisteren, toch? Logeer jij hier ook?'

'Eh, nee,' zei Tess. Ze ging rechtop zitten. Ze was niet echt klein, maar ze was zich erg bewust van haar lengte, en meisjes als Francesca gaven haar het gevoel dat ze een boerentrien was, peervormig, en met een kont als een olifant. Ze glimlachte en probeerde haar haar ook zo naar achteren te schudden, maar haar dikke, donkere lokken waren te kort en werkten niet mee. Ze sprongen terug naar voren alsof ze van staalwol waren, dus schudde Tess in plaats daarvan nonchalant met haar hoofd, alsof dat een normale beweging voor haar was, en zei: 'Ik heb hier een woning. Ik ben pas teruggekeerd uit Londen.' Ze had het gevoel dat ze dit erbij moest zeggen, al wist ze niet waarom. 'En jij? Ben je hier op vakantie?'

Francesca ging met haar lange roomwitte vingers over een hoekje van het kleine schoolbord; het krijt werd vlekkerig. 'Niet echt,' zei ze. 'Ik logeer hier alleen een tijdje. Ik kom ook uit Londen.' Ze sloeg haar blik neer en zweeg.

'O,' zei Tess, omdat ze niets beters wist te zeggen. 'Nou.' Ze keek de bijna lege pub rond. 'Het is een fantastische stad, in elk geval.'

'Ja,' zei Francesca iets enthousiaster. 'Ik vind het hier heel fijn. Iedereen is zo aardig. Dus jij – kom je hiervandaan?'

'Zo ongeveer,' zei Tess. 'Ik ben hier opgegroeid. Maar ik heb de afgelopen tien jaar in Londen gewoond. Ik ben net terug in Langford. Ik heb een nieuwe baan.'

De woorden kwamen nog vreemd en ongemakkelijk van haar lippen. Ze zou eraan moeten wennen. Ze wist hier verder niets aan toe te voegen, maar het andere meisje wel.

'Wauw. Dus je bent nu een paar weken terug?'

Tess knikte.

'Dat is vast heerlijk.'

Tess knikte weer, langzaam. Francesca duwde het schoolbord weg en steunde haar kin in haar handen. 'Het zal ook wel maf zijn, denk ik. Om hier terug te komen – ben je vrijgezel?'

Ze vroeg het op een vriendelijke toon, uit beleefdheid; althans, Tess verkoos het zo op te vatten.

'Nee... Ik bedoel eh, jawel, ik ben wél vrijgezel,' zei Tess nonchalant. Ze drukte de palm van haar hand stevig tegen haar voorhoofd. 'Ik heb de afgelopen paar maanden een beetje een rottijd gehad.' Ze aarzelde of ze nog meer details zou vertellen. 'En ik zat ook zonder werk. Dus... toen ik die advertentie voor deze baan zag heb ik gereageerd, en ik werd aangenomen – toen besloot ik terug te komen. Bovendien werd het tijd dat ik uit Londen wegging, weet je wel,' zei ze, op stoom gekomen. 'Ik wil me weer opgenomen voelen in een gemeenschap. Weg uit de stad, boodschappen doen in lokale winkels, rondwandelen... gewoon onder de mensen zijn die ik – je weet wel.'

Francesca knikte beleefd. 'Wauw,' zei ze. 'Wat goed van je. Laten we dan maar hopen dat ze dat winkelcentrum buiten de stad niet gaan bouwen!'

'O. Ja, precies,' zei Tess. 'Ik weet het. En... waarom ben jij hier?' liet ze zich ineens nieuwsgierig ontvallen.

'O, ik heb hier met iemand afgesproken wat te drinken,' zei Francesca. 'Iemand die ik heb leren kennen.' Ze schudde haar hoofd. 'Sorry, dat bedoelde je niet, of wel?'

Tess glimlachte. 'Ik wil niet nieuwsgierig zijn.'

'God, nee,' zei Francesca. 'Het rare is dat ik hier met dezelfde reden ben als jij.' Ze lachte even. 'Ik ben ook uit Londen gevlucht. Alleen ben ik hier nog nooit eerder geweest, en ik heb geen idee waaróm ik hier ben.' Haar blik ontmoette die van Tess; Tess zag er iets kwetsbaars in, en ineens mocht ze haar, dit onbekende meisje. 'Ik ben jurist. Nou ja, ik heb rechten gestudeerd, maar de laatste tijd werkte ik op een bank.' Ze ging met haar hand over haar keel, alsof ze er met een mes langs ging. 'Een werkloze bankierster. Veel tragischer kan het niet.'

'Rot voor je.'

'Ach, nee. Ik was toch op weg om een burn-out te krijgen. Echt, als ik niet de laan uit was gestuurd zou ik iets stoms hebben gedaan. Het is het beste wat me in jaren is overkomen. Dat is het maffe ervan.'

'Hoezo? Wat is er gebeurd?' vroeg Tess.

'Ik kan het me niet echt meer herinneren,' zei Francesca openhartig. 'De afgelopen paar maanden zijn een beetje een waas voor me. Ik maakte dagen van twintig uur. Zo'n twee maanden lang. Toen ging ik naar een bruiloft van iemand van mijn werk, en na een drankje heb ik blijkbaar tegen een van mijn collega's gezegd dat ze de pest konden krijgen. Daarna probeerde ik een andere collega te zoenen. Daarna... Nou, het eerste rondje ontslagen viel voor kerst, en ik wist dat ik als eerste weg moest, zodat ze me geen bonus hoefden te geven.' Ze zei het alsof ze een les uit haar hoofd had geleerd. 'Ik kreeg een paar maanden lang een uitkering. Mijn medebewoner was net vertrokken om met zijn vriendin te gaan samenwonen, dus heb ik mijn flat verhuurd en... hier ben ik dan.'

Tess keek nog verbijsterd toen de barman verscheen. 'Hoi, Mick!' zei Francesca. 'Mag ik een gin-tonic van je?' Ze zwaaide met een vinger naar Tess en keek op haar horloge. 'Mijn afspraakje is er nog niet. Wat wil jij?' Ze zweeg. 'O, sorry. Ik weet niet eens hoe je heet.'

'Tess,' zei Tess, en ze schudden elkaar weer de hand, lachend om het formele gedoe.

'Jemig,' klonk een stem uit de deur achter hen. 'Francesca, had je... O... Tess?' De zware stem zweeg. 'Ben jij dat?'

Tess draaide zich met een ruk om. 'Adam? Ik dacht dat jij...'

Daar, met grote stappen, kwam haar beste vriend aan, met een verbijsterde uitdrukking op zijn gezicht. Zijn dikke lichtbruine haar stond in piekjes rechtop, zoals altijd wanneer hij haast had of in de war was, en zijn ogen keken vragend. Hij glimlachte toen hij bij hen aankwam en achter Francesca langs beantwoordde ze zijn glimlach. Natuurlijk... natuurlijk.

'Wat een leuke verrassing!' zei hij, en hij kneep even in haar arm, een klein beetje te hard.

'Ja, hè,' zei ze. Ze pakte zijn hand vast en kraste met de nagel van haar middelvinger over de binnenkant. Hij keek verbaasd op.

'Ik dacht dat ik...'

'Je zei dat je vanavond iets te doen had,' zei Tess onnodig hard. 'Wat enig om je te zien. Ik kwam alleen even aan Mick vragen of er reacties op mijn advertentie zijn.'

'O, natuurlijk,' zei Adam. 'Nou, leuk om je te zien, Tess.' Francesca keek toe met een blik van verbazing op haar mooie gezichtje. 'Ja, ik heb vanavond iets te doen, zoals je ziet.'

'Ja,' zei Tess, en ze probeerde een geschikte reactie te bedenken, maar ze had haar kans voorbij laten gaan want Adam boog zich naar voren, weer naar Dat Ene Meisje.

'Het spijt me echt dat ik te laat ben,' zei hij met een lachje. Francesca keek naar hem op met een blos, haar haar viel langs haar gezicht, haar kalmte was even verdwenen.

'O, dat geeft niets,' zei ze verlegen.

'Ik moest het museum afsluiten en toen vond ik buiten een vogeltje dat nog amper leefde...'

'Plattelandsjongen,' zei Francesca. Ze richtte zich tot Tess. 'Ik noem hem vanaf de eerste dag dat ik hier was al Plattelandsjongen. Hij is zo grappig.' Haar ogen ontmoetten de zijne.

'Dat ben ik niet,' zei Adam. Hij lachte haar toe. 'Ik ben een wereldse, internationale, mysterieuze man. Zeg liever Adam Bond tegen me.' Francesca proestte het uit. 'Dus je hebt mijn beste vriendin intussen ontmoet?'

'Wauw, echt waar?' vroeg Francesca, en met een blik vol genoegen keek ze naar Tess. 'Da's ook maf!'

'Bijzonder maf,' zei Tess, zonder acht te slaan op Adams boze blik. 'We zijn samen opgegroeid. We hebben zelfs...'

'Laten we iets te drinken bestellen,' zei Adam haastig.

'Ik heb al, maar... goed idee,' zei Francesca, en ze draaide zich om naar de bar. 'Tess, wat zei jij dat je wilde?'

Tess voelde zich net zo welkom als een rode sok in een witte was, en ze had ook geen zin om te zien hoe Adam zijn charmes losliet op een volgend argeloos slachtoffer – hoewel ze er tamelijk zeker van was dat ze dit keer niet door Adam opgevoerd zou worden als zijn vriendin, zoals bij Liz in de delicatessenwinkel.

Behoedzaam zei ze: 'O, nee, ik kan echt niet...'

'Ja,' zei Adam te snel. 'Het is heel jammer, maar helaas kan Tess niet blijven.'

Tess keek hem aan en dacht aan de terugtocht naar haar cottage, waarvan ze de deur zou opendoen en Jane Austen aan de muur met een afkeurende blik zou aantreffen. 'Ach, wat,' zei ze tegen Francesca. 'Eentje dan. Ik neem ook een gin-tonic, lekker. Dank je.'

'Fantastisch!' zei Francesca blij, en ze liep al naar het midden van de bar.

Tess kneep haar ogen samen en tuurde boos naar Adam. Zachtjes zei ze: 'Niet te geloven! Ik wil hier niet bij aanwezig zijn, dat weet je!'

'Oké, oké. Niet gaan moorden.' Adam sloeg zijn arm om haar heen. 'Het spijt me. Ik wil alleen... Dit is wat lastig.'

'Ik blijf niet eten. Alleen één drankje,' zei ze, terwijl ze hem aankeek. 'Ik beloof het. Ik wist niet... Is het een echt afspraakje?'

'Ik weet het niet zeker,' zei Adam. Hij raakte even haar schouder aan. 'Later wil ik misschien wel je raad. Ik wacht eerst op een signaal, voordat ik aanstalten maak.'

Francesca kwam terug met de drankjes. 'Ik heb Mick net gevraagd of we met z'n drieën kunnen eten, Tess – je eet toch mee? Kom op, dat is gezellig!'

Tess keek van Adam naar Francesca.

'Ik denk dat dit een signaal is,' zei ze.

'Wat voor signaal?' zei Francesca. Ze reikte haar een glas aan.

'Niets,' zei Tess.

'Toe!' zei Francesca, en ze knikte naar Adam.

'Ja, Tess,' zei Adam houterig. 'Toe, eet met ons mee.'

'Nou, goed dan,' zei Tess. Ze beet op haar lip om haar lach in te houden. 'Omdat je zo aandringt.'

5

Tess was op zoek geweest naar een bevestiging, een teken dat ze een maand geleden de juiste beslissing had genomen met haar verhuizing naar Langford. Ze was toe aan een fijne avond. Er was niets waar ze in haar nog schrijnende staat van vrijgezel meer de pest aan had dan aan het gevoel het vijfde wiel aan de wagen te zijn, maar voor ze aan tafel gingen, nam ze zich voor vroeg te vertrekken met als excuus dat ze zich moest voorbereiden op haar nieuwe baan, waarmee ze Adam de ruimte gaf om een kans te wagen. Toen de duisternis over het oude gebouw viel, de lichten achter de bar aanfloepten en het welkome vuur in de haard opsprong, namen ze plaats aan een tafeltje en bestudeerden de menukaarten.

'Mm,' zei Adam, na die ongemakkelijke stilte die altijd valt bij mensen achter een menukaart die niet goed weten wat ze tegen elkaar moeten zeggen. 'Ziet er goed uit. Ik vind het eten hier heerlijk. Super.'

'Ja,' zei Tess. Ze sloeg haar blik neer.

'Heb je trek?' vroeg Adam aan Francesca.

'Ik weet het niet,' zei ze ernstig. Ze keek weer op de kaart, waarbij haar haar als een waterval over haar schouders viel. 'Gefrituurde brie met cranberrysaus? Of kippenleverpaté met uienmarmelade? Wat is dit?' vroeg ze lachend. 'Café Rouge anno 1997?'

Adam keek verbaasd op en Tess onderdrukte een lach, ze wilde met haar instemmen maar tegelijkertijd voelde ze een opwelling van loyaliteit. Bijna alsof Francesca door de Feathers af te kammen ook Langford, Adam en dus ook Tess' besluit om hier te gaan wonen afkamde. Toen dit tot haar doordrong schudde ze haar hoofd. 'Je kunt de specialiteit van de dag kiezen,' zei ze, en ze wees op het bord waarop met dik krijt KIPPENPASTEI en LASAGNE gekrabbeld stond. Francesca keek sip, alsof ze meer had verwacht. Adam wierp haar een verwachtingsvolle blik toe. Hij leek zich ongerust te maken dat ze van honger om zou komen.

'Zeg,' begon hij. 'We kunnen...'

'Nee, nee,' zei Francesca haastig. 'Het is oké!' Ze legde haar kaart neer en sloeg met haar hand op de tafel. 'Dus jullie kennen elkaar al... hoe lang?'

'Dertig jaar,' zei Tess op precies op hetzelfde moment dat Adam zei: 'Geen idee,' en ze schoten in de lach.

'En jullie zijn hier opgegroeid?' vroeg Francesca. 'Wat fantastisch. Het is vast een heerlijke plek geweest om op te groeien.'

'Dat was het ook,' zei Tess. 'Het... het is een heerlijke stad. Klein, vriendelijk. Heel...' Haar stem stierf weg. 'We konden zo'n beetje doen wat we wilden, ja toch?'

'Woonden jullie vlak bij elkaar?'

'Tegenover elkaar,' zei Adam, en hij sloeg zijn blik ten hemel. 'Tess en Steph gooiden altijd modder naar me over het tuinhek. Schattige kinderen. Mijn moeder...' Hij zweeg. 'Mijn moeder moest altijd zeggen dat ze me niet zo moesten pesten.'

'Wat een kletsverhaal,' zei Tess, die verontwaardiging veinsde om de stilte te verhullen die altijd viel wanneer iemand over Philippa begon.

'Wonen jullie ouders daar nog steeds?' vroeg Francesca.

Tess opende haar mond, maar Adam zei snel: 'Nee. De mijne – ik weet eigenlijk niet wie mijn vader is, hij was een Ier en mijn moeder heeft hem ontmoet tijdens haar studie in Dublin. Mijn moeder is overleden. En die van haar,' hij stak een duim uit in de richting van Tess, 'zijn aan zee gaan wonen.'

Francesca lachte wat ongemakkelijk om die tegenstelling, en keek verlegen. 'Sorry, ik wilde niet...'

'Geeft niks,' zei Adam snel. 'Ik was wat... tja.' Hij glimlachte naar haar. 'Maar goed,' zei hij terwijl hij zich naar Tess omdraaide. 'Langford is een mooi stadje. Soms wat stilletjes, maar daar hou ik wel van.'

Er viel een stilte. Ze keken weer alle drie op de kaart, totdat Adam de spanning doorbrak door zachtjes Francesca's hand aan te raken.

‘En hoe zit het met jou?’ vroeg hij.

‘Nou, ik ben hier gekomen voor wat stilte en rust, dus dat komt goed uit,’ zei Francesca. ‘Gewoon een plek die ik niet ken, met frisse lucht, om een beetje bij te komen, alles op een rijtje te zetten, wandelen, lezen, je weet wel.’ Ze sprak langzaam en staarde in het vuur.

‘Dat lijkt me een prima idee,’ zei Tessa meelevend, terwijl ze tegelijkertijd dacht: bijkomen en alles op een rijtje zetten? Wie ben jij, Deepak Chopra? ‘Voor een weekje of zo?’ vroeg ze slim. ‘Hoe lang wil je blijven?’

‘Wel iets langer dan een week.’ Francesca liet haar zoete toon varen. ‘Ik moet een tijdje langer vrijaf van mezelf.’

‘Ik snap het,’ prevelde Adam, en hij keek diep in haar ogen. ‘Maar je bent nu hier, en je had geen betere plek kunnen uitzoeken.’

Tess wilde juist niet op deze plek zijn, nu ze inderdaad het vijfde wiel aan de wagen bleek te zijn. Ze schraapte haar keel maar zei niets, en toen de stilte tussen de andere twee intenser werd en ze elkaar in de ogen bleven kijken, had Tess zin om een spandoek omhoog te houden:

ALS JULLIE WILLEN ZOENEN
GA VOORAL JE GANG!

Net toen ze zich zat af te vragen of het niet een vreselijke vergissing was geweest om te blijven eten, verscheen Mick met een bloc-note, neuriënd in zichzelf, terwijl hij met een O-been ritmisch op de vloer tikte.

‘Zijn jullie zover?’ zei hij, van Francesca naar Adam kijkend. ‘O, hallo, Tess! Ik had je niet gezien. Nog reacties gekregen op die advertentie?’

‘Nog niet,’ zei Tess. ‘Maar leuk dat je het vraagt.’

‘Wanneer begin je aan je nieuwe baan? Heb je er zin in?’

‘Volgende week, Mick,’ zei ze.

Mick floot tussen zijn tanden door. ‘O ja?’ Hij lachte haar vriendelijk toe. ‘Nou. Je hebt het helemaal niet verkeerd gedaan. Langford College, poeh hé.’

Francesca leek onder de indruk. 'Wat, dat deftige instituut? Ik had helemaal niet door dat het dát Langford was.' Tess knikte en besteedde geen aandacht aan het knagende gevoel in haar maag.

'Klopt, dat instituut,' zei Mick. Hij haalde zijn schouders op. 'Leuk om je te zien, Tess. Jij en Adam, je kleine echtgenoot, hm?' Hij grinnikte vergenoegd. 'Zo noemde ze hem vroeger altijd,' legde hij Francesca uit.

Adam wreef over zijn hoofd. 'O god,' zei hij wanhopig.

'Die twee hier,' zei Mick, met zijn potlood vrolijk in de lucht, 'toen ze klein waren, nou – toen waren ze onafscheidelijk! Net een Siamese tweeling. Zij zo donker, hij zo blond, op hun fietsje buiten.' Mick klonk met zijn volle, trage toon als een verteller die de sfeer tekent aan het begin van een natuurfilm. 'Zo schattig. Dat vonden we allemaal.'

'Mick,' zei Adam kordaat toen hij zijn adem onder controle had. 'Hou op.' Hij glimlachte beschaamd naar Tess en zij schudde glimlachend en al even verlegen met haar hoofd.

'Aaah,' zei Francesca, en ze klopte hen beiden op hun rug. 'Wat lief. Goed, Mick,' zei ze, ter zake komend. 'Wat is dat voor gebraad, met garnering?'

'Kip, vanmiddag zelf gemaakt,' zei hij.

'Geweldig,' zei Francesca. 'Dan neem ik kip met groene salade – géén ijsberg – en is er nog wat van die aardappelsalade die je voor de lunch had gemaakt? En een glas chablis erbij – zullen we een flesje bestellen?'

Adam en Tess knikten zwijgend. 'Oké!' zei ze gelukzalig, toen Mick alles had genoteerd en zich daarna tot Tess richtte.

'Eh...' Tess wist het niet. 'Eh... voor mij hetzelfde?'

'No problemo,' zei Mick, en hij noteerde het met een zwierig gebaar.

'Voor mij fish-and-chips, Mick,' zei Adam. 'En een glas Butcombe graag als je even tijd hebt, maar geef mij ook maar een glas voor de wijn voor het geval dat. Hulp nodig?'

'Nee hoor, dat lukt wel,' zei Mick, en hij was weg. Francesca richtte zich weer tot hen.

'Ik vind het een aandoenlijk verhaal. Dus jullie waren vriendje en vriendinnetje?'

'Nee,' zei Tess, een tikje te snel. Adam keek even naar haar.

'Nee,' echode hij. 'Alleen toen we klein waren, vijf of zes. 'Althans dat was wat sómmigen onder ons' – hij keek even boos naar Tess voordat hij naar haar grinnikte – 'altijd rondbazuinden.'

'Dus jullie hebben nooit...' Francesca maakte een vreemd fladderend gebaar met haar handen. Tess en Adam keken eerst verbijsterd naar haar, daarna naar elkaar.

'Nooit poppenkast gespeeld?' vroeg Adam. 'Nee, we hebben nooit samen poppenkast gespeeld.'

'Je weet wel wat ik bedoel,' zei Francesca.

'Nee, dat weet ik niet,' zei Adam, en hij schudde boosaardig zijn hoofd. 'Wat dan?'

'Ik weet niet...' Het sierde Francesca dat ze verlegen keek. 'Een tienerromance gehad. Ik weet niet,' herhaalde ze. Ze keek Tess aan. 'Kom nou, jullie moeten er toch op een bepaald moment aan gedacht hebben.'

'Niet echt,' zei Tess.

'Eh... nee,' zei Adam. Hij schudde zijn hoofd.

'Nooit één moment? Zijn jullie altijd alleen maar vrienden geweest?' Ze schudde haar hoofd. 'Wat maf.'

Ze bleven allebei zwijgen.

'Dat kan wel zijn, maar het is waar,' zei Tess uiteindelijk, er zich van bewust hoe nuffig dat klonk.

'Jij bent wel nieuwsgierig,' zei Adam tegen Francesca. Ze knikte.

'Ik geloof jullie. Dat zou lang niet iedereen doen.' Tess nam een slokje van haar drankje, en Adam deed hetzelfde. Alsof ze doorhad dat er over iets anders gepraat moest worden, zei Francesca: 'Dus volgens jullie is het hier altijd rustig? Geen rockfestivals of zoiets in de omgeving?'

'Ik zou het niet weten,' begon Tess, en toen vloog ineens met veel lawaai de deur van de pub open, hij knalde tegen de muur, en een man van middelbare leeftijd stormde op de bar af, terwijl hij zijn haar tegen zijn glimmende voorhoofd veegde.

'Ha die Mick!' riep hij naar de eigenaar. Hij duwde een kruk die in de weg stond opzij, waardoor een stoel omviel.

'Ha, die Ron,' zei Mick.

'De vergadering begint over vijf minuten, is dat oké?'

'Geen probleem,' zei Mick. 'Er zijn vanavond toch niet veel mensen, dus jullie hebben het rijk alleen...'

'Red de uiterwaarden!' bazuinde Ron ineens met volle kracht. Francesca schoot overeind; Tess liet de vork waar ze mee had zitten spelen vallen. Zelfs de stoïcijnse Adam knipperde even met zijn ogen.

'Alles goed, Ron?' riep hij. 'Hoe gaat het?'

Ron draaide zich om. 'Hallo, Adam!' zei hij, hun kant op lopend. 'Goed je te zien! Tijdje geleden, alles kits?' Hij tuurde door zijn oogharen naar Tess. 'Ha, die Tess.' Tess stak haar hand op en Rons blik gleed van haar naar Francesca en toen weer naar Adam. 'Juist ja,' zei hij tegen hem, waarmee hij duidelijk bedoelde: ga zo door, jongen. 'Komen jullie naar de vergadering?'

'Nee,' zei Adam. 'We zitten alleen een hapje te eten.'

'Suggs organiseert het, Adam, heeft hij dat niet gezegd?' zei Ron nadrukkelijk.

'Jawel.'

'Je bent het er toch niet mee eens dat ze gaan bouwen op de uiterwaarden? Dat die vrouw van Mortmain er weer mee wegkomt?' Ron verhief zijn stem en zijn neus trilde terwijl hij – welwillend – met zijn vinger naar Adam zwaaide.

'Je kent me toch. Ik kies niet graag partij,' zei Adam rustig. Hij lachte naar Ron en net toen Tess hem nieuwsgierig aankeek, zei Francesca op haar charmante manier: 'Ron – je heet toch Ron?'

'Jep,' zei Ron zonder een spier te vertrekken.

'Sorry dat ik een stomme vraag stel, ik zou het moeten weten, maar wat is er precies aan de hand met die uiterwaarden? Ik ben hier pas een paar dagen.'

'Heb je er nog niets over gehoord?' vroeg Ron ongelovig, alsof het idee dat dit geen voorpaginanieuws in het hele land was niet bij hem was opgekomen. 'Wat raar. Je kent de uiterwaarden van Langford toch?'

'Ik ben bang van niet,' zei Francesca beleefd.

'Heb je daar nooit van gehoord? Wat...' Ron krabde op zijn hoofd, alsof hij dit nauwelijks kon begrijpen. 'Dat is het mooiste stukkie land in de wijde omtrek, honderdvijftig kilometer, meer niet. Er is meer natuur, er zijn meer planten en vogels te zien in de uiterwaarden van Langford dan in het hele land. En die willen ze gaan draineren en verkopen, zodat we d'r zo'n stompzinnig winkelcentrum krijgen!' Hij schreeuwde nu weer, en zijn platte accent was duidelijker dan ooit te horen. 'Dat mens van Mortmain, zij heeft dat allemaal bekokstoofd! Waar heeft ze dat geld eigenlijk voor nodig? Ze heeft niemand om het aan na te laten. En ze denkt dat ze alles voor ons kan beslissen. Alweer!'

Hij stak een vinger omhoog en richtte zijn blik naar boven; hij deed Tess denken aan een Romeins standbeeld.

'Wauw,' zei Francesca. Ze richtte zich tot Adam. 'Is dat waar?' vroeg ze.

Adam knikte langzaam. 'Ja,' zei hij. In zijn stem klonk ongemak door en Tess wist weer wat haar dwars had gezeten; de waarheid over Adam en de studietoelage, dat Leonora Mortmain sinds die tijd vooral tegen hem altijd zo onaangenaam had gedaan. 'Ja, ik geloof het wel. Maar het is al beklonken, toch? De gemeenteraad heeft in beginsel al goedkeuring gegeven...'

'Wat weet die raad nu helemaal?' klonk een andere harde stem achter hen, en Adam stond op, zijn diepe lach weergalmde in de hele pub. Naast hem zette Mick het blad met drankjes neer en begon bestek neer te leggen terwijl Adam de bebaarde man naast Ron omhelsde.

'Klootzak,' zei hij vol genegenheid. 'Ik wist niet dat dit vanavond ging gebeuren.'

'Tess!' zei de onbekende man. 'Ik wist niet dat jij hier zou zijn.'

'Suggs!' Tess draaide zich om. Ze omhelsde Adams beste vriend hartelijk.

'Kijk eens aan, twee dames, jij gladjakker,' zei Suggs, terwijl hij zich vol genoegen naast Francesca op een stoel liet zakken. 'Ik schuif even aan, goed? De vergadering begint pas over een paar minuten.'

Ron stond nog steeds achter Tess en Adam. 'Je moet helpen met de pamfletten,' zei hij op geërgerde toon.

'Dat doet Andrea wel,' zei Suggs rustig. 'Ik heb Tess niet meer gesproken sinds ze terug is. Mick, doe me een lol en breng me een lekker glas bier, ja?' Mick knikte met een toegeeflijke glimlach. 'Bedankt, kerel.' Suggs boog naar voren. 'Hebben de fraaie dametjes de petitie al ondertekend?'

'Nee,' zei Francesca. 'Zeg maar waar we dat kunnen doen. Want dit kunnen ze toch niet maken?'

'Het lijkt er wel op,' zei Suggs, en Ron knikte. 'Het is smeerlapperij. Je zou denken dat het niet zou worden toegestaan – dat de gemeenteraad het niet zou goedvinden.'

'Maar dat doen ze wel,' zei Adam vlak.

Suggs draaide zich kwaad naar hem toe. 'Ik weet dat je dol bent op de Mortmains, omdat dat stomme wijf jouw opleiding heeft betaald en je het gevoel heeft gegeven dat je voor haar moet kruipen, sukkel dat je bent.'

'Heeft ze je geld gegeven om naar schóól te gaan?' vroeg Francesca verbijsterd.

'Hou je kop, Suggsy,' zei Adam, terwijl hij met een ongemakkelijke blik aan zijn haar trok, maar Suggs negeerde hem.

'Zo is het genoeg,' vervolgde Suggs. 'Er zijn een hoop mensen in deze stad die vinden dat ze dit keer te ver is gegaan.' Hij zweeg even om het effect te vergroten. 'Weet je, die familie Mortmain heeft de goede mensen van Langford jarenlang te grazen genomen, en zij is al niet beter. Je had Ivo Mortmain, die hypocriet, die een meisje uit de stad zwanger maakte en daarna haar vader vermoordde toen die zijn beklag kwam doen. Hij schoot hem in zijn gezicht! En de vader van de oude mevrouw Mortmain heeft een heel stuk land verkocht aan Thornham, en daar zetten ze afschuwelijke hokken op waar nog geen varken in zou willen wonen. Dat was vijftig jaar geleden! En zij – zij heeft de bejaarden vijftig jaar geleden door de kerk hun armenhuis uit laten gooien, alleen omdat ze die wilde verkopen.' Hij greep Adam in zijn nek. 'Weet je nog hoe kwaad je moeder daarover was?'

Adam trok een grimas. 'Ze ging haar opzoeken.'

'O ja?' vroeg Tess. Adam knikte.

'Juist, precies.' Suggs knikte hem veelzeggend toe. 'Zijn moeder was woedend – dat wil je niet weten.' Hij glimlachte. 'Ze stormde er binnen en stond erop dat ze haar te spreken kreeg, maar zonder resultaat. Waarom ook? En nu dit. Nou, wij pikken het niet meer. Het wordt tijd dat hier een einde aan komt.'

'Bravo!' zei Ron.

'O, juist,' zei Francesca, maar Tess keek naar Adam, die bedrukt keek. 'Waar denk je aan, Adam?' vroeg Francesca in haar onschuld.

'Ik zeg niet dat ze een aardige vrouw is, maar ik kies geen partij,' zei Adam. 'Sorry.' Tess en Francesca keken hem teleurgesteld aan. 'Excuseer me even,' zei hij, en hij stond op en vertrok.

Tegen de tijd dat hij terugkwam, zat de pub tjokvol plaatselijke bewoners, en de stemming was goed, maar men werd steeds luidruchtiger. Plakkaten werden rondgedeeld, stoelen schraapten over de vloer, en voorin zat een vrouw met een scherp gezicht formulieren in te vullen, terwijl ze met haar potlood naar iemand zwaaide. Adam ging zitten.

'Wat was er aan de hand?' begon Tess, maar Adam stak zijn hand omhoog.

'Sorry, Tess.' Hij draaide zich naar haar toe met een blik die bijna wanhoop uitstraalde. 'Laten we hier alsjeblieft over ophouden. Het komt gewoon door dit hypocriete gedoe, meer niet.'

'Wat bedoel je?' riep Francesca. 'Hoe kun je dat nou goedpraten?'

'Ik woon hier al mijn hele leven,' zei Adam met een verwrongen glimlach. 'Ik zeg alleen dat er soms nog andere motieven voor iets zijn. Ik wil mezelf niet vrijpleiten, maar het ligt niet zo eenvoudig als het lijkt, dat wil ik alleen maar zeggen. Die ontwikkeling zou mensen werk bezorgen, het toerisme stimuleren. Het zou misschien niet zo heel verkeerd zijn.'

'Maar de uiterwaarden,' zei Tess, en haar stem stokte even. 'Hoe kun je dat nou zeggen?'

'Ja, en wil je echt meer toeristen?' zei Francesca nieuwsgierig. 'Wil je niet naar andere manieren op zoek gaan om de stad extra inkomsten te bezorgen?'

Tess kon haar wel zoenen omdat ze zich niet meteen gewonnen gaf. Adam keek haar aan en knikte langzaam. Hij krabde in zijn nek.

'Je hebt gelijk,' zei hij. 'Alleen... nou ja.' Hij schraapte zijn keel. 'Tess, hoe gaat het met de jacht op een medebewoner?'

'Dat wordt niets,' zei Tess. 'Ik weet niet wat ik moet doen.'

'Waar woon je?' vroeg Francesca beleefd.

'Vlak bij de kerk, in de richting van het oude stadhuis.' Tess keek haar aan. 'Ik moet iemand vinden om de huur te delen, anders moet ik eruit.'

'Wat voor huis is het?'

'Het is eigenlijk een cottage. Het is klein, maar zo schattig. Het heet Easter Cottage.'

'Hoeveel slaapkamers?'

'Twee,' zei Tess. 'In feite...' Hun blikken ontmoetten elkaar over de tafel heen.

'Kan ik morgen komen kijken?' vroeg Francesca.

Tess keek haar aan. 'Francesca... bedoel je...?'

'En als je iemand vindt die langer wil blijven, ga ik meteen weg, dat kunnen we in het contract opnemen. Beloofd.'

'Zoals je wilt!' Tess ontspande haar schouders, blies haar adem uit en lachte naar Francesca.

'Weet je... weet je het zeker?'

Tess keek naar het mooie meisje tegenover haar en ging in gedachten de avond nog eens na. Daarna keek ze naar Adam, die vriendelijk naar haar knipoogde. Ze glimlachte naar hem, toen weer naar Francesca, terwijl het rumoer aan de bar toenam. Ze verhief haar stem.

'Nog nooit ergens zo zeker van geweest.'

6

Een week later knikte Tess naar het portretje van Jane Austen, zoals ze tegenwoordig altijd deed voordat ze ergens naartoe ging, en stapte daarna de voordeur van Easter Cottage uit. Ze keek behoedzaam om zich heen, en daarna omhoog. Het had de afgelopen vijf dagen geregend, toen zij en Francesca de ene doorweekte kartonnen doos na de andere naar binnen hadden gesleept, het regende die hele avond, terwijl ze hoopvol de achterdeur opendeden naar het kleine tuintje, waar Tess zich al had voorgesteld dat ze er iets zouden drinken; het regende de volgende dag, toen ze eten gingen inslaan, de dag daarna, toen Francesca een dvd-speler en een enorme flatscreen-tv kocht zonder iets tegen Tess te zeggen, waarop Tess zei dat ze ze terug moest brengen; de dag daarna, toen ze de hele middag en avond op de bank hingen, mojitos maakten, Pringles aten en naar *My Big Fat Greek Wedding* (fantastisch) keken, *27 Dresses* (niets aan), *You, Me and Dupree* (wat ze de slechtste film ooit vonden) en naar *Pan's Labyrinth* – nou ja, de eerste vijf minuten; daarna werden ze het erover eens dat het waarschijnlijk wel een meesterwerk was, maar dat het niet het juiste tijdstip was om in het zogeheten labyrint te duiken en dat ze de dvd-speler en de enorme flatscreen-tv zouden houden en in plaats daarvan naar *Talladega Nights* gingen kijken. En toen Adam hen de volgende dag meenam voor een paaslunch in de pub, regende het nog steeds.

Tess had het huis. Ze had een medebewoonster, ze had een paar vrienden. Het was voorjaar. Het enige wat haar nu te doen stond, was aan haar nieuwe baan beginnen. Haar leven hier in gang zetten, in deze stad, een toekomst voor zich zien. Maar evengoed regende het op de eerste dag van haar nieuwe baan nog steeds.

'Doe-wie!' riep Francesca vanuit de cottage. Tess draaide zich om en keek door de voordeur, die direct uitkwam op de knusse woonkamer. Daar, lui op de bank in een zijden Chinese kimono, zat haar nieuwe medebewoonster, die ze precies een week geleden nog niet eens kende, tv te kijken en een broodje te eten. Tess glimlachte. 'Doe-wie!' riep ze terug. 'Francesca, vergeet je niet de provider te bellen over de breedband?'

'Nee hoor!' zei Francesca geruststellend. 'Succes en veel plezier!'

Plezier. Tess sloot de deur achter zich en stak haar paraplu op. Ze was er niet van overtuigd dat het plezierig zou worden. Haar hart klopte in haar keel en ze was moe omdat ze die nacht geen oog dicht had gedaan. Ze voelde aan de prospectus in haar tas, die al zwaar woog van de boeken en schriften. Langford College kende drie afdelingen: intensieve cursussen van een jaar in talen, kunstgeschiedenis, de Klassieke Oudheid, Engels enzovoort; kortere cursussen, gewijd aan één speciaal onderwerp, dat kon variëren van koken tot bloemschikken tot poëzie uit de Oudheid, die meestal een paar weken duurden; en ten slotte waren er eenmalige lezingen door gastdocenten in een klein openluchttheater aan het meer, een prachtige accommodatie – allemaal in de indrukwekkende omgeving van Langford Hall, een van de mooiste en eerste voorbeelden van neogotische victoriaanse architectuur, zelfs nog van voor Pugin.

Het was een wandeling van vijf minuten naar de rand van de stad. Haar eerste les begon pas om drie uur, 'De pracht van Rome', een tweemaandelijkse cursus van vier lessen per week, met als hoogtepunt een excursie naar Rome, waar zij, Tess Tennant, tien mensen de oude stad zou laten zien. En daar stond ze nu, op een natte, grauwe straat, te trillen op haar benen, en het liefst zou ze terugrennen naar haar nieuwe knusse huisje en daar op de bank met Francesca de hele dag dvd's kijken.

Nee, dacht ze vastberaden. Een reis van duizend kilometer begint met de eerste stap. Wie zou ze vandaag kunnen zijn die haar hierdoorheen kon loodsen? Maria die 'I Have Confidence' zong in *The Sound of Music*? Te vrolijk. Meryl Streep in *The French Lieutenant's Woman*? Te... sletterig. Lizzy Bennet. Ja, bij twijfel dacht je aan Jane Austen aan de muur, en aan Lizzy Bennet. Kalm, grappig, volkomen zichzelf. Tess vertrok met iets veerkrachtigs in haar stap. Als Lizzy Bennet vandaag de dag leefde, zou ze makkelijk een meisje als Tess kunnen zijn dat op weg was om een groepje welgestelde ouderen iets over de klassieken te leren. Ze was er zelfs nog meer van overtuigd dat Lizzy Bennet het uitstekend zou doen bij KPMG, en daar voordat de markt zou dreigen in te storten een paar activa achter de hand zou houden, die ze dan zou herverdelen over respectabele doelen – maar daar had ze nu niets aan. Ze draaide haar paraplu rond en liep intussen over de hobbelige keien naar het punt waar Lord's Lane uitkwam op de hoofdstraat, die tot de rand van de stad liep.

'Tess?' klonk een stem ineens achter haar, en Tess draaide zich met een ruk om. Ze wist niet zeker van wie de stem afkomstig was; dat was het vervelende aan het wonen in Langford, besefte ze. Je wist nooit helemaal zeker wie je wel of niet kende. In Londen kende niemand je. Dat had wel iets prettigs. Soms.

'Tess! Joehoe!'

In de verte naderde een vrouw met vaag bekende trekken, keurig gekleed in een Husky-jas en een sjaal om haar hoofd.

'Tess! Ah, ik dacht al dat jij het was,' zei de vrouw, en ze lachte haar enorme tanden bloot. 'Ik zei bij mezelf: ik wed dat dat Tess is!'

Diana? Carolyn? Jean, vroeg Tess zich gejaagd af. Zoiets. God, het ligt op het puntje van mijn tong. Audrey? Jean? Ja, Jean, ik weet zeker dat het Jean is.

'Ik volg je cursus!' zei de vrouw trots. 'Cadeautje van Jeremy. Aardig van hem, hè.'

Jeremy... Jeremy en... Wie was dit in hemelsnaam? Tess pijnigde haar hersens op zoek naar de combinatie van namen die haar het licht zou doen zien. Puntje puntje en Jeremy... Ineens wist ze het.

Jan en Jeremy! Jan Allingham! Natuurlijk. 'O ja? Wat enig! Hallo, Jan!' zei Tess met een brede glimlach naar Jan Allingham, die haar hand had uitgestoken.

'Nou, daar ben je dan, daar zijn we dan,' zei Jan, en ze tikte monter tegen haar stijve krullenkapsel. 'We zijn jouw eerste cursisten, weet je.'

Tess keek haar ontzet aan. Het was even voor elven. 'De eerste les is pas om drie uur,' zei ze.

'O, dat weet ik, dat weet ik!' riep Jan. 'Ik wil er wat vroeger zijn. Om me alvast wat te oriënteren, de registratieformulieren in te vullen, wat rond te kijken.'

'O,' zei Tess zwakjes. 'Dat is heel... Dat is geweldig!'

'Vind je het fijn om terug te zijn, liefje?'

'Ja,' zei Tess. 'Het is heerlijk. En ik heb ook echt zin in het lesgeven.'

'Zie je Adam nog vaak?' vroeg Jan, terwijl ze Tess op de arm tikte. 'Zullen we doorlopen?' zei ze, de daad bij het woord voegend. 'Jullie twee waren vroeger toch zo... aanbiddelijk.' Tess glimlachte beleefd. 'Grappig toch, dat ik jou nog op het potje heb zien zitten! En nu ga je mij lesgeven!'

'Je kwam hier pas wonen toen ik al een tiener was,' zei Tess resoluut.

'Ach, nou ja, dat zijn details!' riep Jan blijmoedig. 'En wie is die medebewoonster van je, dat prachtige, mondaine meisje dat ik steeds samen met jouw Adam zie? Andrea heeft ze ook een paar keer samen gezien, volgens haar zijn ze heel dik met elkaar.'

Tess knikte. 'Francesca. Ja. Die is inderdaad beeldschoon.'

'Zo fijn voor Adam na álles...' Jan mimede het woord 'alles'. 'Het zal hem goeddoen.'

Aangezien hier geen antwoord op paste, behalve een kort, instemmend mmm, zei Tess: 'Mmm.'

'Een lief meisje om verkering mee te hebben. En rijk ook. Ik heb gehoord dat ze bankíérster is.'

Ze sloegen de hoofdstraat in, die bijna verlaten was, met verduisterde winkels en dichte huizen in de malse maartse regen. 'Ik geloof niet dat ze echt verkering hebben...' begon Tess voorzichtig, maar Jan onderbrak haar.

'Diana! Hallo!' riep ze hard. Iemand voor hen in een corduroy klokrok draaide zich behoedzaam om. 'Diana! Ik ben het! Je kent Diana toch nog wel?'

'Is dat Tess?' zei Diana Sayers terwijl ze op hen toe kwam lopen. 'Hallo, Tess.' Onder haar korte, rechte pony knikte ze naar Tess, die teruglachte maar zich niet kon herinneren waarvan ze Diana eventueel moest kennen. 'Ik ga bij je op les, ik wilde alleen vast een kijkje nemen en me inschrijven, dat soort dingen.'

'O, wat leuk!' zei Tess, terwijl haar geheugen op volle toeren draaide. Predikante? Bakker? Kaarsenmaakster? 'Dat is...'

'Voor jou bekend terrein, hè, Diana?' zei Jan, Diana weer op de arm tikkend alsof ze haar als een karrenpaard wilde aansporen in beweging te komen. 'Ik zou denken dat je voorlopig even genoeg had van scholen!'

Natuurlijk. Diana Sayers! Mevrouw Sayers, de secretaresse van de basisschool van Langford. Adams peettante. Philippa's beste vriendin, ze had haar in jaren niet gezien, hoe kon ze die vergeten zijn?

'Ik vond het wel tijd worden om eens iets te leren nu ik met pensioen ben,' zei Diana nors. 'Ik ben kinderen zat. Die hoef ik nooit meer te zien.'

'Ja ja. Wat fijn,' mompelde Jan zonder echt te luisteren, en Tess moest op haar lip bijten om niet te lachen.

'Hier oversteken,' commandeerde Diana met haar linkerarm in de lucht, en gehoorzaam stak het ploegje de weg over.

'Ben je vorige week bij die vergadering in de pub geweest?' vroeg Jan. 'Andrea is razend op me dat ik niet ben geweest, maar ik moest Jeremy ophalen van het station. Na een stom dagje golf, die sukkel. Ze zei dat het goed ging,' vervolgde ze ongerijmd. 'Ron is heel goed in het organiseren van dat soort dingen.'

'O, ik ben er geweest,' knikte Diana. 'Maar heel even. Andrea heeft de petitie opgesteld, ze gaat ermee door de stad. Misschien kunnen we een paar exemplaren meegeven aan mensen als jouw Jeremy, dan kan hij die opplakken op kantoor. Ik bedoel, Thornham is hier maar een paar kilometer vandaan, het gaat hen ook aan als dat vreselijke winkelcentrum er komt.'

'Ja, ja,' zei Jan zonder hierop in te gaan. 'Die familie – daar heb ik mee gebroken. Domweg gebroken met de Mortmains, en Carolyn Tey mag nog zo vaak naar me toe komen met die grote droeve koeienogen en zeggen: "O Jan, ik weet dat mevrouw Mortmain je eeuwig dankbaar zal zijn voor je steun," als die stomme vrouw wil dat de raad dat verschrikkelijke hek van haar goedkeurt zodat ze niet meer naar het gewone volk hoeft te kijken. Maar ze gaat een lesje leren! We pikken het niet meer! Ooo...' onderbrak ze zichzelf ineens. 'Wat een mooie schoenen, Diana. Waar heb je die vandaan? Ik ben op zoek naar zoiets. Een tikje chic, maar wel met een rubberzool. Kun je er goed op lopen?' Ze sprak alsof er een hete aardappel in haar keel zat.

'Jeetje, Jan,' zei Diana kortweg. 'Luister toch eens! We moeten hierin naast elkaar staan.' Ze draaide zich ineens naar hen toe en zei op kille toon: 'Totdat we...'

'Hemel!' riep Jan. Tess keek op; voor hen doemden de stenen pilaren op aan het begin van de oprit. 'We zijn er – en kijk eens wie we daar hebben! Als je het over de duivel hebt... Carolyn en Jacquetta! We hadden afgesproken om koffie te drinken, maar ik wist niet of zij het ook zouden redden! Ken je Carolyn nog, Tess? Ik weet niet of je Jacquetta wel eens hebt ontmoet...'

Natuurlijk dacht Tess dat ze Carolyn misschien wel een keer had ontmoet, maar ze waagde het niet toe te geven dat ze geen idee had wie ze was. Ze had het gevoel dat ze zich in een parallelle wereld bevond, dat dit Langford, vol afschrikwekkende vrouwen met degelijke molières van Marks & Spencer die de afgelopen paar dagen aan een touwtje voor haar raam op en neer hadden gedanst, wachtend tot ze haar konden bespringen terwijl zij tv-keek of eten maakte of naar de pub liep, tussen Adam en Francesca in.

Carolyn was een blonde, knappe vrouw met fletse trekken en een angstige blik. 'Hallo, liefje,' zei ze nerveus, alsof ze verwachtte dat Tess haar zou bijten. 'Wat leuk, hè. Weet je...'

'Jacquetta Meluish,' zei de vrouw naast haar, die kaarsrecht stond en met een langzaam, overwogen gebaar haar golvende lange kopergouden haar uit haar gezicht veegde.

'O ja,' zei Tess. 'Werkt u niet in die winkel aan de hoofdstraat? Met die mooie koekschalen en briefpapier?'

'Ik ben éígenaar van Knick-Knacks,' zei Jacquetta een tikje strak. 'Al weer tien jaar.' Ze sprak het uit als jèr. 'Ik zal je vertellen – Tess, heet je toch? – dat ik een paar jaar geleden in mijn branche de eerste prijs heb gewonnen voor beste assortiment. Ik kan er maar beter eerlijk over zijn, over mijn Oneerlijke Voorsprong. Haha.' Tess nam aan dat het lachje bedoeld was om zichzelf niet serieus te nemen.

O, god, dacht Tess. Ze dacht ineens weer met enig genoegen aan het tiende jaar op Fair View, waar nooit iemand haar dit soort last had bezorgd. Ja, een van de leerlingen had met een mes rondgelopen, maar Tess had Carl geloofd toen hij zei dat het was om touw van pakketten door te snijden. 'Ik ga alvast,' riep ze beleefd, toen het groepje vrouwen achter haar zwaaide en doorbabbelde.

Ze liep de korte oprit naar het huis op. Achter zich hoorde ze kreten als 'Werkelijk? Heb je dit voor je verjaardag gekregen? O, wat geweldig van hem,' 'Ik wéét het, Richard zei dat ze heel kwaad keek,' en 'Natuurlijk heeft ze hem aangeklaagd bij het bisdom,' en voor haar stond het donkere, dreigende huis met de torentjes die naar de bewolkte hemel reikten. Francesca, de bank en de tv leken heel ver weg.

Een paar uur later, toen Tess haar oog over de lijst met twintig nieuwe cursisten liet dwalen, zonk de moed haar in de schoenen. Er stonden veel meer bekende namen op dan ze had verwacht; het idee dat ze mensen zou gaan lesgeven die ze al kende was niet bij haar opgekomen, en al helemaal niet dat het de ouders zouden zijn van kinderen met wie ze was opgegroeid, of mensen met wie haar moeder sherry had gedronken. Beth Kennett, hoofd van het instituut, een verstandige vrouw van achter in de dertig, had het met een glimlach aan haar uitgelegd terwijl ze haar in de statige maar tochtige personeelskamer een kop thee aanreikte.

'We krijgen in deze tijd van het jaar altijd een instroom van mensen uit Langford. Ik weet niet waarom. Misschien hebben ze de cursus cadeau gekregen voor kerst. Derek zei altijd dat het hoogstwaarschijnlijk te maken had met voornemens in het nieuwe jaar om iets anders te gaan doen, en bovendien willen ze allemaal naar Rome,' zei ze met een schittering in haar ogen. 'Maar Andrea zei dat ze het allemaal zo leuk vinden dat jij lesgeeft. Jij bent hier opgegroeid, toch?'

'Ja,' zei Tess. Ze was nog een beetje van slag na haar aankomst. 'Goh, ik had geen idee. Het is jaren geleden...'

'Nou,' zei Beth vriendelijk, 'je moet ze gewoon duidelijk maken wie er de baas is.'

Tess dacht aan Jan en Jacquetta. 'Dat is gemakkelijker gezegd dan gedaan.'

'Kom op,' zei Beth op montere toon. Ze stopte haar haar achter haar oor en wees met een kleine vinger naar de lijst met namen. 'Er zitten nog genoeg anderen in de klas! Je komt van een van de moeilijkste scholen in Zuid-Londen. Was daar vorig jaar niet een gijzeling? Dan moet dit een fluitje van een cent voor je zijn!'

Een fluitje van een cent. Tess schraapt haar keel en keek op naar een waterig zonnetje dat door het enorme glas-in-loodraam naar binnen scheen. Haar aantekeningen, die ze steeds had herschreven, en haar lesplan lagen voor haar, op de oude houten katheder. Ze hield van dit moment, waarop ze wist dat ze hun allemaal geweldige dingen kon leren over fantastische culturen, waardoor hun blik op de wereld zou veranderen.

Ze begon:

Thy hyacinth hair, thy classic face,
Thy Naiad airs have brought me home
To the glory that was Greece
And the grandeur that was Rome.

De klas keek haar aan terwijl ze sprak; het waren niet langer Jan en Diana en Jacquetta; het was een groep gezichten, waarvan ze de meeste niet kende. Dit was haar klas.

'Sommigen van jullie kennen Rome; misschien zijn jullie er al eens geweest. Ik weet zeker dat jullie allemaal het Colosseum wel eens hebben gezien, of weten hoe een tempel eruitziet. Ik weet dat jullie allemaal wel eens hebben gehoord van Antonius en Cleopatra, of de gestoorde Nero. Misschien hebben jullie *Ik, Claudius* gelezen, of *Gladiator* gezien. Jullie weten dat de Romeinse beschaving nog steeds voortleeft.'

Ze zweeg even. Haar ogen keken zoekend naar het raam.

'Maar wat ik hoop dat deze cursus jullie brengt, is een volledig begrip van de grandeur én de schittering van Rome uit die tijd, waarom dat vandaag de dag nog zo belangrijk voor ons is en hoe de moderne wereld zoals we die kennen daaruit is ontstaan. Alles, van de maand augustus tot het woord "lyceum" tot de manier waarop we stemmen, met een vleugje *Star Wars*, wat wijn, de beste redevoeringen die je ooit zult horen en voor sommigen van jullie ook nog een fijn uitstapje naar Italië.'

Toen de klas haar met een waarderend lachje aankeek, ontspande Tess haar handen, die ze, zo besefte ze ineens, naast zich tot vuisten had gebald. Iemand sloeg een schrift open, een ander schroefde de dop van een pen, weer een ander schraapte zijn keel.

Ze ontspanden een beetje. Nu kon het beginnen; ze keek om zich heen terwijl ze zich afvroeg waarom ze zich nog steeds niet op haar gemak voelde.

Toen ging de deur open. Tess keek op van het krakende geluid en zag een silhouet. Leonora Mortmain, in het zwart gekleed, haar hand om een wandelstok, kwam achter in het lokaal de trap af, zonder iemand aan te kijken. Ze knikte en gaf zonder met haar ogen te knipperen te kennen dat ze wist dat Tess haar had gezien, en Tess deinsde bijna van schrik achteruit – zo gerimpeld was dat gezicht voor haar, zo emotieloos en toch met zo'n intense blik. Ze liep langzaam maar gestaag, en geleidelijk draaide iedereen zich om om haar te zien, Leonora Mortmain, de meest gehate vrouw van de stad, die de trap afdaalde van haar geboortehuis, en toen de klas zag wie het was, draaiden een paar zich weer om maar de rest begon vol afschuw met elkaar te mompelen. Diana Sayers had een moordzuchtige blik in haar ogen; Jan Allingham schudde haar hoofd. Langzaam liet Leonora Mortmain zich op een stoel op de eerste rij zakken en knikte, alsof ze Tess toestemming gaf om de les voort te zetten.

'Ze...' 'Waarom?' 'Niet te geloven...' Het gefluister begon als wuivend riet aan een rivier, totdat Tess op de katheder roffelde, waarna sommigen opsprongen; maar niet Leonora Mortmain. Tess klapte in haar handen.

'Stilte, alstublieft.'

Ze was ook de kalmte vergeten die over je kwam als je voor de klas stond; haar eigen leven had ze niet in de hand, maar hier was dat anders. Ze waren onmiddellijk stil. 'Bedankt. Laten we beginnen. Ik wil jullie iets laten horen. Ik ga een redevoering voorlezen uit een reeks die is geschreven door de grootste redenaar die ooit heeft geleefd. Als jullie een vijand hebben...' ze wierp een scherpe blik door het lokaal '... pak die dan als volgt aan. Als jullie je standpunt tegenover hem duidelijk willen maken, doe het dan aldus.'

Ze stak Cicero's *Philippicae* omhoog en begon daarna voor te lezen, terwijl haar handen slechts een beetje trilden.

7

Lieve Tess,

Hoi. Ik hoop dat je mijn bericht hebt gekregen. Ik heb nog steeds je oude bureau bij mij op zolder staan, dat je hier hebt opgeslagen na de inbraak. Ik ga de flat verkopen, aangezien we bezig zijn met de aankoop van een huis, dus ik zou het je graag terug willen geven. Tick en ik gaan volgende maand naar een bruiloft in Dorset. Zal ik het dan bij je afleveren?

Ik hoop dat je nieuwe leven in Langford je bevalt.

Will

Lieve Tess,

Hoi! Hoe bevalt het landelijke leven? Heb je al rond de meipaal gedanst? Hoe is het op je werk? Wat een geweldig nieuws over dat huis, maar wie is in vredesnaam dat meisje dat zomaar bij je in is getrokken? Sorry van al die vragen, maar ik moet het weten!

Hier is alles top. Cathy heeft zich geïnstalleerd, ik denk dat het leuk is om met haar te wonen. Anil heeft me mee uit gevraagd. Volgende week gaan we naar de film. Niets bijzonders, hij is aardig, dus we zien wel. Gekke John gaf zaterdag een feestje boven bij die maffe drugsvrienden van hem, iemand belde de politie en toen werd hij meegenomen! Niet te geloven, hè? De zaak van Azeem is vorige week afgebrand, ze denken dat een paar jongens het hebben gedaan.

Ik mail je ook omdat Will, alias Wauwel, gisteren belde. Hij wist niet dat je uit Londen vertrokken bent. Hij klonk een beetje verbaasd. Maar goed, hij zei dat hij een paar keer geprobeerd had je op je mobiel te bellen en dat je niet had opgenomen. Hij wilde je adres. En hij zegt dat hij vrienden met je wilde zijn. Dat moest ik aan je doorgeven! Hij zei dat hij, als hij over een paar weken naar Dorset gaat, contact met je opneemt en misschien probeert langs te komen met Ticky (zo heet ze toch?). Ik heb niets gezegd. Tess, ik hoop dat dat oké is. Ik wist niet wat ik anders moest doen.

Ik krijg nog 67 pond van je voor die rekeningen, weet je nog? Sorry als ik je opjaag.
Ik spreek je binnenkort.
Meena x x x

Hoi Meena,
Tijd geleden dat ik in het toetsenbord ben geklommen, het spijt me echt dat ik niets heb laten horen. Het is hier een gekkenhuis geweest – twee weken geleden begon ik met mijn nieuwe baan en was ik bezig alles voor de cursus te regelen en voor te bereiden. Mijn excuses.
Het gaat goed op het werk. Het is vreemd om in plaats van aan verveelde veertienjarigen les te geven aan allemaal superslimme mensen die ervoor hebben betááld om lés van je te krijgen. Het is een chiquere toestand dan ik had beseft, de lat ligt behoorlijk hoog – ik weet niet of ik hierheen was gekomen als ik dat had geweten, het had me vast afgeschrikt. Maar mensen lesgeven die iets willen leren is... fantastisch.
Francesca is een toffe meid, je zou haar vast aardig vinden. Alleen is ze nog slordiger dan ik, dat zou niets voor jou zijn. Ze raakte haar baan kwijt en daarna besloot ze Londen voor een paar maanden te ontvluchten. Ze was hier ooit op schoolreisje geweest en het beviel haar. Ik dacht dat ze misschien een beetje te Londens zou zijn, maar ze is geweldig. Ze gaat zo'n beetje met Adam, weet je nog, mijn oude vriend Adam? Ze gaan samen uit, maar ze doen er zo onverschillig over! Zo ongeveer als jij en Anil! Dat is echt tof, Meen, die date – was dat deze week? Vertel je me hoe het ging?
Het is hier zo fijn, Meen, wanneer kom je logeren? Meestal als ik thuiskom van mijn werk is Francesca hier, en dan kijken we tv en we lamballen op de bank of ik maak eten en rommel wat in huis, of anders gaan we naar de pub, vijf minuten lopen hiervandaan, met Adam en Suggs en mensen van het instituut. Ik kan lange wandelingen maken wanneer ik maar wil, het wordt 's avonds nu wat lichter en het is hier zo mooi. Ik ben hier gelukkig.
Ten slotte: het is algauw juni en dan ga ik naar Italië!!! Een hele week in Rome – het enige nadeel is dat ik daar met een stel dwazen van middelbare leeftijd ben die me de oren van het hoofd zullen vragen, maar toch lijkt het me heerlijk.

Veel liefs,
Tess x x x x

PS Sorry, heb net je e-mail nog eens gelezen. Ik betaal je zsm.
PPS En Ticky... Ticky! Welke idioot heet er nou Ticky!

'Tess?' De witte houten voordeur, die bij de minste aanraking al openzwaaide, vloog ineens open en Tess, die als een razende zat te typen achter de computer, draaide zich met een ruk om.

'O, hallo,' zei ze, toen Francesca de zitkamer van Easter Cottage binnenstormde. Het was een kleine maar lichte kamer die tevens dienstdeed als gang, opslagruimte, zitkamer én eetkamer. 'Waar ben je geweest? Wauw.' Ze wiste de laatste regel van haar e-mail aan Meena, en drukte op 'Verzenden'. 'Wat een tassen!' zei ze, terwijl ze met een bonzend hart opstond. 'Wauw,' zei ze nog eens.

'Nou,' hijgde Francesca. 'Ik heb gewinkeld.' Ze liet de tassen achteloos op de houten vloer vallen en plofte neer op de bank. 'Ik ben volkomen gesloopt, Tess.' Ze schopte haar goudkleurige slippertjes uit; Francesca liet zich in haar schoenkeuze nooit weerhouden door weersomstandigheden, had Tess opgemerkt. De slippertjes kwamen terecht naast Tess' schoolschoenen; stevige bruine instappers, overdekt met modder.

'Waar ben je geweest?' vroeg Tess, terwijl ze zich over de tassen boog. 'Wat een hoeveelheid! Waar heb je die winkels gevonden? Het is maar een klein stadje.'

'Ik had winkeltherapie nodig,' zei Francesca. 'Wat spullen voor het huis.' Ze hield een blauw blokje omhoog. 'Kijk! Die heb ik in die toffe winkel gekocht waar ze Alessi-spullen verkopen. Het is een lamp.'

'O ja,' zei Tess. 'Wauw, die is...'

Francesca haalde als een tweede Mary Poppins nog meer spullen uit de tas. 'Een schaal van Arthur! Mooi op de sidetable.'

'Welke sidetable?' vroeg Tess, om zich heen kijkend.

'De sidetable die ik heb gekocht in de antiekzaak! Die naast de slager zit, na de parkeerplaats!' Francesca straalde. Ze veegde achteloos haar haar uit haar ogen. 'Het wordt hier echt fantastisch, als ik eenmaal...' Ze zweeg. 'Als we hier eenmaal... klaar zijn met eh... inrichten.' Ze keek naar Tess, die boven haar uittorende, met haar handen in haar zij, en zei monter: 'Geweldig. Fantastisch, toch?'

'Fantastisch, als jij tenminste betaalt,' zei Tess kordaat. 'Francesca, ik heb nauwelijks geld voor, tja... ik weet niet. Suffe dingen, zoals vorken en shampoo.' Ze haalde haar handen uit haar zij toen ze besefte hoe strijdbaar ze erbij stond, en probeerde haar armen achteloos langs haar lichaam te laten hangen, alsof dit normaal was, alsof het geen afschuwelijk lastige situatie was. Nog geen maand geleden waren ze hier gaan wonen, en ze wilde niet dat het een vergissing bleek te zijn. Ze wilde niet dat Meena zou zeggen: 'Ik wist wel dat het niets zou worden. Idioot idee!'

Ze haatte ruzies met huisgenoten en het verbaasde haar nog steeds hoe volstrekt normale mensen zich zo vreemd konden gedragen als ze een woonruimte met anderen deelden. Geld. Het ging altijd om geld. Wills verschrikkelijk bekakte maar wel beleefde huisgenote Lucinda had plotseling aangekondigd dat Tess aan de huur moest bijdragen als ze daar een nacht bleef slapen, dat ze moesten bijhouden wanneer ze daar sliep, en dan de huur over die dagen in drieën deelden. In hun derde studiejaar had Emma, een vriendin van Tess, op een ochtend doodleuk verkondigd dat ze vond dat Tess twee pond vijftig moest betalen voor het lenen van haar zilverkleurige topje de avond tevoren. Francesca was eerder het tegenovergestelde; Tess had het gevoel dat ze zelf in Lucinda of Emma veranderde.

Gisteren had Francesca doodleuk gezegd: 'Denk je dat we een goed servies kunnen kopen? Ik zag een heel mooi servies op de site van Selfridges. Het kost maar een paar honderd pop.'

Tess keek haar nieuwe huisgenote nu aan. 'Maar het is...' begon Francesca.

'Francesca!' zei Tess geërgerd. 'Ik wil geen schaal. En ook geen sidetable. En geen achttiendelig servies terwijl we maar drie stoelen hebben! Hou op met geld uitgeven om je beter...' Ze zweeg, zich ervan bewust dat ze te ver ging. Francesca keek haar aan. Er viel een stilte in de kleine zitkamer. Het laatste beetje zonlicht van die dag drong dapper door de stoffige ramen heen.

'... sorry.' Tess schraapte haar keel. 'Het spijt me. Dat was echt grof van me.'

'Nee,' zei Francesca, terwijl ze zich in haar hals krabde; er bleven rode striemen achter op haar bleke huid. 'Ík moet sorry zeggen. Ik ben gestoord. Ik moet kalmeren en...' Ze knipperde ineens met haar ogen. 'Ik moet het gewoon rustig aan doen.' Ze keek om zich heen, alsof 'rustig aan doen' iets was wat ze kon oppakken. 'Ik zal alles terugbrengen...'

Tess pakte de blauwe lamp die gekanteld op de versleten bruine bank lag. 'Deze is prachtig,' zei ze op verzoenende toon. 'Zullen we die houden?'

'O,' zei Francesca glimlachend. 'Oké. Ik vind hem eerlijk gezegd beeldschoon. En die schaal?'

'Ik heb geen sierschaal nodig.'

'Daar gaat het niet om,' zei Francesca. 'Was het niet William Morris die zei: "Zorg dat u niets in huis hebt wat u niet functioneel of niet mooi vindt"?'

'Ik vind hem niet functioneel en ook niet mooi,' zei Tess, die haar handen weer in haar zij zette.

'Oké, oké,' zei Francesca, terwijl ze de schaal uit haar handen pakte. 'Ik zet hem wel in mijn kamer. Ik zal...' Ze kneep haar ogen tot spleetjes. 'Waar is je gevoel voor humor, Tess? Jeetje, jij bent vast een bazige juf.'

Tess dacht met genoegen terug aan de afgelopen ochtend, toen ze de *Georgica* van Vergilius had behandeld, waarbij ze met haar cursisten het Romeinse Rijk had vergeleken met de wereld in een bijenkorf. Ze hadden a) de tekst gelezen, b) er vragen over beantwoord en c) in een verrukt stilzwijgen geluisterd terwijl zij vertelde over Vergilius' opvattingen over Rome en het plattelandsleven. Daarna hadden ze in de koffiepauze (Jan had een notentaart gebakken) de relevantie besproken van de *Georgica* nu ten opzichte van het boerenleven en het platteland. Vooral Andrea Marsh, die niet alleen secretaresse van het instituut was (alle werknemers mochten jaarlijks één gratis cursus volgen), maar ook een van de initiatiefnemers van de campagne tegen de uiterwaarden, en bovendien hield ze bijen, was een bijzonder interessant mens.

'De hommel zou in vijf jaar uitgestorven kunnen raken,' zei ze steeds. 'En niemand weet waarom. Als ze naar Virgilius' vierde *Georgica* hadden geluisterd, zou het allemaal goed komen. Als we niet van die bespottelijke ideeën hadden over winkels die vierentwintig uur per dag open moeten zijn, en niet van die grote aardbeien uit Chili wilden eten in december, en ons platteland niet vernietigden om er nieuwe dingen op te zetten...' hierbij wierp ze een boze blik in de richting van Leonora Mortmain '... dan zou het goed kunnen komen. Hij wist dat!'

Maar Leonora had niets gezegd. Ze reageerde nergens op. Ze zat daar stilzwijgend, totdat Carolyn Tey – die haar zo toegewijd was als een soort schoothondje – haar een stuk taart aanbood.

'Proeft u toch, hij is heerlijk,' had ze gezegd, met een hoopvolle blik in haar blauwe ogen.

'Nee, dank je,' antwoordde Leonora. 'Ik heb genoeg gehad.' Ze kneep haar dunne lippen stijf op elkaar. Tess vroeg zich opnieuw af wat ze hier kwam doen, aangezien ze niet erg leek te genieten van de lessen – maar hoe moest ze dat te weten komen? Leonora reageerde nooit ergens op.

Ze gaf nu twee weken les, en het verbaasde haar nog steeds hoe fijn ze het vond. Het was heerlijk om cursisten les te geven die niet onderuitgezakt op hun stoel hingen, in hun neus peuterden, of haar met een blik vol afkeer aankeken. Het was heerlijk voor haar om op de vraag: 'Wie wil dit stukje voorlezen?' tien handen omhoog te zien gaan. Het was heerlijk om de schuwe Ron Thaxton, die ze altijd als een bijzonder verlegen man had gekend, te zien opbloeien in de klas, waar hij heldere uiteenzettingen gaf over Augustus, over oorlogsstrategieën, zonder dat er nog veel van zijn gestotter te horen was.

En daarna was het heerlijk om de wandeling van tien minuten naar huis te maken, door de stad te slenteren met haar tas aan haar arm, winkels in te schieten waar ze dingen verkochten die je echt nodig had, zoals naald en garen, hier en daar iemand gedag te zeggen. Ze begon inmiddels zowel oude als nieuwe mensen te herkennen. Sommigen herinnerden zich haar nog van vroeger en vroegen hoe het met haar vader en moeder ging, en wat Stephanie deed. Ze dacht nu aan Londen, hoe ze daar terugging naar huis, in overvolle metro's geperst, hondenpoep ontwijkend en oppassend voor opgebroken straattegels waar ze een keer over was gestruikeld, ze dacht aan de regen en aan de norse gezichten. Tess prees zich gelukkig; het leek zo ver weg. Ze dacht aan Will, zijn grote gezicht uitdrukkingsloos en dreigend op de avond van Guys bruiloft, toen hij zei: 'Maar Tess, begrijp je het niet? We zijn niet uit hetzelfde hout gesneden. We willen allebei iets anders.'

Ze had gehuild, ze begreep niet wat hij bedoelde. 'Maar ik hou van je!' had ze geroepen, terwijl ze zijn overhemd vastgreep – waarom had ze dat gedaan?

'Dat geloof ik niet,' had Will gezegd terwijl hij haar hand weghaalde. 'Je geeft niets om mijn vrienden, je hebt je tijdens die hele receptie verveeld. Lucinda is echt een boeiend meisje, je had toch verdorie wel je best kunnen doen. Je bent zo... star, Tess, het moet allemaal op jouw voorwaarden, of helemaal niet.'

Tess schudde haar hoofd bij de herinnering. Gedumpt omdat ze niet aardig was tegen een meisje dat Lucinda heette en dat haar huur wilde laten betalen, en dat haar brood verdiende met het maken van knuffelbeesten. Wat een afgang. Maar... had hij gelijk gehad?

'Een stuiver voor je gedachten,' zei Francesca zachtjes achter haar. 'Hallo?'

Tess schrok op. 'Sorry, ik was mijlenver weg,' zei ze, knipperend met haar ogen.

'Alles goed?' vroeg Francesca. Tess knikte. Francesca klopte haar huisgenote op de arm. 'Wat dacht je van een glas wijn voordat ik ervandoor ga?'

'Prima,' zei Tess. Ze liep het keukentje in, dat door de gammele oude glazen deur uitzicht bood op een tuintje ter grootte van een postzegel. Ze trok de la open om de kurkentrekker te pakken en keek intussen naar buiten. 'Hé, het regent niet meer!'

'Klopt,' zei Francesca. Ze sloeg met haar handen tegen de zijkant van haar dijbenen. 'Het is lente, en ik heb zin in romantiek.' Ze keek met een stralende blik om zich heen. 'Is dat niet raar? Dat wij hier in dit huis zitten? Is het niet volkomen gestoord?'

'Ja!' zei Tess met een lach. Ze was blij haar zo gelukkig te zien. 'Met wie wil je romantiek beleven? Komt Adam langs?'

'Zeker,' zei Francesca. 'We gaan die pub aan de andere kant van de stad proberen, wil je mee? De Cross Keys, ken je die?'

De deur van de koelkast viel wijd open en sloeg met een klap tegen de muur, zo hard dat ze allebei opsprongen.

'Dat gebeurt steeds! Zo vervelend. Au,' zei Tess, terwijl ze de wijnfles stevig op het aanrecht neerzette. 'Dat is een leuke pub,' zei ze, over haar hand wrijvend. 'Daar vlakbij zijn we opgegroeid. Adams moeder heeft er een tijdje gewerkt.'

'Wat voor vrouw was Adams moeder?' vroeg Francesca nieuwsgierig. 'Adam vertelt nooit iets over haar.'

'Ze was lief.' Tess pakte een pot olijven, die ze de vorige dag in de hoofdstraat had gekocht in Jen's Deli, waar Liz werkte. Jen's Deli verkocht levensmiddelen voor een toeristenpicknick. Een klein potje olijven kostte drie pond negentig. Ze stortte ze in een van de beschilderde kommetjes die op de keukenschouw stonden. 'Ooo, ik geniet hiervan, jij niet? Ik voel me net als in een prentenboek, in mijn eigen kleine cottage.'

'Jij woont ook in je eigen kleine cottage,' voerde Francesca aan. 'Ik ook.'

'O ja.' Tess pakte de mooie nieuwe glazen uit de kast. Francesca hing tegen het keukenblok. Ze pakte een olijf uit het kommetje.

'Heeft Adam daar altijd gewoond?'

'Wat?' Tess maakte de fles open. 'Waar gewoond? Hier?'

'In dat huis,' zei Francesca geduldig. 'Heeft hij nooit ergens anders gewoond, na haar dood? Ga ik met een man die nog nooit ergens anders heeft gewoond?'

'Dus je gáát echt met hem?' vroeg Tess, en ze probeerde nonchalant over te komen. 'O, mijn god!' Ze slikte haastig toen ze besefte dat ze als een tiener klonk. 'Dus jullie hebben – ik dacht dat jullie...' Haar stem stierf weg.

Francesca gooide haar haar achteloos naar achteren; Tess had gemerkt dat ze dat helemaal niet deed om te intimideren, maar juist uit onzekerheid.

'Eh. Ik weet niet. Ik geloof het wel. Ik zie hem vaak.' Ze harkte met haar vingers over haar hoofdhuid. 'We hebben het erover gehad, afgelopen weekend. Ik weet niet wat "met elkaar gaan" tegenwoordig betekent, jij? Het is in elk geval een beetje puberachtig. Soms betekent het het een, dan weer iets anders... Je weet wel...' Haar stem stierf weg, en Tess zag tot haar genoegen dat ze bloosde.

'Je vindt hem leuk!' Tess tikte haar huisgenote tegen haar arm. 'O, joh, wat cool! En hij vindt jou ook leuk, dat is overduidelijk.'

'Ja?'

'Zeker weten.' Tess dacht terug aan de afgelopen zondag, toen zij, Francesca, Suggs en Adam een picknick hadden gehouden bij de ruïnes van de priorij van Langford, ooit het grootste klooster in Somerset, voordat Henry VIII het grondig had laten verbouwen. Ze hadden op het gras gezeten, op stenen die overal verspreid lagen, en over de vallei uitgekeken op de stad, en toen was het gebeurd. Tess had Francesca om een mes gevraagd, en Francesca had in haar tas gekeken om het te pakken, waarbij haar haar in haar gezicht viel, en in een impuls had Adam het behoedzaam achter haar oor gestopt, waarna hij zijn grote hand even op haar schouder legde. Hij zei niets, Francesca zei niets, maar Tess had hen gadegeslagen met genegenheid en een steek van eenzaamheid, toen ze besefte wat zij zich bewust was van iets wat zij niet wisten: dat haar beste vriend dubbel en dwars gevallen was voor Francesca Jackson.

Ze vroeg, een tikje verlegen: 'Mag ik vragen... Wanneer is dit allemaal... gebeurd?'

'Je bedoelt... daadwerkelijk? Nou, hij had toch beloofd om die Engelse sleutel te brengen? Toen heeft hij de deur gerepareerd en daarna bleef hij... bleef hij...' Ze bloosde.

Ze zweeg en keek schuldbewust naar Tess, die zich afvroeg waarom – er was niets om zich schuldig over te voelen, het was alleen maar goed nieuws. Waarom zouden ze geen seks hebben midden op de dag, in haar eigen huis, terwijl Tess keurig in vest en blouse mensen vertelde over dingen die tweeduizend jaar geleden gebeurd waren?

'Je... je vindt het toch wel oké? Geeft het je geen raar gevoel?'

'Natuurlijk vind ik het oké!' zei Tess. Toen ze het zei, wist ze dat het niet waar was, het voelde toch een beetje raar. Het ging per slot van rekening om haar huisgenote en haar beste vriend. Ze zou gewoon aan het idee moeten wennen, dan was er niets aan de hand. En als ze oefende in eruitzien alsof ze het allemaal oké vond, dan werd het dat ook.

'O, gelukkig,' zei Francesca. 'Ik wil niet dat het verkeerd voelt.'

'Waarom zou het? Hij is niet mijn vriendje.'

'Precies,' zei Francesca.

Die woorden, 'hij is niet mijn vriendje', bleven in de lucht hangen.

'En jullie zien elkaar dagelijks?'

'Nou, maandag is dat gebeurd. Zondag, als je de wandeling meerekent. Dus inderdaad, dinsdag kwam hij ook langs, en vandaag – nou ja, ik zie hem vanavond dus ik... ik wilde afleiding.' Ze plukte aan haar nagelriem. 'En ik ben gaan shoppen.'

'Aha,' zei Tess lachend. 'Dat is dus een substituut voor een wip maken.'

'Nee!' Francesca lachte ook. 'Wat grof. Hij is... O joh.' Ze slaakte afwezig een diepe zucht. 'Hij is geweldig. Je hebt geen idee. Ik voel me gewoon...' Haar schouders gingen omhoog en omlaag, en ze staarde zonder iets te zien langs Tess de kamer in. Tess volgde haar blik, bijna radeloos, hopend dat ze zou zien wat Francesca zag:

Een kus op een zonovergoten plek in het bos.

Een geweldige man die de cottage in kwam en je in zijn armen trok.

Fantastisch seks... in de middag.

In plaats daarvan zag ze:

De batterijen van de afstandsbediening die er bijna uit vielen (om mysterieuze redenen miste het ding een achterkant).

Een stapel opstellen over Vergilius en Rome die uit haar stoffen tas stak.

Haar schoenen, degelijke stappers, vol aangekoekte modder, naast Francesca's goudkleurige sandaaltjes.

Francesca was net Dido of Thetis, die op een zitbank lag en chocola at, met haar haar golvend over haar rug, terwijl knappe vrijers haar het hof kwamen maken en haar in vervoering brachten. Zij, Tess, daarentegen was een dwergachtig leraresje met een stapel nakijkwerk, met een haar op haar kin en schoenen die zelfs voor de grootste fatsoensrakker wel wat sexyer mochten.

'Glaasje?' zei Tess, terwijl ze de dop bijna van de fles wijn rukte, zodat hij in haar glas viel. 'Wanneer gaan jullie uit? Zie je hem in de pub?'

'Nee, ik ga hem thuis afhalen,' zei Francesca. 'Ik ben er nog niet eerder geweest. Daarom vroeg ik me af hoe...' Ze nam een slokje uit haar glas en gooide haar haar weer naar achteren.

'Wat?'

'Hoe zijn moeder was. Of er iets is wat ik moet weten.'

'Of er iets is wat je moet weten.' Tess staarde in de verte. 'Ah.' Ze blies haar adem uit door haar tanden. 'Philippa. Ze was geweldig. Meer hoef je over haar niet te weten.'

'Daar heb ik niet veel aan.'

'Ik weet het. Sorry.' Tess dacht terug aan vroeger. 'Ik zie haar zo voor me, na dertien jaar nog. Ze was gewoon een fantastisch mens. Het was een tragedie.'

'Wat is er precies gebeurd?'

'Ze kreeg een aneurysma. Ze... ze viel op een dag zomaar dood op straat neer.' Tess slikte. 'Ze was op weg naar huis na het boodschappen doen. Mijn moeder heeft haar gevonden.'

'Wat verschrikkelijk.'

Tess knikte. 'Ja. Juist zij. Philippa was... echt heel bijzonder.'

'In welk opzicht?'

'Nou, toen we klein waren behandelde ze ons als ménsen, weet je wel? Ze gaf ons kleine cadeautjes voor speciale gelegenheden, niets bijzonders, maar wel persoonlijke dingetjes.' Toen Tess elf was, had ze anderhalf jaar een beugel moeten dragen, en Philippa had toen een speciale agenda voor twee jaar voor haar gekocht, om de dagen af te kunnen strepen, en ze had er dingetjes in geschreven als: 'Nog maar een jaar!' 'Wie is dat mooie meisje? Dat is de dochter van Tennant, met die prachtige tanden!''

'O, wat lief,' zei Francesca.

'Ze wás lief. Ze...' begon Tess, en toen zweeg ze. 'Ze was een schat.'

'En wat is er met Adams vader gebeurd?' vroeg Francesca aarzelend. 'Je hoeft het me niet te vertellen, maar hij heeft het er nooit over, dus ik dacht dat het misschien iets heel ergs was.'

'Zou kunnen,' zei Tess, die weer een slok wijn nam. 'Dat weet niemand.'

'Weet wat? Hoe hij is gestorven?'

'Nee,' zei Tess. 'Dat was het niet, ik denk dat het gewoon een vent was met wie ze even iets heeft gehad. Niemand weet precies waar Philippa vandaan kwam, dat is het rare. Dat huis stond jaren leeg, en toen op een dag kwam ze ineens aanwaaien.'

'Net als Mary Poppins?' Francesca lachte.

'Zoiets,' zei Tess ernstig. 'Ze heeft eigenlijk nooit iemand over zichzelf verteld. Mijn moeder vroeg haar een keer waarom ze naar Langford was gekomen, en toen zei Philippa: "Dat weet ik eerlijk gezegd zelf ook niet." En daarna zei ze er nooit meer een woord over.'

'Nee toch,' zei Francesca geboeid.

'Ja. Ik heb het nooit begrepen. Waarom kwam ze naar Langford? Waarom? Ik bedoel… voor ons was het fijn dat ze dat deed, maar…'

'Boeiend,' zei Francesca. 'Wauw.'

'Zeg dat wel,' zei Tess, hoewel ze zich een beetje schuldig voelde omdat ze Adams familiegeheimen op deze manier prijsgaf. Ze keek nadenkend uit het raam. Eigenlijk wist ze niet wat het geheim precies was, bedacht ze, dus hoe kon ze het dan prijsgeven? Adam zelf wist niet eens waar hij vandaan kwam. Zo was het altijd geweest.

8

Op een vrijdagmiddag, vlak voor de eerste officiële feestdag in mei, zat Tess op de bank haar schoenen aan te trekken en luidkeels te neuriën, zodat ze niets kon horen van wat er boven in de slaapkamer gebeurde. Ze had de hele ochtend lesgegeven en ze stond op het punt de deur uit te gaan om spullen in te slaan voor een picknick. Adam, Francesca en zij gingen de volgende dag naar het strand, en de koelkast in Easter Cottage was nog nooit zo leeg geweest. Twee seksbeluste volwassenen aten een heleboel, had Tess ontdekt. Het was alsof ze samen met een stel termieten en een ploeg sumoworstelaars in huis woonde.

De geluiden boven die ze voorwendde niet te horen werden natuurlijk steeds harder en zwollen aan tot een crescendo. Tess begon stampend over de vloer te lopen en te zingen terwijl ze haar sleutels zocht. Ineens viel er, bijna abrupt, een stilte, en na een minuut hoorde ze voetstappen op de smalle trap, enig tumult en daarna een onderdrukte vloek – toen degene die naar beneden liep er niet in slaagde de trede waar een stukje uit was te ontwijken, wat vooral gevaarlijk was als je geen schoenen aanhad.

'Hé, hallo!' riep Adam nog steeds opgewekt naar haar. 'Koffie?' Tess keek hem ongelovig aan toen hij de keuken in ging. 'Is dat de kimono van Francesca?' zei ze, toen ze zag dat Adam de Chinese zijde voorzichtig om zich heen trok terwijl hij de waterkoker aanzette.

'Ja, inderdaad, staat hij me niet geweldig?' zei Adam. Hij krauwde nadenkend door zijn dikke haar. 'Ze heeft hem aan me gegeven.'

'Ze heeft je wel meer gegeven,' zei Tess, die de verleiding niet kon weerstaan.

'Ha ha,' zei Adam. 'Heel grappig.'

'Zo grappig is dat niet,' zei Tess, en ze wilde dat ze niet zo chagrijnig klonk. 'Om hier te moeten aanhoren hoe jullie tekeergaan.'

'Tess!' zei Adam vriendelijk. 'Bemoei je met je eigen zaken.'

'Mijn eigen zaken?' Tess stond op met een kort lachje, terwijl ze haar tas over haar schouder zwaaide. 'Dat valt niet mee, als jullie het enige zijn wat ik hoor wanneer ik in bed probeer een boek te lezen. Ik heb oordoppen moeten kopen!'

'Nee,' zei Adam, maar hij leek een tikje uit het veld geslagen. 'We hebben het geweldig samen. Ik vind haar echt leuk, dus wat zeur je nou?'

Hij had iets belachelijks, met die waterkoker in zijn hand, de dunne zijde die tegen zijn benen plakte en zijn lange, brede gestalte, terwijl zijn haar ook nog eens alle kanten op stak. Een golf woede overspoelde haar omdat hij vond dat het allemaal moest kunnen. Dat ze dat allebei vonden.

'Ik zeur?' gilde Tess. Ze schudde woest haar hoofd. 'Ik zeur omdat ik hierheen ben gekomen om wat rust te hebben, en voor ik het weet is er verdomme geen koffie meer in huis omdat jullie alles hebben opgedronken, en niks te eten in de koelkast omdat jullie alles hebben opgegeten, en als ik probeer naar de *Antiques Roadshow* te kijken, hoor ik alleen jullie "ja! ja!" gillen, alsof jullie naar een voetbalwedstrijd kijken!'

Adam keek haar aan toen ze hierna diep ademhaalde, daarna begon hij te lachen.

'Of... naar wat ook,' zei Tess zwakjes, blij dat de spanning gebroken was. Ze stelde zich aan. 'Je weet wel. Een leuke serie. *The Wire*. Maar *Antiques Roadshow* vind ik echt leuk, dat je dat maar weet.'

'Dat is duidelijk,' zei Adam, die nog hoofdschuddend stond te lachen.

'Vorige week was er een bejaarde vrouw.'

'Nee. Verbazingwekkend.'

'Ze had een theepot bij zich die door Josiah Wedgwood zelf is ontworpen. Door hemzélf.' Tess knikte veelbetekenend. 'Hij was ruim duizend pond waard. En die mevrouw kan nu een nieuw instapbad kopen voor haar man Roger.'

'En dan te bedenken dat jij ooit strippoker hebt gespeeld met het jeugdcricketteam van Hampshire,' zei Adam peinzend.

'Ssst.' Ze legde haar vinger tegen haar lippen. 'Niet vergeten. Dat is...'

'... ons geheim,' maakte hij af. 'Sorry, dat was ik vergeten.'

Ze zwegen allebei even, toen zei Adam weer: '*Antiques Roadshow*'. Tess keek hem aan, met haar armen over elkaar. Adam had een hartelijke, luide lach, die hij niet bleek te kunnen inhouden.

'Hé,' zei hij ten slotte. 'Het spijt me echt, Tess. Ik had meer rekening met je moeten houden. Maar ja, ze is ook zo... geweldig.' Hij glimlachte. 'Ik mag haar echt graag.'

'Dat weet ik,' zei ze, blij voor hem. 'Nou, ik wilde net wat eten gaan inslaan...'

'Ik ga mee,' zei Adam. 'Serieus,' vervolgde hij, toen ze hem ongelovig aankeek. 'Francesca ligt nog diep te slapen en ik heb een nieuwe batterij nodig voor mijn fietslamp. Geef me vijf minuten, dan spring ik even onder de douche.'

'Eh... oké,' zei Tess.

Adam grinnikte. 'Kijk blij!' zei hij. 'Met mij kun je je op straat vertonen, grootje,'

Toen ze door de hoofdstraat liepen, droeg Tess haar rieten mand aan haar arm. Adam schudde zijn hoofd. 'Ik maak me zorgen over je. Je lijkt wel een ouwe oma. Mijn peettante Diana heeft nog niet eens zo'n mand, en die is... ouder dan jij. Bovendien zijn ze totaal niet praktisch.'

'*O tempora, o mores,*' zei Tess scherp. Ze had er meteen spijt van.

'Denk je nou echt dat Cicero bedoelde dat we plastic tassen moeten vergeten en rieten manden moeten gebruiken?' vroeg Adam onschuldig. 'Schep maar niet zo op met je Latijn, Tess. Je weet dat je dat verliest.'

Adams brein was een bron van mysterie voor Tess; hij vergat nooit iets, geen citaat, verhaal, of lastig stukje zinsbouw. Ze gaf les in Latijn en Grieks, en vaak wist ze het woord voor 'schip' in beide talen niet meer. Maar ze wist nog alsof het gisteren was wat er in de zomer van tien jaar geleden was gebeurd, ze herinnerde zich Stephanies trouwdag, en ze herinnerde zich Wills gezicht toen hij haar de eerste keer zei dat hij van haar hield... Adam kon amper zijn eigen verjaardag onthouden.

Vreemd, die tegenstrijdigheid in hem. Ze keek zijdelings naar hem toen ze over straat liepen, hij fluitend, met zijn handen diep in zijn zakken. Het was waarschijnlijk iets van de Romeinen. Briljant, praktisch, ordelijk, netjes – en tegelijkertijd chaotisch, hopeloos, romantisch. Vreemd, bedacht ze, dat zij, Tess, hier nu lerares was en Adam, in al zijn briljantheid... Adam was... Wat was hij eigenlijk? Ze knipperde met haar ogen en riep zichzelf terug naar het hier en nu.

'Eh, ik heb een beetje genoeg van die delicatessenzaak. De kaaswinkel?' stoorde Adam haar in haar overpeinzing. Ze lachte naar hem toen ze zag dat Liz een ham in de etalage legde van Jen's Deli en op dat moment de zonnige straat in keek. Ze wuifde naar haar.

'Hou op,' zei Adam.

'Doe normaal,' zei Tess. 'Ze zit in mijn klas.'

'In jouw klas?'

'Ja, inderdaad,' zei Tess. 'Ze is trouwens best goed. Ze gaat mee naar Rome. Ik maak deel uit van haar plan om zich verder te ontwikkelen. Net als jij vroeger,' vervolgde ze vilein. Adam fronste bij het geluid van de deurbel van de kaaswinkel van meneer Dill, waar een klant naar binnen ging. 'Wat moeten we hebben?'

'Nou.' Tess klemde de mand – Adam had gelijk, hij was onpraktisch – onder haar arm en telde af op haar vingers. 'Eten voor vanavond. Eten voor morgen, als we naar het strand gaan. Hoi, Andrea!' Ze zwaaide naar Andrea Marsh, die de weg overstak.

'Je bloembakken staan er prachtig bij,' zei Andrea, maar het klonk alsof het haar moeite kostte. 'Ik zag ze op weg naar mevrouw Store. Zijn het viooltjes?'

'Ja! Leuk dat je ze mooi vindt... Aah!' Tess slaakte een kreet toen er een auto langsreed en Adam haar met gevaar voor eigen leven de stoep op sleurde.

'Jeetje, kijk uit, Tess,' zei hij boos.

'Tot vanavond op de vergadering!' riep Andrea terwijl ze verder liep.

'Ja, zeker,' riep Tess haar na. 'Ga jij ook vanavond?'

'Wat?' zei Adam, achteromkijkend. Hij tuurde door zijn oogharen. 'O, naar die vergadering? Nee, ik denk het niet.'

'Maar iederéén gaat,' zei Tess.

Adam knikte ernstig. 'Wie is iederéén?'

'Nou, je weet wel.' Tess wuifde met haar handen. 'De mensen op het instituut – behalve natuurlijk Leonora Mortmain – en eh, Ron, Suggs, Francesca...'

'Nee, zij gaat niet,' zei Adam. 'We blijven thuis en gaan een filmpje kijken.'

'Maar Adam...' Tess herinnerde zich hoe vreemd hij had gedaan over de campagne op de avond van de eerste bijeenkomst. 'Suggs organiseert het. Het wordt...'

'Je bent tegenwoordig wel bij de stad betrokken,' zei hij spottend. 'Weet je nog toen je net weer terug was, hoe negatief je toen over de hoofdstraat deed? En kijk nu eens. Je deelt nog net niet het bed met alle belangrijke mensen in de stad.'

Tess negeerde zijn opmerking. 'Adam, we moeten toch allemaal...'

Adam stak zijn hand op. 'Ik ga niet. Sorry. Kom, we gaan kaas halen. En dan kunnen we er nog even verder over ruziemaken.'

'Ik ben geen ruzie aan het maken,' zei Tess op een nog geduldiger toon dan hij. 'Ik wil alleen even duidelijk maken dat...'

Ze zwaaide de mand naar achteren, toen een zachte mannenstem 'au' zei.

Tess bleef stokstijf staan en keek naar Adam, die over haar schouder tuurde alsof hij een geest had gezien.

'Hallo. O, ben jij het. Ik ben je naam vergeten, sorry,' zei de stem.

'Adam,' zei hij, en hij ging wat dichter bij Tess staan.

'Natuurlijk. De oude vriend van Tess. Nou, hallo. Ik ben Will. Hallo, Tess.'

Ze draaide zich automatisch om, als een danseresje op een speeldoos.

'Hallo, Will,' zei ze.

Tess had Will voor het laatst gezien in januari, tijdens een borrel ter gelegenheid van de verjaardag van hun vriend Henry, in een pub aan de New Kings Road. Tess was van plan geweest er maar één glaasje te drinken en had op een vriendelijke, opgewekte manier naar Will gezwaaid toen ze naar buiten wilde en zich een weg baande door de drukke pub, onpasselijk van de geur van dure parfum, sigarettenrook die naar binnen waaide en lelies in enorme vazen op de bar, die behalve hun zoete geur de lucht van verval uitwasemden.

Will hield de hand vast van iemand die achter hem stond; door alle mensen die op een kluitje stonden kon ze haar gezicht niet zien, maar ze wist dat het Ticky moest zijn. Tess had nog eens naar hem geglimlacht, haar blik ten hemel geslagen alsof ze hard bezig was om zich langs hem heen te persen terwijl ze 'dag' mimede en zich vanuit de pub de straat op liet duwen. Daar had ze met een ellendig gevoel in de plotselinge kou gestaan, met hangende schouders en het idee nergens bij te horen. Daarbinnen hoorde ze in elk geval niet, en dat zou ook nooit gebeuren.

Nu keek ze naar Will, die daar als een god in de hoofdstraat stond. Ineens kreeg ze weer dat gevoel, alsof je een liedje hoort dat je aan een zomervakantie doet denken, dat eigenaardige gevoel van vervreemding, van anders zijn, dat Wills aanwezigheid met zich meebracht.

'Hallo,' zei Tess, vastbesloten om vriendelijk en volwassen te doen. Ze had met Meena in hun flat precies zo'n scenario geoefend – Meena!

Het kwam ineens allemaal terug. De e-mail! Het bureau – o shit, daarom was hij hier.

'Will, hoe gaat het?' vroeg ze. Ze boog zich naar voren en drukte een kus op zijn wang, terwijl Adam achter haar stond. Voorzichtig haalde hij de mand uit haar hand en zette hem op de grond. 'En jij moet Ticky zijn,' vervolgde ze.

Achter Will stapte een lang, mager, blond meisje naar voren met de langste benen die Tess ooit had gezien. Ze had enorme groene ogen die uit haar kleine gezichtje puilden. Ze droeg iets wat eruitzag als een turkooiskleurig speelpakje.

'Hoi,' zei ze een beetje vlak, terwijl ze een hand uitstak. 'Ik ben Ticky. Wat enig om je te leren kennen.'

Will, die nog steeds naar Tess stond te staren, knikte. 'Zeg,' zei hij – Tess was vergeten hoe zacht zijn stem was, 'alles goed, liefje?'

'Super!' zei Tess, iets te hard.

'Heb je mijn e-mail gekregen, en de boodschap? Sorry dat ik

niet van tevoren iets heb laten horen. Maar ik wilde je dat bureau echt teruggeven.'

Hij zei 'sorry' en 'bureau' met een rollende r.

Tess keek naar Ticky en begon zich in gedachten met haar te vergelijken. Zij (beetje klein, beetje gemiddeld, lelijke zwarte lompe schoenen, topje en vest – een oud grijsgroen vest met grote zakken, o, onvoorstelbaar – en o nee, had ze echt een klokrok aan?) tegenover Ticky (modieus speelpakje, honingkleurige huid, zacht blond haar, kersenrode slippertjes). Ze kreunde even, en Adam wierp haar een blik toe.

'O, het bureau!' riep ze uit. 'Sorry dat ik geen contact met je heb opgenomen. Natuurlijk!' Ze liet zich op een naar ze hoopte nonchalante manier tegen het eerste het beste aan vallen wat steun kon bieden, wat toevallig de muur was naast de winkel van meneer Dill. Helaas was die muur net iets verder dan ze had gedacht, en met een bons viel ze tegen de oude stenen aan en deed haar schouder pijn.

Will schudde zijn hoofd. 'Geeft niets,' zei hij vriendelijk glimlachend, en hij legde zijn vingers tegen elkaar. Toen Tess naar hem keek, besefte ze dat hij een beetje op David Cameron leek; waarom had ze dat nooit eerder gezien?

'En,' zei Adam achter haar. 'Wat doen jullie hier? Wel een eh... leuke verrassing,' vervolgde hij snel.

'Nou... we zijn op weg naar de bruiloft van Lucinda,' zei Will, alsof Adam wist wie Lucinda was. 'Het is in Dorset, bij haar vader thuis, heel mooi. We logeren met een stel vrienden in de Tailor's Arms.' Ticky hing tegen Will aan. 'Dus... we dachten, we gaan hierlangs voor een biertje, en geven het bureau bij jullie af. Een tussenstop!' besloot hij. Hij keek om zich heen en zette een enthousiaste stem op. 'Mooi stadje, moet ik zeggen. Woon je hier in de buurt?'

'Ja,' zei Tess automatisch. 'Vlak om de hoek.'

'Aha.' Hij wiegde op zijn voeten heen en weer. 'En... Geweldig. Dus alles is oké met jou, liefje?'

Als je me nog één keer liefje noemt, sla ik je kop eraf en berg ik hem op in dat bureau, dacht Tess. 'Ja, dank je.'

'Echt?' zei Will, alsof hij wist dat dit onzin was maar de schijn op wilde houden.

'Will maakte zich zorgen omdat je niet reageerde,' mengde Ticky zich er ineens met schorre stem tussen; ze leek er zelf verbaasd over dat ze iets had gezegd. Tess balde haar handen tot vuisten; ze probeerde rustig te ademen. 'Hij dacht dat je misschien nog...'

'Klinkt allemaal goed,' klonk Adam achter Tess. Hij sloeg zijn arm om haar middel. 'Waar staat jullie auto? We zullen jullie het huis laten zien, dan kunnen we het bureau uitladen.'

'Goed,' zei Will. Verbaasd keek hij naar Adams hand om het middel van Tess.

'Weet je wat,' zei Adam. Hij streek het haar van Tess naar achteren en kuste haar voorhoofd. 'Lieveling, ga jij nog wat boodschappen doen voordat de winkel sluit, dan ga ik met Will en... Sorry, ik weet je naam niet.'

'Ticky!' zei Ticky opgewekt. 'Dat is afgeleid van Candida.'

'Natuurlijk!' zei Adam enthousiast knikkend. 'Aangenaam. Nou, ik ga met Will en Ticky naar huis en dan zetten we het bureau binnen. Sorry,' zei hij tegen Will. 'Dat heb je op het platteland, hè? De winkels gaan hier helaas om vijf uur dicht, en morgen gaan we naar het strand. We moeten wat eten inslaan.'

'Ja, natuurlijk,' zei Will, die zijn verbazing weg knikte.

Adam greep de hand van Tess en drukte er een kus op. 'Vind je dat goed, honnepon?' Hij wendde zich tot Will. 'Ze vindt het vreselijk als ik haar zo noem!' Hij drukte Tess even tegen zich aan.

'Tuurlijk,' zei Tess. Ze speelde haar rol met een zelfverzekerdheid die haarzelf verbaasde. 'Dat klinkt fantastisch, schattebout.' Ze boog zich naar Adam toe en maakte kusgeluidjes. Hij legde haar het zwijgen op door haar op te tillen en vol op haar mond te kussen.

'Sorry,' zei hij, en hij richtte zich weer tot Will en Ticky terwijl hij haar overeind zette. 'Wauw. We zitten nog een beetje in de wittebroodsfase, nietwaar, schatje? Grr.' Hij gaf Tess een klap op haar achterste.

'Grr,' zei Tess, die hetzelfde bij hem deed. 'Nou en of!' riep ze vrolijk. 'We kunnen geen moment van elkaar afblijven, moet ik tot mijn vreugde zeggen.'

Er viel een stilte. Adam schraapte zijn keel en keek naar de stoep om zijn lach te verbergen. Will en Ticky gaapten hen, duidelijk met stomheid geslagen, aan; dit was niet in hun plan opgenomen, dat was duidelijk. 'Goh,' zei Will ten slotte, niet goed wetend wat hij anders moest zeggen. 'Leuk, jongens.' Hij schraapte zijn keel. 'Zullen we dan maar gaan? De auto staat daar...' wees hij, '... ergens in een zijstraat.'

'Dan denk ik dat hij bij Tess in de straat staat,' zei Adam. 'Komt dat even goed uit.' Hij draaide zich ernstig om. 'Oké, honnepon?' vroeg hij met een schittering in zijn ogen. 'Probeer me niet te veel te missen. Ik mis jou in elk geval.'

'En Francesca dan?' vroeg Tess, die probeerde niet te lachen.

'Ik ga bij haar kijken voordat we het bureau uitladen. Francesca is mijn zusje,' zei hij resoluut tegen Will en Ticky. 'En ze is ziek. Ze is heel ziek.' Ze keken geschrokken. 'Eh... ze heeft griep,' voegde hij er haastig aan toe. 'Dus ik ga alvast vooruit om haar te waarschuwen dat ze niet naar beneden moet gaan als we met het bureau binnenkomen. Kou kan noodlottig zijn. En eh... ze is misschien besmettelijk, dus jullie kunnen beter uit haar buurt blijven en niet met haar praten, als jullie haar zien.'

'Ja,' zei Tess, zich verbazend over zijn rijke fantasie. 'We zijn net zelf genezen geklaard. Door de... kliniek. Dus eh, tot ziens dan maar,' zei ze. 'Leuk om je even gesproken te hebben, Will. En Ticky.'

'Zeker!' zei Ticky met iets wat voor enthousiasme moest doorgaan, terwijl ze haar handen in elkaar sloeg. 'Echt léúk.'

'Ja,' zei Will, die nadenkend knikte. 'Nou, Tess... dit is allemaal top, hoor. Fantastisch voor jou, gewoon... ja.' Hij stapte knikkend naar achteren, met zijn ogen halfgesloten.

'Doe de groeten aan Lucinda,' zei Tess. 'Ik hoop dat het een leuk weekend wordt. Sorry dat ik nu weg moet. Ik zie je straks,' riep ze tegen Adam.

'Mmm,' deed Adam lekkerbekkend. 'Spreken we over twintig minuten af in de pub?'

'Uitstekend,' zei Tess. 'Perfect zelfs.'

Hij pakte nogmaals haar hand voor een kus. Zij greep ook zijn hand vast, onuitsprekelijk geroerd door het gebaar, en hij lachte haar hoofdschuddend toe.

Ze had het kunnen weten; toen ze even later de Feathers binnenliep met haar mand vol levensmiddelen voor drie personen waren ze er nog; ze had moeten weten dat Will, razend nieuwsgierig als hij was, nog wat zou willen drinken voordat ze weer vertrokken. Zijn nieuwsgierigheid had iets van sensatiezucht; ze had het altijd nogal tegenstrijdig gevonden dat hij er zo op gebeten was de juiste das te dragen en zich keurig te presenteren, en toch zo graag alles wilde weten van alledaagse, persoonlijke dingen van anderen. Hoeveel iets kostte, hoe vaak die en die seks hadden, hoe groot het nieuwe huis van X was. Het was haar natuurlijk pas opgevallen toen het voorbij was tussen hen. Ongevaarlijk was hij, dat wel; vriendelijk, beschaafd, met zijn krullende bovenlip en manchetknopen; indrukwekkend, waarschijnlijk. Hij was sterk, het soort man dat je beschermde, ja, ongetwijfeld, behalve de keer dat die pitbull op straat naar hen had geblaft en hij achter Tess was gekropen.

Toen Tess op aanwijzing van Mick door het café naar het terras liep en hen daar alle drie knus aantrof, bij het prachtige uitzicht over de vallei tot aan Thornham, waarvan de kerktoren als goud schitterde in de late-middagzon, knikte ze bijna in zichzelf om het onvermijdelijke van dit alles, en dacht toen ineens met een schok aan de rol die zij – en haar nieuwe vriend – moest spelen.

'Hallo!' zei ze, vrolijkheid veinzend. 'Wat gezellig!'

'Nou,' zei Will, en hij stond op terwijl hij met zijn handen vlak op de houten tafel sloeg. 'Het leek ons leuk om een kijkje te nemen in je nieuwe pub. We hebben nog een hele rit voor de boeg naar Dorset.'

Het had geen zin om te zeggen dat het niet haar nieuwe pub was, dat ze hier altijd had gewoond en dit alles al veel langer kende dan ze Will kende: dit uitzicht, deze heuvels, de oude stadswal links, begroeid met klimop; en Adam, die naast hem stond en hem geamuseerd aankeek. Will onthield nooit wat ze hem vertelde. Hij had haar ouders bezocht, hij wist dat ze met vervroegd pensioen aan zee waren gaan wonen, maar meer zou hij zich niet herinneren.

Iets voor de dametjes van Langford om zich mee te vermaken, hield ze zich voor. Jan Allingham zou hier wel raad mee weten.

Tess zette haar mand op de tafel. 'Wie wil er nog wat drinken?' vroeg ze in de hoop dat ze zouden zeggen: 'Nee, bedankt. We gaan ervandoor!'

'Ik wil nog graag zo'n Butcombe-bier,' zei Will.

Ticky glimlachte haar toe met een wezenloze blik. 'Een bronwatertje voor mij graag, Tess.'

'Ik ga het wel halen.' Adam sprong op en hij duwde haar voor zich uit de donkere gang in. 'Heteluchtballon,' zei hij snel. 'Niet vergeten, heteluchtballon. Boven Bristol.'

'Wat?' vroeg Tess ontsteld.

'Geen tijd. Heteluchtballon. O, en we hebben een maand.'

'Wát?' zei ze weer, geërgerd, maar Adam duwde haar terug het terras op.

'Ze gaan zo weg,' fluisterde hij in haar oor. 'Schiet op!'

Ticky tikte op het bankje. 'Je huis is prachtig,' zei ze, met de charme van de bevoorrechten. 'Het is zó schattig!' Ze glimlachte haar verblindend witte tanden bloot terwijl Will lui naast haar zat, met zijn hand achteloos tussen haar dijbenen geklemd. 'Ik vind het enig.'

'Dank je,' zei Tess, die tegenover hen ging zitten. 'Ik woon er graag.'

'Het bureau staat binnen, hoor,' zei Will. 'Het staat heel leuk in die kleine woonkamer.'

Ze draaide zich dankbaar naar hem toe. 'Bedankt, Will. En, ehm, heel erg bedankt dat je het helemaal hierheen hebt gebracht. Dat is echt aardig van je.'

'No problemo,' zei hij, met zijn gebruikelijke hartelijkheid. 'Ik ben... ik ben blij dat je hier gesetteld bent. Het lijkt je goed te doen, dat je hier bent.'

'Bedankt,' zei ze. 'Dat is ook zo. Ik vind het hier heerlijk.'

'Nou, dat is echt fijn,' zei hij, en hij tuurde ingespannen tussen de latten van de tafel. 'En jij en Adam – dat is top.'

'En zo romantisch,' stoorde Ticky haar in haar overpeinzingen. 'Zo lief ook, ik vind het echt schattig.'

'Wat is er lief?' vroeg Tess niet-begrijpend.

'Hoe het tussen jullie is begonnen. Zijn verjaardagscadeau. Dat vond ik zo lief van je. Zoiets zou ik ook graag doen.' Ze boog zich naar Will en kroop tegen hem aan, terwijl ze haar benen over de zijne sloeg zodat ze bijna bij hem op schoot zat, als een klein meisje bij de Kerstman.

'Wat bedoel je?' vroeg Tess. Ze keken haar bevreemd aan. 'O!' riep ze, toen het tot haar doordrong. 'Sorry! Die heteluchtballon.' Die verrekte Adam, waar was hij nou mee bezig? 'Ja, dat was een heerlijke manier om eh... om zijn verjaardag te vieren.' Hij was toch over een paar weken jarig? Of was ze de kluts kwijt?

Gelukkig verscheen Adam toen met een blad.

'We hadden het net over die ballontocht,' zei Tess.

'O, ja,' zei Adam, terwijl hij het blad op de tafel zette. Hij veegde zijn handen af.

'Gewoonweg fantastisch,' zei Ticky. 'Zo'n... gedurfd idee, voor een eerste date.'

Adam keek Tess aan. 'Ja, dat zal best, maar als je ergens zeker van bent, is het oké.' Hij zweeg even.

'Kennen jullie elkaar al vanaf...' Will gebaarde naar de grond. '... tja, waarom heeft het dan zo lang geduurd?'

'Goeie vraag,' zei Adam. 'Ik weet het eigenlijk niet.'

Hij beet op zijn lip en wierp snel een blik op Tess.

'Ik ook niet, honnepon,' zei ze, maar de benaming begon haar te irriteren.

'Ik vergat te vragen wat jij wilde drinken,' zei hij. 'Dus heb ik maar een biertje voor je meegebracht. Ik weet dat je daar wel van houdt. Ha.' Hij lachte nerveus.

Bier. Ze had de pest aan bier, bijna net zo erg als aan aubergines. 'O,' zei ze, en ze kneep haar ogen half dicht toen ze de drankjes van het blad pakte. 'Bedankt.'

'O ja? Hou jij van bier?' vroeg Will. 'Ik dacht dat je nooit bier dronk. Je zei altijd dat je er eh... winderig van werd.'

Er viel een stilte. Ticky zwaaide haar benen weer op de grond en wierp Tess een medelijdende blik toe, alsof ze een vreselijke waarheid had toegegeven waar niemand anders voor zou durven uitkomen.

'Tja,' zei Adam, met een wenkbrauw opgetrokken. 'Tess doet tegenwoordig wel meer dingen die ze vroeger nooit deed.' Hij schraapte zijn keel toen hij besefte dat dit misschien iets te erg werd.

Tess gaf hem een schop onder de tafel en haalde diep adem, terwijl ze de geur van gerookt hout en het boerenleven diep opsnoof om te kalmeren. Daarna keek ze, bijna onbeweeglijk, naar Will. Zijn haar was voller dan ooit; een dikke bos honingblond, bijna rossig haar viel vanaf zijn gewelfde voorhoofd verontrustend dicht bij haar. Als in een scène uit een film over een ander zag ze haar handen door dat haar gaan, smaakte ze het genoegen dat ze ooit had beleefd om bij hem te zijn, in zijn met rieten matten beklede onopvallende flat in Fulham, hoe vanzelfsprekend zij er altijd van uitging dat zij zijn vriendin was, toen ze een eenheid vormden, een setje. Ze schudde haar hoofd en probeerde zich te herinneren wie ze toen was geweest.

Ze hadden het die ochtend in de klas gehad over de rede van Aristofanes in Plato's *Symposium*. Daarin stond dat mensen van oorsprong met z'n tweeën één waren geweest, totdat de goden, die hun kracht en hun snelheid vreesden, hen uit elkaar hadden gehaald. Zodat mensen veroordeeld zijn om in hun leven op zoek te gaan naar hun andere helft, en als ze die vinden, kunnen ze eindelijk voor altijd samen zijn. Tess had het altijd een mooie gedachte gevonden. Maar was het waar? Was Will, deze man op wie ze al haar hoop had gevestigd, die andere helft? Ze geloofde het nu niet meer. Ticky was diegene voor hem, dat was overduidelijk. En zij – ze blies stotend haar adem uit omdat ze niet zeker wist of ze met deze poppenkast door kon gaan, en ineens voelde ze een koele hand op haar arm.

'Gaat het?' zei Adam zachtjes, alsof ze hier samen waren, zonder Will en Ticky, en ze hoorde zichzelf rustig zeggen: 'Ja hoor.'

Hij kneep heel even in haar pols. 'Goed.' Hij richtte zich tot de anderen. 'Nou, proost,' zei hij. 'Leuk om jullie hier te zien.'

Ze dronken in stilte en Tess keek naar hem terwijl de gedachten door haar hoofd stormden.

'Dank je, maatje, heel erg bedankt,' zei ze toen ze later op de avond door de hoofdstraat naar huis liepen. 'Ik sta bij je in het krijt.'

Adam bleef staan en stak zijn handen op. 'Maak je niet druk, vriendin,' zei hij. 'Hij is degene die aan het kortste eind trekt.'

Tess staarde hem aan. 'Ben jij dronken?'

Adam haalde zijn schouders op. 'Misschien een beetje. Ik heb vier glazen op. Ik dacht dat ze nooit weggingen! Sorry, ik weet dat hij je ex is.'

'Ik weet het,' zei Tess, terwijl ze zich op het trottoir concentreerde om te zorgen dat ze niet op de voegen stapte. 'Ik weet het. Hij is totaal anders dan ik. Hij lijkt op...' Haar stem liet het afweten.

'Hij lijkt op een lid van de Bullingdon Club dat op weg is naar een reünie,' zei Adam, die als gevolg van de alcohol en de opluchting dat hij verlost was van het vormelijke gepraat alle remmen losliet. 'Ik wist niet dat er nog mensen zoals hij bestonden.'

Ze wilde boos worden, maar ze kon het niet. 'Je hebt gelijk,' zei Tess. 'Zo wás hij inderdaad een beetje. Ik weet het niet. Ik heb dat nooit zo in hem gezien...' Ze zweeg even. 'Hij was niet... Ik weet het niet. Hij was geen slechte vent. Hij is geen slechte vent.'

'Ik heb eerlijk gezegd nooit begrepen wat je in hem zag,' zei Adam eenvoudigweg. 'Nogmaals sorry. Dat is niet aardig.'

'Geeft niet,' zei ze. 'Ik... ik denk dat ik ergens naar op zoek was. Iets wat ik daar niet vond.'

'Ik ken je al een hele tijd, weet je.' Adam stootte even tegen haar arm. 'Hij leek me gewoon niet...' Hij haalde zijn schouders op. 'Ach, laat maar.'

Er viel een stilte; het was een kille avond en de hoofdstraat was zo goed als verlaten. 'Ga je mee naar ons?' vroeg Tess.

Het was een vraag die te verwachten was – ze waren vlak bij huis en Adams huis was aan de andere kant van de stad. 'Mja, als het goed is,' zei Adam.

'Natuurlijk is dat goed,' zei Tess. Ze lachte. 'Ik vond het mooi dat je ze vertelde dat we met vakantie naar een Sandals-resort gaan. Dat gezicht van Will.'

'Ik vond het nog leuker toen jij ze vertelde dat je het zo fijn vindt als ik met een Russisch accent praat,' reageerde Adam. 'God weet wat ze nu denken.'

Er viel weer een stilte. Met een klein stemmetje zei Tess: 'Het was... goed om hem te zien. Maar... het kan me eigenlijk niet schelen wat ze denken.'

'Mooi,' zei Adam. 'Mij ook niet, Tess.' Ze liepen door. 'Luister, Tess...' begon hij.

Maar op hetzelfde moment liet Tess zich plotseling ontvallen: 'Ik weet niet waarom ik iets met hem heb gehad.'

'Juist,' zei Adam. 'Ik moet zeggen dat...' Zijn stem stierf weg.

'Twee jaar zelfs,' zei Tess hortend. Het lijkt nu een droom, wilde ze zeggen. Maar dat was het niet, want na een paar drankjes in zijn gezelschap zag ze nu in wat die periode met Will met haar had gedaan. Hij was zo... Nou ja, ze had het nooit echt gezien, maar hij blies een beetje hoog van de toren. Zo overtuigd van zichzelf en zo onwillig om haar standpunt aan te horen, alsof ze een dom klein meisje was. Hij sprak langzaam, en als zij hem dan in de rede wilde vallen, ging hij gewoon door. En de seks... welke seks? Eerst – en ze kromp ineens als ze er nu aan dacht – had ze de professorale, volwassen manier waarop hij haar bejegende wel prettig gevonden, ze vond het wel opwindend dat hij zo formeel deed, gereserveerd en stijfjes. Nu ze eraan dacht hoe ze had geprobeerd hem meer naar haar te laten verlangen, hem op te winden, kon ze wel door de grond zakken. En ze was gaan geloven dat dat de normale gang van zaken was, dat het altijd zo zou gaan... Ze dacht met afkeer over zichzelf. Hij was gewoon niet zo op haar gevallen, meer was het niet, en waarom zou hij ook? Hij had haar aan het lijntje gehouden tot er iets beters langskwam, iets met de vormen van Ticky, met honingkleurige armen en benen en haar en gemeenschappelijke vrienden en... bah.

'Een stuiver voor je gedachten,' klonk Adam ineens in het donker, waarop Tess geschrokken een holle lach liet horen. 'Kom op,' zei hij. 'Waar denk je aan?'

'Dat wil je niet weten,' zei Tess somber.

'Kom op,' zei Adam. 'Ik ben het. Ik heb me de hele avond voorgedaan als je vriendje.' Met een zwaar Russisch accent zei hij: 'Wij hebben geen geheimen voor elkaar, Misha.'

Nou, ik dacht net aan de laatste keer dat ik met Will naar bed ging, toen hij halverwege ophield en zei: 'Vind je het erg als we niet verdergaan? Zullen we gewoon gaan slapen?' en toen de Financial Times *pakte terwijl ik daar naakt naast hem lag...*

'Nee echt,' zei Tess, terwijl ze een paardenbloem wegschopte toen ze Lord's Lane in sloegen. 'Dat wil je echt niet weten. En ik wil het niet vertellen.'

'Je bedoelt dat je niet over het Struikelblok wilt vertellen? Je gaat een beetje op een bibliothecaresse lijken, moet ik zeggen,' zei Adam zelfvoldaan.

Tess staarde hem vol afgrijzen aan. Het begrip en de volwassen verstandhouding tussen hen bestonden niet meer. 'Wat?' riep ze bijna.

'Nou, luister. Al die kletspraat tegen Will over de cursus die je geeft. En al dat gedoe over het Oude Rome. Ik bedoel, niemand weet dat meer te waarderen dan ik, maar als jij begint te vertellen dat het gat in het dak van het Pantheon een doorsnee heeft van negen meter – tja. Zelfs ik begon me te vervelen. Ik dacht dat Ticky elk moment in slaap zou vallen.'

Tess haalde haar handen uit de zakken van haar vest. 'Verdomme, Adam!' riep ze. 'Niet dat weer. Vind je dat niet interessant?' Adam schudde glimlachend zijn hoofd. 'Nou, dat zou je wel moeten vinden,' wees Tess hem scherp terecht. 'Het Pantheon is het prachtigste gebouw ooit! Ze weten nog steeds niet hoe het tot stand is gekomen! En... dat Ticky zich verveelde, zo moeilijk is dat onderwerp toch niet? Zij is zo boeiend als een... een bruine boterham!' Ze wees over haar schouders, alsof Ticky daar nog stond. 'Zelfs nog voordat het gebakken is!' Ze keek om zich heen. 'Ze lijkt meer op... meel! Nee, graan! Ze is net een veld vol graan. Nog saaier zelfs, een... een...!' Ze raakte buiten adem en keek hem aan. 'Niet te geloven dat je dat zei.'

Adam deed de deur open; ergens in haar achterhoofd vroeg ze zich af waarom hij de sleutels had. 'Tessa. Ik zeg niets ten nadele van degene die het Pantheon heeft gebouwd, oké? Ik zeg alleen dat voor alles een gepast moment bestaat,' zei hij op sussende toon, terwijl hij intussen naar Francesca zwaaide, die breeduit op de bank zat met een zak toffees, terwijl haar lange karamelkleurige haar glanzend afstak tegen het felle blauw van de Chinese zijden kimono. Ze trok haar wenkbrauwen op, zwaaide terug en stak weer een toffee in haar mond. Adam trok zijn jas uit. 'En dat moment was er vanavond niet echt.'

'Mm, hoe was 't?' mompelde Francesca nauwelijks verstaanbaar.

'Verschrikkelijk,' zei Tess bitter. 'Hij is een idioot, zij is een idioot, ik kan me totaal niet meer voorstellen waarom ik zo lang met hem ben geweest en trouwens, volgens Adam ben ik niet alleen saai, maar begin ik zelfs een saaie bibliothecaresse te worden.' Ze schopte haar schoenen uit.

Francesca trok weer haar wenkbrauwen op toen Adam naar de bank liep en haar hand pakte; hij raakte zachtjes haar vingers een voor een aan, boog zich naar voren en kuste haar zacht op haar lippen.

'Bibliothecaressen zijn geweldig, mijn moeder is het ook,' zei Francesca. 'Dus dat bedoelt hij niet. Ik denk dat hij bedoelt dat je in een oude vrijster verandert.' Ze knikte, alsof ze blij was dat ze had begrepen wat Adam bedoelde. 'Mmm.'

'Ja,' zei Adam. 'Dat bedoel ik.'

Francesca stopte een toffee in zijn mond, waarbij haar duim even langs zijn onderlip ging. Adam kreeg een glazige blik in zijn ogen.

Tess, die nog steeds op blote voeten bij de deur stond, kreeg het gevoel dat ze een nieuwe bezienswaardigheid was in een kooi, zoiets als een vrouwelijke versie van de Elephant Man. Elephant Vrouw. Met boeiende informatie over Romeinse tempels. Ze zuchtte een beetje bibberig toen ze het bier in haar maag omhoog voelde komen. 'Ik ga naar bed,' zei ze met een schorre stem, maar het klonk alsof ze alleen maar nukkig was. 'Truste.'

'Truste,' riep Francesca.

'En nogmaals bedankt, Adam,' riep Tess toen ze de trap op stommelde.

'Graag gedaan,' zei Adam. 'Truste, meisje.'

Op de bank werd het stil, alleen de tv was te horen. Tess deed de deur van haar kamer dicht en leunde ertegenaan, terwijl ze met een niets ziende blik naar de witte muur tegenover haar tuurde. Wat was er met haar aan de hand? Ze had het gevoel dat ze een eigen versie speelde van een of ander bordspel. Alsof ze één stap vooruit had gezet, en twee stappen terug. Beneden hoorde ze zacht gelach en gekreun. Tess verborg haar hoofd in haar kussen en liet eindelijk haar tranen lopen.

9

Het reisje naar Italië vormde de hoofdmoot van de cursus Klassieke Oudheid aan Langford College. Bijna de helft van de klas ging mee; het rechtvaardigde de hoge kosten en het benadrukte wat niet hardop gezegd mocht worden – dat dit een cursus was zonder certificaat, met ter afsluiting een leuk uitstapje. Natuurlijk zou het aardig, nee, wenselijk zijn om na afloop een gedegen kennis te hebben van Rome, het Romeinse Rijk en het wonder van Athene in de vijfde eeuw v.Chr., maar als het je bedoeling was om de volgende Erich Segal of sir Kenneth Dover te worden, ging je niet naar Langford College.

De tijd vloog. Het ene moment had Tess het gevoel dat ze nog maar een paar uur terug was; na het bezoekje van Will besefte ze dat ze al bijna vier maanden weer in Langford was. De glans van het nieuwe begon een beetje te slijten. Ze was al helemaal gewend.

Maar Langford was zo mooi in dit seizoen. Hoe had ze het zo lang in de grote stad kunnen uithouden terwijl ze wist hoe het platteland er in het voorjaar uitzag? Soms steeg de schoonheid Tess bijna naar het hoofd. De wolken fluitenkruid, de vogels die 's ochtends voor haar raam zongen, het frisse groen, de dotters en sleutelbloemen en alle bloesems, de tekenen van nieuw leven dat overal op uitbarsten stond. In het stadje zetten mensen hun ramen open en lieten de gestreepte markiezen voor hun winkel zakken; potten met geraniums verschenen voor de pub naast de stoelen en tafeltjes. Donkergroene bossen asparagus stonden overal in de winkels; koele, zachte briesjes waaiden door de achterafstraten in donkere kamers die stoffig waren van de winter. De stad kwam weer tot leven, ze voelde het – Tess voelde het meer dan wie ook.

'Heb je iets met je haar gedaan, liefje?' vroeg Jan Allingham een week later aan Tess, toen ze het bord stond uit te vegen. De les was voorbij en haar cursisten verspreidden zich geleidelijk, grijze en asblonde hoofden stonden in groepjes nog wat te kletsen, pakten hun boeken en schriften en knikten elkaar toe.

Tess draaide zich om met de wisser in haar hand. 'Ik? Nee hoor. Het is veel te lang. Ik moet het juist laten knippen.'

'Ik vroeg het me alleen af.' Jan wipte op de bal van haar voeten heen en weer en ging met de punt van haar tong over haar bovenlip. 'Het is snel gegroeid, hè?' Ze lachte naar Tess. 'En wat een mooie trui is dat.'

'Bedankt!' zei Tess geroerd. 'Ik heb hem bij...'

'... Marks & Spencer gekocht?' vulde Jan aan. 'Ik geloof dat ik hem in het blauw heb.'

'Ja,' zei Tess. 'Dat kan.'

'Goeie les vandaag, Tess, dank je wel,' zei Andrea, die achter Jan opdook, terwijl Tess naar haar haar greep en haar trui bekeek. 'Heel interessant. Ik popel om een opstel over Dido te maken. Zo boeiend, die stof!'

Naast haar sloeg Diana Sayers haar blik ten hemel. 'Kom,' zei ze. 'Ik heb tegen Carolyn gezegd dat ik met haar mee naar huis zou lopen. Ze staat te wachten.'

'Carolyn?' vroeg Andrea. 'Carolyn Tey? Tss.' Ze schudde haar hoofd.

'O, Andrea,' zei Jan.

'Wat is er mis met Carolyn Tey?' wilde Tess weten.

'Niets, lieverd,' zei Jan. 'Andrea doet alleen een beetje kinderachtig.' Tess volgde haar blik over de oude gewreven vloer die ooit deel had uitgemaakt van de Grote Zaal, en zag dat Carolyn Leonora Mortmain de deur uit hielp. Zoals gebruikelijk had Leonora geen boeken of schriften bij zich. Ze maakte geen huiswerk, ze beantwoordde geen vragen en nam geen deel aan discussies. Ze zat maar naar Tess te staren, bijna zonder met haar ogen te knipperen, met een ingespannen blik op haar onbewogen, havikachtige gezicht die Tess niet kon duiden en waar ze ook niet aan gewend raakte.

De andere cursisten waren voor de helft bewoners, en voor de andere helft echte mensen, zoals Tess de andere, minder gelukkige cursisten die niets met Langford te maken hadden, in gedachten was gaan noemen. En de meesten hadden de pest aan Leonora Mortmain, haar superieure gedrag en kilheid, en haar ongevoelige besluit om het hart uit de stad te snijden. Carolyn Tey, wier vader als notaris voor haar had gewerkt, was vrijwel de enige in de klas die met haar wilde praten. Maar Carolyn was een verschrikkelijke snob, zoals Diana altijd aanvoerde. Had haar vader vijftig jaar geleden niet Apple Tree Cottage van de oude meneer Crispin gekocht en de naam veranderd in Apple Tree House? De mensen hier hadden een goed geheugen.

'Kinderachtig?' Andrea ontplofte bijna. 'Is het kinderachtig om je druk te maken over wat er in je eigen stad gebeurt, Jan Allingham? Ik dacht het niet! De bijeenkomst is gepland voor maandag, en weet je wat zij probeert? Die vrouw? Hem te verplaatsen naar de week dat we allemaal in Rome zitten, en in plaats daarvan haar notaris te sturen! Ze heeft gezegd dat ze op de geplande dag een kleine operatie moet ondergaan. Ja ja. Dus of we annuleren ons uitstapje, dat al helemaal is betaald, of we missen de bijeenkomst.' Ze frummelde aan de drukknopen van haar gewatteerde jasje. 'Echt, ik spreek niet graag kwaad over iemand, maar die vrouw...!' Ze zweeg even en ging nukkig door: 'Waarom gaat ze eigenlijk mee op excursie?'

'Ze volgt de cursus, net als jullie allemaal, en ze zal Rome wel willen zien.'

'Ik ben bang dat ik dat niet geloof,' zei Andrea. 'Ze wil stennis schoppen... En het voor iedereen verpesten.'

Diana knikte instemmend, en Jan, die nogal bazig van aard was maar zichzelf graag beschouwde als eerlijk ten opzichte van haar medemens, keek nadenkend, alsof ze niet precies wist wat ze nu moest zeggen. Tess greep haar bordenwisser. Ze wist niet of het onbeleefd was om het bord verder uit te vegen terwijl de klas langzamerhand leegliep. Diep in haar hart moest ze het wel eens zijn met Andrea. Waarom wilde Leonora Mortmain mee naar Rome?

'Nou,' zei Jan na een kort stilzwijgen. 'Ik vind je trui heel mooi, lieverd. Misschien moet ik er nog wel een gaan kopen, in het groen.'

'O, bedankt.' Tess raakte enigszins opgelaten haar trui aan. Ze kon niet goed omgaan met complimentjes, en ze wist ook niet helemaal zeker of dit er wel een was, aangezien hij van een vrouw van vijfenvijftig afkomstig was, die haar stijl wilde kopiëren. Evengoed was het aardig van haar. 'Vergeet niet dat ik volgende week die laatste opstellen over Augustus binnen wil hebben!' riep ze naar de vertrekkende cursisten, blij om van onderwerp te kunnen veranderen.

'Dag, Tess!' riep Liz, terwijl ze haar tas over haar schouder hing. 'Fijne les. Misschien zie ik je dit weekend in de pub?'

Tess wist niet goed raad met de vriendelijke toon van Liz. 'Oké!' riep ze terug. 'Bedankt, Liz!'

'Nou, ik ga.' Diana verscheen met een zijden sjaal, die ze om haar hoofd wikkelde. 'Dank je, Tess, het was heel boeiend.' Ze wierp een blik op Jan en Andrea, die nog steeds opstandig naast hen stond te mopperen. 'Carolyn is kennelijk al vertrokken. Zal ik dan met jou meelopen?'

'Ja, graag,' zei Tess dankbaar. Ze greep haar tas.

'Morgen hebben we vergadering,' zei Andrea tegen Jan. 'Kom je nog?'

'Natuurlijk!' riep Jan verontwaardigd. 'Andrea, we moeten pal naast elkaar staan! Niet tegenover elkaar als vijanden, zoals... die Romeinse generaal, bij de poort! O, ik weet zijn naam niet meer.'

Tess sloeg haar blik ten hemel en volgde Diana naar de deur.

'Ik zag Adam vorige week,' zei Diana onverwacht, toen ze de oprijlaan af liepen. Diana liep naast haar fiets. 'Hij vertelde dat hij zich afgelopen vrijdag als je minnaar heeft voorgedaan.'

Tess glimlachte. 'Heeft hij je dat verteld?'

'Ik ben zijn peettante, Tess. Ik spreek hem zo af en toe heus wel. Je ex-vriend kwam toen opdagen, toch?'

Uit haar toon sprak medeleven. 'Ja,' zei Tess. 'Ik sta bij Adam in het krijt, en niet zo'n beetje ook.'

'Daar zijn vrienden voor, vind ik,' zei Diana op een vreemde toon. 'Mis je hem?'

'Adam? Ik...'

'Nee, Tess! Ik bedoelde je ex-vriend.'

Tess dacht even na, met als enig achtergrondgeluid de regendruppels die op de oprit vielen, en hun voetstappen naar de uitgang. 'Of ik hem mis? Niet echt. Ik mis de andere dingen.' Ze gebaarde met haar handen en voelde zich tamelijk opgelaten dat ze het hier met Diana Sayers over had. 'Je weet wel.'

'Nou,' zei Diana met haar eenvoudige, ontwapenende eerlijkheid. 'Dat is toch mooi? Dat je hem niet mist.'

'O,' zei Tess van haar stuk gebracht. 'Ja. Dat zal wel.'

'En, hoe gaat het met je ouders?' Diana ging ineens over op een ander onderwerp. 'Ik moet je moeder eens bellen, het lijkt me enig om ze weer eens te zien.'

'Toevallig ga ik er volgende week naartoe,' zei Tess. 'Zaterdag, dan blijf ik er een nachtje slapen.'

'Is Adam dan niet jarig?' vroeg Diana. 'Hij had het er laatst over. Hij zei dat hij een barbecue wil geven, in de cottage.' Ze schraapte haar keel. 'Het is goed voor hem om mensen om zich heen te hebben. Ik ben bang dat hij niet...' Ze deed er verder het zwijgen toe en fronste haar voorhoofd.

Tess herinnerde zich ineens met enige afschuw dat Adam het vorig weekend over de barbecue had gehad, niet één, maar twee keer. Maar, zoals dat gaat wanneer de twee zijden van je hersens niet met elkaar communiceren, besefte ze nu vol afschuw dat ze de trein naar Devon had geboekt en even zo vrolijk met Francesca had afgesproken dat ze samen naar Adams verjaardag zouden gaan... Verdomme.

'O, wat stom,' riep Tess uit. 'De tickets zijn al geboekt – ik moet gaan – jemig! Waarom denk ik niet na?' Ze sloeg met haar hand tegen haar voorhoofd.

'Geen zorg,' zei Diana op sussende toon. 'Francesca was degene over wie Adam inzat.'

'Ja...' begon Tess, in de wetenschap dat het lastig zou zijn als zij niet met Francesca zou gaan; hij behandelde haar soms als een klein kind. Althans, als hij niet met haar in bed lag, dacht ze vilein. Ze wilde haar mond opendoen om dit uit te leggen, toen er, als uit het niets, een zwarte jaguar langs hen reed. Tess en Diana rekten allebei hun nek om te zien wie erin zat.

'Nee maar,' zei Tess. 'Wat doet mevrouw Mortmain in die fantastische auto met die man?'

Het was een grote man, in een getailleerd pak om zijn beginnende buik te verhullen, en hij streek zijn haar uit zijn gezicht weg terwijl hij zich met een innemende glimlach omdraaide naar de vrouw naast hem. Zij zat echter kaarsrecht, met haar lippen stijf op elkaar.

'O, Tess,' zei Diana met een zucht. 'Dat is Jon Mitchell, de projectontwikkelaar. Hij is de man die de uiterwaarden wil kopen. Hij is de eigenaar van Mitchell's. Die keten van doe-het-zelfzaken.'

'Hemel!' riep Tess. 'Is hij dat?' Ze keek de auto na en zei toen fronsend: 'Ik snap niet hoe die vrouw met zichzelf kan leven. Echt niet.'

'Het is gemakkelijk om principes te hebben als je er niet naar hoeft te handelen,' zei Diana zacht.

Tess draaide zich met een ruk om en keek haar recht aan. 'Wat bedoel je? Je wilt toch niet zeggen dat je het met haar eens bent? Over... over wat ze met de stad wil gaan doen?'

'Tess, de laatste nieuwe zaak die hier is geopend was een tearoom, en die heette Ye Tudor Tea Shoppe,' zei Diana met een scherpe klank in haar stem.

'Nou en?' zei Tess, die dol was op de Ye Tudor Tea Shoppe. De serveersters droegen er een ouderwets uniform, en iedereen sprak er op fluistertoon. 'Dit is Langford! Wat is daar mis mee?'

'Wat is er mis mee dat hier geen wijkcentrum is, en dat een pint vier pond kost, en dat je als je hier bent opgegroeid en een huis wilt kopen, zo'n driehonderdduizend pond moet neertellen, en dat er praktisch dag en nacht busladingen toeristen door de straten zwermen?' zei Diana. 'Hoor eens, ik run hier 's zomers zelf een bed & breakfast, ik draag evenveel schuld als de rest. Maar we wonen in een gemééschap, niet op een erfgoed, en ik kan het mevrouw Mortmain niet voor de volle honderd procent aanrekenen dat ze probeert het stadje leven in te blazen, ook al betekent dat dat daardoor wat toeristen weg zullen blijven.' Ze wachtte even. 'Niet aan de anderen vertellen, maar ik zou het niet erg vinden als ik hier nooit meer een toerist tegenkom.' Ze gebaarde in de richting van de uiterwaarden. 'Ik zou liever een supermarkt hebben en een meubelzaak van John Lewis. Ik zou wel een stel goede gordijnen willen hebben, om te beginnen. En mijn petekind en zijn vrienden zouden er werk kunnen vinden.'

Tess had de gewoonlijk zo gereserveerde Diana nog nooit zo

horen praten. Dus zij dacht dat Adam geen fatsoenlijk werk had omdat hier geen grote winkelcentra waren? Tess wist niet wat ze moest zeggen. Ze keek naar de auto die in de verte verdween, en naar het hek van het instituut. 'Ik... ik begrijp alleen niet waarom dat op de uiterwaarden moet komen. En waarom we niet beter als een gemeenschap kunnen functioneren, dat is alles. Het is hier fijn wonen,' zei ze zwakjes, terwijl ze dacht aan wat ze had achtergelaten. 'Het is hier veilig en knus en... leuk.'

Diana keek haar bevreemd aan. 'Leuk? Als we niet oppassen is het hier over een paar jaar uitgestorven.' Ze schudde haar hoofd. 'Vergeet wat ik heb gezegd. Ik weet niet waar ik het over heb. Ik denk dat ik moe ben.' Ze herstelde zich, bijna alsof ze ineens vond dat ze te veel had gezegd, en stapte op haar fiets. 'Tot ziens, Tess,' riep ze, en ze liet Tess achter midden op de oprit, met haar boekentas onder haar arm. Die keek haar in verwarring na en vertrok toen naar Easter Cottage.

Tess vertelde hierover terwijl Francesca de ingrediënten voor mojitos in een grote mengkom stampte. 'Nou ja, ze heeft gelijk, ik geloof niet dat toeristen op de lange duur goed zijn voor dit stadje. Maar wie weet wat de toekomst brengt,' zei Francesca, terwijl ze muntsiroop en suiker van haar vingers likte. 'Maar laat ik je dit zeggen, als mijn halfjaar voorbij is ga ik niet meer in de City werken, dat weet ik wel. Niet dat de banen daar voor het opscheppen liggen.'

'Nee?' Tess gaf haar een glas en keek haar vanuit de keukendeur nieuwsgierig aan.

'Geen denken aan,' zei Francesca. 'Mmm. Lekker. Ik blijf hier. Het punt is dat hier niets te doen is als je geen toerist bent of iemand die suffe dingen wil bestuderen, zoals kunstgeschiedenis of de Romeinse beschaving...' Ze grijnsde. 'Ik maak een grápje. Maar verder is er niets te doen. Dus daar heb ik vandaag iets aan gedaan.'

'O ja?'

'Jep.' Francesca's ogen schitterden. 'Ik ga Ron en Andrea als vrijwilliger helpen met de campagne. Je weet, ik ben opgeleid tot jurist.' Tess knikte. 'Lang voordat ik in de slechte wereld van het geld werd gesleurd. Ik ga kijken in hoeverre hun voorstellen in overeenstemming zijn met de wet, want ik ben ervan overtuigd dat er iets stinkt aan die zaak.'

'Wauw.' Tess klapte in haar handen. 'Wat geweldig. Eh... heb je het al aan Adam verteld?'

'Nee. Hoezo?'

'Ik weet het niet,' zei Tess. 'Alleen... hij doet zo vreemd over die campagne. Heb je dat gemerkt?' Ze had het gevoel dat ze verraad pleegde door dit te zeggen, maar het was wel waar.

'Hij doet er zo raar over omdat hij zich gedraagt als een puber,' zei Francesca resoluut. Ze goot een flinke scheut rum in de kom. 'Weet je, ik hou van Adam.' Ze zweeg even. 'Ik bedoel niet op die manier. Ik...' Ze glimlachte mysterieus. 'Ik mag hem echt heel graag. Maar hij moet wel volwassen worden. Het is prima om je hele leven hier te blijven, maar niet als je dat gebruikt als stok achter de deur om mensen te slaan die het wagen het niet eens te zijn met alles wat met Langford te maken heeft.'

Francesca kon de dingen precies zo samenvatten als Tess bedoelde, maar zij had er vijf keer zoveel woorden voor nodig. Tess lachte. 'Dat zou ik je graag tegen hem horen zeggen.'

'Heb ik gedaan,' zei Francesca, en ze lachte haar katachtige grijns. 'Hij weet dat ik gelijk heb, hij ziet het alleen nog niet. Maar dat komt wel.' Ze knikte en om de een of andere reden ging er een rilling door Tess heen, alsof er iemand over haar graf liep. 'Ik heb hem waar ik hem hebben wil. Alleen beseft hij dat nog niet.'

'O, Francesca...' zei Tess. Ze wist niet hoe ze daarna moest zeggen – want zij kende Adam zo goed, ze wist hoe koppig hij was – hoe vreselijk hij het vond als iemand hem de les las of als hij werd gemanipuleerd, en daarom vond ze hem zo'n stommeling, die nog steeds in het huis van zijn moeder woonde, en nog steeds afwisselend in de pub en in het museum werkte. 'Vestig je hoop alsjeblieft niet op hem. Hij is...' Ze zei het openhartig. 'Hij zal nooit veranderen. Hij is zo eigenzinnig.'

Er veranderde iets in Francesca's mooie gezichtje, maar ze zei niets. Tess stond op. 'Wat hebben we vanavond?'

Francesca keek niet-begrijpend. 'Hoe bedoel je?'

'Nou, behalve de mojitos,' zei Tess. 'Niet dat die niet heerlijk zullen zijn...' Haar stem stierf weg.

''k Weet niet,' zei Francesca. 'Ik heb niet gekóókt, als je dat soms dacht. Ik heb cocktails gemaakt en dat duurde al eeuwen. Je mag wel wat waardering hebben voor wat ik heb gedaan, dank je wel alsjeblieft.'

Tess vloog op haar af en omhelsde haar. Ze voelde hoe mager haar armen waren. Ze was fragiel, dacht ze, je kon haar zo verpletteren. 'Ik heb echt wel waardering voor wat je doet, ik dacht alleen – volkomen idioot natuurlijk – dat je ook voor het avondeten zou zorgen.'

'Nee,' zei Francesca. 'Ik had bedacht dat we ons zouden bedrinken en dan karaoke doen met die toffe karaoke-dvd's die ik bij Amazon heb besteld.'

'Fantastisch idee,' zei Tess. 'En we kunnen de rest van die aardappelschotel eten die ik gisteren heb gemaakt. Ik heb nog wat doperwten in de vrieskist.'

Francesca sloeg haar blik ten hemel en deed haar mond al open, maar bedacht zich. Ze lachte naar Tess. 'Goed zo, tantetje. Kom. Geef me je glas.'

10

Jan Allingham was buiten zichzelf. Ze was doorgaans een redelijk denkend mens, met een onwrikbaar geloof in de mens, maar als er iets gebeurde waardoor dat geloof op de proef werd gesteld, raakte ze volkomen uit haar doen.

Ze had de pest aan te laat komen, ook al was het maar een paar minuten, en dat kon nu gebeuren. Als mensen afspraken om tien uur, bedoelden ze ook tien uur, niet vijf over tien. Het was een van de dingen aan haar dierbare echtgenoot Jeremy die haar stapelgek maakten, hoewel tijd – vijfendertig jaar huwelijk – en ervaring – vijfenvijftig jaar op deze aarde – haar hadden geleerd zo goed mogelijk om te gaan met dingen als het verbreken van Jeremy's plechtige belofte om haar om halfeen op te halen van het tuincentrum bij Thornham. Nee, ze had geleerd om met een glimlach te zeggen: 'Geeft niet, schat, fijn dat je bent gekomen.' Omgekeerd was hij natuurlijk razend als ze een minuut te laat was om hem ergens op te pikken – met het verontwaardigde van iemand die zich oprecht onheus bejegend voelde.

Door toedoen van Jeremy zou ze nu te laat komen voor de vergadering over de actie 'red de uiterwaarden'. Die vervelende Jeremy had gezegd dat ze zich er niet mee moest inlaten, dat ze om moeilijkheden vroeg, dat ze anderen tegen zich in het harnas zou jagen. Accepteer het onvermijdelijke, had hij vanochtend boven zijn exemplaar van *The Times* tegen haar gezegd.

'Het komt er toch,' zei hij, en de rimpels trokken in zijn blozende gezicht terwijl hij op zijn brood kauwde. 'Lieverd, ik ben bang dat het onvermijdelijk is. Het is het vrijemarktmechanisme.'

Jan gaf niets om het vrijemarktmechanisme. Ze wikkelde folie over de restjes van de meloen die ze bij haar ontbijt had gegeten. 'Wat heeft dat er nou mee te maken?' vroeg ze terwijl ze de deur van de koelkast dichtdeed.

'Het heeft te maken met de gemeenteraad en de Mortmains en een gigantisch groot bedrijf dat altijd alles voor elkaar krijgt wat ze willen.'

'Leonora Mortmain is een lelijke oude vrouw,' zei Jan kribbig.

'Dat is het probleem met jullie allemaal,' zei Jeremy, en hij legde zijn krant neer. Dat 'jullie allemaal' maakte zijn vrouw razend. 'Omdat ze oud en chagrijnig en excentriek is, denken jullie dat ze geen macht heeft. Zij is een van de belangrijkste landeigenaars in de buurt, ze heeft ontzettend veel invloed. Dat ze een vrouw is en jullie allemaal niet op de thee uitnodigt wil niet zeggen dat ze niet weet wat ze doet. Het is een indrukwekkende vrouw, dat moet ik haar nageven. Intelligent ook.'

Jan wachtte even terwijl ze het aanrecht afnam. 'Hoe weet je dat?' wilde ze weten.

'Ik heb haar een paar maanden geleden ontmoet, toen ik een paar cottages bij de uiterwaarden moest taxeren,' zei Jeremy. 'Toen hebben we wat gekletst. Dat heb ik je verteld.'

'Nee, dat heb je niet,' zei Jan geërgerd. 'Jij hebt met haar gekletst? Met Leonora Mortmain? Echt iets voor jou, Jeremy, om dat niet te vertellen.'

'Nou, ik heb het gedaan, en ik vond haar best boeiend. Ik denk dat ze in haar tijd best een lekker ding was.' Jan fronste. 'Echt, schat. Iets heel bijzonders. Ik wed dat ze populair was bij de...' Jeremy besloot niet verder te gaan. 'Maar goed, haar familie woont hier al driehonderd jaar, wist je dat? Als klein meisje speelde ze altijd op de uiterwaarden, met de zoon van de tuinman of van de dominee of zoiets,' mijmerde Jeremy, en hij pakte zijn krant weer op. 'Ze kreeg trouwens tranen in haar ogen toen ze het erover had.'

Jan kon zich de in het zwart geklede Leonora Mortmain met haar strakke gezicht niet voorstellen als een klein meisje, laat staan een klein meisje dat zoiets frivools deed als buitenspelen. 'Hoor eens,' zei ze, terwijl ze Jeremy's ontbijtbordje tot zijn verbazing in één beweging bij hem wegtrok. 'Ze zou beter moeten weten. Ik ben niet in Langford komen wonen om mijn dagen te slijten in een buitenwijk van een winkelcentrum buiten de stad. Ik ben hierheen gekomen – wij zijn hierheen gekomen,' corrigeerde ze zichzelf haastig, 'om de geneugten te smaken van een mooi, historisch stadje en alles wat daarbij hoort.'

'Greg wil dat het doorgaat,' zei Jeremy, en hij greep nog een boterham, die hij provocerend op het tafelkleed begon te smeren. Greg was een jongere collega-taxateur, die zijn hele leven al in Langford woonde. 'Hij zegt dat dat precies is wat we nodig hebben. Iets meer realiteit. En hij heeft gelijk, er is hier in de wijde omtrek geen fatsoenlijke doe-het-zelfzaak te vinden.'

'Greg kletst uit zijn nek,' zei Jan kordaat. 'En jij ook, Jeremy. Ik weet dat we hier meer werkgelegenheid nodig hebben, en het is hier ook te duur en zo, maar dat winkelcentrum hoeven we niet te hebben. Je hebt geen kanon nodig om op een mug te schieten.' Ze sloeg theatraal met haar vuist op het notenhouten werkblad en keek uit het raam van de bungalow naar de toren van de St Mary.

De Allinghams waren zeven jaar daarvoor uit Southampton naar Langford verhuisd. Hun jongste dochter Jenny had uiteindelijk het nest verlaten en Jeremy had van een oude vriend die met pensioen ging een baan aangeboden gekregen bij het plaatselijke taxatiebureau voor vier dagen in de week. Het zou zijn laatste baan worden voordat hij zelf met pensioen ging, en het liefst zou hij dan meer tijd doorbrengen met golfen en het lezen van thrillers van Robert Ludlum. Ergens waar het goed toeven was, met een fijne pub op loopafstand.

Jan had echter andere plannen. Zij had, net als veel andere kinderen, Langford en de Romeinse villa bezocht tijdens een schoolreisje, en ze was verliefd geworden op deze plaats. Na haar jeugd in een buitenwijk was het voor haar het summum van Engelse chic geweest, want onder haar nuchtere optreden ging – zoals zo vaak het geval is – een bijzonder gevoelige, romantische ziel schuil. Hierdoor, plus door een onwrikbaar geloof dat het goede altijd won, was ze een ongelooflijke optimist. Hier was niets bedorven door de moderne tijd, alles was nog net als vroeger, zodat Karel I misschien de plek zou herkennen waar hij zich ooit, met groot gevaar voor het stadje, had schuilgehouden voor de Roundheads. Hier was ook een hoofdstraat waar Jane Austen nog in had gewandeld, waar ze zich nog steeds thuis zou voelen. Voor Jan kwam er een droom uit toen ze hier kwam wonen. Ja, natuurlijk moest je meegaan met je tijd, maar zij had haar jutetas, 'Langford's Eigen Plastic Tas', om boodschappen te doen op de boerenmarkt, ja toch? En kon ze niet overal op de bus stappen, in plaats van de auto te nemen, en hergebruikte ze niet alles, ook al betekende dat dat ze de groenbak de weg op moest rijden aangezien de ophaaldienst nooit deze doodlopende straat in leek te kunnen rijden?

'Dat is de realiteit van de moderne wereldeconomie,' zei Jeremy, en hij pakte kordaat zijn bord terug en legde de krant op tafel. 'Als je naar Rome wilt vliegen om daar naar oude, levenloze beelden te kijken, moet je ook de nadelen accepteren.'

'Nou, ik heb geen probleem met de moderne wereldeconomie,' zei Jan, die vele jaren had gewerkt voor een luxecruisemaatschappij en zich terdege bewust was van 'marktrealiteit', zoals het bedrijf dat pleegde te noemen voordat het de prijzen opschroefde. 'En dat is geklets, Jeremy, ik zou wel met de bus naar Rome gaan als ik moest, zo gingen we destijds met onze huwelijksreis ook naar Italië, weet je nog? Het is meer zo dat ik geen seconde geloof dat dit goed is voor de stad.'

Jeremy sloeg een pagina van de krant om. 'Aha,' zei hij op verzoenende toon. 'Drieëntwintig graden in Rome. Wanneer vertrekken jullie?'

Het maakte Jan razend als Jeremy haar zo betuttelde. Ze had net zoveel jaar gewerkt als hij. En omdat zij een vrouw was, een vrouw van in de vijftig die graag naar een tearoom ging en die wat drukte maakte – ze wist dat ze dat deed en probeerde het niet te doen – waarom zou daardoor haar mening niet serieus genomen moeten worden? Haar mening en die van zoveel andere vrouwen zoals zij? Het was seksistisch, dat was het. Ze hield zich in, zoals ze zo vaak had gedaan in hun huwelijk. 'Voor elke baan die erdoor ontstaat, zijn er vier toeristen minder omdat die afschuwelijke ontwikkeling ze afschrikt, en dat houdt mogelijk nog meer banenverlies in, om maar te zwijgen over het negeren van de bouwvergunningen en alles.' Ze raakte nu op dreef. 'En ik vind die mentaliteit van jou maar niets, Jeremy, dat het het één of het ander is, dat je of een pietlut bent als je vasthoudt aan oude tradities zonder de moderne wereld eromheen te zien, ofwel een dynamisch, krachtig jong persoon. Dat is kletskoek. Dit gaat over een leefgemeenschap!' Ze sloeg weer met haar vuist op de tafel. 'Het gaat om het hart van deze stad! Het gaat om...' Ze werd moe en keek op haar horloge. Verdorie.

Na een korte stilte zei Jeremy: 'Ik dacht dat we tijdens onze huwelijksreis met de auto naar Italië waren gegaan. Toch niet met de bus? Ik had toen net die nieuwe Austin. Een groene. Fijne wagen was dat.'

'Daar gaat het niet om, Jeremy,' zei Jan ontzet. 'Ik moet nu naar de vergadering. Tot straks.'

Het gesprek met Jeremy – die een dwaas was, moest ze zich voorhouden – had extra tijd gekost en nu zou ze te laat komen bij Ron en Francesca, dat lieve meisje dat zo aardig was om te helpen bij het actievoeren. Jan haastte zich uit Watermeadows, de aardige maar onjuiste benaming voor de doodlopende straat waarin ze woonde, en liep haastig naar de pub. Ze nam de kortste weg door de wirwar van straatjes die al kronkelend het oude hart van de stad vormden, en waarna menig bezoeker uiteindelijk uitkwam bij de oude stadsmuren, die naar de uiterwaarden leidden in plaats van naar de hoofdstad. Maar Jan woonde hier, en het was niet zonder trots dat ze wist hoe ze de kortste weg door het doolhof kon vinden om uit te komen achter de tuin van Leda House, waar Leonora Mortmain woonde. De tuin was enorm groot voor een huis dat in de stad stond; terwijl ze probeerde niet te hard te lopen, keek Jan zoals ze altijd deed even op naar de rozenstruik die tegen de achterkant van het huis groeide en snoof de zoete geur van de tuin op.

Jeremy's woorden klonken nog na in haar hoofd. Wat dacht hij nu, met Leonora Mortmain kletsen zonder het aan haar te vertellen? Om te beginnen zou ze er alles voor doen om Leda House vanbinnen te bekijken (er stond naar men zei een Fabergé-ei in de salon!). Het idee van een jonge Leonora Mortmain die in de weilanden ronddartelde met de zoon van de slager of wie ook, was bespottelijk. Waarschijnlijk, bedacht ze terwijl ze wat langzamer ging lopen, kwam dat doordat ze gewoon niet het soort persoon leek dat ooit kind was geweest. En al helemaal niet blij, verliefd, dronken, kussend met iemand met wie dat eigenlijk niet mocht. Onvoorstelbaar toch! Jan dacht ineens, zonder dat ze wist waarom, met een glimlach aan Jeremy. Ze sloeg de hoek om naar de hoofdstraat.

Het was net vijf over tien toen ze bij de Feathers aankwam, maar dat waren vijf minuten te veel. Mick stond buiten het bord schoon te vegen.

'Hallo, Jan,' zei hij, overeind komend. 'Ben je hier voor de bijeenkomst? Francesca is net binnen.'

'Ja,' zei Jan hijgend, en ze rende bijna naar de deur. 'Tot zo, Mick.'

Binnen trof ze Ron, Andrea Marsh en Francesca rond een tafel achter in de pub. Ze haastte zich naar hen toe.

'Sorry, jongens, echt. Het was een beetje hectisch...'

Ron keek op, en Jan zweeg toen ze de blik in zijn ogen zag.

'De gemeenteraad belde net, Jan. Het is allemaal voorbij.'

'Wat bedoel je?' vroeg Jan buiten adem. Ze legde haar hand op de tafel.

Ron leek in één dag twintig jaar ouder. 'Die ouwe – die vrouw heeft gisteren de overeenkomst getekend. De raad heeft hem goedgekeurd. De Mitchells hebben aangeboden een stadspark of zoiets te financieren, en nu hebben ze toestemming gegeven om het winkelcentrum door te zetten. Ze beginnen volgende maand met draineren.'

Andrea snufte hoorbaar; Francesca aaide even haar hand. 'Ik bel ze vanmiddag,' zei Francesca, met haar pen op de tafel roffelend. 'Hiermee is het laatste woord nog niet gezegd, Jan. Dat geef ik je op een briefje.'

Jan lachte naar haar. 'Natuurlijk,' zei ze, en ze hield zich vast aan de tafel terwijl ze op adem probeerde te komen. 'We zullen vechten, en we zullen winnen.' Ze stak haar kin in de lucht, met een blik van trots in haar ogen. 'Ja toch?'

Maar op de een of andere manier geloofde ze er niet in. Er was een wonder voor nodig, en wonderen gebeurden nu eenmaal niet.

11

Een paar dagen nadat de gemeenteraad de aanvraag had goedgekeurd, werden de veranderingen al voelbaar. Toen Tess naar het instituut liep zag ze het aan de mensen die voor hun deur stonden te praten met hun buren, en in kleine groepjes op de hoek van een straat. De posters in Jen's Deli, in de kaaswinkel en op het bord voor de pub hingen er nog wel, maar er stond een dikke zwarte streep doorheen. Op de ruit van de Feathers recht tegenover het huis van Leonora Mortmain stond: BEN JE NOU TEVREDEN?

Andrea Marsh sloop rond met een gezicht als een oorwurm en Ronald Thaxton was een gebroken man. Langford was zo klein dat iedereen de hoofdrolspelers kende, en Tess zat op een dag met Francesca in de delicatessenwinkel aan een van de tafeltjes die er maar net in pasten, toen er een man op hen af kwam.

'Is er echt niets aan te doen?' vroeg hij aan Francesca. 'Ik hoorde dat jij juriste bent, is die vergunning echt in orde?'

Hij was rond de veertig, stevig gebouwd en traditioneel gekleed in een Barbour-jas en een keurige blauwe das.

'Hier is je koffie, Tess,' zei iemand, die een blad neerzette.

'Bedankt,' zei Tess afwezig, zonder op te kijken maar met haar blik op Francesca, wachtend op een antwoord. Francesca glimlachte haar meest vreeswekkende glimlach.

'Ik ben bang van wel,' zei ze. 'De raad doet er bijzonder moeilijk over, maar alles klopt. Ik ben nog...'

Hij viel haar in de rede door zijn hand op de wiebelige metalen tafel te leggen. Die helde vervaarlijk naar één kant. 'Neem me niet kwalijk,' zei hij. 'Maar heeft iemand contact gehad met Natuurmonumenten of een dergelijke instelling? Die uiterwaarden zijn uniek in dit deel van het land. Ze kunnen die niet gewoon maar draineren en bestraten, daar moet een wet tegen zijn.'

'Dat zou je denken,' zei Francesca knikkend. 'Maar ik ben bang van niet. Morely en Thornham beschikken ook over veel flora en fauna, en aangezien Langford de grootste stad in de buurt is, hebben ze bedacht dat die het meest in aanmerking komt voor uitbreiding.'

Tess voelde dat iemand hen gadesloeg. Toen ze opkeek zag ze dat degene die de koffie had gebracht Liz was. Ze stond naast Claire, die ook bij haar in de klas zat en ongeveer even oud was als Liz en zij.

'Hoi!' zei Liz wuivend. Ze veegde haar handen af aan haar schort. 'Wil je verder nog niets?'

'Nee, dank je.' Tess schudde haar hoofd, bijna ongeduldig, en wendde zich weer tot de onbekende man.

'Maar dat is volslagen belachelijk!' snoof de man verontwaardigd. 'Het spijt me, maar...'

Francesca zei fronsend maar niet op onredelijke toon tegen hem: 'Het is niet mijn schuld! Ik sta aan uw kant, vergeet dat niet! Maar dat is wat ze zeggen. We gaan natuurlijk in beroep...'

Hij ging recht staan. 'Het spijt me heel erg,' zei hij met een blik vol wroeging. 'Ik ben bijzonder onbeschoft.' Hij stak zijn hand uit. 'Guy Phelps. Ik ben eigenaar van George Farm, aan de andere kant van de stad.'

'Ja, natuurlijk,' zei Francesca, alsof ze alles wist van George Farm en wat daar gebeurde. Ze schudde hem de hand. 'Francesca Jackson,' zei ze. 'En dit is Tess Tennant,' vervolgde ze, wijzend op Tess, die naast haar zat.

'Aangenaam kennis te maken.' Guy Phelps schudde ook geestdriftig Tess de hand, maar richtte zijn blik toen weer meteen op Francesca, en Tess boog zich weer over haar worteltaart. 'Nou,' vervolgde hij, toen Francesca beleefd naar hem glimlachte, 'ik moest nu maar gaan... Nogmaals bedankt,' besloot hij, hoewel hij dat nog niet had gezegd.

'Leuk om je te leren kennen,' zei Francesca.

'Laat me weten als er iets is wat ik kan doen, oké?' vroeg hij.

'Bedankt,' zei Francesca. Ze keek naar Tess. 'Dat zal vast nog wel gebeuren. Tot gauw.'

'Tot sjiens,' zei Tess met haar mond vol taart.

Toen Guy Phelps, na zijn hand naar een denkbeeldige hoed te

hebben gebracht, tot hilariteit van beide meisjes, was vertrokken, richtte Francesca zich tot Tess en zei geërgerd: 'Tess toch!'

'Wa-a?' zei Tess, terwijl ze de kruimels van haar lippen veegde.

'Moet je echt taart eten als een kleuter? Of als de graaf van Monte Cristo? Na zijn gevangenisperiode?' voegde ze er duister aan toe.

'Wat is er met de graaf van Monte Cristo?' vroeg Adam, die achter in de winkel verscheen. 'Wie was die vent? Hoi, Liz.' Hij zwaaide naar Liz, die terugzwaaide. 'Hé, jij daar.' Hij boog zich naar voren en drukte een kus op het hoofd van Francesca.

'Ene Phelps,' zei Francesca. Ze zweeg even. 'Hij vroeg alleen iets over de vergunning.'

'O,' zei Adam.

Er viel een stilte. De avond ervoor hadden Adam en Francesca een gigantische, luidruchtige ruzie gehad over een heleboel dingen, onder meer over het feit dat Francesca meehielp met actievoeren. Francesca had tegen Adam gezegd dat hij de problemen nu eens onder ogen moest zien, en Adam had tegen Francesca gezegd dat het haar niets aanging. Hij woonde er al zijn hele leven en zij wist niet waar ze het over had. Het was geëindigd in bed, maar evengoed was het die ochtend nog niet goed tussen hen. Dus zei Tess, die er niet bij betrokken wilde raken: 'Wat is er mis met de manier waarop ik taart eet?'

Francesca keek haar aan en zuchtte. 'O god. Kijk nou toch eens.' Ze gebaarde met haar hand over de tafel, waar de taartkruimels overal verspreid lagen. 'Als ik eraan denk dat ik je eerst voor een bijzonder ontwikkelde intellectueel hield, met die minimalistische, stijlvolle garderobe en dat prachtige haar...' Ze streek het haar van Tess uit haar gezicht weg, en overal vlogen kruimels rond. 'Zo zijn de mensen op het platteland, maakte ik mezelf wijs,' vervolgde ze, zonder Adam aan te kijken, die een zucht slaakte terwijl Tess met een verbijsterde blik over haar gezicht wreef.

'Wat wil je nou zeggen?'

'Wat ik wil zeggen,' zei Francesca vermoeid, 'is dat je nu meer weg hebt van een landloopster.'

Tess was diep verontwaardigd. Hier sprak vermoeidheid, en ruzie met het vriendje, geen gezond verstand. Ze was geen zwerfster! Goed, ze had al een week geen schoentjes met hakken gedragen, nee, een maand al, nou ja, een paar maanden (was het echt zo lang?). En goed, ze had haar haar al een poos niet laten knippen, maar Ján vond het mooi! En waarom zou ze ook, als ze de puntjes zelf kon bijhouden, wat trouwens een verslavende bezigheid was terwijl je naar *The Archers* of zoiets zat te luisteren. Voor wie zou ze zich trouwens opdoffen? Voor die aardige dames in haar klas? Voor Francesca? Voor Adam? Precies. Ze keek omlaag naar haar degelijke schoenen, en zag tot haar schrik dat de onderkant van haar broekspijpen vol modder zat.

Ze werd overvallen door schaamte, en ineens begon het langzaam maar zeker tot haar door te dringen. Wanneer had ze die broek voor het laatst gewassen? Wanneer had ze voor het laatst kleren gestreken? Of haar wenkbrauwen geëpileerd, of mascara aangebracht?

Ze keek op naar Francesca. 'Wat ben jij bot,' zei ze, maar er klonk enige onzekerheid door in haar stem.

'Vind ik ook,' zei Adam. 'Ze ziet er in mijn ogen prima uit, altijd trouwens, Tess.' Hij klopte haar geruststellend op haar rug en op de een of andere manier voelde Tess zich daardoor nog rotter.

'Dank je,' zei ze.

'Geen probleem,' zei Adam terwijl hij ingespannen naar Francesca keek. 'Geen. Enkel. Probleem.'

Tess was een redelijk wezen, maar meer kon ze op één dag van Francesca niet hebben, en aangezien die ochtend de glazenwasser was geweest, die ze verlangend door de ruit naar Francesca had zien turen terwijl die haar haar kamde, had ze een beetje genoeg van mensen die zo nodig moesten laten merken hoe prachtig Francesca was en hoe saai en suf zij eruitzag. Ze stond op.

'Ik moest maar gaan, dan kan ik nog wat werk doen voor mijn lessen,' zei ze. 'Over tien dagen gaan we al.'

'Echt?' zei Adam. Hij fronste zijn voorhoofd. 'Dat vergeet ik steeds – dus ik zie je zaterdag niet bij de barbecue ter gelegenheid van mijn verjaardag, Tess? Ga je nog steeds naar je vader en moeder?'

'Sorry,' zei ze. 'Het spijt me echt. Maar ik heb ze al eeuwen niet gezien, het was veel te druk...'

'Hè, wat vervelend,' zei Adam. Hij stak zijn handen uit. 'Ik bedoel dat je er niet bij bent, niet dat je het zo druk hebt,' zei hij toen ze haar mond al wilde opendoen om zich te verontschuldigen. 'Weet je nog toen ik zestien werd?'

'Natuurlijk,' zei ze lachend.

'Wat gebeurde er toen?' vroeg Francesca. Ze zette haar ellebogen op het tafeltje. Ze hoorde dolgraag verhalen over Adam en Tess en hun jonge jaren in Langford.

'O...' Adam draaide zich om. 'We zijn die dag naar Londen gegaan, naar Piccadilly Circus, en daarna belandden we in een café in Soho waar ze bereid waren ons drank te schenken, en ik werd stomdronken, en toen gingen we naar de film *True Romance* op Leicester Square... God mag weten waarom ze ons daar toelieten, we waren lang niet oud genoeg, Tess was ook nog maar vijftien.' Hij krabde aan zijn elleboog en grijnsde. 'Tess, weet je nog waar we daarna naartoe gingen?'

'Naar Covent Garden,' zei ze onmiddellijk. 'En toen namen we nog een drankje in een pub en daarna gingen we naar de Rock Garden en hebben we hamburgers gegeten en we vonden onszelf ontzettend stoer...'

'En,' zei Adam met een lachje naar Francesca, 'weet je nog dat je toen zei dat je niet begreep dat Londen één grote stad kon zijn, omdat het allemaal aparte stukjes leken?' Ze knikte en keek hem aan. 'We liepen over de brug naar Waterloo en namen de trein naar huis, en ik kwam kotsmisselijk thuis. Ik heb geen idee meer hoe we daar zijn gekomen – en ik zou de weg nu ook niet meer weten.'

Tess beet op haar nagel. 'Het is waar.' Ineens voelde ze een steek van verlangen naar Londen. 'O god,' zei ze ineens. 'Daniel Mathias heeft me na die dag gedumpt, weet je dat nog? Hij dacht dat we een setje waren!'

'O ja?' vroeg Francesca.

'Maar hij was een idioot,' zei Adam.

'Nee, dat was hij niet,' zei Tess.

'Hij had een kam in zijn achterzak. En hij gebruikte zelfs Brylcreem.'

'Oké,' gaf Tess toe. 'Misschien.' Ze snoof even minachtend bij de herinnering. 'Het maakte het zoenen met hem een beetje lastig. Als je zijn hoofd vastpakte, glibberden je handen omlaag over zijn schouders en lieten vetvlekken achter op zijn hemd, en dan werd hij kwaad!'

Francesca en Adam schoten in de lach, de spanning was geweken.

'Klopt helemaal,' zei Adam. 'Daarvoor sta je ook nog bij me in het krijt, dus niet alleen voor een verjaardagsborrel.'

'Zeker.' Tess ging een beetje onzeker met haar hand door haar haar bij de herinnering aan de Brylcreem van Daniel Mathias.

'Zeg, wat doe je het volgend weekend?' vroeg Adam.

'Inpakken voor Italië. En ik heb al gezegd dat ik zondag naar Londen ga,' zei Tess. 'Voor een dagje met Meena.'

'Dus dat is zondag.' Adam knikte ernstig.

'Ik bedenk net iets,' zei Tess. Ze keek naar Francesca, die geld uit haar portemonnee haalde. 'Ja.'

'Wat?' vroeg Francesca.

'Volgende week. Wij drietjes. Een avondje Londen. Daar heb ik zin in!' Ze klapte in haar handen; ze zou twee vliegen in één klap slaan – ze kon Adam op stijlvolle wijze op een drankje trakteren voor zijn verjaardag, en bovendien had ze dan nog een week de tijd om haar spullen bij elkaar te zoeken voordat ze terug naar Londen ging. In een topje dat ze eindelijk had gestreken, misschien. Misschien – een waagstuk – iets uitproberen van dat rare spul dat ze naar verluidt in die grote stad genaamd Londen droegen, namelijk Make-Up.

'Waar moeten we dan slapen?' vroeg Francesca.

'Geen probleem,' zei Tess. 'We kunnen in mijn oude huis overnachten – Meena is die zaterdagavond niet thuis, daarom ga ik pas zondag naar haar toe. Ik overleg wel met haar, ze zal het prima vinden.' Francesca leek hier niet helemaal zeker van, dus zei Tess snel: 'Haar nieuwe huisgenoot is een oude vriend van ons, Alex. Ik slaap wel op de bank, dan kunnen jullie samen Meena's kamer nemen. Heus, we hebben daar altijd mensen te logeren. We hádden daar altijd mensen te logeren.' Ze keek naar hen. 'En, doen jullie mee?'

'Ik wel, voor honderd procent,' zei Adam, die in zijn handen wreef. 'Gaan we weer naar die pub?'

'Nee,' zei Tess. 'Ik weet zeker dat we iets beters vinden. Francesca?'

'Ik ga mee,' zei Francesca. 'Ja, we kunnen absoluut iets beters vinden.'

'Jij was er niet eens bij,' zei Adam verontwaardigd. 'Het was er fantastisch.'

Francesca sloeg haar blik ten hemel. 'Dat zal wel...' zei ze.

'Misschien laat ik drie T-shirts bedrukken,' zei Tess opgewonden. 'Met ADAMS ZUIPFESTIJN 2008.'

'Dan mag jij ze alle drie aan,' zei Adam. 'Maar ga je gang.'

'Zeker,' zei Francesca, met een kritische blik op Tessa's verkreukelde topje. Ze lachten even naar elkaar, maar de spanning was nog niet helemaal verdwenen.

'Tess, liefje, mag ik je iets vragen?' vroeg Carolyn Tey donderdag na de lessen verlegen.

'Ja, natuurlijk,' zei Tess. 'Wat is er?'

'Nou... moeten we ook boeken meenemen? Op excursie?'

'Ik wilde je hetzelfde vragen,' zei Jacquette vriendelijk.

'Dat is aan jullie,' zei Tess, die een glimlach onderdrukte. 'Ik zal elke dag een praatje houden over wat we gaan bezichtigen, dus breng wel een schrift mee, zoals ik heb gezegd. Maar jullie mogen zelf weten of je verder nog iets mee wilt nemen – een gids of een van de boeken die we hebben besproken.' Ze stond op, boog haar nek en strekte haar armen. 'Is dat goed?'

'Zeker,' zei Jan kortweg, en weg was ze. 'Tot maandagochtend vroeg!' riep ze over haar schouder.

'Tot ziens!' riep Carolyn, die achter haar aan holde, en toen was het lokaal leeg. Bijna leeg – toen Tess opkeek zag ze tot haar verbazing Leonora Mortmain langzaam opstaan. Ze had haar niet eerder gezien; meestal vertrok ze onmiddellijk na de les.

'Zal ik u even helpen?' Tess haastte zich naar haar toe.

'Niet nodig, dank je,' zei Leonora, terwijl ze rustig opstond. Tess bedacht hoe oud ze er tegenwoordig uitzag. Het zou wel niet meevallen om de meest verfoeide vrouw van de stad te zijn, en ze besefte dat ze haar eigenlijk nauwelijks kende.

'Wordt u opgehaald? Zal ik met u meelopen naar huis?' vroeg Tess.

'Jij?' Leonora Mortmain staarde haar stomverbaasd aan. 'Mijn huishoudster kan hier elk moment zijn. Doe geen moeite.' Ze klonk alsof het idee haar met afschuw vervulde.

'Goed,' zei Tess, en ze wilde dat ze niet zo naar haar staarde. 'Eh... kijkt u uit naar de excursie in Rome?'

'Matig,' zei Leonora. Ze liep stijfjes naar de deur en keek om zich heen. 'Ze mogen hier niets in de wand prikken. Dit gebouw staat op de monumentenlijst.' Ze draaide zich om. 'Weet je trouwens het verschil tussen een gerundium en een gerundivum?'

'Ja,' zei Tess, uit het veld geslagen. 'Het gerundivum is eh... nou ja, dat is een verbaaladjectief. *Amanda*,' zei ze zwakjes – het voorbeeld dat altijd werd gegeven. 'Beminnenswaardig.'

'Ja.' Leonora Mortmain stak haar hand op. 'Dan stel ik voor dat je die kennis de volgende keer in praktijk brengt. Jouw vertaling van het gedicht van Catullus vandaag was verkeerd. Ik kijk uit naar Rome, maar niet als je lessen vol fouten zitten. Goedemiddag.'

'Mevrouw Mortmain?' riep een nerveuze stem in de hal. 'Bent u daar?'

'Juist!' zei Tess zachtjes, toen de oude vrouw uit het zicht verdween. 'Wat een schat! Wat ben ik blij dat ze meegaat!'

Ze bekeek het ruime lokaal dat vroeger de woonkamer was geweest toen de Mortmains hier nog woonden, en waar het licht in ruitpatronen door de glas-in-loodramen viel. Ze pakte haar boeken en liep naar de deur.

Onderweg bleef ze staan toen haar blik op iets viel. Het was haar eigen reflectie in een oude, verweerde spiegel bij de deur, en ze bekeek zichzelf geschrokken. Tess was niet bepaald gefixeerd op schoonheidsmiddeltjes, mysterieuze kapperspraktijken of een nieuwe doorbraak in de nageltechnologie, maar ze had er altijd wel íéts aan gedaan. Toen ze in Londen woonde, ging ze graag naar warenhuizen en probeerde ze allerlei gekke make-up die ze niet kocht, en gaf ze zich soms over aan een uitspatting – tenminste, als ze zich dat kon veroorloven van haar lerarensalaris. Toen ze dertig werd, had ze besloten wat ze wel (topjes in zandlopermodel, riemen, denim rokjes en leggings) en wat ze niet kon dragen (vooral geen maxi-jurken, smokwerk of wijdvallende modellen). Ze had een bepaalde stijl, gebaseerd op het feit dat de assistent wiskunde op Fair View één keer terloops in de pub tegen haar had gezegd dat ze op Audrey Tautou leek. Ze was natuurlijk met hem naar bed gegaan.

Hoe had het zover kunnen komen dat ze zichzelf niet eens meer herkende in de spiegel? Natuurlijk was het fijn dat ze zich hier in Langford niet zo hoefde uit te sloven maar was dat echt wel goed voor haar? Misschien was het een direct gevolg van het samenwonen met Francesca. Ze was beslist niet zoals Francesca. 'Kijk, de nieuwe Bayswater!' had Francesca maandagavond uitgeroepen, terwijl ze gebogen zat over een nummer van *Elle*. 'O, mijn god, wat een schoonheid, vind je niet?'

Tess was bezig fondantfiguurtjes in een piramide op de etagère te stapelen. 'Wat is in vredesnaam een Bayswater?'

Francesca keek haar aan alsof ze gestoord was. 'Een tas. Een Mulberry-tas. Ben je wel goed bij je hoofd?'

'Nee, ik ben niet goed bij mijn hoofd,' zei Tess. 'Ik ben krankzinnig omdat ik niet weet wat een Bayswater is. Neem een fondantje,' zei ze, en voorzichtig liep ze met de etagère de zitkamer in.

Francesca keek haar met een blik van ontzetting aan. Ze sloeg de *Elle* dicht en schudde haar hoofd. 'Kijk nu eens naar jezelf. Jij moet er echt eens uit, Tess.'

Tess was het er niet mee eens. Het was stom gedoe, die obsessies met kleren en schoonheidsbehandelingen en welriekende bodylotions. Ze was hierheen verhuisd om dat allemaal achter zich te kunnen laten. Het was stom en het weerhield je van andere zaken: echt mens te zijn, inhoud hebben, dingen als de uiterwaarden belangrijk vinden. Maar ja, dacht Tess verward, Francesca had het allebei. Maar Francesca was ook niet een klein beetje gestoord. Ze schudde haar hoofd en rilde weer in de kille, ruime hal. Ze hield niet van Langford Hall, en had dat nooit gedaan. Er hing hier een benauwende, griezelige sfeer. Misschien had Jane Austen hier wel inspiratie opgedaan voor haar boek *Northanger Abbey*. O nee, het was pas in 1846 gebouwd, en zij stierf in 1817. Misschien moest ze de data in het museum nog eens bekijken. Een leuk idee, dan kon ze daarna even binnenwippen in de Tea Shoppe, daar hadden ze heerlijke fruitcake. En ze moest ook nog zonnebrandolie halen voor hun reisje naar Rome. Factor 45, dan zat ze in elk geval veilig – en inlegzooltjes, bij de drogist hadden ze een heleboel soorten…

Tess riep zichzelf tot de orde. Hemel, Francesca had gelijk. Ze moest er echt eens uit. Naar de kapper, en een avondje de hort op.

12

'Hoe bedoel je, je gaat niet?'

'Ik bedoel, ik ga niet. Einde discussie.'

Tess hoorde dat Adam zijn keel schraapte. 'Francesca,' zei hij kalm. 'Maar we... ik...'

'Hoor eens.' Francesca sprak snerpend hard. 'Ik zie niet in waarom ik vanavond mee zou moeten zodat we kunnen doen alsof alles in orde is, terwijl het dat niet is, al dagen niet. Weken zelfs!'

'Er is niets aan de hand, je moet alleen...'

'Betuttel me niet, Adam,' zei ze. 'Jij bent degene die het...' Haar stem stokte even, en Tess kromp even in elkaar in de zitkamer. Ze stond op en ging naar de keuken om de restanten van de lunch op te ruimen. Ze wilde het niet horen. Ze was het zat.

'Ik weet dat dit een moeilijke week is geweest,' hoorde ze Adam ongeduldig zeggen. 'Ik weet dat je ook heel hard hebt gewerkt aan de zaak, maar Francesca, een avondje uit is bedoeld als iets prettigs, kom op...'

'Dat bedoel ik nou precies,' riep Francesca. 'Daarom ga ik niet mee. Denk je nu echt, serieus, dat jij en ik gewoon maar kunnen vergeten dat we al twee weken nauwelijks iets aardigs tegen elkaar hebben gezegd en...' ze nam expres een Cockney-accent aan '... gezellig een avondje in Londen gaan stappen? Wees realistisch, Adam. Ik kan je aanblik nauwelijks verdragen, laat staan...'

Haar stem stierf weg.

'Dus dat was het dan?' zei Adam. Hij was nu rustig. Hij deed de deur van de slaapkamer open; in de keuken, van waaruit Tess de trap kon zien tegenover Francesca's slaapkamer, deinsde Tess achteruit, schuldbewust, alsof ze stond af te luisteren. Ze keek geschrokken op haar horloge – als ze niet snel weggingen zouden ze de trein missen, schiet op... Ze bracht haar hand naar haar mond en riep: 'Adam... Francesca... we moeten echt weg.'

Vijf minuten geleden had ze dat ook al gezegd, en dat was de aanleiding geweest voor het gesprek dat nu plaatsvond. Ze pakte haar tas en liep naar de deur. Ze hoorde nog wat gedempt geruzie, voordat de deur werd dichtgeslagen en Adam de trap af kwam rennen, met een bleek gezicht en een donkere blik in zijn bruine ogen.

'Gaan we?' zei hij kortweg, alsof zij degene was die de boel ophield. Tess staarde hem aan; daar stond hij, met een strak gezicht. Ze herkende hem niet.

'Jep,' zei ze, en ze hield haar tas omhoog. 'En eh... Francesca...'

'Nee,' zei hij, de deur voor haar openhoudend. 'Die gaat niet mee. Het is eh... tja. Goed, heb je alles?'

'Ja,' zei Tess.

Hij duwde haar bijna de straat op en liep zo hard dat ze moest rennen om hem bij te houden. 'We zijn laat.'

'Ja, dat weet ik,' zei Tess. 'Maar we halen het wel, als we het tempo aanhouden van Romeinse soldaten die de smoor in hebben... Adam, gaat het wel?'

'Ja hoor, bedankt,' zei Adam. 'Alleen... het is over tussen ons. Mja.' Hij zweeg. 'Ik moet zeggen dat ik best opgelucht ben.' Tess' mond viel open, en hij draaide zich met een gespannen lachje naar haar toe. Toen hij de uitdrukking op haar gezicht zag, bond hij in. 'Sorry.'

'Nee,' zei ze, en ze legde haar hand op zijn arm, omdat ze wist hoe overstuur hij moest zijn. 'Wat rot.' Ze zweeg. 'Hoor eens, als je liever...'

'Nee, absoluut niet,' zei hij. Hij pakte haar arm. 'Het is mijn verjaardag en we gaan de bloemetjes buitenzetten. Misschien moeten we een paar details aanpassen, maar we gaan gewoon uit van het oorspronkelijke plan, toch?'

'Natuurlijk,' zei ze. Ze kneep even in zijn arm, en in stilte liepen ze snel de bocht om achter Leda House, in de richting van het station.

'Ze noemde me een loser,' zei Adam na een paar minuten somber. 'Ze zei dat ik een sukkel was.'

'O,' zei Tess. Ze wist niet waarom, maar ze moest op haar lip bijten om niet te lachen. Hij draaide zich naar haar toe om nog iets te zeggen, toen hij de uitdrukking op haar gezicht zag.

'Moet je daarom láchen?' vroeg hij ongelovig.

'Nee... niet echt... helemaal niet,' zei Tess. 'Alleen... ik weet het niet.'

'Ja, wat nou, verdomme!' Adam beende met grote stappen verder.

'Sorry,' zei Tess, en ze probeerde niet te lachen toen ze hem inhaalde. 'Het kwam gewoon door hoe je dat zei, Adam. Je klónk ook een beetje als een loser. Een klein beetje maar.'

'Dat bedoel ik,' zei Adam, terwijl hij haar aankeek. 'Van jou kan ik het hebben. Jij kunt gewoon zeggen dat ik een klootzak ben. Maar van haar wil ik het niet horen.'

'Hoe komt dat?' vroeg Tess, en ze probeerde zijn tempo bij te houden. Ze waren nu vlak bij het station.

'Ik weet het niet, ik weet het echt niet. Tjonge,' zei hij. 'Ik ben zo'n stommeling. Waarom heb ik...'

'Waarom heb je wat?'

'Niets,' zei hij. 'Niets, het doet er nu niet toe.' Hij zuchtte.

'Nou,' zei Tess, terwijl ze op de toetsen van de kaartjesautomaat drukte met de gedrevenheid van iemand die probeert een kernbom te ontmantelen, 'nou – dit wordt gewoon een superleuke avond.'

En dat werd het ook. Hoewel het er niet naar had uitgezien, was het echt een topavond. Het was gewoon zo. Ze kwamen aan op Waterloo toen de avondzon nog volop in de grote glazen hal van het station naar binnen scheen; ze bleven even onder aan de klok staan om zich te oriënteren.

'Is het niet raar om terug te zijn?' vroeg Adam.

'Jep,' zei ze.

Adam dook opzij om een groep mensen te ontwijken die met enorme koffers op hen af kwamen. Hij stapte snel naast haar naar achteren, en zij bedacht hoe vreemd het was om hem in de grote stad te zien, deze bruisende, verhitte wereldstad, waar op het station al meer mensen waren dan er misschien in heel Langford woonden. Ze keek hem bezorgd aan, maar hij zag er niet uit als een provinciaal die elk moment door paniek kon worden bevangen.

Hij draaide zich om en zei: 'En, wat gaan we doen?' Hij schudde zijn hoofd. 'Londen, hm? Ik kan me niet herinneren wanneer ik hier voor het laatst ben geweest.'

Na vijf maanden wonen in een landelijk stadje beschouwde Tess zichzelf nog steeds genoeg als inwoner van Londen om het ongelooflijk te vinden dat iemand zich niet kon herinneren wanneer hij hier voor het laatst was geweest. Hoe leefden mensen die niet gewend waren aan dit alles? Vonden ze al het andere daarbij vergeleken niet klein? Ze betrapte zich erop dat ze besefte hoe dwaas het was om nog steeds zo te denken. Ze wist weer hoe ongelukkig ze hier was geweest, dat Londen de plek was geweest met kille, grauwe straten en stegen die naar urine roken, lange donkere nachten en voortdurende regen.

Maar niet nu, niet aan het begin van de zomer, niet op deze avond met Adam naast haar. Ze klopte op zijn arm. 'Wat we gaan doen? Je maakt zeker een grapje. We zijn geen toeristen, we zijn inwoners. Nou ja, ik dan. Nou, ik wás het. Om een leuke avond te hebben, moet je een plan maken. Het heeft geen zin om op de bonnefooi uit te gaan. Vuistregel: maak een plan.'

'En heb jij dat gedaan?' vroeg Adam met grote ogen. 'God, ik hoop van wel. Natuurlijk kunnen we gewoon op zoek gaan naar die ene pub.'

Hij zei het onverschillig, alsof het hem niet veel kon schelen.

'Dát gaan we dus niet doen,' zei Tess. 'Het is een plan voor jouw verjaardag. Goed. Wat vind je hiervan?' Ze stak een vel papier omhoog en samen bogen ze zich erover.

1. *Drankjes: Lamb and Flag, Covent Garden*
2. *Uit eten: Great Queen Street, Longacre*
3. *Daarna: The French House? Karaoke?*
4. *Daarna: Beaujolais? De Phoenix?*
5. *Daarna: Bar Italia.*

Adam keek enigszins ontzet op. 'Tess, ik ga geen karaoke doen.'

'Het is maar een plan,' zei ze. 'Het kan veranderd worden. Wees maar niet bang.' Ze trok haar haar uit haar jas.

'Waar is de Lamb and Flag?'

'In Covent Garden. Het is een heel oud pand, er staan dingen uit de Tudor-periode. Het is er geweldig.' Ze keek op. 'Vooral als het lekker weer is, dan kunnen we buiten staan, het is er altijd nogal druk. Oké?'

'Klinkt goed,' zei Adam opgelucht.

'Mooi!' Ze glimlachte naar hem. 'Dan gaan we.'

'Ik vind je nieuwe kapsel trouwens leuk,' zei Adam toen ze door de stationshal liepen. 'Het is mooi.'

De vorige dag was Tess eindelijk naar de kapper gegaan om haar haar te laten knippen en föhnen. Ze lachte bijna verlegen naar Adam. 'Dank je!' zei ze. 'Het is onderdeel van mijn nieuwe ik, dat zul je vast wel gezien hebben.'

'Inderdaad,' zei hij tot haar verbazing. 'Je bent er wat stijlvoller uit gaan zien. Het staat je goed. Niet meer zo sjofel.'

'Mm, juist,' zei Tess, terwijl ze hem voorging naar de uitgang naar de South Bank. 'Dank je zeer.'

'Laat maar,' zei Adam. En toen vervolgde hij met de charme die mannen soms tentoonspreiden: 'Het moet wel raar voor je zijn om in één huis te wonen met iemand als Francesca. Die er altijd zo schitterend bij loopt.'

'Nou, precies,' zei Tess terwijl ze door het tunneltje liepen dat naar de Hungerford Bridge leidde. 'Ik liep namelijk altijd met een zak over mijn hoofd, omdat ze inderdaad zo schitterend is. Dat is wat makkelijker. Voor mij en voor anderen.'

Adam keek haar aan. 'O, sorry. Ik bedoelde alleen...' Hij sloeg zich tegen het voorhoofd. 'Ik ben een idioot. Zo bedoelde ik het niet, ik bedoelde alleen dat ze zo...' Hij zocht naar de juiste woorden. 'Dat ze zo ongelooflijk mooi is.'

Ze beklommen de trap naar de brug over de Theems. Toeristen, theaterbezoekers, goochelaars en daklozen drongen zich langs hen heen. Tess bleef staan en schudde haar hoofd. 'Hoor jij zelf wel eens wat je zegt?' vroeg ze.

'Eh... hoezo?'

'Mannen!' riep Tess hard, zodat mensen geschrokken omkeken en Adam haar snel bij de arm pakte. 'Jij bent niet te geloven, weet je dat?'

'Wat nou?'

'Jezus, Adam!' zei Tess, terwijl de wind haar haar in haar gezicht blies. Ze stopte het stevig achter haar oren. 'Luister, ik weet dat ik niet zo'n betoverende schoonheid ben als... als Claudia Schiffer bijvoorbeeld, en Francesca wel, maar – laat maar, oké? God, dat mannen denken dat ze dit soort dingen kunnen zeggen!' Ze tuurde naar de overkant van de rivier, die al snel in zicht kwam bij het tempo dat ze erop na hielden.

'Ik wilde niet...' begon Adam, maar Tess legde een hand op zijn mond.

'Sst,' zei ze. 'Zeg maar niets meer, anders besluit je straks nog met "Maar voor een trol ben je heel aantrekkelijk", en dan moet ik echt gaan.'

'Dat wilde ik niet zeggen,' zei Adam. Hij zweeg even. 'Sorry, Tess.'

'Laat maar,' zei Tess. Ze bleven even staan om uit te kijken over de stad en liepen weer verder. Het water in de rivier was grijs en onstuimig; wolken schoten door de lucht, en in westelijke richting, achter de Parlementsgebouwen, was een rozerode zonsondergang te zien. De stad lag voor haar, nog licht en vol mogelijkheden, en ze besefte nu pas hoe goed het was om weer terug te zijn. Ze had Londen vijf maanden hiervoor verlaten, somber en moe van het drukke, zelfzuchtige leven dat ze overal om haar heen had gezien, afgewezen door een man van wie ze had gedacht te houden. Langford was nu haar thuis, dat wist ze; ze hield van het tempo, de vriendelijkheid, de mensen, het feit dat ze de deur uit kon gaan, gekleed in een zak, zonder dat iemand dat gek zou vinden, of dat ze helemaal uit haar dak kon gaan over plantjes of kussenhoezen of jam maken. Ze schudde haar hoofd toen een van de ramen van het oude Shell-Mex blikkerde in de ondergaande zon. Nu pas vroeg ze zich af of ze hier misschien ook iets had achtergelaten.

De Lamb and Flag was een pub naar Adams hart – geen flauwekul, en lekker bier. Het was er alleen te druk, zodat ze buitenstonden met hun glas in de hand, ingeklemd tussen de muur, een paar Amerikanen die zojuist in Londen waren aangekomen en een paar fans van Queen uit Hemel Hempstead die naar *We Will Rock You* zouden gaan (en daar heel opgewonden over deden).

'Jij zegt altijd dat mensen in Londen niet aardig, zijn,' zei Adam toen ze zich tussen de mensen door een weg baanden in de kleine dickensiaanse doorgang naar Floral Street. 'Maar deze waren het wel.'

'Dat waren Amerikaanse toeristen, maat,' zei Tess. 'Ze hadden het zelfs over "Londontown". En een paar lui uit Hemel Hempstead. Natuurlijk waren ze aardig. Ze komen niet uit Londen. Sorry. Londontown.'

'O,' zei Adam lachend. 'Sorry, makker.'

Ze lachte terug toen ze Longacre insloegen.

Het restaurant in Great Queen Street, vlak bij Longacre, was onopgesmukt, druk en vriendelijk. 'Hier zijn niet zoveel toeristen,' zei Adam, terwijl ze op een tafeltje wachtten. 'En het is hier...' hij keek enigszins opgelucht rond, 'gezellig.'

Tess keek om zich heen. 'Je hebt gelijk,' erkende ze. 'Het zijn meer...'

'Mensen met wie je zou willen praten.'

'Hoe bedoel je?'

'Nou, niet verwaand of bekakt of van die Londense poeha.'

Tess knikte en keek naar Adam, die, in zijn zachte geruite overhemd en met zijn haar dat in piekjes rechtop stond, met genoegen rondkeek. Ze was vergeten dat er in de stad veel meer mensen met enige glamour waren, zelfs hier, waar niet eens de jetset kwam. Meisjes in skinny jeans en stijlvol gebloemde topjes, met kettingen die heen en weer gingen als ze zich naar voren bogen om iemand gedag te zeggen, en die hun haar achter hun oor stopten. Mannen die glimlachend hun haar controleerden in de spiegel, hun das rechttrokken, elkaar vriendschappelijk op de rug sloegen, iemand omhelsden. Ze dacht aan de Feathers terwijl ze toekeek hoe Adam alles in zich opnam. Ron zou misschien met een biertje in de hoek zitten, met een stel dat hun trouwdag vierde rustig achterin, en misschien Suggs en Mick kletsend aan de bar... Ze keek rond in het restaurant vol smaakvolle kleuren, levendigheid en energie, en ze wist dat het fijn was om terug te zijn.

'Ik heb een kamer geboekt in het Claridge,' verbrak Adam plotseling de stilte.

'Wat?'

'Daarom was ik zo kwaad op haar. Ik heb een kamer in het Claridge geboekt. Ik wist niet wat ik ermee aan moest.' Hij keek haar aan. 'Het moest een verrassing voor haar zijn.'

Haar hart ging naar hem uit. 'Het Claridge-hotel?' Hij knikte. 'O, Adam. Wat lief van je.' Ze wist niet wat ze moest zeggen, ze hield van hen allebei, dus klopte ze hem troostend op zijn rug. 'Denk je echt dat het voorbij is tussen jullie?'

'Ja,' zei hij triest. 'Dat denk ik echt.'

'Als ze had geweten...' Tess stak haar hand naar hem uit. 'Dan zou ze...'

'Ik heb het haar verteld.'

'Echt?'

'Ja. Ze zei...' Zijn stem stierf weg.

'Nou?' drong ze aan.

'Ze zei dat ik mezelf eens onder handen moest nemen, dat ik niet oprecht was.' Hij zei het rustig.

'Wat afschuwelijk,' zei Tess. 'Je bent helemaal niet onoprecht. Jij bent de eerlijkste man die ik ken.'

Hij keek haar aan met een vreemde uitdrukking op zijn gezicht. 'Soms denk ik dat je me niet zo goed kent.'

'Kom nou!' zei Tess lachend. 'Ik ken je beter dan wie dan ook!'

Adam keek alsof hij iets wilde zeggen, maar hij bedacht zich en zei: 'Nou, het doet er niet toe. Het is voorbij.'

De ober bracht het menu op met de hand geschreven papier, en Adam dronk wijn uit een whiskyglas.

'Kun je die reservering niet...' begon ze.

'Ik heb ze gebeld toen jij op de wc was,' zei hij. 'Nee.' Hij haalde zijn schouders op. 'Het was een domme zet van me. Ik probeerde het alleen goed te maken, de laatste paar weken ging het zo slecht tussen ons.'

Tess vroeg vol belangstelling: 'Waar is het volgens jou misgegaan?'

Adam krabde op zijn hoofd en trok een grimas. Hij sloeg een paar keer op de tafel. 'Nou, ik denk door een combinatie van dingen, maar... tja. Het is eigenlijk... mja.'

'Eigenlijk wat?' vroeg Tess voorzichtig, in de wetenschap dat je mannen niet tegen de haren in moest strijken door te veel aan te dringen.

'Eigenlijk wel mijn schuld,' zei Adam knikkend. Hij keek op en toonde die gevaarlijke, sexy glimlach die ze zo goed kende. 'Dat gebeurt altijd. Ik weet hoe ik me geliefd moet maken, maar als ze me dan leren kennen...' Hij wreef stevig met zijn hand over de tafel om zijn woorden kracht bij te zetten. '... dan zien ze dat ik niet die aardige, ongecompliceerde vent ben voor wie ze me hielden.'

'O, dat is niet waar,' zei Tess peinzend, terwijl ze dacht: nou, en óf dat waar is. De ober kwam terug met nog meer wijn en nam hun bestelling op. Tess verbaasde zich over Adams zelfkennis, en dat zei ze ook.

'Kom op, Tess,' zei hij lachend. 'Ik zeg ook niet dat ik zo'n interessante gecompliceerde, getormenteerde man ben. Ik zeg alleen: ze hebben een bepaald idee van me en de realiteit is ingewikkelder. En saaier.'

'Hoe dan?'

'Ze denken dat ik een natuurminnende, goedlachse plattelandsbewoner ben die zijn moeder mist en de pest heeft aan Londen, en dat klopt, en daarna denken ze, wacht even, zijn moeder is al dertien jaar geleden overleden, waar is hij in vredesnaam mee bezig?' Adams lach werd wat strakker: 'En dan vragen ze door, en dan zeggen ze: "Maar hij heeft nog nooit iets gedaan. O, hij kon gaan studeren aan de universiteit, en dat heeft hij nooit gedaan. O, hij had een geniaal classicus kunnen worden, en in plaats daarvan werkt hij drie avonden per week in een pub en verkoopt hij kaartjes aan oude dames in een museum."'

'Dat zeggen ze niet,' zei Tess.

'Jawel, Tess,' zei hij, en hij legde zijn hand op de hare. 'En jij denkt dat ook. Dat weet ik.' Ze schudde haar hoofd. 'Omdat het waar is.'

Hoe zei je tegen iemand die je zo goed kende en van wie je hield dat je het eens was met zijn ergste zelfkritiek? Dat je, doordat je hem zo goed kende, nog wanhopiger voor hem werd, omdat je zag zowel wat hij in zich had als de gewoonten waarin hij was vastgeroest?

Tess wist niet wat ze moest zeggen. Hij had gelijk. Ze nam een slokje. 'Je zou naar een lerarenopleiding kunnen gaan.' Ze wilde hem helpen, en ze wist niet hoe. 'Je doctoraal halen?'

Adam stak zijn hand op. 'Hoor eens,' zei hij rustig, 'je hoeft me geen advies te geven. Dit is iets waar ik zelf mee aan de slag moet.'

'Ik probeer alleen...'

'Ik weet wat je probeert, maar doe het niet. Ik kan het niet uitleggen, het is mijn probleem, het zit in mij en ik moet eruit zien te komen. Dus niet doen. We gaan er een ontspannen avond van maken en vergeten de hele boel: Francesca, alles, oké?'

Zijn toon was nog steeds luchtig; Tess zag hem zelden razend, maar ze kende hem goed genoeg om te weten wanneer ze moest stoppen. 'Prima,' zei ze. 'Alleen... Adam, als je me ooit nodig hebt...' Ze zette haar ellebogen op de tafel. '... je weet me te vinden.'

'Weet ik,' zei hij. Hij greep haar pols. 'Dank je.'

Het voorgerecht werd gebracht en ze toostten nogmaals; de sfeer tussen hen veranderde plotseling, alsof er een knop was omgedraaid. 'Dit hebben we al eeuwen niet meer gedaan,' zei Tess gelukzalig. 'Samen uit eten, bedoel ik.'

'Je hebt gelijk,' zei Adam. 'Bedankt, Tess. Dit is fantastisch. En luister, zullen we gewoon naar het hotel gaan in plaats van naar Meena?'

Ze wapperde bij wijze van grapje een paar keer met haar wimpers. 'Oo, meneer Smith! Het Claridge? Wauw! Wat hebt u toch een stijl!'

'Schiet op en ga eten, sloerie,' zei hij, terwijl hij de borden omruilde zodat de asperges voor hem stonden. 'En drink niet te veel. Je weet dat wijn na bier hard aankomt.' Hij verhief zijn stem een beetje. 'Weet je nog die avond in Spanje, we waren vijftien. Jij probeerde te zoenen met een flamencodanser, en hij duwde je in een cactus!'

Tess wierp hem een boze blik toe en doopte een stuk brood in haar soep. 'Jezus, wat heb ik een hekel aan je,' zei ze. Een van de mensen aan het tafeltje naast hen keek hen in stomme verbazing aan.

13

Aangezien Adam zo'n dertig centimeter langer was dan Tess en aangezien ze als tiener al veel tijd in pubs hadden doorgebracht, hadden ze lang geleden een code bedacht voor alcoholische versnaperingen. Ze noemden het 'de Bel', en in feite betekende het dat Tess met een (denkbeeldige) bel mocht rinkelen om Adam op elk mogelijk moment van de avond nog een drankje voor haar te laten bestellen.

Die avond was de Bel waarschijnlijk het moment waarop het fout ging.

'Wat wil je drinken?' vroeg Adam aan Tess toen ze na het eten in het French House zaten. Het was halfelf en ze waren allebei al wat loom.

Tess steunde met haar ellebogen op de bar en staarde naar de flessen drank, terwijl het rumoer in de kleine, drukke ruimte in haar oren gonsde. Het was een warme avond en de deuren stonden open in de straat in Soho. Binnen was het een georganiseerde chaos; oude mannen met pet, met een glas in de hand, geroezemoes van studenten die al aardig dronken begonnen te worden; en vier meisjes in vintage kleren, met glanzende krullen en perfect gestifte rode lippen.

'Wat kan ik voor jullie inschenken?' vroeg het meisje achter de bar opgewekt terwijl ze een glas in de lucht gooide en het met één hand opving.

Tess knikte. 'De Bel,' zei ze resoluut. 'Je moet de Bel doen. Ik ben te dronken.'

Ze boog zich naar voren en tikte met een plastic cocktailstaafje tegen het glas dat de bardame vasthield. 'De Bel,' zei ze met enigszins dubbele tong.

'Nooit van gehoord,' zei het barmeisje, niet onder de indruk.

'Sorry,' mengde Adam zich haastig in het gesprek. 'Mijn vriendin gebruikt een code. Wat ze bedoelt is een gin-tonic, en voor mij een glaasje tequila en een bier...' Hij bekeek de lijst. 'Wat voor bier hebben jullie?'

'Adam, hier hebben ze geen Butcombes,' zei Tess. 'We zijn in Londen.'

'En een Stella,' zei Adam zonder acht op haar te slaan.

Hij ging met de drankjes naar een leeg stukje van de bar en zette ze daar neer. 'Proost,' zei hij. 'Op Londontown.'

Ze hief haar glas. 'Op Londontown.' Hij dronk zijn tequila en zij haar gin-tonic.

'Mm, lekker,' zei hij, en hij pakte zijn bier. Zijn ogen sprankelden. 'Goed, nu zijn we op pleisterplaats nummer twee.'

'Nummer drie, als je de pub meetelt,' zei Tess. 'Nummer vier als je de trein meetelt.'

'Je wordt betweterig,' zei Adam. Hij hield haar glas voor haar mond. 'Drink op.'

'Oké.' Hij hield het glas schuin zodat ze kon drinken en knikte bemoedigend.

'Ik ben blij dat we – niets ten nadele van Meena, hoor,' zei hij. 'Maar ik ben blij dat we naar het Claridge gaan, daar kunnen we naartoe lopen en we hoeven ons niet te haasten om de laatste metro te halen.'

'Het ligt in feite best centraal, vergeleken met andere wijken.' Tess wilde haar oude woning verdedigen.

'Weet ik, en het is geweldig,' zei Adam. 'Ik vond het altijd leuk om je daar op te zoeken. Alleen – ik weet nog dat ik altijd naar de metro moest rennen, en het duurde eeuwen. Het duurde altijd eeuwen om waar ook in Londen te komen.'

'Het is niet...' Tess wilde een verhaal afsteken om het tegendeel te bewijzen, totdat ze besefte dat ze het nu toch met hem eens moest zijn. In Langford was het twee minuten van haar woning naar de Feathers. 'Tja,' zei ze toen het even stil was, 'je hebt gelijk, we besparen ons een hoop tijd als we in het Claridge logeren. We kunnen hier zo lang blijven als we willen.'

Adam stak twee vingers op naar de bardame. 'Nog twee keer hetzelfde, graag.'

'Nee, zeg.'

'Kom op,' zei Adam, die duidelijk een nieuwe aanval van energie kreeg. 'We zijn in Londen, maatje! We vieren mijn verjaardag! We logeren in het tofste hotel ter wereld!'

'Ja,' zei Tess, en ze kneep een oog half dicht. 'We zijn jong, vrij en single, en we kunnen doen wat we willen!'

'Ja, dat ook!' zei Adam. De drankjes werden gebracht, en hij klonk nog eens met haar.

'Proost,' zei Tess. 'Op de Bel.'

'Ja, en eh... bedankt, Tess,' zei Adam ernstig. 'Ik had niet gedacht dat het zo zou gaan maar... het is gezellig, vind je niet?'

'Het is altijd gezellig met jou,' zei Tess oprecht, en even keken ze elkaar aan en bleven ze zwijgend zitten te midden van het geroezemoes van de pub. Iemand perste zich langs hen; het was alsof er toen iets veranderde.

Adam haalde diep adem. 'Nou, je weet hoe ik dat voel,' zei hij met schorre stem.

Hij keek haar recht aan. Toen Tess in zijn ogen keek, was het alsof ze de enige twee mensen waren in die drukke, warme ruimte. 'Mag ik je iets vragen?' zei hij.

Na een seconde knikte ze, met een hart dat in haar keel bonsde.

'Wat was het Struikelblok met Will? Kun je me dat nu vertellen?'

Tess kreunde, maar er kwam ook iets van opluchting in haar op. 'Het is heel gênant.' Ze schraapte haar keel en boog zich naar hem toe. 'Alleen als jij me vertelt wat het Struikelblok met Liz was.'

'Oké,' zei hij, heftig knipperend met zijn ogen, en ze wist dat hij dronken was. 'Jemig, wat gemeen van je. Oké dan.' Hij blies zijn adem uit en begon zachter te praten. 'Nou... ze huilde.'

'Ze huilde?'

'Nadat we...' Adam keek rond om te zien of er iemand in de buurt stond die hen kon horen. 'Na het vrijen. Nou ja, tijdens, eigenlijk.'

'O,' zei Tess. 'Echt huilen, bedoel je?'

'Jep,' zei Adam somber. 'Het was vreselijk. De tranen stroomden over haar wangen. Ik dacht dat er iets mis was, dus ik eh... ik hield op, en toen begon ze nog erger te huilen en me te smeken door te gaan dus ik begon opnieuw, maar...' Hij wreef zich in zijn nek. '... het verpest natuurlijk wel de sfeer. Als iemand ligt te snikken terwijl je... Terwijl jij probeert om...'

'Te scoren,' zei Tess direct. 'Jemig, zei ze ook waarom ze huilde?'

'Ze zei dat ze dat altijd deed, vooral als ze een beetje emotioneel werd,' zei Adam. 'Daarom... Dat is eigenlijk de reden waarom ik haar nooit meer heb gebeld.'

'Weet je?' zei Tess. 'Dat snap ik helemaal.'

Hij knikte dankbaar. 'En bij jullie?'

'Wat?'

'Kom op, Tess,' zei Adam. 'Dat weet je best. Wat was het met jou en Will? Wat was het Struikelblok?'

Ze aarzelde en keek hem toen openhartig aan. 'Nou...' begon ze. 'Hij...'

'Hé!' riep iemand achter hen die hen opzij duwde, en een groep enthousiaste Zweden in blauw met geel drong achter hem de kleine pub binnen. Een van hen, een man, maakte zich los uit de groep, greep Adam bij zijn armen en trok hem weg bij Tess. 'Hé, vriend!' riep hij. 'Goeienavond! We hebben gewonnen!'

'Geweldig. Wat hebben jullie gewonnen?' zei Adam, die terugdeinsde en lachend naar Tess keek.

'Ja! Dank je!' zei de man, en hij kneep hem in zijn schouders, waarna hij langs hen naar de bar stoof, waar hij weer helemaal opging in de blauw met gele massa, en her en der klonk 'Skol!'

Adam en Tess, uit elkaar gedreven, keken elkaar aan en toen ze ineens beseften hoe belachelijk het allemaal was, barstten ze allebei in lachen uit.

'Londontown,' zei Adam, zijn schouders ophalend. Hij stak zijn glas weer uit en klonk met het hare terwijl haar adrenalinestoot afnam. Tess voelde zich vol van iets. Was ze dronken? Wat gebeurde er? Waarom was ze eigenlijk niet verbaasder? Maar het ogenblik ging voorbij, alsof er al iets was veranderd na al die drankjes, een hilarische ontmoeting met opgewonden Zweden – die een belangrijke voetbalwedstrijd bleken te hebben gewonnen tegen Rusland – van wie er een paar stonden te zingen, onder aanvoering van een van de oude mannen met pet, en die daarna bijna de pub uit gezet werden door het steeds bozer wordende barmeisje.

Ze liepen op de warme meiavond langzaam door Soho totdat ze bij Kingly Street waren. Tess wilde niet naar het hotel. Ze wilde het moment uitstellen; ze wist niet waarom, alleen maar dat er iets in de lucht hing en dat deze avond snel voorbij zou zijn. En dat wilde ze niet.

Ze bleven staan onder de stenen brug bij Liberty.

'Weet jij waar we heen moeten?' vroeg Adam, om zich heen kijkend. 'Ik heb geen flauw idee.'

'Dit is Liberty,' zei Tess een tikje droevig. 'Dat is mijn favoriete winkel.' Ze keek naar de zwarte glas-in-loodramen waarin niets te zien was.

'O ja? Waarom?'

Tess was altijd dol geweest op Liberty vanwege de stoffen, de kleren en de sieraden, en die mooie art-decostijl. Maar er was één reden die de doorslag gaf.

'Vanwege het trapportaal,' zei ze. 'Die is van rijk bewerkt hout, en tussen de tweede en derde verdieping zit een kikkertje.'

Toen ze een jaar samen waren, had Will daar een halssnoer voor haar gekocht. Het was enorm groot en zwaar, een echte blikvanger van geslepen glas en linten, en ook al kon ze het zelden dragen, ze vond het prachtig. Ze moest slikken bij de gedachte.

Adam lachte zacht toen ze dit zei. 'Een kikkertje, echt?' Hij keek haar onderzoekend aan. 'Tess, wat is er?'

'Niets,' zei Tess, terwijl ze een traan wegveegde. 'Nou ja. Will. Hij heeft daar iets voor me gekocht. De stommeling.' Ze kon het van zichzelf niet uitstaan dat ze moest huilen; waarom, terwijl ze al weken niet aan Will had gedacht?'

'Ach, lieverd,' zei Adam zacht en lief, heel troostend. 'Niet huilen.' Hij sloeg zijn arm om haar heen. 'Toe, niet doen. Hij is het niet waard. Hij is een idioot. Geloof me.'

'Ik weet het,' zei Tess. Ze wilde het liefst altijd zo blijven staan, met haar hoofd op zijn schouder en zijn armen om haar heen.

'Waarom geef je dan nog iets om hem?' Zijn stem klonk gedempt in haar haar.

Zo was het eigenlijk niet. Het kwam door het beeld van haarzelf waar hij haar mee had opgescheept. 'Waardoor ik echt de pest aan hem heb...' Ze slikte. Het viel niet mee om de waarheid te zeggen.

'Vertel maar,' spoorde hij haar vriendelijk aan. Hij wreef over haar rug, ze wist weer dat ze hem altijd alles kon vertellen, en negeerde het alarmbelletje dat ze hoorde...

'Ik heb de pest aan hem omdat hij me het gevoel gaf dat ik niet aantrekkelijk was,' zei ze met een klein stemmetje.

'Hoe bedoel je?' Adam keek haar even aan. Zijn donkere ogen schitterden in de donkere straat. 'Deed hij rot tegen je?'

'Ik probeerde het je al eerder te vertellen. Dat was het Struikelblok. Bij hem. Hij...' Tess vlocht haar vingers in elkaar en keek naar de zwarte straat. 'Hij wilde me niet. Na een paar maanden hadden we geen... pff.' Ze rilde even. 'Ik wil het niet vertellen.'

'Ik ben het,' zei Adam. 'Kom op. Je kunt me alles vertellen.'

Ze keek in zijn ogen en wist dat het waar was. Hij knikte haar bemoedigend toe. Ze zei rustig: 'Ik dacht dat hij niet zo op seks belust was. Dat het misschien iets was wat met mensen gebeurt, weet je wel. We gingen niet meer...' Ze keek op met een blik die om begrip smeekte. 'Ik probeerde... probeerde vreselijk gênante dingen om te maken dat hij naar me verlangde. O jezus. En toen... nu is hij met die... dat blonde sekspoppetje en ik – ik ben een trol met een vest en ik voel me... ik voel me...'

Overspoeld door emoties en onder invloed van de alcohol begon ze weer te huilen. Adam legde zachtjes een vinger onder haar kin.

'Je bent mooi,' zei hij. 'Altijd al.' Hij kuste haar op haar wang, waar een traan langs biggelde. 'Niet huilen, Tess,' mompelde hij. 'Ik vind het vreselijk als je huilt.'

Ze hief haar gezicht naar hem op met een vraag op haar lippen. Hij sloot langzaam zijn ogen, en deed ze toen weer open. Ze waren een paar millimeter van elkaar. Ze voelde zijn adem op haar lippen, haar wimpers raakten bijna zijn huid toen ze hem aankeek, dat gezicht dat ze zo goed kende. Ineens herkende ze hem helemaal niet: ze knipperde langzaam met haar ogen, sloot ze toen en deed haar lippen van elkaar.

En hij kuste haar. Hij streek haar haar uit haar gezicht, zoals hij altijd had gedaan; ze voelde zijn vingers op haar hoofdhuid. Met zijn lippen op de hare, zijn borst ineens dicht tegen haar aan, sloeg ze haar armen om hem heen, onder de brug in die stille straat, en beantwoordde zijn kus.

'Ik wist dat dit ging gebeuren,' zei hij, toen hij zich ten slotte losmaakte. Hij legde zijn hand op haar schouder, met zijn duim op haar hals. 'Vanavond. Tess, jij niet?'

Dat was het – ze was vergeten dat ze voor hem niets aan zichzelf hoefde te veranderen. 'Ja,' zei ze eenvoudigweg. Ze ging op haar tenen staan en kuste hem nogmaals.

'Maar ik heb er niet op aangestuurd,' zei Adam. 'Ik bedoel...'

'Je door Francesca laten dumpen zodat je zonder haar naar de stad kon,' zei Tess, en ze had meteen spijt van haar woorden.

Maar hij lachte even. 'Raar is dat – dat lijkt nu lichtjaren ver.'

Ook Langford leek nu lichtjaren ver, bedacht Tess toen Adam haar hand pakte. 'Jij weet welke kant we op moeten, toch?' vroeg hij toen ze Regent Street overstak in de richting van Mayfair.

Geen van hen wist wat er zou gebeuren als ze in het Claridge waren, maar het deed er op dat moment niet toe. Ze liepen langs het Art Deco Vogue House naar Brook Street.

'Het is stil, vind je niet?' zei Adam. 'Het is zaterdagavond, dan zou je toch denken dat het drukker was.'

'Ja,' zei Tess. 'Het is nu net alsof alleen jij en ik hier zijn.'

'Soms denk ik dat het altijd jij en ik is geweest,' zei Adam. Hij bleef staan en keek haar aan.

'Dat is ook zo,' zei Tess. En toen zachtjes: 'Maar Adam... dat we elkaar zo goed kennen... dat is geen reden.'

'Denk je van niet?' Hij keek haar onderzoekend aan. 'O, ik denk van wel. We kennen elkaar zo goed, we wisten dat dit zou gebeuren, we moesten alleen weg uit Langford om het te laten gebeuren.'

'Dat heb je al eens eerder gezegd.' Ze legde zacht haar hand tegen zijn wang. 'Al die jaren geleden, en...'

'Toen was het anders, toen waren we nog klein,' zei hij bijna ongeduldig. 'Nu zijn we volwassen.'

'Ja?'

'Ja.' Hij boog zich voorover en kuste haar weer. 'Hier, in Londen...' hij kneep in haar hand en gebaarde naar de straat, de glinsterende lichten van New Bond Street, de stilte van Hanover Square '... zie ik je niet als mijn vriendin van vroeger, het meisje met wie ik ben opgegroeid, met wie ik jaren geleden één zomer iets heb gehad, dat alleen modderschoenen draagt en lesgeeft aan

Jan en Diana.' Hij glimlachte en trok haar naar zich toe. 'Jij bent het grappigste meisje dat ik ken, aan wie ik alles kan vertellen, puur, ongekunsteld, en mooi zonder dat ze het weet.' Hij streek met een vinger over haar wang. 'Ik kan bij jou mezelf zijn, en jij kunt jezelf zijn bij mij.'

... één zomer iets heb gehad.

Ze beet op haar lip en wist niet wat ze moest zeggen. Ze liepen in stilte door, langs grote grijze herenhuizen en smeedijzeren hekken. Ze had het gevoel dat ze zich in een film bevond, in een droom.

'Maar als ik nu niet weet wie ik ben,' zei ze met een flauw lachje. 'Als ik niet meer weet hoe ik mezelf moet zijn?'

'Dat weet ik wel,' zei hij ernstig. 'Ik ken je. Maar het is helemaal nieuw. Ik ken je.' Hij kuste haar weer. 'En ik verlang naar je. Tess... jij ook naar mij?'

Op die manier had Adam haar de eerste keer overgehaald, al die jaren geleden, op de uiterwaarden, nadat zijn moeder was gestorven. De eerste keer – haar eerste keer. Ze had zes maanden om hem gehuild toen ze besefte dat het inderdaad maar iets van één zomer was geweest, een manier om zijn verdriet te verzachten zonder dat dat ooit echt verzacht kon worden. Natuurlijk wilde ze hem; ze wilde hem altijd, met die aanstekelijke glimlach, die snelle schaterlach, zijn lage stem, zijn donkere ogen, zijn goede hart – maar hij kende haar niet zoals hij haar meende te kennen, omdat hij niet wist hoeveel pijn hij haar had gedaan met zijn afwijzing. Adam beschouwde haar nog steeds als zijn beste maatje, zij het met een leuke nieuwe haarcoupe, en hoe kon hij dat zeggen als hij niet wist wie ze was, wat ze deed?

Ze liepen door tot ze bijna bij het hotel waren. Maar toen, alsof hij haar angsten wilde wegnemen, bleef hij staan. 'Dit hoeft niet ingewikkeld te worden, Tess. Maar je weet dat ik je wil.'

'Ik ook,' zei ze.

'Laten we er dan gewoon een fijne avond van maken. Geen zorgen.' Hij ademde langzaam uit en bekeek haar intens, alsof hij bang was dat hij te ver was gegaan, en zij wist weer hoe fijn het was om bij hem te zijn, hoezeer ze naar hem verlangde, hoe ze dat had verborgen. Voor één nachtje maar... nog één keer...

'Ja,' zei ze, bijna nadrukkelijk. Hij greep haar hand maar ze ontweek hem en legde haar handen om zijn gezicht en kuste hem, genoot van hem en wist weer hoe fijn het was. 'Oké, je hebt gelijk.' Ze glimlachte. 'We zijn nu per slot van rekening volwassen, nietwaar?'

'Nou en of,' zei Adam ook lachend, en samen liepen ze de trap van het Claridge op, de koele, elegante lobby in, waar de nachtportier hen toegeeflijk toeknikte. Hij denkt waarschijnlijk dat we al eeuwen bij elkaar zijn, dacht Tess. Misschien vraagt hij zich af of we dat vanavond vieren.

Of misschien vraagt hij zich helemaal niets af.

'We hebben een kamer gereserveerd,' zei Adam tegen de receptionist achter de balie. 'Op naam van Adam Smith, voor één nacht.'

'Goed, meneer,' zei de receptionist, die als een razende toetsen indrukte. 'Ik kijk even of er boodschappen...'

Tess verstarde even; angst overspoelde haar, zonder dat ze wist waarom. Adams warme vingers knepen in de hare. De telefoon ging en de receptionist pakte de sleutels, en daarna de telefoon. 'Blijf even hangen,' zei hij bruusk. Hij boog zich naar voren.

'Alles is in orde,' zei hij, en Tess ontspande weer. 'Kamer 338. Dank u wel.' Hij ging verder met bellen en ze waren weer alleen, het was rustig in de lobby, maar geruststellend rustig. Ze glimlachten elkaar toe als een stel schoolkinderen.

In de lift gingen ze naast elkaar zitten op het kleine, elegante bankje, ze hielden bijna formeel elkaars hand vast en toen boog Adam zich weer naar haar toe en kuste haar zacht op de lippen.

'Wat een heerlijke avond,' zei hij. 'Tess, schat.'

Ze glimlachte naar hem en haar hart zwol van vreugde.

De deuren gingen open; Adam keek op en sloeg links af. In de gang werden hun voetstappen gedempt door het zachte pluche, en ze liepen door tot ze bij kamer 338 kwamen. Tess voelde zich ineens nerveus; het was allemaal zo perfect, zo plotseling. Maar alsof hij het wist streelde Adam over haar rug terwijl hij de sleutel pakte. De lichte aanraking van zijn hand kalmeerde haar en ze voelde zich beter, alsof de lucht ineens geklaard was. Hier was zij, hier was hij, het was een wonder. Ze lachten terwijl hij met het slot stond te hannesen.

'We moeten er wel als een stelletje gekken uitzien, met alleen die kleine tasjes,' zei Tess. 'Iedereen heeft Vuitton-koffers voor weken, en dan wij.'

'Er is niemand die ons ziet,' zei Adam. 'Alleen jij en ik, weet je nog?'

Ze lachte naar hem en toen haar haar in haar gezicht viel, streek hij het naar achteren en kuste hij haar weer terwijl de sleutel in het slot draaide zodat ze bijna de kamer in vielen.

'Adam?'

Een stem in het donker.

'Adam, schat?'

Er klonk geritsel en ze bleven stokstijf in de deuropening staan, er ging een lampje aan dat een zachte gloed in de kamer verspreidde. Francesca zat in bed in een donzige badjas, met glanzend haar, en nog rozig van de slaap. Ze knipperde met haar ogen.

'Hoi... Tess?'

'Hoi,' zei Tess automatisch. 'Wat doe jij...'

Adam onderbrak haar. 'Francesca, wat doe je hier?'

Francesca wikkelde een haarlok om haar vinger. Ze keek Adam aan en zei langzaam: 'Ik ben heel fout bezig geweest, schat.' Ze wreef in haar ogen en knielde neer op het bed. 'Het spijt me. Ik ben een paar uur geleden op de trein gestapt. Ik wilde je vertellen dat ik spijt heb.'

'Francesca.'

Haar stem stokte even. 'Kun je me vergeven?'

Adam liep van de deur op Francesca toe. Hij keek haar aan; Tess wist niet wat er door hem heen ging. Het enige wat ze wist was dat zij daar weg moest. Golven van emotie – schaamte, schuldgevoel, liefde, aantrekkingskracht – overspoelden haar, maar nu was er niets meer wat ze kon doen. *Laten we er dan gewoon een fijne avond van maken.* Het was weer hetzelfde liedje als altijd, er was niets veranderd. Haar gedachten gingen in versnelling en bekeken alle mogelijkheden. Ze voelde in haar jasje. Zat de sleutel van Meena er nog in? Ja.

Dit keer zou ze in elk geval op tijd weg zijn, voordat ze in de problemen kon komen. Het zou een ramp zijn geweest als ze met Adam naar bed was gegaan. Ze schraapte haar keel.

'Hoor eens...' begon ze. 'Ik ga.'

'Nee,' zei Adam, die zich naar haar omdraaide. 'Tess...'

Francesca keek naar hen met een blik alsof ze nog maar net wakker was. Ze kon zich elk moment gaan afvragen... Tess stopte haar handen in haar zakken. 'Ik neem een taxi naar Meena,' zei ze kordaat tegen Adam.

'Maar dat is een heel eind weg.'

'Nee hoor.' Ze probeerde overtuigend te klinken, want hij had wel gelijk, het was een heel eind weg, maar dat wilde ze juist: hoe meer afstand hoe beter. 'Ik kan hier niet blijven.'

'Jawel,' zei Adam. Francesca schraapte haar keel.

'Adam,' zei Tess zachtjes, en ze probeerde met vaste stem te praten. 'Wat wil je dan, met ons drieën een bed delen? Dat lijkt me raar.'

Adam schudde zijn hoofd. 'Ik ga naar Meena. Jij blijft hier, met Francesca. Ik wil niet dat je...' Hij liet zijn handen naast zijn lichaam vallen in een gebaar van hulpeloosheid. Hij had niets over haar te vertellen, en dat wist hij.

'Je weet niet waar het is,' zei Tess. 'En ze verwacht mij daar trouwens.' Ze keek hem smekend aan en liep iets verder de kamer in. 'Dag, Francesca!' Ze wuifde. 'Het was kort maar krachtig. Ik zie je morgen.'

'Ja,' zei Francesca, en ze lachte haar blij toe. 'Sorry van... dit allemaal. Ik spreek je morgen. Ik heb eeuwen zitten wachten! Wat hebben jullie in vredesnaam uitgespookt?' Ze sloeg achter Adams rug om haar blik ten hemel, alsof ze het erover eens waren dat Adam geen knip voor zijn neus waard was, iets waar Tess haar wel om kon slaan.

Maar het was niet Francesca's schuld. Het was niemands schuld. Het was gewoon... een van die dingen die gebeurden.

'Zulke dingen gebeuren gewoon,' zei ze tegen Adam toen ze weer in de deuropening stond.

'Ja.' Hij knikte. 'Ik denk dat je gelijk hebt. Luister...'

'Ik zie je wel weer als ik terug ben,' zei Tess.

Zijn ogen werden groot. 'Als je weer terug bent?'

'Ja.' Ze knikte. 'Ik ga naar Italië, weet je nog? Ik blijf een week weg.' Hij keek haar aan – was dat opluchting in zijn blik, of iets anders? Ze kromp even in elkaar omdat het haar pijn deed, en gaf toen een klapje tegen de deurlijst. Ze was niet in staat om hem aan te raken. 'Ik spreek je gauw, oké?'

'Eh... ja,' zei Adam.

'Adam...' riep Francesca vanuit de kamer. 'Je zet haar toch wel even in een taxi, hè? Ze kan midden in de nacht niet in haar eentje over straat lopen.'

'Ik red me wel,' riep Tess, op hetzelfde moment waarop Adam zei: 'Ze redt zich wel.'

Ze draaide zich naar hem om. Ja, ze had gelijk. Hij was nog dezelfde Adam als altijd.

'Bedankt,' zei ze, niet in staat de woede in haar stem te verbergen, en ze liep naar de lift.

'Ik ben zo terug,' hoorde ze hem zachtjes tegen Francesca roepen, en toen holde hij achter haar aan de gang door.

'Laat me met rust, Adam,' zei ze, en ze opende de zware deur van het trappenhuis; ze wilde niet wachten op de lift.

Hij volgde haar, terwijl haar voeten de trap af roffelden. 'Niet zo weggaan, Tess,' zei hij. 'Dit is één grote vergissing, het spijt me...'

Ze bleef lopen. 'Dank je, dat weet ik.'

'Hé,' riep hij naar beneden, en met nog meer treden tegelijk vloog hij haar achterna. 'Dit is voor mij ook moeilijk, weet je. Ik wist niet dat zij hier zou zijn...'

Ze bleef op een overloop staan en keek hem aan. Ze stonden allebei te hijgen. 'Twee meisjes in één uur is een aardige score, zelfs voor jou,' zei ze sarcastisch, en ze had er meteen spijt van. 'En jij hebt het geluk dat één van hen helemaal voor je klaarligt, naakt in een hotelkamer, en de ander ervandoor gaat, dus je hoeft helemaal niets te doen. Het wordt allemaal voor je geregeld. Net zoals altijd.'

'Wat ben jij een kreng, Tess,' zei Adam. Haar ogen werden groot en hij schudde zijn hoofd. 'Sorry, zo bedoel ik het niet. Maar je moet niet meer in het verleden leven.' Hij corrigeerde zichzelf. 'Laten we... laten we geen dingen zeggen waar we spijt van krijgen.'

'Ik laat me geen kreng noemen,' zei ze giftig. 'En zeg niet dat ik in het verleden leef, Adam. Ik kan tegen jou ook heel wat zeggen, en dat doe ik niet.'

'Nou, ga je gang maar,' zei hij, zijn tanden op elkaar klemmend. 'Je hebt toch altijd gelijk? Verdomd als het niet zo is. Vertel maar op.'

'Ik ga het je niet vertellen,' zei ze, en ze draaide zich om en begon verder de trap af te rennen, die in een eindeloze spiraalvorm liep – wanneer was ze op de benedenverdieping, en wanneer zou ze hier weg zijn? Ze kwamen in de lobby, waar een duttende nachtportier met een glimlach opkeek toen ze langs hem heen de draaideur door stormden, de stoep op. Toen Adam haar schouder greep, botste ze met een schreeuw van schrik tegen de zwarte balustrade. Hij greep haar vast om te voorkomen dat ze viel.

'Sorry,' zei hij. 'Tess, het was niet mijn bedoeling...'

'Nooit is iets jouw bedoeling,' zei Tess, terwijl ze zich loswrikte en hem met een blik vol razernij aankeek. 'Het was niet je bedoeling om me vanavond te kussen. Het was niet je bedoeling om van je fiets te komen. Het was niet je bedoeling om je examen te verpesten en niet langer dan twee of drie maanden een baan te houden.' Ze hoorde zichzelf deze vreselijke dingen zeggen, maar ze kon er niet mee stoppen. 'Al die dingen waren nooit je bedoeling, maar ze gebeurden toch, en nee, natúúrlijk was jij er niet verantwoordelijk voor! Het ligt nooit aan jou, toch?'

'Ga door,' zei Adam, en hij stak zijn handen in zijn zakken terwijl hij langzaam naar haar toe liep. 'Ga door, zeg het maar.'

'Het was nooit je bedoeling om die eerste keer met me naar bed te gaan, maar je deed het wel.' Ze praatte nu zachter; haar keel deed pijn, ze wilde niet huilen. 'Het was niet je bedoeling om me zwanger te maken, maar dat deed je wel. Het was niet je bedoeling om de dag te vergeten waarop ik een abortus liet doen, maar dat deed je wel, verdomme, Adam, dat dééd je wel. En het was niet je bedoeling om er een week later met Sally vandoor te gaan, op vakantie, maar je deed het wel.' Haar stem brak. 'Zeg eens, Adam. Wat was het Struikelblok met mij? Wat was er mis met mij? Wanneer kwam het moment... het moment dat je naar me keek en dacht: nou, weg ermee, wat maakt het uit als ik haar behandel als oud vuil?'

Ze spuugde de woorden uit terwijl de tranen over haar wangen stroomden. Ze vielen op de grond.

'Er was geen Struikelblok met jou.'

'Natuurlijk wel, verdomme,' zei ze met een holle lach. 'Er moet...' Ze wilde zeggen: er moet een reden zijn geweest, een reden waarom je me niet meer wilde, wat was die reden?

'Het spijt me. Van alles, bedoel ik. Van de abortus,' zei hij met een fronsende blik in zijn vriendelijke ogen, die haar intens aankeken. Zijn armen vielen nu langs zijn lichaam. 'Het spijt me dat ik je dat alleen heb laten doormaken. Het spijt me echt dat het sowieso is gebeurd.'

Een auto zoefde langzaam voorbij en verbrak de stilte van de nacht. Ze liep weg.

'Tess,' riep hij haar na. 'Toe... toe, luister alsjeblieft. Het spijt me...' Maar ze rende zonder nog een woord te zeggen naar de hoek van New Bond Street, bang voor wat ze verder nog tegen elkaar zouden zeggen. En deze keer kwam hij haar niet achterna.

Een taxi zwenkte in een scherpe beweging naar de rand van de stoep. Tess stapte in en gaf de chauffeur het adres van Meena, waarna ze zich achterover liet vallen in de stoel. Ze tuurde uit het raam naar de zomerse avond in Londen. Ze dacht even dat het was gaan regenen, maar het waren haar tranen die haar zicht vertroebelden. Die zomer was nu precies dertien jaar geleden, en hoewel het eeuwen leken, en hoewel Adam er kennelijk bijna alles van vergeten was, wist zij het nog precies. Ze wist alles nog.

Dertien jaar geleden

Geen van hen wist dat het zou gebeuren. Als ze terugkeek, kon ze zich erover verwonderen dat ze die dag wakker was geworden zonder enig idee van wat er voor haar lag. Dat ze de dag zou beginnen als een... een kind, en zou eindigen in Adams armen, terwijl hij onhandig over haar haren streek en ze zich beiden aan elkaar vastklampten, opgetogen, uitgeput.

Haar moeder was die dag boos op haar; Tess had per ongeluk een kopje, twee schalen en een vaas gebroken doordat ze tijdens het ontbijt een lepel naar Stephanie had gegooid. Hij was tegen de kast aan gekomen in de hoek van de volle keuken. Het was pech, het was niet haar schuld. Althans, niet helemaal; zij was er niet mee begonnen, haar zusje had met een vork in haar been geprikt. Het was niet eerlijk om de jongste te zijn, het was zelfs heel oneerlijk.

'Je bent bijna achttien!' had haar moeder gezegd met een gezicht dat verwrongen was van onderdrukte woede. 'Ik begrijp écht niet wat er mis is met jou!'

'Maar zij is begonnen! En zij is de oudste!'

Het geduld van haar moeder was uitgeput. 'Dat kan me niet schelen. Het maakt niet uit. Je moest je schamen. Dat was grootmoeders schaal, het was een huwelijkscadeau. En nu ligt hij in honderd stukken. Ben je nou gelukkig?' Emily Tennant schreeuwde alle opgekropte woede eruit. Haar gezicht was rood en het glom. Een vettige haarpiek stak uit achter haar oor.

'Het spijt me, mam,' zei ze oprecht berouwvol nu ze haar moeder zo kwaad zag. 'Het was niet mijn bedoeling, en zij was degene...'

Ze wilde zeggen: die ik wilde raken, maar ze deed er het zwijgen toe, omdat ze bedacht dat haar moeder dit liever niet zou horen.

'Vanavond komen de Mynors op bezoek, en de man van de gordijnen. Kun je vandaag niet iets gaan doen? Want ik denk echt niet dat ik jou en je zus de hele dag nog om me heen kan hebben.'

'Natuurlijk,' zei ze, terwijl ze naar haar moeders gespannen gezicht keek. 'O, mam... het spijt me...'

'Laat maar,' zei haar moeder, die een snik onderdrukte. 'Ga... ga nou maar gewoon.'

Dat deed ze, zonder om te kijken. Ze rende naar de deur, trok hem open, en rende de zon tegemoet zonder gedag te zeggen, met een bezwaard gemoed. Intussen ging haar woede al over in schuldgevoel en verdriet, en het besluit om iets voor haar moeder mee te nemen. Een ijsje? Een boek? Ze liet haar blikken dwalen terwijl ze op adem kwam. Toen ze wegdook in het doolhof van middeleeuwse straatjes ving ze tussen de huizen door een glimp op van de weilanden en het land erachter, aanlokkelijk groen. Ze zou stilletjes door de straten, door de opening in de eeuwenoude stadsmuren de trap af gaan naar de uiterwaarden. Een appel en een boek, meer had ze niet nodig, en ze zou op weg naar huis een paar bloemen voor haar moeder plukken. Ze maakte vrolijk een huppelpasje. Alles was weer goed, en met het ongevoelige dat jonge mensen eigen is, leek de herinnering aan haar moeders gezicht toen ze de kleurige scherven op de vloer opraapte ver weg.

'Hé daar! Wat heb jij voor stoute plannen?'

Ze sprong op en draaide zich schuldbewust om. 'Adam! Jemig, je liet me schrikken.'

'Precies.' Hij glimlachte en haalde haar hand bij haar mond vandaan. 'Als jij geen slecht geweten had,' zei hij, en hij deed net of hij haar een tik gaf, 'zou je niet zo schuldbewust kijken. Wat is er aan de hand?'

'Niets. Ik ben alleen weggevlucht van huis. Mama is razend op me. Ik heb me vreselijk gedragen.'

'Dat geloof ik graag.' Er klonk een lach in zijn stem, maar ook iets van medeleven. Ze hoorde het. 'Ik was gewoon aan het lopen,' zei ze. 'Ik moet wat lezen, en ik ben op weg naar de uiterwaarden. Eh... zin om mee te gaan?' Hij keek naar haar; hij was tegenwoordig zo groot, en zij voelde zich zo klein; wanneer was hij zo groot geworden en was hij haar voorbijgestreefd, en was hij deze lange, breedgeschouderde man geworden? Waar was de achtjarige Adam die haar zo kwaad kon maken door haar roze balletpakje aan te trekken? De afgelopen paar maanden, sinds de dood van Philippa, was hij totaal veranderd, en pas nu ze hem toevallig tegenkwam, zag ze dat duidelijk. Wie was deze vreemde, bijna volwassen man die voor haar stond?

Ze aarzelde.

'Dat lijkt me wel gezellig,' zei hij schouderophalend.

'Natuurlijk,' zei ze. 'Ik ging toch die kant op.'

'O ja?' Hij glimlachte. 'Twee zielen, één gedachte.'

'Zeker,' zei ze, ook met een lachje, en samen gingen ze op pad terwijl de ochtendzon langzaam omhoog kroop en over de daken van het stadje heen zijn licht in de stille straten liet schijnen.

Zelfs nu, jaren later, herinnerde Tess zich hoe ze naar hem had verlangd. Misschien had ze het niet moeten laten gebeuren, maar ze wilde het. Ze wilde zijn armen om zich heen voelen, zijn lichaam op het hare. Hem aanraken, hem strelen, omdat ze geen andere manier wist om hem te troosten na alles wat hij had meegemaakt. Dus toen ze naast elkaar lagen op het kleed dat hij had meegebracht, stilzwijgend luisterend naar de houtduiven die droevig zaten te koeren in de bomen aan de rand van het park, en ze de lome warmte over hen heen voelde komen, protesteerde ze niet toen hij zich over haar heen boog, en het verbaasde haar ook niet echt.

Zijn haar viel in haar gezicht zodat ze zijn trekken niet kon zien.

'Alles goed?' vroeg hij terwijl hij haar been streelde. Ze voelde de warmte van zijn hand op haar huid door haar katoenen jurk heen.

Ze kronkelde een beetje, zodat haar haar als een waaier in het gras lag, en lachte naar hem. 'Natuurlijk, bij jou ook?' Ze streelde zijn gezicht, ze wilde dat alles goed was, dat hij zich goed voelde.

'Zo ongeveer.' Zijn vingers bewogen langzamer toen hij haar aankeek. 'Pasen is... ik bedoel, het lijkt eeuwen geleden.'

'Is het ook,' zei ze kalm.

Hij schudde zijn hoofd, alsof hij het zich niet wilde herinneren. Zich niet wilde herinneren wat er daarna was gebeurd.

Met Pasen, op de verjaardag van haar moeder, slechts een week voordat Philippa stierf, had Tess hem gekust, of liever: ze had zich door hem laten kussen. Ze waren samen op de gang, alleen zij twee, en vanuit de tuin die vol zat met oude getrouwde stellen schalde muziek. Ze waren allebei een tikje aangeschoten geweest, en Adam had haar vanuit de gang de logeerkamer in getrokken, haar haar van haar voorhoofd gestreken en haar hartstochtelijk gekust, zodat ze op het bed vielen en pas weer overeind schoten toen ze voetstappen op de trap hoorden. Ze had ervan genoten, het was niet raar geweest, ook al had het niet goed mogen voelen met deze jongen die nu een man was, haar beste vriend. En toen was Philippa gestorven, en was hun samenzijn vergeten, verborgen in al het verdriet en de wanhoop van de maanden daarna. Ze wilde hem een hand toesteken, ze had hem willen helpen. Ze wist niet hoe. Tot nu.

Nu leek er niets vreemds aan. Alsof het volkomen normaal was. Ze keek weer naar hem op. Zijn uitdrukking was vreemd, niet de Adam die ze kende. En hij beviel haar, deze nieuwe man.

Ze wist niet waar ze mee bezig waren; ze wist ook niet zeker of hij het wist, alleen dat het goed voelde. En toen kuste Adam haar.

Hij legde haar armen boven haar hoofd en hield haar op die manier in zijn greep, zodat hij met zijn andere hand over haar lichaam kon gaan, over haar borsten, haar buik kon kussen, haar borstbeen, haar tepels – ze voelde de ruwe haartjes op zijn gezicht over haar huid gaan. Ze gaf een kreet toen zijn gewicht op haar drukte.

'Sorry,' fluisterde hij, en hij streelde haar gezicht. 'O, Tess. Ik hou van je, Tess.'

Ze hield ook van hem, altijd al. Hij hield haar in bedwang totdat hij zich even oprichtte om adem te halen en ze tegen elkaar bewogen, en zij opende zijn broek en pakte hem vast en streelde hem tot hij kreunde. En toen hij ten slotte in haar drong deed het pijn, maar slechts even, en daarna was het fantastisch. Alsof hij precies in haar paste. Ze bewogen amper op het gras; hij drukte zijn heupen intensief tegen de hare en zij verwelkomde hem totdat hij klaarkwam met een kreet alsof ze hem pijn deed. Daarna was het stil.

Toen was het alsof ze ineens weer met een klap in de realiteit was, ze waren weer twee tieners, de een half uitgekleed, haar broekje in het gras, de ander met zijn broek op zijn knieën. Ze haalden beiden zwaar adem en wiegden, alleen zij twee, en ze keek naar hem op toen zijn ademhaling langzamer ging.

'Hallo,' zei hij, het haar van haar voorhoofd strijkend.

'Hallo,' zei ze. 'Adam...'

'Dit wilde ik al heel lang,' zei Adam in een poging tot kalmte, en daarna verscheen er een glimlach op zijn gezicht, die glimlach die ze zo goed kende, en hij rolde van haar af en overdekte haar mond met kussen.

Het was verzengend warm en doodstil in het gras waar ze lagen. Ze vroeg zich af wat ze zojuist hadden gedaan. Het voelde zo intiem, als iets alleen van hen twee. Ze had het resultaat van die zomerdag niet verwacht en niet voorzien.

'Jij en ik...' zei hij, en hij streelde met een hand haar lichaam tot aan haar hals, over haar borsten, tussen haar benen.

Ze rolde zich op haar zij, net als hij. 'Ik en jij.'

'Nee, jij en ík,' zei Adam, en ze boog zich over hem heen en kuste hem.

'Betweter,' zei ze tussen een paar kussen door.

'Ik bedoel...' zei hij bijna verlegen. 'Zullen we dit nog eens doen?'

'Nu?' Ze lachte zacht.

'Nu... en later. En morgen.' Hij liet zijn parelende glimlach zien.

'Dat lijkt me een goed idee,' zei ze.

'Ik ook,' zei hij. 'O nee, mij ook.' Hij lag op de grond en keek haar aan met een vreemde uitdrukking. 'Dank je wel,' zei hij, en hij kuste haar vingers. 'Je... Ik voel me nu beter, je hebt me het idee gegeven dat alles goed komt. Dank je wel.'

Ze had naar hem moeten luisteren, echt moeten luisteren, niet alleen naar die lieve woordjes en die snelle glimlach. Ze had moeten bedenken wat voor iemand Adam was, maar waarom zou ze? Hij was haar vriend, hij was onvoorstelbaar verdrietig, en zij wilde bij hem zijn. Altijd al. Tegen het eind van de zomer was ze bijna achttien, en ze zag Adam bijna elke dag, soms bij hem thuis, waar overal Philippa's spullen nog lagen – haar tajine, haar geborduurde kaftans, een haarspeld, stapels boeken. Of ze gingen naar de uiterwaarden. Ze praatten niet; ze versmolten innig met elkaar. Adam met een intensiteit, een verlangen om te vergeten dat Tess algauw begon te storen omdat ze besefte dat ze hem niet kon bereiken, hem niet kon helpen, en dat dit, wat het ook was, voor hem eigenlijk ook niet goed was.

Na die eerste keer gebruikten ze condooms. Maar toen was het al te laat. Voordat ze dat najaar naar de universiteit ging, kwam Tess erachter dat ze zwanger was. En ze wist precies wanneer het was gebeurd. Ze vertelde het aan niemand, alleen aan Adam, pas nadat ze een afspraak had gemaakt voor een abortus. Ze vertelde het hem in de tuin van Philippa's cottage, terwijl de late septemberzon in haar gezicht scheen, en met een verstikkend misselijk gevoel zag ze hoe de aanvankelijke blik van paniek op zijn gezicht overging in opluchting.

'Het is oké,' had ze tegen hem gezegd. 'Daar zorg ik voor.'

Hij was op haar toe gekomen, maar ze had hem op afstand gehouden. De opluchting in zijn ogen voelde als een dolk in haar hart. Maar wat had ze van hem gewild? Dat hij haar had opgetild, dat hij had gezegd dat hij er voor haar zou zijn, dat ze samen de baby zouden krijgen? Nee, dat in geen geval. Ze was achttien en ze ging studeren; haar leven lag voor haar, ze moest dit doen, ze moest dit kind laten weghalen, en daarna naar Londen, weg van Langford.

Het was inmiddels zo lang geleden dat haar herinneringen eraan vervaagd waren, alsof licht tussen latten van jaloezieën over grote delen van die zomer en herfst viel en sommige delen ervan blokkeerde, en andere benadrukte. De wachtkamer in de kliniek was zachtroze – toen ze zich dat herinnerde vond ze het vreemd onnadenkend, roze voor een meisje, blauw voor een jongen. Waarom hadden ze niet voor een neutrale tint gekozen, grijs of lichtgroen? Ze had de volgende dag haar moeder gesproken aan de telefoon in de hal, en ze wist nog dat haar moeder maar doorratelde over Adam en hoe goed het was dat hij op vakantie was gegaan. Ze had er geen idee van gehad wat er zich afspeelde. Tess wist nog dat ze weer de trap op was gekropen naar bed, en zich zo klein mogelijk had opgerold met het idee dat ze misschien wel nooit over de ellende heen zou komen die ze nu voelde. Na een paar dagen nam ze zichzelf onder handen – natuurlijk kwam het goed. Maar helemaal goed werd het nooit meer. Die zomer was haar altijd bijgebleven.

De taxi reed langs Clapham Common, een naargeestig grijs niemandsland, waar de bladeren van de bomen zwart leken in het gelige licht van de straatlantaarns. Tess verschoof onrustig. Misschien voelde zij dat nu ook wel voor Adam. Verwrongen herinneringen van lang geleden, te heftig om ooit nog opnieuw te kunnen beginnen en tot een oprechte vriendschap te kunnen komen.

Ze hoorde weer zijn stem toen hij zei dat ze in het verleden leefde. 'Je hebt gelijk, dat doe ik,' fluisterde ze in zichzelf. 'Maar ik héb tenminste een verleden. En een toekomst.' Ze hief haar kin en tuurde uit het raam, met half dichtgeknepen ogen, vastbesloten om niet te huilen. De herinnering deed nog heel veel pijn.

Deel 2

I'm only thinking of my pet theory about Miss Honeychurch. Does it seem reasonable that she should play so wonderfully, and live so quietly? I suspect that one day she will be wonderful in both. The watertight compartments in her will break down, and music and life will mingle. Then we shall have her heroically good, heroically bad – too heroic, perhaps, to be good or bad.

– E.M. Forster, *A Room with a View*

14

Niemand had Tess verteld over de jasmijn in Rome. Die bloeide in de hele stad, vlak voor juni, fris wit op groen tegen de oude rozerode gebouwen, als feestlichtjes, glanzend in het maanlicht in de rustige straten, waar ze een onzichtbaar waas van parfum over de stad legde. Overal waar Tess kwam hing de zoete jasmijngeur in de lucht; soms als ze een bocht om gingen kwam hij hun weer tegemoet; de muur van een oud palazzo was ermee bedekt. De geur was bedwelmend, bijna kruidig, niet te zwaar, in één woord heerlijk. Het leek op geen andere geur, maar was uniek, fris en verleidelijk; ze werd erdoor betoverd.

Toen op een maandagmiddag de jasmijn net openging, arriveerde een groepje vermoeide reizigers in Rome, onder leiding van een niet minder vermoeide Tess. De minibus die hen had opgehaald van het vliegveld en hen door het verkeer loodste, over de eeuwenoude Via Appia, langs de ruïnes van de baden van Caracalla, langs de oude okerkleurige muren van de stad, liet zijn passagiers uitstappen in een schaduwrijke straat in Trastevere. Het was voor reizigers het minst aangename moment om in een Europese stad aan te komen, waar het nog geen avond is en de hitte van de dag nog drukkend aanvoelt. Tel daarbij de uitlaatgassen, het zweet, en de zon die nog verzengend heet was, en je kreeg het gevoel dat de verkoeling van de avond nooit zou komen.

Met zere ledematen van de lange busreis en het gebrek aan slaap, stapte Tess als eerste uit en gebaarde haar medepassagiers naar buiten te komen terwijl ze de koppen telde. 'Acht, negen. Tien, mezelf meegerekend.' Iemand tikte haar op de arm. 'Ja, Carolyn?'

'Tess, liefje. Is het ontbijt inbegrepen bij de logies?'

Tijdens de relatief korte tocht van het vliegveld had Carolyn Tey gevraagd hoe laat ze zouden aankomen, hoe warm het zou zijn, en of ze zich voor het avondeten moesten omkleden. Tess greep haar exemplaar van *Orgoglio e Pregiudizio* en telde tot drie. Kalm zei ze: 'Vast wel, maar als we in het hotel zijn, moeten we het nog maar even vragen. Als jullie me nu willen volgen...'

'O jee, kasseien,' zei Carolyn. 'Ik vind het vreselijk om daarop te moeten lopen. Ik denk steeds dat ik val. Snap je wat ik bedoel?' Tess knikte en probeerde belangstellend te kijken. 'Ik bedoel niet jou, meisje,' zei Carolyn. 'Jij bent veel te jong om daar bang voor te zijn. Andrea, vind jij het ook niet lastig, die kasseien?'

Andrea Marsh, die hoogst beledigd leek dat ze beschouwd werd als iemand die oud genoeg was om bang te zijn dat ze over kasseien viel knikte koeltjes en liep door, gevolgd door Ron, die zijn pet stevig over zijn hoofd trok. Het hoofddeksel leek op een exemplaar van een autoclub uit de jaren vijftig.

'Lieve help, lieve help,' klonk een zoete stem achter Tess. 'Hoe ver nog, lieve kind, naar *l'hôtel?*'

'Het is om de hoek,' zei Tess, zich beheersend.

'O jee,' zei Jacquetta Meluish, terwijl ze zichzelf koelte toewaaide. 'Wat een mooie straatjes zijn dit.' Ze waren twintig meter van het busje. 'We moeten wel bij elkaar blijven, vind je niet? Zodat niet een van onze *gruppa* alleen loopt.'

Jacquetta had zich tijdens de afgelopen cursus van twee maanden niet verwaardigd een woord te zeggen, maar sinds ze de anderhalf uur geleden voet op Italiaanse bodem hadden gezet, was ze een wandelende expert gebleken over alles wat Italië aanging. Tess keek onrustig om zich heen.

'Albergo Watkins,' riep Jan vooraan. 'Heet het zo? Ik dacht dat er iets met "maan" in zat.'

Ze dromden samen voor de reusachtige panelendeur, waar twee enorme handgrepen op bevestigd waren. Er hing een geschilferd bordje waarop stond:

ALBERGO WATKINS
VOOR EEN AANGENAAM VERBLIJF
*

'Maar één ster,' zei Andrea wantrouwig. 'Ik dacht dat we een viersterrenhotel hadden?'

'O, nee, nee,' zei Tess. 'Ik geloof niet dat dat een ster is. Het lijkt me... een... asterisk.' Ze knikte en probeerde gezag uit te stralen dat ze niet voelde. 'Dat is een versiering. Niet om iets mee aan te geven. Haha!' Ze lachte een beetje hysterisch en klopte aan. 'Nou, we zullen eens vragen wat ze met de Albergo di Luna hebben gedaan.'

De deur ging krakend op; ze dromden binnen met ogen die knipperden vanwege het plotselinge donker. Leonora en Diana kwamen het laatst binnen. Toen Tess naar de man keek die de deur openhield, knipperde ze nog eens met haar ogen.

'*Buona sera*,' zei ze. 'Bent u' – ze keek op haar papier – '*signor Capelli?*'

De man keek niet vriendelijk. '*No*,' zei hij, '*Signor Capelli e... caput.*' Hij sloeg zijn handen tegen elkaar om het definitieve hiervan aan te geven. '*Benvenuti*. Wel-kom. Dames.' Hij sprak langzaam en nadrukkelijk. 'In. Ons. Hotel. Dames.'

Ron schraapte zijn keel. 'Eh... hallo? Neem me niet kwalijk.'

'Ah. En signore.' De man neeg.

'Wat is er gebeurd met Albergo di Luna?' vroeg Tess, die steeds meer het gevoel kreeg dat ze een rol speelde in een vreemd modern toneelstuk.

'*Caput*.'

'Ja, maar...' zei Tess. Keken haar cursisten haar nu maar niet zo aan. 'Ik heb tien kamers geboekt... hier...' ze tikte tegen een vel papier '... in de Albergo di Luna. Niet in de Albergo Watkins, wat dat ook mag zijn.'

'Is zelfde.'

'Wat?' zei Tess.

'*Nuovo... come si dice...* Het is nieuwe eigenaar. Nieuwe naam.'

Een grote dikke vlieg vloog recht in Tess' gezicht; ze sloeg ernaar.

'O hemel,' zei Diana Sayers. 'Ik moet zo vreselijk nodig naar de wc, Tess. Kun jij vragen...'

'Dus de kamers zijn in orde?' vroeg Tess, die haar met een licht schuldgevoel negeerde.

Op de tegenstrijdige manier waarvan ze was vergeten dat die typerend was voor Italië, sloeg de sfeer ineens om. De man klapte weer in zijn handen, dit keer met een glimlach. 'Maar natuurlijk!' Hij greep Tess' hand. 'Welkom in nieuw hotel!'

'Eh...' zei Tess. 'Dank u!'

De dames – en Ron – om haar heen slaakten een zucht van verlichting. De vlieg zoemde dit keer langs het oor van Tess. Ze joeg hem weer weg en probeerde niet geïrriteerd te raken. 'Goed. Laten we dan de koffers uit de bus halen en ons inschrijven – en onze kamers bekijken, oké?'

'Ja, ja,' zei de man op sussende toon, alsof dit allemaal onbelangrijke dingen waren. 'Ik laat u nu uw kamers zien, ja? En koffers komen in ogenblik.' Tot heimelijke opluchting van Tess klapte hij nu weer in zijn handen, waarop een jongeman verscheen, ongerijmd uitgedost in een te ruim piccolopak, die de straat op vloog.

'Ik ben Pompeo,' deelde de man mee, en hij klonk ongeveer zoals Kirk Douglas in *Spartacus*. 'Welkom in ons hotel, komt u mee.'

Twee etages hoger wierp Pompeo, op de voet gevolgd door de dames en Ron, een deur open. Met grote stappen schreed hij een donkere kamer in, bleef staan voor de luiken van een raam en wenkte hen naar binnen.

'En nu,' zei hij, als een goochelaar die een konijn uit zijn hoed gaat goochelen: 'Hallo Rome.'

Hij boog zich naar voren en duwde de luiken open – de houten latten zwaaiden open en het licht stroomde binnen; ze zagen een rij gebouwen, roze van kleur en overdekt met jasmijn, en met groene en gele daken; een witte barokkerk in de verte, en daar, door een kleine opening, de bomen langs de groene Tiber, en daarnaast de Engelenburcht en de cipressen, zwart in de middagzon. Tess leunde naar buiten en snoof de lucht op. De spanning van de laatste dagen leek weg te stromen. Ze rook de jasmijn, ze rook zelfs koffie, iets zoets in de lucht. Buiten op straat stonden twee mannen te bekvechten in het Italiaans, en zelfs dat klonk haar, nu ze hier was, als muziek in de oren.

'In orde?' vroeg Pompeo.

Ze draaide zich om; ze glimlachte. 'Het is meer dan dat. Het is prachtig. Dank u.'

Toen Tess later die avond in de spiegel haar haar stond te borstelen, zong ze een vrolijk liedje. Ze was hier, en ze zou gaan genieten. Londen leek een nare droom. Francesca's mooie gezicht, haar betoverende lichaam, Adams gezichtsuitdrukking; alles was weg. Die vreselijke taxirit naar Balham die haar vijfendertig pond had gekost; het slapen op de bank in het kleine kamertje van haar oude flat, als een vreemde, het dunne, kartonachtige geroosterde brood dat Meena voor het ontbijt had gemaakt nadat ze haar als een snotterend wrak in haar bed had aangetroffen. De ellende die Tess had omringd, als de wolken op die grijze ochtend – alles was weg. Haar kater, haar verwarring, haar tekortschietende gevoel van eigenwaarde dat ze nooit meer zou laten afhangen van de vraag of een man haar aantrekkelijk vond of niet! – alles was weg. Ze was in Rome! Het was tijd om dat alles achter zich te laten, om haar eigen leven te leiden, in plaats van een leven dat afhing van Will, zoals ze had gedaan in Londen, of te leven als een hoogbejaarde die bang was voor een kou, zoals ze had gedaan sinds haar terugkeer in Langford. De geur van jasmijn kwam weer binnen door het open raam. Ze legde haar borstel neer en deed een stapje naar achteren om zichzelf te bekijken. Ze bracht wat donkere lipgloss aan op haar lippen en tuurde in de spiegel. Ze had bruine, vlekkerige kringen onder haar ogen.

Ze zaten beneden op haar te wachten, een stukje Engeland in het hart van Italië, en wat zij eigenlijk wilde was wegrennen, bij hen vandaan. Ze wilde in haar eentje door de stad dwalen, in een restaurantje zitten met een *pizza bianca*, een glas rode wijn, en rustig uitblazen, daarna naar bed en uren, misschien dagenlang slapen.

Nee, hield ze zich voor. Dat is niet goed. Je bent hier, je hebt het besluit genomen hierheen te komen, dus nu moet je doorzetten. Maar ergens achter in haar hoofd was de gedachte die ze al had vanaf het moment dat ze die zaterdagavond bij Adam was weggegaan. Dat ze een vergissing had begaan door naar Langford terug te keren, dat ze zichzelf klem had gezet, te vroeg oud werd, onaantrekkelijk, afgesloten van de buitenwereld. Het beeld van Francesca op het bed bleef haar achtervolgen. Ze was zo aantrekkelijk, zo sexy, ze zag eruit als een meisje dat wist wat ze wilde, wist hoe ze verliefd moest worden, hoe ze harten moest breken en hoe ze zich hotelkamers in moest kletsen. Zo was Tess niet, dat wist ze, en hoewel de kussen met Adam haar hadden gewekt uit haar suffe sluimer, had zijn bijna onmiddellijke afwijzing daarna haar weer met een keiharde klap op de aarde teruggebracht.

Tess trok haar lichtblauwe linnen jurkje goed, drapeerde haar zandkleurige sjaal over haar schouders, pakte haar tas en draaide zich nog eens om. Het meisje in de spiegel keek onbewogen terug. Haar donkerblauwe ogen stonden ernstig. Buiten hoorde ze Ron nogal hard zeggen: 'Ja, het is bijna tijd om te gaan. Ik heb gezegd dat ik hier op tijd zou zijn.' Ze moest erom glimlachen. Haar ogen lachten ook. Ze knikte naar haar spiegelbeeld, rechtte haar rug en ging de zonovergoten kamer uit, waarna ze de deur achter zich sloot.

15

Ze waren met z'n tienen. Tess deelde hen in gedachten in twee groepjes, oud en jong, hoewel ze wist dat het politiek incorrect was om mensen in te delen op basis van hun leeftijd. De groep ouderen bestond uit Diana Sayers, Carolyn Tey, Andrea Marsh, Leonora Mortmain, Jan Allingham en Jacquetta Meluish (die nu iedereen had verteld dat ze als Jong Meisje aan het Britse Instituut in Florence had gestudeerd).

De jongeren waren de twee meisjes – nou ja, vrouwen – van de leeftijd van Tess: Liz van de delicatessenwinkel en Claire Cobain. Ze waren veel minder lastig dan de ouderen. Op de vlucht naar Rome had Tess ontdekt dat Liz pas negen maanden geleden naar Langford was gekomen, nadat ze haar baan als theateragent had opgegeven. Ze las freelance scripts, naast haar werk in Jen's Deli. Claire had een sabbatical year. Ze las *Eten, bidden en beminnen* en *Mannen die niet kunnen liefhebben: Hoe herken je mannen met bindingsangst* (ze maakte uitvoerig aantekeningen achter in haar paperback).

En dan was er nog Ron, de enige man.

Voor hun eerste maaltijd in Italië had Tess een kleine pizzeria uitgekozen, niet ver van het hotel, in het hart van Trastevere. Ze verwachtte niet dat het laat zou worden, omdat ze op hun eerste dag in Rome veel te doen hadden: naar het Forum en het Colosseum. Toen ze twee aan twee door de rustige achterafstraatjes wandelden, luisterde Tess – nog immer vastbesloten hier te genieten – met steeds meer genoegen naar het machtsspel dat zich achter haar ontvouwde.

'Ik ben al jaren niet in Rome geweest,' zei Carolyn Tey gelukzalig terwijl ze naast Leonora Mortmain liep, die langzaam maar doelbewust en statig rechtop liep met haar stok. 'Is het niet prachtig?'

'Natuurlijk ben ik hier onlangs nog geweest,' zei Jacquetta overbodig. 'John en ik hebben hier nog heel oude vrienden wonen.' Ze zuchtte. 'Híj is professor aan de universiteit, en zíj schildert fantastisch. Ze heeft een affaire gehad met Francis Bacon, weet je.'

'O ja?' vroeg Diana Sayers op twijfelachtige toon. 'Weet je dat zeker?'

'O, nou! Hij was echt helemaal gek van haar. Hij tekende haar. Náákt.'

'Boeiend,' zei Leonora Mortmain op neutrale toon.

'Ja,' zei Jacquetta. 'Maar ik heb ze niet meer gezien sinds...' Haar stem stierf weg. John was op de een of andere manier uit beeld verdwenen, uit eigen beweging of door ongelukkige omstandigheden, permanent of tijdelijk, dat wist Tess niet, en Jacquetta deed er nogal geheimzinnig over.

'Ik heb als student heel wat tijd doorgebracht in Rome,' zei Ron, die wachtte tot het laatste moment om een duit in het zakje te doen. 'Dus ken ik het hier natuurlijk heel goed.' Hij keek nonchalant om zich heen. 'Heel fijn om terug te zijn.'

'Nou, voor mij gaat er niets boven Rome in de zomer,' zei Jacquetta vastberaden.

'Voor mij ook,' zei Carolyn wat onzeker.

'Ik ben niet meer in Rome geweest sinds mijn huwelijksreis,' zei Jan, terwijl ze naast Tess kwam lopen. 'Dus voor mij is het echt heerlijk! En ik heb honger. Tess, wat staat er voor vanavond op het menu?'

'Pizza,' zei Tess. 'Echte Romeinse pizza.'

'O,' zei Jan, en ze probeerde haar teleurstelling niet te laten merken. 'Wat lekker.'

'Vertrouw maar op mij,' zei Tess lachend. 'Jullie zullen ervan smullen. Zo'n pizza heb je nooit eerder gegeten.'

Ze liepen door een smal keienstraatje met aan weerszijden oranje en okergele huizen van drie en vier verdiepingen. Rode geraniums voor de ramen tuimelden gevaarlijk uit ijzeren houders, de jasmijn groeide alle kanten op met zijn donkergroene blaadjes in de kleur van de luiken. De mensen kwamen in beweging voor de avond, de winkels gingen weer open. Mannen stonden op de hoek van de straten, comfortabel in een gevoerd Husky-jasje; ze dachten hier totaal anders over warmte dan de Britten. Ze passeerden twee mannen die geanimeerd met elkaar stonden te praten, de een zwaaide krachtig met zijn wijsvinger en beschreef een dramatische gebeurtenis terwijl zijn metgezel vermoeid knikte.

Een rode Vespa stond voor een huis tegen de muur; een jongeman met een bos zwart haar dat zijn knappe gezicht omlijstte kwam naar buiten en wierp een been over de machine. Hij keek naar Tess, zonder vraag of afwijzing in zijn donkere ogen, hij keek alleen en reed toen weg, uitwijkend voor een oude dame die met een paar blauwe plastic zakken hun kant op kwam.

'Wat is daar?' vroeg Jan aan Tess. 'De straat lijkt dood te lopen.' Tess was ineens weer bij de les en volgde Jans uitgestoken vinger.

'Daar? Dat is de Tiber,' zei ze vrolijk. 'We komen in het oude centrum, het heet het Centro Storico – daar, over de Ponte Sisto. Zo komen we morgen bij het Forum.'

'Dus we zijn niet in het centrum?' vroeg Jan met enige afkeuring in haar stem. 'O.'

'Ja, dat is jammer. Ik hoop dat we niet te veel hoeven lopen,' zei Carolyn. Ze richtte zich tot Jacquetta, die een beetje onzeker keek.

'We zitten hier veel centraler dan als we in een hotel bij het Forum hadden gezeten, of bij het station,' zei een stem achter Tess. Leonora Mortmain zwaaide met haar stok naar hen en vervolgde: 'Eigenlijk zijn we in Trastevere – letterlijk "over de Tever", de Romeinse naam voor Tiber – in een van de betere wijken.'

Niemand reageerde hierop, maar Liz en Claire, die de beleefdere achterhoede vormden, zeiden: 'O!' en glimlachten vriendelijk. De anderen niet.

'Nou,' zei Jan zachtjes naast Tess, toen ze bij een klein piazza kwamen, waar een markies hing met daarop *La Primavera*. 'Ik heb eigenlijk nog steeds geen idee wat zij hier doet. Jij wel, Tess?'

Tess glimlachte en knikte nietszeggend, wat de eerstvolgende paar dagen bijna een tweede natuur voor haar zou worden. Toen de ober verscheen, een lange, gemoedelijke man met een puntig baardje, groette ze hem en sprak de zin die haar ook heel vertrouwd zou worden.

'*Ho una prenotazione – per dieci persone.*'

'Ja,' zei de ober, en hij loodste hen mee naar achteren, waar buiten een lange tafel gedekt stond; onder een door druivenranken begroeid zonnescherm. 'Tafel voor tien personen. Is hier.'

'O, schitterend!' zei Jacquetta in haar handen klappend. 'Kijk eens naar die schattige potjes die boven de oven hangen! Hemels!'

'Waar is de wc, Tess?' vroeg Andrea.

De ober glimlachte met een blik van mededogen naar Tess.

'Jan, ga jij maar daar zitten, lieverd.'

'Nee, ik vind het echt niet erg, Diana. Ga jij daar maar. Mijn heup is bijna helemaal hersteld en als ik ineens pijn mocht krijgen, kan ik opstaan en rondlopen.'

'O. Goed dan. En, Carolyn, waar ga jíj zitten?'

Tess moest het met Jan eens zijn: zij had ook geen idee wat Leonora Mortmain hier deed. Hoewel haar naam al sinds februari op de lijst had gestaan, had Tess nooit gedacht dat ze werkelijk mee zou gaan. Ze was niet iemand die je je in een andere omgeving kon voorstellen dan Langford, met haar zwarte kleren, haar trage loop, en die gebiedende, kille blik. Toch was ze hier, in een pizzeria in een straatje in Trastevere, naast Tess (hoewel Tess wist dat dat kwam doordat niemand anders naast haar wilde zitten), knokig, met haar beringde handen strak om haar ebbenhouten stok, en een grimmig gezicht waarin haar mond bijna één rechte streep vormde.

Tess besefte twee dingen: dat ze nooit echt een gesprek had gevoerd met Leonora, en dat ze van dichtbij veel ouder was dan ze had gedacht. Ze leek hier zo'n vreemde eend, zelfs in dit groepje. Toen het gedoe over de zitplaatsen was geregeld en iedereen om de tafel zat, richtte ze zich met een uitnodigende glimlach tot de oude dame, maar mevrouw Mortmain knipperde even met haar ogen, sloeg haar blik neer en keek weer op, zonder ook maar enige aandacht aan haar te besteden. Met een bezwaard gemoed vroeg Tess zich laaghartig af of ze voortaan elke maaltijd naast haar zou moeten zitten. Dan zou het een lange week worden.

Toen ze hadden besteld (nadat Jacquetta had gevraagd om een Italiaanse kaart in plaats van een Engelse, omdat ze die gemakkelijker te begrijpen vond dan de vertaling) en nadat de wijn op tafel was gezet, werd de sfeer iets meer ontspannen. Niemand wist precies wie welke rol zou spelen, zoals dat altijd gaat op zo'n vakantie; en hoewel Tess hun leidster was, was ze jong genoeg om hun dochter te zijn.

Diana, die eerder Andrea had afgesnauwd over de verdeling van de kamers, richtte zich nu tot haar. 'Ik wil je steeds al vragen, Andrea... Heb jij ooit dat reisje gemaakt naar Norfolk Lavender, toen je op bezoek was bij je zus?'

En Andrea, al weer helemaal murw, zei: 'O, wat aardig dat je dat nog weet, Diana. Nou, nee...' Ze richtte zich naar de kant van de tafel waar Tess zat en zei op een toon die alleen maar snibbig te noemen was: 'In die tijd moest ik me steeds bezighouden met actievoeren, dus ik moest als een haas weer terug.'

'Wat jammer,' zei Diana op luide toon.

Leonora Mortmain sloeg er geen acht op en zei tegen Tess: 'Was jouw moeder soms fan van Thomas Hardy?'

'Eh, dat weet ik niet,' zei Tess geschrokken. 'Hoezo?'

'Vanwege je naam,' zei de oude vrouw langzaam. 'Ik dacht dat dat wel uit mijn vraag bleek. Neem me niet kwalijk.' Ze pakte haar glas dat bij haar buurvrouw stond op en nam een slokje, zonder te letten op haar – Jans – minachtende blik.

'O,' zei Tess. Nu begreep ze het. 'Tja, ik heet eigenlijk Tessa, niet Tess. Ik heb trouwens een hekel aan het boek *Tess of the D'Urbervilles*.'

'Werkelijk?' Leonora draaide zich naar haar om.

'Ja,' zei Tess. 'Een hoop gezwam, als je het mij vraagt.'

'Gezwam?' herhaalde Leonora, alsof ze dat woord nooit eerder had gehoord. 'Wat bedoel je?'

'Ik bedoel dat ik dat meisje nooit heb gemogen. Ik snap niet waarom schoolmeisjes altijd zo dwepen met haar en haar afschuwelijke leven. Net zoiets als Melanie tegenover Scarlett in *Gejaagd door de wind*. Wie wil er nu Melanie zijn?'

'Dat boek,' zei Leonora op strenge toon, 'is mij niet bekend.'

Tess zuchtte heimelijk. Als Leonora Mortmain *Gejaagd door de wind* al iets te eigentijds vond, kon ze maar niet beter vragen wat ze vond van *Lace*, laat staan van *Life with My Sister Madonna*, dat zij en Francesca onlangs hadden verslonden. 'Ik bedoel dat ik niet zo wil zijn als zij. Meisjes zouden niet zo moeten willen zijn,' zei ze. 'Ze zouden een voorbeeld moeten nemen aan...' ze zocht naar een goed voorbeeld '... nou, iemand als Jane Eyre. Zij was onafhankelijk, ze vocht voor zichzelf in een tijd dat dat bijna onmogelijk was. Nou ja, misschien een iets vrolijker persoontje dan Jane Eyre, ze trouwde per slot van rekening in het grijs.' Leonora bekeek haar met iets wat op een geschokte blik leek. 'Tess van de D'Urbervilles...' ...ze liet haar handen op haar schoot vallen '... liet gewoon alles maar over zich heen komen,' zei ze.

'Ja, ik begrijp wat je bedoelt,' knikte Leonora. 'Werkelijk,' vervolgde ze kalm. 'Wat interessant.' Ze had grote handen voor zo'n kleine vrouw. Haar lange vingers speelden met stukjes brood, die ze over het tafelkleed wreef. 'Je vindt dus dat een vrouw voor zichzelf moet leven, niet in de schaduw van anderen.'

Tess keek haar aan. 'Ja,' zei ze, terwijl ze zich afvroeg wat ze bedoelde. 'Hoewel ik moet toegeven dat het soms moeilijk is vast te stellen of je dan het juiste doet, of gewoon stijfkoppig bent, of dat je alles verpest.'

'Hoe denkt je vriend Adam daarover?' vroeg Leonora Mortmain.

Tess was oprecht geschrokken. Ze zette haar wijnglas op de tafel en hield het stevig vast, alsof er zojuist een aardschok had plaatsgevonden. 'Adam?' zei ze. 'Geen idee, wat zou het ui-uitmaken wat Adam daarvan vindt?'

De oude vrouw nam haar op met een ondefinieerbare blik in haar ogen. Tess besefte dat ze nogal bot had geklonken. 'Nou,' zei Leonora. 'Het moet interessant zijn voor jullie, nadat je samen bent opgegroeid, met dezelfde hartstocht voor de Klassieke Oudheid. Misschien herinner je je nog dat ik je vriend daarvoor een studietoelage heb gegeven.'

'O. Ja, natuurlijk,' zei Tess behoedzaam, blij dat zij niet degene was geweest die dat geluk ten deel was gevallen, want Leonora Mortmain had zich bizar gedragen tegenover Adam. Ze had nauwlettend zijn vorderingen gevolgd – en was er nooit over te spreken geweest – op de uitstekende school waar hij naartoe was gestuurd, en toen daarna zijn moeder stierf en Adam de universiteit de rug had toegekeerd, was ze zelfs grof tegen hem geweest. Ze had hem geschreven en in haar woede alle banden met hem verbroken. Tess herinnerde zich een middag die zomer bij Adam thuis. Te midden van Philippa's spullen hadden ze samen naakt op de vloer liggen uithijgen. Zij had een stapel papieren met zich mee op de grond getrokken, waaronder deze brief. Hij had haar verteld wat erin stond, met een spijtige glimlach, en ze hadden gelachen om de rancuneuze toon, het zinloze ervan; wat had zij ermee te maken? Hij was zijn moeder verloren! Waarom zou het hem wat kunnen schelen wat mevrouw Mortmain van hem vond?

'Wat ik wil zeggen,' vervolgde Leonora Mortmain, 'is dat jij het met jouw capaciteiten verder hebt geschopt dan Adam met die van hem. En gezien zijn talent voor de klassieken is dat een beetje vreemd. Hij is nooit weggegaan uit Langford, en jij wel. Hij heeft nooit iets gedaan wat...'

Tess viel haar in de rede. 'Mevrouw Mortmain, ik ben bang...' Ze zag Adams vriendelijke gezicht voor zich, zijn warrige haar, zijn lange gestalte als hij naast haar liep, en ze kon het niet verdragen. 'Hij is mijn beste vriend,' zei ze. De oude vrouw keek haar met samengeknepen ogen aan. Er viel een stilte.

'Ik begrijp wederom wat je bedoelt,' zei Leonora Mortmain. 'Je lijkt een beetje op mij. Dat heb ik al eerder gedacht.' Ze rommelde in haar tas en pakte een boekje dat ze altijd bij zich had, met een verschoten geel omslag.

Tess keek om te zien wat het was, maar mevrouw Mortmain knipte haar tas meteen weer dicht. 'Ik?' vroeg Tess en ze probeerde geen afschuw in haar stem te laten doorklinken. Toen zij en haar zusje klein waren, speelden ze altijd het spelletje wie er het meest op mevrouw Mortmain leek. Het was bedoeld om de ander zoveel mogelijk af te schrikken. Als Stephanie dit gesprek kon horen, zou ze zich krom lachen.

Ondanks haar afgrijzen zei Tess alleen: 'O! O ja?'

'Ja,' zei Leonora kalm, maar ze weidde er niet verder over uit. In haar ene hand klemde ze nog steeds de stok, in de andere streek ze haar rode papieren servet glad op haar schoot, alsof het het fraaiste linnen was. 'Heb je zijn moeder gekend? Philippa?'

'Ja, natuurlijk,' zei Tess verbaasd. 'Ik ben naast hen opgegroeid.'

'Je hebt toch met haar op school gezeten?' Leonora Mortmain likte over haar lippen en aan haar blik te zien was ze ver weg. 'Ach ja, natuurlijk.'

Tess keek haar aan. 'Nee, mevrouw Mortmain, ik heb op school gezeten met haar zoon. Adam is van mijn leeftijd.'

'Dat weet ik,' zei Leonora Mortmain gepikeerd, alsof Tess haar had beledigd. 'Natuurlijk weet ik dat. Ach... wil je me nog een glas water inschenken?'

Ergens luidde een kerkklok, een scherp, vreemd geluid. De eerste pizza's arriveerden, geurend naar tijm en oregano, en de groep ontspande na de zware dag. Toen schraapte iemand luidruchtig zijn keel.

'Nou, proost allemaal,' zei Ron een beetje ongemakkelijk, terwijl hij half opstond. 'Op de... vakantie!' Iedereen – behalve Leonora Mortmain – hief het glas, en zo ging het moment voorbij.

Maar toen Tess later die avond wakker lag, met de luiken een stukje open, en naar de zwarte schaduw van de bomen in het zilverachtige licht op de muur keek, dacht ze terug aan dat gesprek. Wat een vreemde vrouw was Leonora Mortmain. Zij, Tess, deed haar denken aan haarzelf! Wat vreselijk. Ze drukte haar hand tegen haar maag, ze had zeker last van haar spijsvertering, hield ze zich voor. Goed, tussen hen ging het niet echt makkelijk, maar ze zou nooit haar mond houden als iemand iets ten nadele zei van Adam. Vooral niet iemand als Leonora Mortmain. Hij was haar beste vriend. En daar, in het donker, sloot ze haar ogen en dacht eraan hoeveel ze van hem hield en dat ze hem wilde beschermen. En ineens leek alles wat haar zorgen baarde mijlenver weg. Dat was ook zo. En een goed moment om alles achter zich te laten. Dat was ook zo. Uiteindelijk viel Tess, in die vreemde kamer in een vreemd hotel in Rome, in slaap.

16

Die eerste ochtend in Rome liep Tess met haar groep over de brug die van Trastevere naar het hart van de stad leidde. Het was een warme, onbewolkte dag. Lusteloze Senegalezen legden nepdesignertassen op kleden of wierpen holografische ringen in de lucht en vingen ze op, waarmee ze de aandacht van een groepje Italiaanse kinderen trokken. De rivier die langzaam onder de brug door stroomde had een grauwe kleur en was omzoomd door bomen, waar plastic zakken in de takken waren blijven hangen die ritselden in de wind. In de verte zag ze zwarte dennen en het witte marmer van de Sint-Pieter, en aan de overkant van de brug lag het hart van het grootste rijk ooit, en van de in haar ogen mooiste stad ter wereld.

Ze had hier heel wat gelukkige maanden gekend toen ze aan de universiteit studeerde, ze herinnerde zich die tijd nog goed; ze wilde dat de anderen er net zo van genoten als zij. Maar die ochtend van haar eerste excursie had ze het te druk met opletten dat Jan en Carolyn niet te ver vooruitliepen en dat Leonora Mortmain niet achteropraakte, dat ze de goede kant op gingen, dat alles goed geregeld was.

'Daar is het Vaticaan. En de Engelenburcht,' zei ze, stroomopwaarts wijzend. 'Daar is Tosca naar beneden gesprongen.'

'O!' kreet Jan. 'Wat vreselijk!' Ze rilde.

'Het is niet écht gebeurd,' zei Jacquetta vriendelijk. 'Maak je geen zorgen.'

Ze waren aan de andere kant van de brug. Tess klapte in haar handen. 'We gaan nu naar het centrum, door het oude joodse getto. De straten zijn wat verwarrend, dus we moeten goed bij elkaar blijven,' zei ze. Ze voelde zich net een kleuterjuf. 'Niet afdwalen of in etalages blijven kijken of zoiets. Anders raken we elkaar kwijt. Oké?'

'Ja,' riepen ze in koor. 'Oké, we gaan.'

Ze liepen naar een ruïne van witte marmeren pilaren aan het eind van de weg, de restanten van het Teatro di Marcello. 'Dit vind ik zo fijn aan Rome,' zei Tess. 'Je kunt door een gewone straat lopen en ineens ben je midden in een theater dat is gebouwd door Julius Caesar.'

'Wauw,' verzuchtte Liz naast haar. 'Geweldig.'

Het wás ook geweldig, vond Tess. Ze tikte Liz op haar arm en liep naar de achterkant van het theater. De rest van de groep volgde in de zon, op weg naar het Capitool.

Er zijn mensen die het Forum als de belangrijkste archeologische vindplaats op aarde beschouwen, en Tess was een van hen. Voor haar ging het er niet om dat het de best bewaarde plaats was – dat was het niet, zoals iedereen die het heeft gezien je kan vertellen. Er is een hoop fantasie voor nodig om jezelf daar te zien in de schoenen (of sandalen) van een jonge senator in de keizerstad Rome, die zich over de Via Sacra rept op weg naar de Curia, de senaatszaal, door het drukke Forum, waar de straten vol staan met boekverkopers en soldaten, slaven die rommel weghalen, allerlei kooplieden die hun waren aan de man proberen te brengen, hun kraampjes afgeladen met heerlijkheden uit alle hoeken van het rijk. Maar nu zijn de zuilen van de grote tempels bijna allemaal kapot, gras groeit over het huis waar de Vestaalse Maagden woonden, stenen liggen overal verspreid, bijna niets is gemarkeerd, toeristen staan er een beetje verloren bij, niet precies wetend waar ze naar moeten kijken, alleen... alleen...

'Met een beetje fantasie,' zei Tess tegen haar groep, die verzameld stond bij de Rostra helemaal achteraan op het Forum, 'kun je het allemaal zien. Hier,' ze keek met een glimlach om zich heen, verheugd omdat ze daar stond, 'is de plek waar Marcus Antonius over Julius Caesar sprak nadat hij was doodgestoken door zijn eigen collega's op weg naar het Senaatsgebouw. Doe je ogen maar eens dicht.' Ze deed het zelf ook. 'Doe je ogen dicht en stel het je voor.'

Ze zag het voor haar geestesoog gebeuren, helderder dan ooit. Ze deed haar ogen weer open. De groep keek haar een tikje verdwaasd aan.

'Ik geloof dat er een vuiltje op mijn contactlens zit,' zei Andrea na een korte stilte.

'Oké,' zei Tess, en ze klom van het gesteente af waar ze op had gestaan.

'Ik kan het me wel voorstellen,' zei Claire bereidwillig. 'Alleen... het lijkt een beetje op de film *Gladiator*.'

'Dat is prima!' zei Tess tevreden. 'Beter dan niets.'

'Dan zie ik het ook,' zei Ron.

'Dit waren geen ruïnes,' zei Tess. 'Het waren tempels van weelde en welvaart. Net als wolkenkrabbers in New York. Of deftige huizen in Groot-Brittannië.' Ze hield haar hand voor haar ogen tegen de zon, die steeds hoger aan de hemel klom. 'Kom maar mee...'

Ze liepen achter de tempel van de Vestaalse Maagden, die overgroeid was met wilde roze rozen, door naar de rand van het Forum, waar het Colosseum in de verte oprees.

'Kijk eens naar de Boog van Titus. Daar zie je dat de slaven de enorme menora uit de tempel van Jeruzalem droegen. Niemand weet wat ermee is gebeurd, het was het heiligste voorwerp in de tempel en hij was enorm groot, zo'n drie meter breed – en waar is hij nu?'

'Ja, waar is hij nu?' vroeg Diana doelloos.

'Ik weet het niet,' zei Tess zachtjes. Ze keken vol ontzag. 'Niemand weet het. Hij is verdwenen toen Rome werd geplunderd door de Goten. Maar hij moet ergens gebleven zijn.'

'Hij is verstopt in het Vaticaan,' zei Ron, overtuigend knikkend. 'Ik heb er een paar jaar geleden een boek over gelezen.'

'Wauw,' zei Jan. 'Echt waar?'

'Jazeker,' zei Ron, toen Andrea hem vol bewondering aanstaarde en Leonora Mortmain geërgerd de andere kant op keek. 'Als je eens wist wat die mensen door de jaren heen hebben gejat... Nou.'

'Hier heeft iemand te veel *Da Vinci Code* gelezen,' zei Diana niet onvriendelijk.

'Geen rook zonder vuur, Diana,' reageerde Ron fel, en hij sprong van de rand van de grasheuvel, naast de triomfboog. 'Geen rook zonder vuur.'

Het gebeurde op het Campo dei Fiori. Aan de noordkant, waar ze koffie en thee dronken, moe van een dag door de stad slenteren. Hierbij vergeleken stelde vijfentwintig kilometer hardlopen niets voor. Leonora zag er uitgeput uit en zat rustig in de schaduw. Haar gezicht ging schuil onder een breedgerande hoed en er stond een kopje thee naast haar. Zelfs Jacquetta was een beetje stil geworden, hoewel ze nog steeds aan iedereen die het wilde horen rondbazuinde dat Giovanni, een zeer dierbare vriend van haar en John, aan de andere kant van het Campo had gewoond. De stalletjes met groente en fruit die in de vroege ochtend het plein hadden gevuld, waren nu verdwenen. Alleen een paar sinaasappels en blaadjes sla herinnerden er nog aan dat ze daar hadden gestaan.

Tess dronk haar limonade en herinnerde zich ineens dat er zich aan de oostkant van het plein restanten bevonden van een ander theater, het Theater van Pompeii, waar Julius Caesar in 44 voor Christus was neergestoken. Ze wist alleen niet meer precies waar het was, zelfs niet of er tegenwoordig nog iets van te zien was. Toen ze naar de uitgeputte en afgematte groep keek, wist ze dat ze hen niet kon vragen erheen te lopen met de kans dat er niets te zien was.

'Ik ga nog even iets bekijken,' zei ze terwijl ze opstond met een blaar op haar voet die pijnlijk bonsde. 'Ik ben over een minuutje terug. Jullie kunnen blijven zitten.'

Ze knikten allemaal zwijgend, als kleine kinderen, en Tess liep snel het plein over, dat vol was met toeristen, Italianen die koffie dronken, hun hond uitlieten, en zoals altijd in een lange rij voor de bakker stonden. Ze sloeg af naar een klein plein dat het Piazza del Biscione heette. Ze was ervan overtuigd dat daar de funderingen van het theater lagen.

Ineens was er chaos. Ze werd door een enorme kracht omvergegooid tegen een muur en ze voelde een scherpe, stekende pijn in haar rechterarm. Totaal gedesoriënteerd keek ze op toen een scooter langs haar heen schoot, gevolgd door een donkerharige man die schreeuwde en tierde.

'Aspetta! Aspetta! Un ladro, aiuto!'

Hij botste tegen haar aan toen ze overeind kwam en wierp haar van zich af, zodat ze opnieuw met een kreet van pijn tegen de muur aan viel. De scooter was verdwenen. Een Italiaanse vrouw kwam ook buiten adem van het plein aanrennen. Ze schudde met haar vuist naar de jongeman en ze schreeuwden vragen naar elkaar. Hij krabde zich op zijn hoofd, zij wuifde met haar hand in de richting waarin de scooter was gegaan. Een menigte nieuwsgierigen verzamelde zich. Tess greep haar arm en bleef in elkaar gekrompen tegen de muur staan toen de man zich naar haar omdraaide en tot haar verbazing met een Amerikaans accent zei: 'Hallo, is alles goed?'

'Ja,' zei Tess. 'Alleen mijn arm... au.'

Hij pakte haar hand en draaide haar arm naar hem toe terwijl de vrouw toekeek.

'Wat is er gebeurd?' vroeg Tess, haar gezicht verkrampend toen hij haar arm schoonveegde. Ze zag een lange, bloederige schaafwond.

'Een paar jongens op een scooter hebben de tas van deze vrouw gestolen,' zei hij. 'Ik probeerde ze te grijpen, maar toen stond jij in de weg.'

'O, nou, sorry,' zei Tess, die het gevoel had dat het haar schuld was. Ze kromp in elkaar toen hij haar bovenarm pakte.

'Je hebt niets gebroken, maar je schouder zal morgen wel pijn doen.' Hij tikte haar op haar arm en lachte even. 'Ik ben trouwens Peter.'

'Tess.' Tess stak met een pijnlijk gezicht haar hand uit. 'Au,' zei ze toen hij hem schudde.

'O, jee. Sorry.' Hij keek haar verontrust aan.

'Het steekt,' zei ze. Ze probeerde niet dramatisch te klinken. 'Is hier een...' Ze hoorde geschreeuw verderop in het straatje en keek op.

'Hé!' riep Peter, die haar blik volgde. 'Dat is 'm! Ze hebben hem te pakken!'

Ineens verscheen er een ongeordende groep boze burgers, met in hun midden een jongeman die ze bij zijn schouder grepen. '*Questo! Allora! Carabinieri!*' schreeuwden ze door elkaar heen, terwijl de jongeman met een wanhopige blik jammerde.

'Wat is er met hem aan de hand?' vroeg Tess. De menigte begon zich te verspreiden. Iemand ging weg om de politie te bellen, een ander om de scooter op te halen, en nog een paar mensen hingen gewoon wat rond.

Peter stapte naar voren en stelde iemand een paar vragen. 'Hij is ook gewond aan zijn arm,' zei Peter. 'Door die botsing met jou moet hij uit de koers zijn geraakt.' Hij draaide zich met een lach naar haar toe. 'Dat is even mazzel. Je hebt een dief gepakt! Goed werk.'

Tess bekeek hem voor het eerst goed en besefte dat hij eigenlijk heel – nee, bijzonder – knap was. Hij had met zijn uiterlijk en zijn stem de indruk gewekt dat hij Italiaans was, maar hij was gekleed op een vreemd nietszeggende manier – spijkerbroek, gympen, een wit overhemd en een zachte grijze trui met een V-hals. Ze glimlachte terug en probeerde haar haar naar achteren te schudden. 'Graag gedaan,' zei ze een beetje buiten adem.

'Wat doe je hier trouwens?' vroeg hij, toen het geluid van politiesirenes dichterbij kwam. Ze vroeg zich af of haar groep, verdiept in hun reisgidsjes en kopjes thee, het zou horen, en of ze zouden beseffen dat zij hier het middelpunt van was. Nee. 'Ben je hier op vakantie?'

'Ik... Ja, zoiets,' zei Tess, terwijl ze weer over haar arm wreef. Ze duwde zich van de muur af en schudde haar hoofd terwijl ze, niet voor de eerste keer, van die lange verleidelijke lokken zoals die van Francesca wenste.

'Signore, questo uomo e il ladro, e vero?' klonk een stem achter hen. Peter draaide zich om en begon met het groepje carabinieri te praten.

'L'eroina, e questa ragazza,' zei Peter. 'Je bent de heldin,' vertaalde hij, terwijl de lange, stevig gebouwde, knappe carabinieri haar waarderend aankeken. 'Ze zullen de details met je moeten doornemen.'

Inmiddels was ze ervan overtuigd dat de dames en Ron zich zouden afvragen of ze intussen was verkocht als blanke slavin, maar toch moest ze daar nog een paar lange minuten blijven staan terwijl zij en Peter hun naam en adres opgaven, een formulier invulden, en werden ondervraagd door verschillende carabinieri, samen met een paar omstanders die beweerden erbij betrokken te zijn geweest. De verdachte zat in de auto nog steeds zielig te jammeren, met handboeien gekluisterd aan een knorrige agent. Hij was nog heel jong, zag Tess. Wat had hij met die gestolen tas willen doen? En als ze een seconde later was geweest, zou hij dan ook met zijn arm ergens tegenaan gebotst zijn of was hij dan weggekomen? Ze raakte uit een vreemd soort empathie haar eigen schouder aan.

'Ik moet weg, Tess,' zei Peter toen hij zich weer naar haar omkeerde. 'Maar jij moet naar een *farmacia* om iets voor je schouder te halen. Een pijnstillende zalf, anders wordt hij stijf.' Hij staarde haar peinzend aan. 'Goh, wat heb jij prachtige ogen.'

Tess snoof minachtend. 'Schei uit, zeg.'

'Wat?' zei hij niet-begrijpend. 'Ik meen het. Ze zijn donkerblauw. Heel intens.' Hij schudde zijn hoofd. 'Niet te geloven – dat ik dat zojuist heb gezegd.'

'Nou, dat heb je wel,' zei Tess, heimelijk diep gevleid.

Peter keek naar de grond en daarna naar de hemel. Hij zuchtte diep en blies uit. 'O jee. Hoor eens, ik wilde je iets vragen,' zei hij.

'Wat?'

'Ik wilde je vragen...' Hij stopte zijn handen in zijn zakken en Tess keek hem nieuwsgierig aan. 'O. Oké.' Hij schraapte zijn keel. 'Kan ik je een andere keer een paar vragen stellen? Hoe lang ben je nog in de stad?'

Haar gezicht was uitdrukkingsloos. 'Een paar vragen?' Ze schudde haar hoofd. 'Waarom zou je dat in vredesnaam willen doen?'

'Ik ben journalist,' zei hij met een glimlach. 'Ik woon hier. Ik ben geen gevaarlijke griezel, echt niet. Ik ben bezig met een stuk over toerisme versus de plaatselijke bewoners van Rome. Dit zou er heel mooi in passen. Dit ongeval.'

Hij sprak in zulke staccato zinnetjes dat Tess elke keer haar oren goed moest openhouden.

'Toerisme versus plaatselijke bevolking,' herhaalde ze.

'Ja,' zei hij langzaam, alsof ze een beetje dom was. 'Weet je wat ik bedoel? Hoe een stad zijn eigen identiteit kan behouden als hij dag en nacht wordt belegerd. Zou die gast kunnen leven van het stelen als er niet zoveel handtassen te stelen waren, allemaal stampvol euro's en camera's en dat soort rommel?'

Hm,' zei Tess terwijl ze hem aankeek. 'Volgens mij moet hij helemáál geen tassen stelen.'

Peter schampte met zijn sportschoen langs de muur. 'Tuurlijk. Maar alles wat een stad groot maakt, is uiteindelijk de oorzaak van zijn ondergang, vanwege de toeristen die erdoor worden aangetrokken. Die zuigen het leven eruit. Vind je niet? Het wordt een lege huls.'

Tess wist daar wel iets van. Zij had ook de hele dag doorgebracht met kijken naar lege hulzen in het gezelschap van duizend andere toeristen, en zij vormden de bouwstenen van de moderne beschaving. 'Daar ben ik het niet mee eens,' zei ze, hoewel ze hier de laatste tijd veel over had nagedacht. Ze keek hem aan. 'Volgens mij moet een stad oud en nieuw combineren. Samen laten werken.'

Ze dacht aan Langford; wat zou daarvan overblijven zonder het Jane Austen Centre, de grappige cadeauwinkeltjes, het gastenboek met de handtekening van Beau Brummell?

'Kletskoek,' zei hij. 'Volgens mij. Je moet vooruitkijken, zo zijn alle grote steden ontstaan. Het verleden vergeten.'

'Je klinkt als een dictator,' zei Tess. 'Jij hebt het over het plan dat Albert Speer met Berlijn had.' Ze greep haar kaart stevig vast en liet hem zien. 'Ik zeg niet dat alle grote steden het goed doen; ik vind dat er in Florence en Venetië te veel toeristen zijn. Maar hier is het een goede combinatie, toch?'

Ze wuifde met haar hand en liet daarbij de kaart vallen. Hij dwarrelde naar de grond en hij volgde haar blik over het Campo dei Fiori. Ze bukte zich om de kaart op te rapen en keek intussen om zich heen. De toeristen met zonneklep en heuptas – de Amerikanen. De angstvallige, magere toeristen, die met hun neus in hun Dorling Kindersley-gids het open plein overstaken – de Britten en Zweden, soms Duitsers. De was die in rijen voor de ramen hing van de roestkleurige palazzi, de man die een liedje zong terwijl hij zijn groentekraam opruimde, de vrouwen die haastig uit Il Forno kwamen, de bakkerij aan de andere kant, met tassen met warme zachte focaccia en pizza bianca in vetvrij papier aan hun arm. De geur van koffie en jasmijn die altijd in de lucht hing. Hierom hield ze van Italië; het leek authentiek, alles, hoe toeristisch, druk en theatraal het ook mocht zijn. Ze ademde diep in en uit en vergat wie er naast haar stond, ze ontspande terwijl ze dit alles in één kort, volledig moment opsnoof.

'Misschien heb je gelijk,' zei hij na een korte stilte. Hij bukte zich en gaf haar de kaart aan, en nog iets anders. 'Hier is mijn telefoonnummer. Geef me een belletje, ik wil je echt graag een paar dingen vragen. Een sfeertekening, het meisje dat betrokken raakte bij een beroving, zoiets.'

'Tja...' zei ze, niet goed wetend wat ze moest zeggen.

'Kom op, het zijn maar een paar vragen,' zei hij bruusk. 'Het duurt een paar minuten en dan kun je weer terug naar – met wie ben je hier?'

Op zijn voortvarende manier nam hij haar van top tot teen op, wat haar behoorlijk stoorde. Alsof ze koopwaar was: was ze oud, jong, zwanger, getrouwd, te versieren, frigide?

'Gaat je niets aan!' hoorde ze zichzelf zeggen.

'Wauw...' zei hij rustig. 'Dus je bent hier voor een ondeugend weekendje?'

'Daar zeg ik niets over,' zei ze even rustig. 'Met wie ben jij hier?'

'Ik ben hier alleen,' zei hij, een wenkbrauw optrekkend.

'O ja?' zei Tess. 'Je woont hier... alleen?' Ze geloofde hem niet.

'Tja, nu wel,' zei Peter.

'Ah, Gregory Peck in *Roman Holiday*,' zei ze lachend. 'Laat op de avond kopij inleveren, kaarten met je maatjes, een louche leventje als yankeejournalist.'

'Nu wel,' zei Peter.

'"Nu"?'

'Hè, hè, het kwartje valt,' zei Peter geamuseerd. 'Je bent niet heel snel van begrip, hè? Ik ben getrouwd geweest. Met een Italiaanse. Daarom woon ik hier.'

'O,' zei Tess. Ze knikte ernstig.

'Maar ze is bij me weggegaan. Drie maanden geleden.'

'Is zij bij jou weggegaan?'

'Ze is teruggegaan naar Napels, naar haar ex.'

'Jemig... wat erg,' zei Tess. 'Wat stom van me, ik had niet...'

Hij stak een gebruinde hand uit. 'Geeft niets. Ze bleek vreselijk slecht te koken. En wat heeft het voor zin om met een Italiaanse getrouwd te zijn als ze niet kan koken?'

'Eh...' Tess wist niet zeker of hij serieus was of niet, en ze wilde net vragen wat hij bedoelde, toen plotseling een stem achter haar riep: 'Joe-hoe! Tess!'

Ze draaide zich om en zag Jan Allingham om de hoek turen, met haar handen aan de muur, als het jongetje in *Cinema Paradiso*.

'Tess, lieverd, is alles goed? We hoorden net de sirene, en je bleef zo lang weg, en Jacquetta zei dat ze dacht dat ze hoorde schíéten, waarop Andrea in paniek raakte en ik aanbood je te gaan zoeken,' kwetterde ze. 'En hier ben je!'

'O, jee,' mompelde Tess binnensmonds.

'Aha,' zei Peter, terwijl hij tegen de muur aan leunde. 'Je bent op reis met mams,' zei hij zachtjes. 'Nu snap ik het.'

'Nietes,' zei Tess kinderlijk. 'Ik ben lerares Klassieke Oudheid, en ik ben hier met mijn cursisten.' Maar dit klonk op de een of andere manier nog belachelijker. Ze richtte zich tot Jan. 'Alles goed met jullie?'

'Ja!' zei Jan bijna onstuimig. 'Behalve Leonora, die...'

Tess schrok, ze vergat Leonora steeds, de in het zwart gehulde adder van de groep. 'Wat is er met haar?'

'Ze zei tegen Ron dat hij lid was van een gestoorde extreme socialistische beweging,' zei Jan.

'O, lieve hemel,' zei Tess. Ze draaide zich om naar Peter, die een sardonische blik in zijn ogen had. Ze keken elkaar even aan. 'Ik moet weg,' zei ze.

'Zoiets dacht ik al.' Zijn donkere, onpeilbare trekken verzachtten zich tot een glimlach. 'Bel alsjeblieft, dan kunnen we verder praten. Mijn deadline is pas vrijdag, dus we hebben nog een paar dagen.'

'Je bent wel heel direct,' zei Tess.

'Dat moet ook wel,' zei Peter. 'Het is mijn werk. Bovendien, waarom zou ik tijd verspillen? Als je iets wilt, moet je ervoor gaan.'

'O,' zei ze nadenkend. Ze knikte. 'Je hebt waarschijnlijk gelijk.'

'Ik heb zeker gelijk,' zei hij met een grijns. 'Als je er niet voor gaat, mis je alle plezier. Natuurlijk, toen ik ervoor ging met Chiara, had ik het volkomen mis, maar... nou ja.' Hij gebaarde met zijn hand, bijna laconiek. Ze keek hem, evenals Jan, met open mond aan. 'Ik ben hier, nietwaar? Ik zou ook terug kunnen zijn in de States, en artikelen schrijven over de staalindustrie voor de *Pittsburgh Post-Gazette*. Zo erg is het niet. Bel me.'

'Nou...'

'Misschien als je je verveelt. Je moet het zelf ook een beetje leuk hebben als je hier toch bent.' Hij keek haar recht aan, stak zijn hand uit en zij drukte hem. Hij had een stevige greep.

'Nou, nogmaals, het spijt me dat eh...' zei ze. Ze had het gevoel dat ze zich moest verontschuldigen voor haar grofheid, maar ze wist niet precies waarom. 'Het spijt me van je vrouw.'

'Ik vergeef je. Jij bent niet de Bosniër die haar in bed heeft gelokt,' zei hij, en er verscheen een glimlach op zijn gezicht. 'Het is goed. Bijna.' Hij knikte naar Jan, die bloosde, en daarna naar Tess. Ze keek hem hulpeloos aan. 'Hé... goed politiewerk. Ik hoop dat je schouder snel beter is.' Hij keek even naar haar arm. 'Ik spreek je binnenkort, Tess,' maar hij sprak in het luchtledige, want Tess was al terug naar de Campo, met Jan in haar kielzog.

17

Hoi Tess. Ik hoop dat je het daar naar je zin hebt. Alles goed hier. Het is stil in de stad zonder al die mensen die met jou mee zijn. Ik zie je als je terug bent. Adam

Waarschijnlijk was het inderdaad stil in Langford zonder al die mensen. Het was hier in elk geval heel druk in Rome, waar ze hen de hele dag op sleeptouw nam. Druk, warm, chaotisch, meedogenloos en onbevredigend. In de douche van het hotel stond Tess doodstil en liet het water over haar hoofd stromen. Ze vond het vervelend dat Adam haar hier stoorde. Ze wilde niet aan hem denken. Ze dwong zich tot andere gedachten.

Het was dinsdag; nog zes dagen te gaan. Ze had nooit gedacht dat ze nog eens met enig genoegen zou terugdenken aan het schoolreisje van Fair View naar Bath, waar één leerling uit haar klas een koekje had gepikt bij het benzinestation (en gesnapt was door de bewaking), een andere leerling een oude dame had laten schrikken door achter een beeld in de Romeinse baden op te duiken (de dame had een zwak hart) en drie anderen domweg verdwenen waren en twee uur later stomdronken bij het busstation waren opgedoken (twee van hen hadden in de bus naar huis overgegeven), maar ze had het mis. Dat had tenminste maar één dag geduurd. En tieners waren vervelend, maar je kon ze tot de orde roepen en dan was het over. Maar dit... O, hemel. Wat een gedoe! De tijd die het kostte voordat ze allemaal de weg over waren gestoken! De onophoudelijke vragen en het gedoe over de menukaart, de drankjes, de entreegelden, wat er daarna zou gebeuren... Zelfs de jongste twee van de groep, Claire en Liz, leken het gedrag van de ouderen te imiteren: ze had Claire tegen Liz horen zeggen: 'Ik moet echt gezondheidssandalen kopen als ik thuis ben. Die lijken me zo handig, wat denk jij?' Tess had haar bijna met een blik vol afschuw aangestaard, en Claire had een beetje verbaasd gekeken toen ze de uitdrukking op haar gezicht zag. 'Misschien,' corrigeerde ze zich. 'Ik zal ze eens passen.'

Nu ze onder de douche stond en het water over haar lichaam voelde stromen, had de doffe pijn in de spieren van haar schouder na deze dag bijna iets sensueels. Ze stapte eronderuit en droogde zich af. Haar schouders en armen waren rood van de zon. Ze dacht aan wat de Amerikaan had gezegd: 'Op reis met mams.' Wat een rotopmerking. Echt vervelend!

En zo raak.

Zijn kaartje zat in haar tas. PETER GRAY. Wat een Amerikaanse naam voor zo'n Italiaans uitziende man. Ze vond hem enigszins verontrustend, er lag iets gevaarlijks in zijn donkere, half geloken ogen, zijn gedecideerde manier van doen, de zeer directe manier waarop hij zich uitdrukte. Tess was gewend aan een ontmoedigende dwarsdoorsnede van Engelse mannen, die met een verscheidenheid aan halve waarheden hun verhaal stamelden, passieve agressie tot een kunstvorm verheven, het over gelijkheid hadden maar meestal doodsbang waren voor vrouwen.

Ze had het er vaak over gehad met Francesca, die aartsrealist. Tess stond bij het raam en smeerde haar armen en schouders in met bodylotion. Ze merkte dat ze aan Adam en Francesca dacht, ze kon er niets aan doen. Wat gebeurde er in Langford? Hadden ze het echt weer goedgemaakt? Ze hoopte dat het goed ging met hen, vooral met Francesca. Ze begreep nog steeds niet wat er zaterdag met haar en Adam was gebeurd, maar na een goede nachtrust en door de verandering van omgeving besefte ze dat die avond in Londen niet het begin was geweest van iets nieuws. Het was een voortzetting geweest van iets wat ooit had bestaan. Een tienerromance – dat was het geweest, als in een goedkoop familiedrama. Hij had het een zomerromance genoemd, en dat had haar pijn gedaan, maar het was wel waar. Meer was het niet geweest, en het had een droeve afloop gehad. Ze had het nooit goed verwerkt: de abortus, de muur van stilte daarna, het begin van haar nieuwe leven aan de universiteit, waar ze er nooit met iemand over had gesproken, omdat de enige met wie ze erover had willen praten degene was met wie dat niet kon.

Hier kon ze helder denken. Het was makkelijk om een perspectief te zien. Tess keek om zich heen in de kamer, naar de spiegeldeur van de kast, waar de kleren aan hangertjes in het avondbriesje wapperden, naar de verschoten, halfslachtige etsen van Romeinse ruïnes aan de muren – de Baden van Caracalla en het Colosseum – naar de glanzende karamelkleurige linnen sprei op de smalle eenpersoonsbedden. Het was hier anoniem, en dat had iets troostrijks.

Ze bracht een diep inwerkende spierbalsem aan die ze bij de drogist had gekocht en kromp even in elkaar, en intussen bedacht ze zonder veel enthousiasme de tafelschikking voor die avond. Ze had al snel begrepen dat haar groep iets had van een tienermeisje – ze vroegen constant om hulp en geruststelling, maar in de basis reageerden ze volgzaam als hun duidelijk werd verteld wat ze gingen doen. Tess zuchtte bij de gedachte, wierp nog een blik op haar telefoon om te zien of er een berichtje was, en liet het toen tot haar doordringen. Als iemand een tienermeisje was, was zij het! Ze waren in Rome! Ze had een diefstal voorkomen! Dit was de bakermat van de beschaving, het was lente, alles was mogelijk! Ze scheurde een vel papier van haar blocnote, pakte haar pen en begon te schrijven.

Die avond gingen ze eten in een traditionele *trattoria*, vlak bij het Piazza Farnese, en toen ze aankwamen sloeg Tess' aanvankelijk sombere indruk al snel over in verrukking. Het was een echt Romeins restaurant, van de opgepoetste vaatjes, zwart-witfilmposters en gesigneerde foto's van plaatselijke beroemdheden aan de muur tot het eenvoudige donkere hout dat contrasteerde met de roodwit geblokte tafelkleedjes. Terwijl de groep samengedromd in de deuropening stond, kwam er snel een vrouw op hen af, die hen meenam naar een lange tafel midden in de lage, spelonkachtige ruimte.

'*Sono Vittoria*,' vervolgde ze, en ze wees naar zichzelf. '*Benvenuti!*'

Er viel even een gespannen stilte toen alle groepsleden naar hun plaats zochten en probeerden niet al te geschokt te kijken als ze zagen wie er naast hen zat. Jan, Diana en Carolyn trokken instinctief naar elkaar. Jacquetta aarzelde naast hen. Ron probeerde zoals altijd afstandelijk en grimmig te kijken, wat hem geen van beide lukte. Leonora stond natuurlijk op enige afstand licht met haar stok op de grond te tikken.

'Pas op, Carolyn, sorry, mag ik er even langs?' 'Ik vind het niet erg om naast Jan te zitten, Diana!' 'Waar gaat u naartoe, mevrouw Mortmain? O, juist. Ik zal even...' 'Claire, mag ik naast jou zitten?'

'Stop!' riep Tess toen Jan al bijna halverwege de lange zijde van de tafel was, gedecideerd haar tasje vastklemmend. 'Ik heb een tafelschikking gemaakt!' Er viel een diepe stilte. Ze glimlachte. 'Het leek me een goed idee,' vervolgde ze daadkrachtig. 'Ik zal elke avond een andere maken. We kunnen steeds veranderen van plaats, ideeën uitwisselen over wat we hebben gezien, en ik zal jullie allemaal vragen waar jullie die dag het meest van hebben genoten, of het nu om een voorval gaat of een uitzicht of gewoon iets wat je heeft getroffen. Oke!'

Een Engels paar liep langs hen op weg naar een tafeltje achter in het restaurant, en de echtgenoot zei opgelucht tegen zijn vrouw: 'Lieve hemel. Ik ben blij dat ik daar niet bij hoor, wat jij?'

Tess deed alsof ze het niet hoorde. 'Oké!' riep ze nog eens. 'Ron...' Ze wees naar het midden van de tafel. 'Jij komt hier, goed? En naast jou... ja, Leonora, wil jij daar plaatsnemen?

Ron trok een gezicht; Andrea, Diana en Jan haalden diep adem maar Leonora Mortmain ging zonder iemand aan te kijken rustig zitten. Ze zette haar tas op de tafel, haalde het boekje eruit dat ze altijd met zich meesjouwde en sloeg het kalm open terwijl Tess verderging.

'... Jan hier, daarnaast Jacquetta, en ik hier, Liz, ja, jij daar. Mooi!' Ze keek de tafel weer rond. 'Zullen we gaan zitten?'

'Hoe sneller we zitten, hoe sneller we kunnen eten, en hoe sneller we weer weg kunnen,' zei Ron in een poging grappig te zijn. Het grapje viel niet goed, de rest van de groep keek hem met een blik vol afgrijzen aan. Iedereen, behalve Andrea, die tedere gevoelens leek te hebben opgevat voor Ron. Ze giechelde nerveus en toen Ron afwerend opkeek zag hij haar flauwtjes naar hem glimlachen. Hij ademde luidruchtig door zijn neus. 'Aaah. De kaart?' Hij gaf een plastic menukaart aan Leonora Mortmain, die hem stilzwijgend aannam.

'Mooi!' zei Tess toen er een stilte viel, zonder acht te slaan op de bonzende pijn in haar arm en schouder. 'Leuk hier, vinden jullie niet?'

Er werd rode wijn en water gebracht, brood en olijfolie, en daarna tal van voorgerechten: courgettebloemen, gevuld met romige geitenkaas, druipend van de tijmhoning, gegrilde groente, bruschetta met borlottibonen, en dunne, roze reepjes prosciutto, met de hand gesneden van een gerookte varkenspoot op een tafeltje ernaast. Ze lieten het zich smaken terwijl ze elkaar met doelbewuste beleefdheid de verschillende schalen doorgaven.

'Ik wist niet dat jij in Brighton woonde, Ron. Wat interessant. Wij hebben jaren in Southampton gewoond, weet je.'

'Ah, dus je familie komt uit Leamington Spa, Claire? Ga je er nog wel eens naar terug?'

'Wat boeiend, Jacquetta. Heel boeiend!'

Tess dankte Bacchus meer dan eens voor de wijn, die overal de scherpe kantjes vanaf haalde, en tegen de tijd dat het hoofdgerecht kwam, was het gezelschap al veel meer ontspannen. Schalen met lams- en kalfsvlees, bergjes rucola, aardappelen en naar knoflook geurende witte bonen werden op tafel gezet en iedereen tastte toe en maakte een waarderende opmerking over de smaak van het sappige gegrilde vlees. Vittoria stond in de buurt met een toegeeflijke glimlach naar hen te kijken. Het was een lange, warme dag geweest, en het was heerlijk om hier te zijn. Tess keek met genoegen toe hoe de groep gezellig met elkaar kletste over wat ze hadden gezien. Ze wist niet waarom het haar nog verbaasde dat Leonora Mortmain er niet aan meedeed; de vrouw zei geen woord en deed niet eens een poging. Ze zat aan het eind van de tafel, bij de deur.

'Moet je nog naar het politiebureau voor dat voorval van vanmiddag?' vroeg Jan. 'Vreselijk was dat. Arm kind.'

'Nee,' zei Tess. 'Ik hoef er gelukkig niet naartoe, ze hebben mijn telefoonnummer en ze zouden me bellen als ze nog iets wilden weten.' Ze verschoof op haar stoel.

'Mijn nicht was ooit in Rio,' zei Carolyn onverwacht, 'en toen rukte iemand haar oorbel uit. Haar oorlel scheurde zo doormidden.'

'Nee!' riep Jan uit, en de anderen keken verschrikt op.

'Ja,' zei Carolyn, geschrokken van haar eigen stem. 'Verschrikkelijk hè?' Ze keek nu rond en ook naar Leonora Mortmain. 'Sinds die tijd...' Ze huiverde.

'Daar moet je niet aan denken,' zei Tess resoluut. 'Dat was gewoon pech, meer niet. Het zou in Londen op straat kunnen gebeuren, verdorie.' Ze keken haar allemaal geschokt aan. 'Overal. Het zou in Langford kunnen gebeuren.'

Carolyn kermde zachtjes. 'Zeg dat niet,' zei ze. 'Dat is vreselijk.'

'Het zou kunnen,' zei Tess tegen Carolyn. 'Het kan overal gebeuren. Niet per se oorbellen die uit je oor gerukt worden, maar... iets dergelijks,' zei ze ondeugend. Carolyn keek zo geschrokken dat ze haastig vervolgde: 'Maar het zal niet gebeuren. Die kans is microscopisch klein. Dus je hoeft je geen zorgen te maken.'

'Philippa is beroofd, dat was heel akelig, weten jullie nog?' zei Diana ineens tegen niemand in het bijzonder.

Tess, die net de geur van koffie opsnoof, zei geschrokken: 'Philippa? Wanneer?'

'O, vlak voor haar dood,' zei Diana. Ze klikte haar tanden tegen elkaar. 'Stomme pech, zoals je zegt. Verschrikkelijk. Midden in Langford.'

'Daar heb je het al,' zei Carolyn voldaan, voordat ze besefte hoe dat klonk. 'Wat verschrikkelijk,' voegde ze er schuldbewust aan toe.

'Het gebeurde achter de oude huizen, waar jouw ouders woonden,' zei Diana. 'Een nare toestand. Ze hebben de dader nooit gepakt.' Ze sloeg haar blik neer en Tess besefte ineens weer dat Diana en Philippa goed bevriend waren geweest; ze was eigenlijk Philippa's beste vriendin.

Langzaam zei Tess: 'Dat was ik vergeten. Wat gebeurde er precies?'

'Wat er gebeurde?' Diana keek op. 'Ik weet het niet. Ze kwam terug uit Thornham, op de fiets, en het was donker – het was geloof ik februari. Maar goed, ze stapte af en liep het laatste stukje met de fiets toen iemand haar achterop kwam en haar omverduwde. Hij stampte op haar hand en brak haar vinger, en toen greep hij haar tas. Hij had ook een mes.'

'Ze verstuikte haar enkel,' wist Tess ineens weer.

'Híj verstuikte haar enkel,' zei Diana grimmig.

'Ze lag in het ziekenhuis. Adam moest haar ophalen.' Ze tuurde in haar glas. Iemand schraapte met een vork over een bord, wat een tinkelend geluid maakte. 'Arme Philippa.'

'Ze zeiden dat het niets met haar dood te maken heeft gehad, maar ik weet het niet,' zei Diana. Haar ogen keken ernstig onder de perfect recht geknipte pony in haar grijze haar. 'Je wordt omvergeduwd, bedreigd met een mes, in elkaar geslagen door een of andere klootzak en twee maanden later val je dood neer als gevolg van een hersenbloeding. Ik ben ervan overtuigd dat daar verband tussen was.'

'Ik ook,' zei Andrea. 'Voor wat het waard is. En ik kan niet geloven dat ze hem nooit te pakken hebben gekregen. Maar dat is het nou juist, je weet nooit wat je te wachten staat. Het ene moment is alles nog in orde, en het volgende... *bam*.' Ze sloeg met haar hand op de tafel.

Het geluid van de vork werd harder. Toen Tess opkeek zag ze mevrouw Mortmain met haar vork tegen haar glas tikken. Naast haar legde Jan bijna automatisch haar hand zacht tegen de trillende vingers van de oude vrouw. Leonora Mortmain keek haar verbijsterd aan en schudde toen haar hoofd.

'Sorry,' zei ze tot verbazing van Tess.

Maar Diana Sayers keek haar aan met een blik waar minachting uit sprak.

'Ik geloof gewoon niet dat zoiets in Langford gebeurt,' zei Leonora uiteindelijk, terwijl ze verongelijkt haar hoofd schudde.

'Ik ook niet,' zei Diana. 'Maar het is gebeurd. Maar goed, dat is... hoe lang geleden?'

'Dertien jaar,' zei Tess na een korte aarzeling. Vreemd, als ze aan Philippa dacht, die haar nog zo helder voor de geest stond, kon ze niet geloven dat het al zo lang geleden was. Ineens zag ze Adam voor zich, die de laatste paar dagen zo ver weg had geleken; niet de Adam die ze afgelopen zaterdagavond in het Claridge had achtergelaten zag ze, maar haar beste vriend, met zijn lichtbruine haar, zijn vriendelijke gezicht, die innemende lach, en de tijd waarin ze geen geheimen, geen zorgen hadden gehad. Die Adam – die leek haar nu vreselijk ver weg.

'Ik bedoel, misschien was er wel een reden voor,' zei Leonora langzaam en weloverwogen. 'Ik geloof dat Philippa... Smith? Gebruikte ze die naam? Ze had een paar onfrisse kennissen.'

'Wat betekent dat in vredesnaam?' vroeg Diana snel. 'Wat belachelijk om dat te zeggen. Ze is beroofd door een lelijke dief, ze was geen lid van de maffia!'

'Ssst,' zei Jan, toen de ober naderde.

Maar Diana was des duivels. 'Sorry, maar dat is zo beledigend voor Philippa,' zei ze. 'Ze heeft dat niet aan zichzelf te danken gehad. Dat weet u best, beter dan de meeste anderen.'

'O ja?' Leonora Mortmain kneep haar lippen op elkaar en trok haar wenkbrauwen een klein stukje op. 'Ik kende haar niet zo goed als jij.'

'Nee, inderdaad,' zei Diana scherp. Tess staarde haar aan, ze had haar nog nooit zo kwaad gezien. 'En u hebt haar zoon ook laten vallen toen hij in grote nood zat. Als ik u was, zou ik mijn oordeel over Philippa maar voor me houden.'

Er viel een ijzige stilte. Tess, verbijsterd van afschuw, schrok op toen iemand tegen haar elleboog stootte; het was Carolyn, die vroeg of ze om de rekening moesten vragen. Tess zei ja, en besefte dat Diana haar met een boze blik van onder haar pony zat aan te kijken. Tess keek terug met een verontschuldigende grimas toen er opnieuw een herinnering bovenkwam: toen Diana en de moeder van Tess na de begrafenis Philippa's cottage leeg wilden ruimen. Adam had tegen hen geschreeuwd, er waren verschrikkelijke ruzies over wat er moest blijven en wat er moest weggegooid en op het laatst, toen ze hem alleen achterlieten omdat hij hun hulp weigerde, was hij alleen in dat huis. Ze had die zomer doorgebracht tussen Philippa's eigendommen; ze vroeg zich af waar die nu waren – waarschijnlijk nog steeds ergens op de zolder, haar kleren aangevreten door de motten, de boeken verpulverend tot stof, terwijl zijzelf hun allemaal nog zo helder voor de geest stond.

Vreemd, dat ze aan dit soort dingen dacht nu ze ver van haar geboortestad was. Ze keek de tafel rond, naar de gezichten die haar zo vertrouwd waren geworden, ze keek nog eens alsof ze hen voor het eerst zag. Was Jan de drukke, bazige regeltante die ze leek, of had ze ook een gevoelige kant die Tess nog niet had gezien? Diana – ze leek altijd zo angstig, maar was ze dat werkelijk, of was ze ook hartelijk, droevig, iemand met een interessant verleden? Vrouwen van middelbare leeftijd hadden het extra moeilijk, begon Tess te beseffen. Mannen van middelbare leeftijd konden een bedrijf leiden, zwaarder worden, elkaar een vriendschappelijke klap op de schouder geven en doen waar ze zin in hebben, maar vrouwen van die leeftijd telden nauwelijks meer mee. Zij mochten geen hoop of dromen of geheimen hebben, niet sterk en vol zelfvertrouwen een imperium opbouwen. Er werd aangenomen dat ze ofwel druk en luidruchtig waren of saai en afkeurend...

'Tess?'

'Ja?' Ze schrok op uit haar overpeinzing.

'Hoe zeg je "mag ik een cola?"'

Toen ze klaar waren met eten en de koffie was besteld, ontstond er plotseling enige commotie. Een hond rende luid blaffend het restaurant in, gevolgd door zijn baasje, dat hem losgelaten had. Het was een bastaard, niet groot, maar groot genoeg om stoelen opzij te duwen en een leeg tafeltje omver te gooien terwijl hij in paniek door het restaurant denderde. De gasten keken beurtelings geschrokken en geamuseerd toen hij als een pijl uit een boog naar binnen stormde.

'Kijk!' riep Ron, toen de hond langs hem heen vloog.

'Hou hem tegen,' zei iemand zacht. 'Hou hem tegen, alsjeblieft.'

'Ach, het is maar een kleintje,' zei Diana opgewekt. 'Wat een leuk beestje. Ik vraag me af waar hij mee bezig is.'

'Hou hem toch tegen,' zei de stem weer. Tess keek om en zag dat het Leonora Mortmain was. Ze had ogen als schoteltjes en zag eruit alsof ze in tien seconden tien jaar ouder was geworden. 'Ik hou niet van honden,' zei ze terwijl ze onhandig opstond. Het was vreemd om haar zo van streek te zien. 'Toe, hou hem tegen.'

'Houdt u niet van honden?' vroeg Diana verbaasd.

'Ik haat ze.' Ze streek haar haar glad. 'Ik haat ze.' Er viel een stilte aan de tafel. Leonora Mortmain zuchtte even. 'Ik ga terug naar het hotel,' zei ze, toen ze eindelijk overeind stond. Ze tikte heftig met haar stok op de vloer en leunde erop, terwijl ze met trillende hand een paar haren uit haar gezicht streek. Achter haar waren de baas en zijn hond weer verenigd, met veel gejammer en veel gevloek, en intussen waren ze weer op straat, waar de man ongeduldig werd voortgetrokken door de hond aan de lijn. Tess kwam half overeind, maar Leonora schudde haar hoofd. 'Nee.

Meneer Thaxton, zou u zo vriendelijk willen zijn mij naar huis te brengen?'

Er viel een verbaasde stilte. Tess kon Ron wel zoenen toen hij beleefd overeind kwam en knikte. 'Natuurlijk,' zei hij, slechts een tikje onwillig. 'Met genoegen.' Andrea wierp hem een blik toe die er niet om loog, maar Ron bood Leonora een arm en samen verlieten ze het restaurant. Tess hoorde gelach op straat en zag de oranje gloed van de kaarsen op de tafeltjes buiten. Ze dacht er weer aan hoe vreemd het was dat Leonora hier was, bij hen, en niet bij een of ander chic reisgezelschap. Was ze ooit jong geweest? Had ze nooit verlangd naar een warme, naar jasmijn geurende avond, om met blote voeten op de keien langs de oude rivier te rennen naar het hart van de stad, of op een scooter te rijden, of wijn te drinken tot het ochtend werd?

Tess schudde haar hoofd. Natuurlijk niet. Ze zag buiten hun gestalten kleiner worden en beet nadenkend op haar nagel.

'Was er vroeger niet een boekwinkel op het Forum?' Jacquetta riep haar terug in het heden. 'Ik meen me die te herinneren uit de tijd dat ik bij een dierbare vriend van John logeerde, een *professore*...'

Diana Sayers trok haar wenkbrauwen torenhoog op. Andrea knikte haar toe. De twee jongere vrouwen glimlachten beleefd, en Carolyn Tey keek alsof ze een en al oor was.

'Alles goed, lieverd?' vroeg Jan Allingham ineens, zich naar Tess toe buigend. Jacquetta zweeg verbaasd.

'Met mij? Ja, prima,' zei Tess.

'Je ziet er een beetje moe uit,' zei Jan.

'Ja hè?' mengde Andrea zich in het gesprek. 'Je hebt een lange dag gehad, kind. Misschien moest je ook maar terug naar het hotel.'

'We hebben allemaal een lange dag gehad,' zei Tess lachend.

'Ja, maar wij zijn niet tegen een muur gegooid door een overvaller op een scooter,' zei Diana. 'Die schouder zal morgen verrekt veel pijn doen, weet je.'

Tess wilde niet zeggen dat hij dat al deed. Ze glimlachte, geroerd door hun zorg, maar ze wist dat ze hen niet in de steek kon laten. Je moet zelf ook genieten, had de Amerikaan gezegd.

'O, nou ja,' zei Jan. Ze klopte Tess op haar arm. 'We zijn zo thuis. Thuis! Ik bedoel in het hotel.' Ze lachte. 'Hoor mij, ik ben hier net en ik noem het al mijn thuis!'

Jacquetta zei: 'Ik beschouw Rome altijd als een plek waar je gelukkig kunt leven. Dat wilde ik net zeggen, over Johns vriend Alberto, een muziekprofessor...'

Tess wierp voor het laatst een verlangende blik naar buiten, waar het blauwe avondlicht langzaam overging in de nacht.

18

Ron zat in de kleine bar annex lobby van het Albergo Watkins op hen te wachten. Hij had een glas bier in zijn hand en zat met zijn benen gestrekt en een arm over de rugleuning van de houten bank tegen de muur. De receptioniste negeerde hem angstvallig.

De indruk die Ron wilde wekken – ervaren wereldreiziger die regelmatig in hotellobby's vertoeft – was niet echt overtuigend. Hij keek een beetje nors en toen ze binnenkwamen schoot hij met een soort grom overeind en zette toen voorzichtig zijn glas bier op het tafeltje.

'Die vrouw,' begon hij toen hij op hen af liep. Zijn grijze ogen stonden wijd open. 'Tess, laat me nooit meer naast haar aan tafel zitten. Anders wil ik mijn geld terug. Dat doe ik nooit meer. Ik vraag het je met klem.'

'Ron mag 's avonds niet zo zwaar tafelen,' fluisterde Jan hard tegen Andrea. 'Dat is slecht voor zijn humeur.'

'Ik heb niets te zeggen over wat hij 's avonds eet, Jan,' zei Andrea.

Tess keek Ron geschrokken aan. 'Eh...' zei ze. 'Oké, Ron. Het spijt me – ze vroeg het, en ik dacht dat je het wel goed zou vinden. O jee,' zei ze toen ze zag dat hij echt van streek was. 'Wat heeft ze gezegd?'

'Van alles,' zei Ron, terwijl hij tandenknarsend liep te ijsberen.

'O, wat dan?' vroeg Andrea, en uit haar scherpe trekken sprak sensatiezucht.

'Ze heeft me gezegd...' begon Ron stijfjes. 'Ze... Ach, dat mens. Ze heeft gezegd dat ik schriftelijk excuses aan haar moest vragen voor de dingen die ik had gezegd. Anders zouden er maatregelen volgen. Maatregelen!' Hij liet een schampere lach horen, die overging in een hoestbui. 'Zo koud als staal is ze; we liepen terug naar het hotel, niets aan de hand, ik probeer beleefd te zijn en dan zegt ze dat!'

'Schriftelijke excuses?' vroeg Andrea ongelovig. 'Na wat zij heeft gedaan?'

'Dat is nog niet alles,' zei Ron ijsberend. 'Dat is nog niet alles.'

Op dat moment kwam een Duits echtpaar de lobby binnen, waar hun de weg werd versperd door een rijtje mensen die verbijsterd naar Ron stonden te luisteren. Tess loodste Liz en Jacquetta vriendelijk naar de kant zodat het echtpaar door kon lopen. Ze keek met enige bewondering naar hun mondaine voorkomen: de vrouw met haar montuurloze bril en haar glanzende korte blonde haar, de man gebruind en atletisch, zij in fris linnen, hij in overhemd en gestreken broek. Ze waren zo anders dan het rommelige troepje dat bij haar in de lobby stond.

Ze drukte haar vingers tegen haar slaap om rustig te blijven. 'Wat nog meer?' vroeg ze.

'Ze zei...' Ron schraapte zijn keel. 'Mag ik even?'

Niemand wist precies wat hij hiermee bedoelde, dus niemand reageerde.

Ron sloot zijn ogen en hief zijn handen met de palm naar buiten, als een mysticus. 'Ik bedoel, kunnen jullie me even alleen laten met Tess, alsjeblieft? Ik moet haar iets vertellen.'

'O,' zei Andrea teleurgesteld, maar Diana Sayers gebaarde haar stil te zijn. Andrea keek Ron aan, knikte met een blik van stilzwijgend begrip, en zei snel: 'Oké, we zien je boven,' en loodste Liz, Claire, Jan, Jacquetta en Carolyn naar de trap.

'Wat is het, Ron?' vroeg Tess, en ze liep op hem toe. Er viel een stilte in de lobby en de vrouw achter de balie keek verveeld op, zette met een rukje haar Prada-bril recht en ging verder met haar kruiswoordpuzzel.

Ron krabde op zijn hoofd en zoog lucht naar binnen tussen zijn tanden. 'O, hemel,' zei hij. 'Ik weet gewoon niet hoe ik dit moet zeggen.'

'Wat zeggen?' vroeg Tess, onverklaarbaar ongerust door zijn gedrag. Hij zweeg. Vriendelijk zei ze: 'Ron, kom op, vertel het me.'

'Ze is knetter,' zei hij ten slotte.

'Wie?' vroeg Tess onnozel.

'Mortmain. Zij.' Hij kon nauwelijks haar naam uit zijn mond krijgen. 'Leonora Mortmain.'

'Hoe bedoel je?'

'Ik bedoel wat ik zeg. Maar er is nog iets. Ze... Er is iets mis met haar. Ik weet niet wat het is. Misschien kwam het door die hond.' Hij krabde weer op zijn hoofd. 'Die feeks,' zei hij in een nieuwe opwelling van woede. 'Sorry.' Hij sloeg zijn blik neer.

Tess voelde zich beklemd van angst, zonder te weten waarom, 'Ron,' zei ze, alsof ze het tegen een kind had. 'Vertel me wat ze heeft gezegd.'

'Het is moeilijk,' zei Ron openhartig, en nu keek hij haar recht aan. 'Ten eerste weet ze iets van mij.'

'Wat dan?' vroeg Tess.

'Ze weet iets.' Ron wreef radeloos over zijn gezicht. 'Ik heb iemand omgekocht, een kerel van de gemeente. Heel lang geleden, weet je, Tess... Ik wilde een bioscoop openen, een filmhuis.'

'Wat een leuk idee,' zei Tess bemoedigend. Rons gezicht drukte een en al wanhoop uit.

'Dat had het geweest kunnen zijn. Het zou geweldig zijn geweest voor de stad, ik wilde als kind al een bioscoop. Maar ik heb het verpest. Ik heb iemand van de planningscommissie smeergeld betaald, hij was zo corrupt als wat. Daarna werd hij gepakt voor een heleboel zaakjes, en toen kwamen ze er ook achter wat ik had gedaan.'

'O jee, Ron...' Tess klonk van streek. 'Wat...'

'Het was verrekte stom van me, en ik dacht dat niemand het wist.' Ron trok een grimas. 'Ik ben veroordeeld, gestraft, heb mijn boete betaald, dacht dat het allemaal achter de rug was. Maar zij is erachter gekomen. Hoe is dat mogelijk?'

'Ik weet het niet,' zei Tess. 'Ik zou het echt niet weten, Ron, maar je moet niet...'

'Bah,' zei Ron. 'Ik haat haar. Ze genoot ervan. Ze begon erover dat ik mijn verontschuldigingen aan haar moest aanbieden. Dat iedereen in de commissie die tegen die bouw is, haar zijn verontschuldigingen moest aanbieden. We hebben haar blijkbaar getergd.' Hij klonk bitter. 'Ze zei dat ze ervoor zou zorgen dat iedereen weet wat ik heb gedaan. Dat ik moet stoppen met actievoeren. Zij heeft de stad verpest, het kan haar niet eens schelen...' Hij keek op. 'Ben ik nu in je achting gedaald? Dat zal wel, nu je het weet. Wat zullen de mensen zeggen...'

Tess legde haar hand op zijn arm. 'Natuurlijk ben je niet in mijn achting gedaald.' Ze tikte op zijn glanzende nylon overhemd. 'Kom op. Je moet je niet door haar op je kop laten zitten. Ze zegt heus niets, en wie zou haar geloven? Wat heeft ze nog meer gezegd?'

'Dit is moeilijk om te herhalen,' zei hij simpelweg. Ze knikte hem bemoedigend toe. 'Oké,' zei hij ten slotte. 'Ze mag je niet. Als we terug zijn gaat ze een klacht over je indienen bij de school.'

Tess knikte onmerkbaar, al voelde ze zich misselijk. 'Juist,' zei ze. 'Nog iets in het bijzonder?'

'Dat bedoel ik. Ze zegt dat je een slechte invloed hebt.'

Tess lachte van schrik.

'Ze zei het allemaal heel terloops, weet je wel, toen we door de straatjes terugliepen. Ik zei, om niet langer over mijn problemen te hoeven praten: "Fijn hè, dat Tess ons Rome laat zien, ze was altijd een leuke meid, toen ze klein was al. Frank en Emily zullen wel trots op haar zijn."' Hij keek wat verlegen. 'Maar goed, daar ging het niet om. Dus we sloegen vanaf dat grote plein een zijstraat in, en ineens was het stikdonker. Ze blijft staan en kijkt naar me, maar vlak langs me heen, alsof ze iemand anders ziet, en ze zegt: "Ze heeft een slechte invloed." Zomaar.'

Tess schudde haar hoofd en gebaarde hem verder te gaan. Ze had het gevoel dat er een stuk brood in haar keel was blijven steken. Ron was nu op dreef. '"Een slechte invloed, en ze hadden gelijk, ik had niet moeten komen." Dus ik zeg: "Wie zijn 'ze'?" en haar stem is ineens heel schril als ze zegt: "Laat maar, ik ga ervoor zorgen dat ze nooit meer dit soort excursies doet." En dan zegt ze...' Ron schraapte zijn keel '... dan zegt ze: "Ik herinner me hem niet meer." Precies zo. Ze huilde. Althans, ze deed een poging. Ik werd er koud van, laat ik je dat vertellen.'

'Hem?' zei Tess scherp, zo hard dat de receptioniste weer opkeek van haar puzzel en een nieuwsgierig pruilmondje trok.

'Zo zei ze het,' zei Ron vergenoegd. 'Daarom denk ik dat ze gestoord is.' Hij huiverde even. 'Ik vroeg haar wat ze bedoelde, en ze schudde haar hoofd en zei: "Niemand weet het meer." En toen begon ze te lachen! Ze leek wel waanzinnig. Met een heel hoge stem, en ik wist dat ze me niet hoorde.' Hij zei bijna kalm: 'Het was alsof ze het tegen een ander had, iemand die er niet was.'

'Jemig,' zei Tess. Ze zette haar handen in haar zij. 'Nou...'

'Ze mag je niet,' besloot Ron bijna triomfantelijk. 'Ze mag je echt niet.'

Er was een heleboel waar ze niets van snapte en Tess was niet zeker genoeg van Rons getuigenis om toe te geven aan het onheilspellende gevoel dat in haar opkwam. Ze herinnerde zich Leonora op hun eerste avond hier. *Je lijkt een beetje op mij*. Nou, kennelijk dacht ze daar vandaag anders over. Ze vermande zich en zei op haar meest normale toon: 'Luister, Ron. Ik denk dat ze gewoon moe was. Maak je er niet druk om.'

Hij keek haar aan. 'Ze was niet moe.'

'Het is een oude dame, Ron...' Tess wilde haar het voordeel van de twijfel geven. 'En ze is niet bepaald gemakkelijk, laten we wel wezen. Het is zelfs niet makkelijk om sympathie voor haar te voelen. Maar ze is hier alleen, ze heeft geen vrienden en ze heeft een lange dag achter de rug. Ik denk dat de wijn haar parten heeft gespeeld.'

'Ze heeft maar één glas gehad.'

'Hoor eens...' zei Tess. Ze kneep in haar arm, ze was vergeten hoe pijnlijk die nog was.

'Gaat het goed met je schouder?' vroeg Ron.

'Ja hoor. Nog een beetje gevoelig.' Ze huiverde even. 'Het is voor ons allemaal een lange dag geweest, denk ik. Dus... wil je me een plezier doen? Zeg er niets over tegen de anderen. Ik bedoel zowel over het laatste gedeelte als over het eerste. Ik wil niet dat ze denken dat Leonora haar verstand kwijt is.'

Ron keek niet erg overtuigd. 'Natuurlijk niet,' zei hij somber. 'Maar volgens mij is het wel zo.'

Tess klopte op zijn arm op een naar ze hoopte gemoedelijke, samenzweerderige manier, en niet betuttelend. 'Misschien is dat zo,' zei ze met galgenhumor. 'Maar ze was altijd al een beetje raar. Laten we op onze woorden letten, oké?'

'Die ogen,' zei Ron, die er niet over op kon houden. 'Die ogen van haar, ze had zo'n griezelige blik.'

Tess was ineens volkomen uitgeput. 'Oké,' zei ze met het gevoel dat Leonora misschien wel gelijk had, dat ze een slechte excursieleidster was, maar als ze nu niet meteen naar bed ging zou ze zich ter plekke opkrullen op de marmeren vloer van de lobby en in slaap vallen. 'Ik zal die ogen in de gaten houden – en Ron, bedankt.'

Ron knikte even, als een soldaat. 'Graag gedaan.' Hij deed een stap naar achteren, boog even zijn hoofd als afscheidsgroet en liep de trap op, Tess alleen achterlatend.

Ze keek om zich heen en nam het grote, fraaie victoriaanse schilderij van het Colloseum in zich op dat aan de muur bij het trapportaal hing. Aan de voet van het enorme gebouw, misschien wel het meest herkenbare beeld van Rome, kuierden goedgeklede dames en heren rustig rond, terwijl in de lucht boven hen een donkere, dreigende wolk oprees die niets verried van de martelingen en slachtpartijen die daar hadden plaatsgevonden. Weer kwam het bij haar op hoe vreemd het was dat ze de hele dag in die oude ruïnes hadden doorgebracht, 'aah' en 'ooh' roepend, zonder echt stil te staan bij de werkelijkheid, de vijftigduizend mensen die daar hadden gestaan, de bloederige spelen die van zonsopgang tot zonsondergang duurden, waarop op één dag alleen al vijfduizend dieren gedood konden worden, en ook vele gladiatoren. Toen ze naar de figuurtjes rond het oude amfitheater staarde, moest ze ergens aan denken: door enorme aantallen neushoorns, nijlpaarden, tijgers en leeuwen bijeen te drijven, hadden de Romeinen de gevaarlijkste plekken van het keizerrijk verlost van bloeddorstige dieren die een bedreiging voor hen vormden. Ze schudde haar hoofd. Ook dit was beschaving, maar wel een vreemd soort beschaving.

'Sir Frederick Fortt,' las ze hardop de naam van de schilder die onder op het doek stond. De receptioniste keek weer op.

'Miezzz Tennant,' riep ze. Met haar zoete, zachte stem streelde ze de medeklinkers van Tess' naam. 'Tessss Tennant?'

'Ja,' zei Tess, en ze haalde vermoeid haar schouders op, in afwachting van wat haar nu weer voor vreselijke berichten wachtten.

'Deez zijn vorrr joe. *Che bellissimi fiori!*' Ze bukte en haalde een boeket rozen tevoorschijn. Zonder plichtplegingen reikte ze ze Tess aan.

Tess keek ernaar. De rozen waren heel lichtroze, geurig, en vastgebonden met een dun blauw lintje waar een envelopje aan was vastgemaakt. De geur was overweldigend. De receptioniste glimlachte samenzweerderig.

'U hebt hier bewonderaar in Roma!' zei ze.

'Dat betwijfel ik ten zeerste,' zei Tess, die aan het gesprek met Ron dacht. Maar ze lachte. '*Grazie, signorina.*'

'*Grazie, e buona notte.*'

De vermoeidheid was verdwenen toen ze de trap op liep. Met het witte kaartje in haar ene hand rommelde ze met de sleutels om snel de kamer in te komen en het envelopje open te maken.

Hopelijk heb je geen last meer van je schouder. Kom morgen na het eten wat drinken, dan laat ik je het echte Rome zien. Geen toeristen! Via del Mascherone, vlak bij het Piazza Farnese. Jij moet ook genieten van je verblijf hier.

Ciao,
Peter

19

Bijna exact vierentwintig uur later trippelde Tess in haar leren sandaaltjes rustig over de gladde zwarte keien. Haar hart sloeg bij elke stap terwijl ze het donkere Piazza Farnese overstak in de richting van een zijstraat van het plein. Haar verantwoordelijkheid zat erop, er was weer een dag voorbij. Ze hadden het Pantheon bezichtigd, het Ara Pacis, en nog een paar ruïnes. Ze hadden in de hitte door Rome gezworven tot hun voeten om genade smeekten, tot Tess genoeg had van haar eigen stem, van het gids spelen, van de concentratie die ze moest opbrengen en de verantwoordelijkheid die ze droeg. Ten slotte was ze nu alleen en zonder zorg, met de verkoelende lucht van een avond in Rome op haar blote huid.

Ze stond midden op het piazza en draaide langzaam rond terwijl ze met haar ogen dicht inademde, en toen ze weer uitblies was ze niet langer Tess, de verstandige lerares, die de hele dag mensen rondleidde, warm ingepakt met een sjaal en een trui tegen de kou in tochtige Engelse gebouwen, die opkeek naar een meisje als Francesca. Ze was een meisje in een zwart jersey jurkje met een koraalrode omslagdoek en een blos op haar wangen van een paar glazen wijn en een citroenlikeurtje, dat zich over een donker plein haastte naar... naar wat? Wat stond haar te wachten?

Ze ademde weer in en de inmiddels vertrouwde geur van jasmijn vulde haar neusgaten. Ze sloeg de Via del Mascherone in, waar de donkere massa van het Palazzo Farnese boven de smalle straat uittorende. Een stelletje stond hartstochtelijk te zoenen in een nis van het paleis; ze letten niet op haar toen ze zich langs hen haastte op het moment dat de man de vrouw dichter tegen zich aan trok. Toen ze bij Peters flat kwam – een stenen gebouw van drie verdiepingen, met een donkergroene voordeur die zichtbaar was in het licht van de straatlantaarn, en een blauwe scooter voor de deur – belde ze aan. Er klonk een rinkelend geluid in de verte, toen was het stil. Een scooter zoefde langs en ze draaide zich om, alsof ze zich opgelaten voelde dat ze hier stond. Het was weer een stelletje, hun donkere haren wapperden achter hen aan. De vrouw reed en de man hield haar vast met een hand rond haar middel en de andere achter op haar rug, in een vreemd bezitterig gebaar.

Tess belde nog een keer en liet haar nagels over het kaartje glijden dat Peter bij de bloemen had gestopt – het adres stond erop. Het maakte een schrapend geluid in de plotseling stille straat.

Nog steeds niets.

Misschien klopte het adres niet? Misschien bedoelde hij een andere dag... Misschien... En toen besefte ze hoe dwaas ze was geweest om de hele dag haar hoop te vestigen op zoiets als dit. Dit was niet het echte leven, het was een fantasie!

Nog één keer; Tess belde aan en voelde zich intussen een dwaas. Als dit het leven was dat ze wilde, zou hij nu vol verontschuldigingen komen opdagen: hij was aan de telefoon geweest, onder de douche, of wat dan ook.

Naast de lichtbundel van de lantaarnpaal was het akelig donker op straat, er was geen licht afkomstig van het paleis of de zwarte muur van de tuin erachter, en Tess vond het maar goed ook, want waarschijnlijk zou ze blozen als hij uiteindelijk kwam opdagen. Langzaam liep ze naar de rivier. Ze kon nu net zo goed teruggaan naar het hotel; ze zou niet iets gaan drinken met de anderen. Ze had zich al opgelaten genoeg gevoeld toen ze na het eten wegging; haar verantwoordelijkheid was voor die dag voorbij, maar toen ze van tafel opstond met haar servet in haar hand, had ze een halve waarheid verzonnen over een kennis in Rome die ze wilde opzoeken. Ze had geprobeerd de indruk te wekken dat het om een vriendin ging... Maar ze wist niet zeker of ze dat hadden geloofd.

Ze liep over de keien naar de Ponte Sisto met een bezwaard gemoed bij het idee dat ze de brug weer over moest steken naar het hotel. Het werd haar nu steeds duidelijker hoe stom ze bezig was geweest. Ze keek op haar horloge; het was kwart voor twaalf; misschien was het maar beter. De volgende dag gingen ze naar Pompeii. Het zou een lange dag worden. Ze moest haar reisgidsen klaarleggen – o, en sokken voor in haar wandelsandalen, waar ze blaren in kreeg. Nee, het kon haar niet schelen hoe stom dat zou staan – wie zou dat trouwens zien?

'Téss!'

Vermoeid begon Tess in haar hoofd een rijtje te maken van de dingen die ze nog moest doen voor de volgende ochtend, zodat ze eerst de stem niet hoorde die nogmaals riep: 'Tess! Hé, Tess!!'

Verbaasd keek ze om. Daar, vlak voor de brug, op dezelfde felblauwe scooter die ze zojuist voor zijn deur had zien staan, stond Peter. Hij zwaaide uitbundig en wenkte haar. Ze draaide zich om.

'Sorry,' zei hij toen ze dichterbij kwam. 'Ik kan met dit ding niet de brug op.' Hij hijgde. 'God, het spijt me heel erg. Een minuut later en ik had je niet meer gezien.'

'Ja,' zei ze. Ze lachte naar hem. 'Ik... Hallo!' Ze was vergeten hoe goed hij eruitzag, met zijn bijna zwarte haar glanzend in het maanlicht. 'Ik ben naar je flat gegaan – misschien had ik de verkeerde...'

Ze stond zich als een idioot te verontschuldigen, besefte ze.

'Nee, het is mijn schuld,' zei hij ernstig. 'Ik was op weg naar je hotel, om je een briefje te schrijven. Ik heb je mobiele nummer niet.' Ze schudde haar hoofd. 'Ik moest een artikel schrijven. Er was een receptie voor de koningin van Noorwegen, bij de ambassade.' Ze knipperde met haar ogen. 'Het is echt waar,' zei hij ernstig, maar wel met een glimlach. Hij streek met zijn handen door zijn haar en wreef ze toen. 'Maar goed. Wil je nog steeds mee?' Ze knikte. 'Ik had je beloofd om je Rome te laten zien, toch?'

'Ja,' zei Tess. 'Inderdaad.'

Hij tikte op het zadel en reikte haar een helm aan. 'Zet die maar op,' zei hij. 'We gaan een stukje rijden.'

Ze schudde haar hoofd en begon te lachen. 'Ik... ik ken je amper!' zei ze.

'Doe niet zo Brits.' Hij stak zijn hand uit en glimlachte. 'Ik ben Peter.' Ze gaven elkaar een hand. 'Jij bent Tess. Ik ben je gastheer, en spring nou maar achterop, dan gaan we plezier maken.'

De avond was nog jong – nou, eigenlijk niet, maar ze was per slot van rekening in Rome – de lucht was zoel en ineens was Tess Tennant het zat om overal bij na te denken, zich te bekommeren om iedereen behalve om zichzelf, zich te verbijten om een verbitterde oude vrouw, haar best te doen om de vrede te bewaren, te proberen niet aan Adam te denken, aan thuis, aan alles. Hier was de brug. Ze kon ervoor kiezen hem over te steken naar de andere kant, of ze kon hier blijven en proberen degene te zijn die ze wilde zijn. Ze keek in zijn vriendelijke zwarte ogen en glimlachte.

'Oké.' Ze pakte de helm van hem aan. 'Wat doe ik hiermee?' vroeg ze, en ze hield hem een beetje onhandig vast. Hij keek stomverbaasd. 'Ik bedoel, zit er een riempje aan of...'

'Zet hem maar op,' zei Peter. Hij plantte de helm op haar hoofd. 'Je moet niet zoveel nadenken. Zet hem gewoon op, en dan...' hij zwaaide een been over de Vespa '... dan gaan we.'

Je moet niet zoveel nadenken, vermaande Tess zichzelf. Hij had gelijk. Toen hij de motor startte en wegreed, sloeg ze haar armen stevig om zijn middel: was hier geen andere manier voor, een gemakkelijkere manier? Er moest toch... Maar nee. Je hield je gewoon uit alle macht aan deze volstrekt onbekende man vast terwijl alles om je heen in een waas voorbijschoot en je de straten door zoefde in een ijzingwekkend tempo, en daarna, als je opwelling om het uit te schreeuwen was weggeëbd, keek je omhoog en begon het waas vorm te krijgen. Nu zoefden ze over een lange rechte weg, met smalle trottoirs met hier en daar een terrasje, cafés met laurierstruiken als afscheiding van de straat... Winkels met een fraaie oude zwarte pui en gouden letters, barokke kerken van wit marmer tussen de okerkleurige gebouwen geperst, alles flitste voorbij en toen ze om zich heen keek naar de gebouwen tegen de inktzwarte hemel, vroeg ze zich af hoe ze daar terechtkwam, totdat ze een zijstraat in reden en Peter geleidelijk tot stilstand kwam.

'We zijn er,' zei hij, terwijl hij haar hielp afstappen. 'Alles goed?'

Tess schudde haar haar los en keek om zich heen. 'Prima,' zei ze lachend. 'Het was voor mij de eerste keer.'

'Ik ben blij dat ik de gelukkige was,' zei hij half spottend. 'Kom, we gaan wat drinken.'

'Waar zijn we?'

'Vlak bij de Spaanse Trappen. Maar we gaan eerst naar een café hier in de buurt, is dat goed?'

Ze wist niet waar ze waren en voor het eerst in dagen hoefde zij niets te beslissen. 'Dat klinkt helemaal fantastisch.'

Ze liepen door een doolhof van smalle straatjes. Vlak bij de hoofdstraat door Via Condotti, waar designerboetieks waren met luiken voor de ramen, levenloze poppen in de etalages, in minimalistisch zwart, blauw en grijs, en dure handtassen die uitgestald lagen op glazen sokkels als heilige iconen die overdag aanbeden konden worden. Ze liepen verder en er viel een ongemakkelijke stilte. Het was rustig, geen auto's, weinig mensen, en Tess vroeg zich af of ze geen vergissing had begaan door de vrijbuiter uit te hangen, of ze niet beter in het hotel in bed had kunnen liggen met het boek van Barbara Pym waar ze net in begonnen was.

Maar toen zei Peter: 'We zijn er. Wat wil je drinken?' en Tess zag dat ze voor een cafeetje stonden met een paar tafeltjes buiten, en toen ze naar binnen tuurde zag ze een heel lange, oranje verlichte ruimte waarvan de muren stampvol zwart-witfoto's hingen. Boven de deur stond ENOTECA DI GIORGIA. Er zaten buiten een paar mensen te roken, binnen was het iets drukker.

'Zullen we naar binnen gaan?'

'O, nee,' zei Tess, die uit een land kwam waar buiten zitten met een hapje en een drankje als een luxe werd beschouwd, en niet als een recht. 'Laten we buiten blijven. Het is zo'n heerlijke avond.' Ze keek naar het straatbordje. 'Via Bor... Via Borgononola,' zei ze, struikelend over de lettergrepen.

'Via Borgognona,' zei Peter. 'Een van mijn favoriete straten.'

'Wat is daar verderop?' zei ze, want in de verte was rumoer en licht en mensen op straat.

'Het Piazza di Spagna, bij de Spaanse Trappen,' zei Peter. 'Toeristisch. Had ik je niet beloofd je daar mee naartoe te nemen? Hier is het iets meer... Rome.' Hij haalde zijn handen uit zijn zak. 'Wat wil je drinken? Dan ga ik het halen.'

Tess dacht even na. 'Kan ik... Is het goed als ik een glas...' Ze zweeg even. 'Nee. Eh...'

'Zeg, ik haal alles, zolang het maar geen heroïne is. Kom op, zo erg kan het niet zijn.'

Tess knikte. 'Eigenlijk wil ik graag iets mousserends. Prosecco.'

'Geen probleem.' Hij verdween, dook even later weer op en ging naast haar zitten. Tess luisterde ingespannen naar de twee mannen aan het tafeltje naast hen, twee oude maar tamelijk gedistingeerde zakenlieden, in prachtig kostuum, die constant rookten en rap met elkaar zaten te smoezen. Ze keken wantrouwig op naar Tess, de een taxeerde haar op een koele, arrogante manier. De ander tikte de as van zijn sigaret in een asbak van bladmetaal, en sloeg de rest van de stroperige vloeistof in zijn glas achterover.

'Alles goed?' vroeg Peter, en hij schoof een kartonnen onderzettertje naar haar toe.

Tess lachte. 'Ik dacht er net aan dat Italianen anders zijn dan ze lijken. Thuis denken we dat Italianen gemoedelijk zijn, met een schort voor, en veel drukke gebaren. Weet je wel? Het is zo'n cliché geworden. Dat jullie allemaal niets anders doen dan pasta maken en opera zingen. Helemaal niet zoals...' ze trok haar wenkbrauwen op '... die.'

De twee heren stonden op en wierpen wat geld op het tafeltje. '*Buona sera*,' zei de eerste onbewogen tegen Tess, en ze liepen weg.

'Mijn schoonvader,' zei Peter, 'was raadslid in Napels.' Tess trok haar wenkbrauwen weer op. 'Ik weet het,' zei hij glimlachend. 'Dat is niet niks. En zelfs in die krankzinnige stad, toen de vuilnismannen staakten en niemand wist wat er gaande was, en het verkeer steeds erger werd en het toerisme bijna helemaal was uitgestorven, kwam hij elke dag thuis bij Chiara's moeder om te lunchen – pasta, vlees, koffie – en voor een siësta. Elke dag. En weet je wat?' Hij glimlachte. 'Hij was een van de gezondste mannen die ik ooit heb ontmoet. Hij wist waar zijn prioriteiten lagen.'

'Chiara... was dat je ex?'

Peter knikte. 'We zijn nog niet echt gescheiden.'

'O.' Tess wist niet hoe ze nu moest kijken. 'Oké,' zei ze monter. Hij glimlachte.

'Het gaat wel gauw gebeuren, de nietigverklaring van de Kerk. Het loont om een oom te hebben die priester is in dezelfde stad.' Zijn glimlach was verwrongen en hij sloeg zijn blik neer.

'Rot voor je,' zei Tess, die niets anders wist te zeggen.

'Geeft niet,' zei Peter. 'En, hoe zit het met jou? Wie is degene over wie jij in de piepzak zit?'

'Niemand,' zei Tess geschrokken. 'Hoe wist je dat?'

'Ik wist het niet, maar nu wel, want je geeft het net toe,' zei Peter. 'Ik stelde gewoon een beleefde vraag. En, wie is hij? Of zij? Zonder te oordelen.'

'Een hij,' zei Tess. 'Hij is... Ach, ik weet het niet. Hij is...' De drankjes werden gebracht en ze greep dankbaar haar glas. 'Proost. Dank je. Op jou.'

'Op jou, en op je vakantie in Rome,' zei Peter bijna formeel. Ze dronken en Tess voelde de belletjes heerlijk in haar keel prikkelen.

'Het is hier heerlijk,' zei ze impulsief.

Hij lachte. 'Zonder je dametjes? Ja, die mysterieuze vakantie, en ik weet nog steeds niet waarom je hier bent. Wie was hij?'

'Hij was...' Tess lachte, maar toen zweeg ze even. 'Ik weet eigenlijk niet precies wíé hij was, als ik eerlijk ben.'

'Wat betekent dat? Was je met het Spook van de Opera?'

Tess nam nog een slokje. Ze sloot even haar ogen en luisterde naar het geroezemoes aan de bar binnen, het fraaie Italiaans.

'Hij heette... Will,' zei Tess. Ze schudde haar hoofd. 'Goh, een jaar geleden dacht ik dat alles in orde was tussen ons, we hadden geen echt perfecte relatie, maar ja... wie wel? Ik dacht dat we altijd bij elkaar zouden blijven, we waren al twee jaar samen. En toen...' Ze kneep haar ogen half dicht en probeerde zich voor de geest te halen hoe het was geweest met Will. Maar ze kon het niet. Het was alsof ze een ander iemand was geweest, haar Londense versie, die geen rubberlaarzen had en die altijd haar haar föhnde. En die zich vanbinnen de hele tijd een beetje verdoofd voelde.

'En toen...?'

'Toen ging ik weer naar huis... en... en mijn beste vriend van vroeger... Adam.' Ze keek Peter recht aan, toen schudde ze haar hoofd. 'Dit is gekkenwerk. Je wilt het allemaal niet weten.'

'Nou, dus wel,' zei hij. 'Ik hoor graag over het leven van anderen. Het is mijn werk. En het betekent dat ik even niet over mijn eigen nare leventje hoef te denken. Ga door.' Hij zwaaide met zijn glas, als een dirigent, en vervolgens zwaaide hij ermee naar de ober die in de deuropening naar hen stond te kijken. '*Un'altra bottiglia, per piacere.*'

Tess zette haar glas op het tafeltje. 'Het probleem is dat ik er niet over wil praten.'

'Vertel me dan alleen de grote lijnen.' Hij klonk vriendelijk. 'Het is per slot van rekening makkelijker om het aan een vreemde te vertellen.' Hij keek op zijn horloge. 'En het is best al laat. Mijn favoriete uur. Vertel op.'

Ze lachte weer. En toen vertelde ze hem op zachte toon over Langford, over de nieuwe baan, de vakantie, over iedereen die mee was. Hij kon goed luisteren – maar hij was journalist, hield ze zich naderhand voor, hij werd ervoor betaald om te luisteren.

Toch mocht ze hem. De manier waarop hij lachte toen ze hem over de dames, de oudjes en de jonkies, vertelde, en over Langford, beviel haar. De manier waarop hij op zijn lip kauwde toen ze hem vertelde over Leonora Mortmain en hoe verontrustend ze haar vond. De glimlach op zijn gezicht toen ze hem vertelde hoe fijn ze het vond om les te geven, hier te zijn en alles te zien. Zijn afgekloven nagels, en de manier waarop hij met zijn vingers zachtjes op de gammele metalen tafel roffelde terwijl ze praatte. Zijn nieuwsgierigheid naar haar, naar de reden waarom ze hier was, naar hoe ze was, wat ze leuk vond. Het was op de meest basale manier prettig om bij iemand te zijn die alles van je wilde weten: wie je was, wat je deed, en die belangstelling had voor wat je zei. Dat was op zichzelf genoeg om haar een beetje droevig te stemmen.

Maar dat schudde ze van zich af en ze vervielen tot een aangenaam stilzwijgen terwijl ze zonder iets te zien in haar glas tuurde. Ze was in Rome, in een café met een mysterieuze onbekende man. Ze had het gevoel dat ze weer tot leven kwam na een heel lange slaap. Tess huiverde even.

'Heb je het koud?' vroeg Peter.

'Nee,' zei Tess. 'Ik moest alleen ergens aan denken.' Ze keek hem aan. 'Mag ik je iets vragen?'

Hij knikte.

'Heb je je vrouw nog gezien sinds ze is weggegaan?'

Hij keek even verbaasd op, maar schudde toen zijn hoofd. 'Nee. Nou ja, één keer, maar dat wist zij niet.'

'Wanneer?'

'Vorige maand was ik in Napels,' zei hij. 'Ik moest een artikel schrijven over Berlusconi, die daar voor het eerst kwam met de belofte iets aan het afvalprobleem te zullen doen. Maar ik ging naar het huis van haar ouders om haar te zoeken.' Hij ademde uit door zijn neus. 'Omdat... tja. Ze reageerde niet op mijn telefoontjes, mijn e-mails, sms'jes, niets.'

'Wist je niet waar ze was?' vroeg Tess geschrokken.

'Jawel, dat wist ik wel. Ik wist dat ze was teruggegaan naar Leon – dat is die vent met wie ze was toen we elkaar twee jaar geleden leerden kennen.'

'Waar was dat?'

'Tijdens een vergadering van de VN. Ze is tolk.' Hij hief zijn gezicht naar de hemel en bewoog zijn hoofd van de ene kant naar de andere, zodat zijn nek kraakte. 'Ze woonde bij hem, maar wij werden verliefd – en toen, een jaar daarna, gingen we trouwen.'

'Wauw,' zei Tess. 'Wat snel.'

'Te snel, kennelijk,' zei Peter grimmig.

'O,' zei Tess. 'Maar jullie waren verliefd. Dan kun je dat niet weten.'

Hij lachte. 'Jij bent wel een optimist, hè? Ik denk dat ik het wel had moeten weten. Iemand die al een vriend heeft en hem vrolijk bedriegt met een ander is iemand die je niet voor honderd procent moet vertrouwen.'

'En hij heet Leon?'

'Ja. Hij is een Bosniër.'

'Juist.'

'En een klootzak.'

'Daar lijkt het wel op.'

Peter begon steeds zachter te praten. 'Dus ik ging naar het huis van haar moeder. Ik wilde gewoon even met haar praten, snap je?' Hij schudde zijn hoofd. 'Dat ze me zou behandelen als een mens, niet als een hond of iets wat je de straat op schopt, als een leeg blikje cola. Maar toen ik daar op straat stond, vlak bij het conservatorium, en daar iemand aan de overkant viool hoorde spelen, keek ik op en – daar stond ze. Voor het raam, met Leon.'

'Wat... wat deed ze?' zei Tess angstig.

Langzaam zei hij: 'Ze lachte.'

'O,' zei Tess.

'Ze had haar armen rond zijn middel geslagen en ze lachte om iets wat hij zei. En op dat moment wist ik dat het echt voorbij was.'

'Toen wist je het?'

'Ja,' zei hij. 'Je weet wel... Je kunt jezelf een heleboel wijsmaken als je in de penarie zit. Het zal wel weer goed komen, wat zij hebben stelt niets voor, relaties zijn ingewikkeld. Maar als je de vrouw van wie je houdt met een ander ziet... en de manier waarop zij naar hem kijkt, zoals ze nog nooit naar jou heeft gekeken... tja.' Hij dronk zijn glas leeg. 'Niemand kan je dat vertellen. Dat moet je met je eigen ogen zien.' Hij zette zijn glas neer. 'Hoeveel pijn het ook doet.'

In een impuls streelde Tess even zijn hand. Zijn ogen gingen open en ze leunde snel weer achterover in haar stoel. 'Ik vind het heel rot voor je,' zei ze, oprecht bedroefd. 'Ik weet geloof ik wel wat je bedoelt.' Ze dacht aan Adams handen op haar lichaam, aan Francesca's verleidelijke stem in de donkere hotelkamer, de manier waarop hij Tess losliet toen hij die hoorde. Wat een pijn had dat gedaan, maar dat was niets vergeleken met wat Peter moest hebben doorstaan, maakte ze zichzelf wijs.

Hij keek haar weer aan met die donkere ogen en voordat ze het wist gooide ze eruit: 'Ze is gek, die vrouw van je. Dat ze bij je is weggegaan, bedoel ik.'

Peter grinnikte. 'Hoezo?'

Misschien kwam het door de jasmijn, of door de prosecco, of door Italië in het algemeen, dat Tess zei: 'Dat is gewoon zo. Ik ken je pas twee dagen, maar geloof mij.'

Hij draaide zich snel naar haar toe. Hij pakte haar arm en keek haar aan, schudde zijn hoofd en nam haar onderzoekend op, met een gezicht dat slechts verlicht werd door het zachte schijnsel uit het café.

'Tess,' zei hij. 'Wauw...' Hij staarde haar nieuwsgierig aan, en zij hem. Intussen wenste ze dat ze haar mond had gehouden, omdat ze nu niet wist wat ze tegen hem moest zeggen. Maar ineens was de spanning verdwenen; hij lachte. 'Je bent hilarisch.' Hij legde zijn hand over de hare. 'Dank je. Nou ja, voor jou geldt hetzelfde.' Hij tikte op haar arm. 'Echt waar.'

'Bedankt,' zei ze zachtjes.

Ze staarden elkaar even aan en de donkere straat leek niet meer te bestaan, alsof zij de enige mensen in de buurt waren. 'Oké,' zei Peter toen. 'Wat dacht je ervan als ik je nog wat van Rome laat zien en je dan naar je hotel breng?'

'Prima,' zei Tess.

'Waar gaat de reis morgen naartoe?'

'Pompeii,' zei ze.

Hij zette grote ogen op. 'Echt? Jullie halen alles eruit wat erin zit. Dan kunnen we maar beter gaan.' Hij haalde een paar euro uit zijn broekzak, legde ze op het tafeltje en schudde zijn hoofd toen zij haar tas pakte. 'Dit rondje was voor mij. Kom mee.'

20

Ze liepen de weg op naar het Piazza di Spagna en toen ze op het plein kwamen – eigenlijk meer een lange, asymmetrische rechthoek – slaakte Tess een kreet. De Spaanse Trappen, enorm groot, breed, hoger dan de gebouwen eromheen, en volop in de schijnwerpers, voerden naar een grote kerk. Hoewel het al na enen was, waren er nog steeds mensen die op bankjes zaten te kletsen.

'Het is heel erg toeristisch,' zei Peter. 'Je zou het overdag moeten zien. Afschuwelijk.'

Tess tuurde naar de trappen en de grote barokke kerk bovenaan, naar de toeristen en de plaatselijke bewoners die daar rustig kletsten en wandelden tussen de palmbomen midden op het piazza, naar de combinatie van warmte en gezelligheid. 'Ik vind het wel leuk,' zei ze. 'Altijd al.'

'Dat zal best,' zei Peter. 'Je bent niet elitair genoeg voor een lerares in de klassieke talen. Ik zal je een rondleiding geven, al zul je alles wel al kennen.'

'Ik ben er al tien jaar niet geweest,' zei Tess. 'En alles wat ik van Rome weet, is van voor de jaartelling. De rest ken ik niet.'

'Oké!' zei hij lachend. 'Het heet dus het Spaanse Plein omdat de Spaanse ambassade daar is...' hij legde een hand op haar schouder en wees '... en Keats is gestorven in dat huis daar...' Hij draaide haar een stukje om en gebaarde naar het roze huis naast de trap. 'En hier verbleven in de negentiende eeuw de rijke toeristen, voordat het gebied werd ingepikt door dikke mensen in toeristenbussen die naar McDonald's wilden. Daar.' Hij wees naar de verste hoek van het piazza. 'Voornamelijk Amerikanen, moet ik toegeven. Soms haat ik mijn volk.'

'Ze hebben in elk geval de moeite genomen om hierheen te komen,' zei Tess, en ze tuurde omhoog naar de kerk. 'Beter dan thuisblijven zonder belangstelling voor de wereld om je heen.' Peter pakte haar schouder steviger vast.

'Weet ik, maar waarom zou je een week lang als schapen achter een halfgare vrouw met een paraplu aan lopen? Wat heeft het voor zin als je niets met je eigen ogen ziet, omdat je te druk bezig bent om door je camera te kijken, zodat je iets mee kunt nemen om thuis te laten zien?' Ze moest lachen, vooral met enige verbazing om de boosheid in zijn stem, maar toen ze zich omdraaide zag ze dat hij het meende.

'Sorry,' zei Peter. 'Ik geloof dat je, als je in een ander land woont, alleen nog maar het slechtste kunt zien van het land dat je hebt achtergelaten. En je identificeert je met de plaats waar je woont, niet met die waar je vandaan komt. Klinkt stom.'

'Nee,' zei Tess. 'Helemaal niet. Maar mis je het niet?'

Hij keek op. 'Wat, het leven in de States? Soms. Ik mis mijn vrienden. Ik mis een paar dingen die erbij horen.'

'Zoals?'

'Nou... ik weet niet. Laatst nog...' Hij krabde in zijn nek. 'Ik ben hier twee jaar, en het bevalt me goed. Maar mijn redacteur belde gisteren dat hij daar een baan voor me heeft.'

'Wauw,' zei Tess. 'Waar?'

'In San Francisco,' zei Peter. Hij knikte. 'Ja. Daar heb ik ook altijd naartoe gewild. Correspondent aan de *West Coast*. Gaaf. Ik doe een telefonische sollicitatie.'

Tess voelde zich een beetje verraden, al wist ze niet waarom. Dit was niet haar idee van een *Roman Holiday*-achtige fantasie: een prachtige Amerikaan die meteen weer in een vliegtuig naar huis springt. 'Vind je het hier niet fijn meer?'

'Ik vind het hier heerlijk,' zei hij met een glimlach. 'Waarschijnlijk blijf ik uiteindelijk wel, omdat die baan te hoog gegrepen is. En ik heb het gevoel dat ik in Rome moet blijven. Maar we zullen wel zien.'

Ze keerden om en liepen weg van het groepje mensen dat naar de trappen liep. 'Oké,' zei Peter. 'Als we de echte toeristische route gaan doen, moeten we de grote pakken. De Mount Everest. Het meest opzichtige geval dat ooit in een stad als deze is gebouwd – het zou geschikt zijn voor een optreden van Elton

John, niet voor een zijstraat van Rome. Kom, we stappen op de scooter.'

Het was maar een kort ritje door de zijstraatjes van het Centro Storico. Het verbaasde Tess dat er nog zoveel mensen buiten waren ondanks het late uur; voornamelijk Italianen, gearmde stelletjes, elegante vrouwen in het bruin, grijs en zwart, mannen met een trui losjes om hun schouders, groepjes jongens, jonge vrouwen die geanimeerd praatten terwijl hun hakken op de stoep tikten, allemaal buiten voor een late *passeggiata*. Ze stopten in een donkere steeg en Peter zette de scooter op de standaard en deed hem op slot. Tess stond naast hem en rilde even in de plotselinge kilte van de nacht. Ze wilde op haar horloge kijken, maar bedacht zich. Ze wilde niet weten hoe laat het was, het kon haar niet schelen. Het was laat. Te laat. Ze had allang in bed moeten liggen. Morgen was... Ach, dat zou ze morgen dan wel zien. Ze zou zich toch wel vreselijk voelen. Maar ze moest niet vergeten...

Ze voelde een hand licht op haar schouder en keek verbaasd om.

'We zijn er,' zei Peter. Hij pakte haar hand en samen liepen ze een klein zijstraatje in naar een fel wit licht, waar het geluid van ruisend water steeds harder werd naarmate ze dichterbij kwamen. 'Loop maar door,' zei hij. 'We moeten eromheen lopen, zodat je de voorkant kunt zien.' Hij legde zijn hand op haar ogen en leidde haar langzaam voort. 'Hier de trap op. Let maar niet op het stalletje waar ze schattige gipsen modellen verkopen van de paus en het Colosseum. Hier, o, sorry...'

Tess slaakte een kreet toen ze haar teen stootte tegen een marmeren paaltje.

'Oké. Het is zover. Ziedaar,' zei hij terwijl hij zijn hand van haar ogen haalde. 'De Trevifontein. Waar Vegas Rome ontmoet.'

Voor ze het wist liet Tess een kreet horen. Ze was al meerdere keren in Rome geweest, voor het eerst als tiener tijdens een schoolreisje, en behalve die keer moest ze vaker de Trevifontein hebben gezien. Maar ze kon zich niet herinneren dat ze hem in het echt had gezien, ze zag alleen een beeld voor zich waarvan ze niet wist of dat uit haar eigen herinnering was of gebaseerd op *La Dolce Vita*. Tot dit moment.

'Het is een giller,' zei Peter.

'Het is prachtig,' vond ze.

Hij keek haar verbaasd aan. 'Vind je echt? Ik vind het afschuwelijk.'

Enorme, verschrikt kijkende paarden en atletische maar nogal sloom uitziende goden stonden daarboven, terwijl het felverlichte helderblauwe water tegen het enorme witte marmeren bouwwerk sloeg dat was uitgehouwen in de vorm van rotsen, met bijbehorende begroeiing. Tess lachte verrukt. 'Hoe kun je dat zeggen. Het is schitterend. Kijk...' Ze greep zijn hand. 'Kijk eens naar die meeuw, die kijkt echt verward, naast die marmeren plant. Hij weet niet of hij echt is of niet.'

Peter gaf glimlachend een kneepje in haar hand en bleef hem vasthouden. 'Misschien heb je gelijk. Maar overdag is het behoorlijk erg.'

'Maar we zijn hier nu 's nachts,' zei Tess terwijl ze zich met een vrolijke lach naar hem toe draaide. 'En het is prachtig.'

Er viel een stilte; een aangename stilte, en Tess bedacht weer hoe makkelijk het was om met hem om te gaan, ook al kende ze hem nog maar zo kort. Hij hield haar hand vast terwijl ze naast de fontein naar een paar tieners keken die aan de rand ervan liepen te dollen, naar een stelletje ernstig in gesprek, en een oude man die met grote stappen en een afgewende blik langsliep, alsof al die opzichtigheid pijn deed aan zijn ogen. Een van de tieners schreeuwde boos terwijl een ander hem iets afpakte en lachend wegliep. Tess wendde zich nieuwsgierig naar Peter.

'Je hebt me nog niets gevraagd,' zei ze ineens. 'Ik dacht dat je me vragen wilde stellen over die beroving.'

'Dat klopt,' zei hij. 'O... ja, dat klopt helemaal.' Hij leek een beetje beduusd, zodat ze wenste dat ze niets had gezegd. 'Dat moeten we wel doen.' Hij liet haar hand los en streek met zijn hand door zijn haar. Het moment was voorbij, besefte ze, en ze vervloekte zichzelf. Ze had het verpest. 'En... wat ga je morgenavond doen?'

'Ik bedoelde niet...'

'Nee, nee!' zei Peter. 'Wat zijn je plannen, misschien kunnen we het daar even over hebben, of misschien...'

'Nou, we komen aan het eind van de middag terug uit Pompeii, denk ik, en morgenavond mag iedereen zijn eigen plan trekken. Ik wilde niet dat ze zich zorgen hoeven maken over omkleden voor het avondeten, dus we doen gewoon iets rustigs.' Ze zweeg even. 'Ik ben dus min of meer vrij.'

'Juist.' Hij zocht in zijn zakken en keek niet op. Tess slikte en legde haar hand op zijn arm.

'En vrijdag is ook een vrije dag. Helemaal. Dan kan ik de hele dag doen wat ik wil.'

'Een vrije dag,' zei Peter. 'Dat is interessant. Dus... het is een vrije dag.'

'Ja.'

'Je bedoelt...'

'We kunnen doen wat we maar willen.' Haar blik ontmoette de zijne.

'Ja?'

'Niet per se jij en ik samen,' zei ze, hem tegen zijn borst tikkend. 'Maar...'

Hij pakte haar hand. 'Ik meen het serieus,' zei Peter.

Ze keek hem nieuwsgierig aan. 'Wat bedoel je?'

'Dit,' zei hij, en hij boog zich naar voren en kuste haar.

Meestal is er iets wat erop wijst dat de held en heldin elkaar gaan kussen, dacht Tess. Maar hier was dat er niet geweest – nou ja, hij was een man, en zij een vrouw, ze waren in Rome, het was een zwoele zomeravond... maar verder... Ach. Het was echt te lang geleden, ze herkende dit soort signalen niet meer.

Ze deed even haar ogen dicht, en Peter legde zijn hand in haar nek en trok haar naar zich toe. Het was laat en stil, het enige geluid was afkomstig van het water van de fontein, en de enige beweging van het water dat tegen de verlichte witte marmeren rotsen klotste. Zijn kin schraapte langs de hare, ze voelde dat zijn tong zachtjes in haar mond gleed. Hij drukte zijn lippen op de hare en trok haar naar zich toe, krachtig, met zijn handen op haar heupen.

'Het zou niet hier moeten gebeuren,' zei hij na een tijdje, terwijl hij haar losliet en diep ademhaalde. Zijn vingers streken langs haar schouder en schoven het bandje van haar jurk opzij zodat hij haar blote huid kon kussen. 'Dit is niet de plek waar het zou moeten gebeuren.'

Ze glimlachte. 'Ik vind het niet erg. Ik vind het fijn.'

'Wat ben je toch een toeristisch tiepje.' Hij kuste nu haar sleutelbeen en ging omhoog naar haar hals, waarbij zijn lippen kietelden en zijn stoppels schuurden. Met een zucht pakte ze hem vast. 'Dus dan zie ik je morgenavond?' mompelde hij terwijl hij haar met zijn vingertoppen streelde.

'Ja,' zei ze gelukzalig. 'Morgen.'

'Je gaat nu niet meteen weg, hè?'

Ze keek op haar horloge. Het was even na tweeën. Ze keek weer naar zijn donkere ogen, die flonkerden in het licht van de fontein, naar zijn schelmse lachje dat al zo bekend voelde en dat nog zo veelbelovend, zo opwindend was.

'Nee,' zei ze, 'nú nog niet.'

'Hoe lang heb ik nog?' vroeg hij, en hij ging met zijn handen door haar haar naar haar nek.

'O... nog ongeveer vijf minuten. Maximaal,' zei ze lachend. Ze beantwoordde zijn kus, trok zijn hoofd naar zich toe en sloeg haar armen om hem heen, en voor het eerst sinds ze in Rome was voelde Tess Tennant zich niet meer een oude schoolfrik, maar een jonge vrouw.

21

Een uitstapje naar de ruïnes van Pompeii, het vakantieoord voor rijke bewoners van Rome dat door de uitbarsting van de Vesuvius in 79 voor Chr. werd bedolven en prachtig geconserveerd in vulkanische as, zodat generaties toeristen er kunnen rondlopen in brede, spookachtig lege straten waar ze vijf euro moeten betalen voor een klein flesje water, is niet in één dag te doen. Het is misschien mogelijk, als je een gehard type bent dat het niet erg vindt om om zes uur op te staan om een groepje strijdlustige volwassenen te begeleiden naar het station en om zeven uur de trein te nemen naar Napels, maar anders is het gewoon veel te zwaar. En inderdaad, de aankomst in Napels, de waanzinnigste stad van Europa, is een beetje heftig, maar je moet gewoon met de stroom meegaan, want er gebeuren rare dingen, ook al ben je er pas twintig minuten. Zoals Tess ontdekte.

Het was vooral pech dat het groepje zakkenrollende kinderen Carolyn Tey uitkoos om euro's uit haar heuptas te roven, en nog grotere pech dat een taxichauffeur, die razend werd toen ze zeiden dat ze geen taxi wilden en dat ze alleen maar op zoek waren naar station Circumvesuviana, waar de trein naar Pompeii vertrok, juist in Carolyns achterste moest knijpen en haar van die wulpse blikken toewierp. Zoals Diana zei, toen ze eindelijk in de juiste trein zaten en Carolyn op twee stoelen hysterisch lag te snikken: 'Ik zit gewoonlijk niet op zoiets te wachten, maar ik had echt gewild dat hij mij had uitgekozen in plaats van haar.'

Tess was alleen blij dat Leonora Mortmain had gezegd dat ze vandaag niet meeging. Ze had waarschijnlijk groot gelijk. 'Ik heb geen zin om helemaal naar Pompeii en weer terug te moeten op één dag,' had ze gezegd. 'Het is een belachelijk idee. Ik blijf op mijn kamer, en misschien willen ze de lunch voor mij op het terras serveren.'

Het reisje met de trein langs de kust van Napels, langs de prachtige badplaatsen Sorrento en Positano, was al lang een droom van Tess, maar het draaide uit op een diepe teleurstelling. De trein reed langzaam, was warm en vies en zat vol graffiti, het landschap was verdord, geïndustrialiseerd en weinig inspirerend. De zee lag kilometers ver. Ze reden puffend verder in een benauwd stilzwijgen en keken uit het vuile, met graffiti bespoten raam. Tess begon zich af te vragen of dit wel een goed idee was geweest.

Om halfelf stapten ze uit de trein, tegen elven liepen ze rond in Pompeii, en ineens leek het toch een goed idee. De straten waren breed en leeg, de stapstenen van de vroegere inwoners om de weg over te steken lagen er nog. De gewaagde afbeeldingen van Priapus met zijn enorme fallus – om kwade geesten uit het huis te weren – bracht hen weer even in een goed humeur. Het was de derde dag van hun reis en Tess kon tijdens de rondleiding verwijzen naar plaatsen die ze al hadden bezocht. De stalletjes met twee gaten in het blad voor amfora's waarin men etenswaren moest hebben verkocht, vlak naast een groot herenhuis van een edelman, naast een bordeel, en naast weer een stalletje waar men wijn verkocht: Tess vond het altijd enig om te zien dat alles door elkaar stond, net als op het Forum. Het was heel anders dan de buitenwijken die ze kende, met allemaal dezelfde huizen in rijen na elkaar, waar je minstens vijf minuten moest rijden voor je een buurtwinkel vond. Alles was hier naast elkaar te vinden: rijk en arm, goed en kwaad, en in de verte een donkere, schuine schaduw, de enorme Vesuvius, die zelfs deze dag schuilging onder een donkere wolk.

'Het lijkt zo ver weg, ze moeten de uitbarsting hebben gezien en gedacht hebben dat het wel mee zou vallen,' zei Liz toen ze op de Via del Vesuvio naar de vulkaan keken.

'Ja,' zei Tess. 'En daarom zijn er zoveel mensen omgekomen, en in zo korte tijd.' Ze wreef in haar ogen.

'Gaat het wel?' wilde Liza weten. 'Je ziet er zo moe uit, als ik zo vrij mag zijn! Je hebt toch niets onder de leden?'

'Ik heb weinig geslapen,' gaf Tess toe. 'Mijn eigen schuld. Ik ben uitgeput. En vanochtend was het ook vroeg.'

Liz knikte. 'Vertel mij wat. Ach, nou ja. Je kunt vanavond vroeg gaan slapen. En morgen.'

'Ja-a,' zei Tess. Ze wreef over haar oor.

Ze wist niet of ze Peter vanavond zou zien, of zelfs morgen. Ze wilde hem ontzettend graag weer zien. Ze was voortdurend met hem bezig, hij was geen seconde uit haar gedachten. Ze trilde van opwinding bij het vooruitzicht dat ze hem weer zou zien, ondanks haar vermoeidheid en gebrek aan slaap. Wat was het dat hem zo aantrekkelijk voor haar maakte? Niet alleen zijn knappe uiterlijk, of dat hij haar aan het lachen kon maken. Het kwam ook niet doordat ze hem alles kon vertellen. Het was... Ach, een combinatie van al die dingen, maar vooral het gevoel dat het een teken was, dat ze door een speling van het lot bij elkaar waren gebracht. Ondanks het feit dat ze de vorige dag voor het eten op het politiebureau alsnog een getuigenverklaring had getekend, wat vreselijk veel tijd kostte, was ze ervan overtuigd dat ze nooit meer iets van die beroving zou horen. De pijn in haar schouder was nu ook bijna verdwenen; het voelde eerlijk gezegd alsof ze het zich allemaal maar had verbeeld, of het alleen een truc was om haar met Peter in contact te brengen. Alsof ze, na jaren met een kille Will en een verwarrende Adam, maanden met lompe schoenen en ongeschoren benen en het gevoel totaal niet aantrekkelijk te zijn, heel lang had geslapen en hij haar nu kwam wekken.

'*You make me feel like a natural woman,*' zong ze zachtjes. 'Kom, we gaan naar het bezoekerscentrum voor de lunch.'

'En daarna naar huis?' vroeg Carolyn hoopvol.

'Nog een paar dingen bekijken, en dan naar huis!' zei Tess opgewekt, en ze pakte een blad. 'Ooo, pastasalade. Heerlijk!'

Het was een lange, heel lange dag geweest, en toen ze eindelijk terug waren in het hotel in Rome, had Tess het gevoel dat haar hoofd in een bankschroef zat en kon ze bijna niet meer lopen van de blaar op haar teen, die meer had van een open zweer. Aan het eind van de middag strompelde ze in de hitte naar haar kamer en probeerde beleefd te blijven tegen die arme Carolyn – nee, helaas zou het geen zin hebben om aangifte te gaan doen bij de politie van het voorval in Napels – en tegen Jan Allingham – nee, ze had geen haarspray, maar er zat een drogist aan de overkant, daar zouden ze die wel hebben. Dank je wel. Welterusten.'

Ze deed de deur van haar kamer open, schopte hem dicht met haar voet, gooide het raam open en liet zich voorover vallen op het keurig opgemaakte bed, waar ze de zijdezachte, glanzende nieuwe lakens onder haar gezicht voelde.

'O, heerlijk bed,' mompelde ze, en ze sloot haar ogen. Met haar voeten buitenboord was ze binnen enkele seconden vertrokken.

Minuten later – of waren het uren? Het hadden wel dagen kunnen zijn – werd ze wakker van gebonk. Slaperig keek ze op en draaide zich op haar rug. Wat was dat voor geluid? Ze liet haar ogen wennen aan het donker, daarna besefte ze dat ze geen idee had waar ze was of hoe laat het was. Ze knipperde met haar ogen, ademde in, zag het open raam en wist weer dat ze in Rome was. Ze keek op haar horloge. Acht uur – het moest al avond zijn. O ja. Pompeii. De reis terug naar Napels in de coupé waar het naar urine stonk... Ze ging met haar handen over haar gezicht en voelde het vuil en het stof van die dag in haar poriën...

Daar was dat geluid weer, tegen het raam. Het had meer weg van gespetter, geen gebonk. Tess ging zitten, haar hoofd tolde, en ze keek naar het open raam alsof ze een zwerm kikkers verwachtte die vrolijk op en neer sprongen en zich nat en al tegen de luiken wierpen. Ze stond op en nog wankel van de slaap boog ze zich uit het raam, toen het tot haar doordrong.

Er kwam iets kouds, vlezigs en nats tegen haar gezicht. Ze slaakte een kreet en liet zich weer op het bed vallen. In de verte hoorde ze iemand roepen: 'Tess! Ik ben het! Hé, is alles goed met je?' Haar handen vlogen trillend naar haar gezicht, traag als gevolg van vermoeidheid en slaap, en haalde er een prop doorweekt keukenpapier af, gedrenkt in... Ze rook eraan. Wijn?

'Huh?' zei ze hardop in het donker. Ze hees zich overeind en boog zich voorzichtig uit het raam met uitgestoken handen. 'Niet meer gooien!' riep ze verward tegen de bladeren van de boom voor haar raam. Toen keek ze naar beneden, naar de stoep.

Daar stond Peter, met een metalen emmertje in zijn hand. Met een zorgelijke uitdrukking keek hij omhoog.

'Shit,' zei hij toen Tess zichzelf zonder veel effect probeerde droog te deppen. 'Heb ik je geraakt? Ik wilde alleen je aandacht trekken. Ik wist niet eens zeker of je er was... Ik kon geen stenen riskeren, zo heb ik ooit een ruit gebroken.'

'Peter?' vroeg ze onnozel. 'Hallo? Ben jij dat?'

Hij keek glimlachend op. 'Hoi.'

'Hoi,' zei Tess, en ze wreef over haar voorhoofd op de plek waar ze geraakt was. 'Wat doe jij in hemels...'

'Ik vroeg me af of je wat wilde drinken,' riep Peter naar boven. Een oude dame probeerde hem mopperend en gebarend te passeren; hij ging opzij.

'Dus ga je bij mijn raam staan en smijt je papier naar mijn hoofd dat gedrenkt is in... Wat is het?'

'Prosecco,' zei hij. 'Ik heb een fles bij me.' Hij hield het emmertje omhoog. Een ijsemmertje, zag ze nu. 'Ik wist nog dat je dat lekker vond.' Hij zuchtte en begon te lachen. 'Dit is niet zo'n geslaagde actie, hè?'

Tess begon ook te lachen – ze kon er niets aan doen, het was aanstekelijk. 'Ik kom eraan,' zei ze. 'Geef me vijf minuten.'

'Heb je al gegeten? Ik heb een ideetje.'

'Nee, maar ik ben uitgehongerd,' zei ze.

'Mooi zo.'

'Peter...'

'Ja, Toeristische Tess?'

'Ik ben zo moe dat ik amper op mijn benen kan staan.'

'Dat geeft niet. We gaan ergens zitten.'

'O.' Tess glimlachte. 'O. Oké. Eh... ik zie je zo.'

'Opschieten,' zei hij, en ze hoorde de lach in zijn stem toen ze bij het raam wegliep.

Een halfuur later zaten Peter en Tess boven aan de trap naar de Janiculum, waar de straten van Trastevere nog hobbeliger en steiler waren dan elders, op een bankje met uitzicht over de stad een pizza te eten, en dronken ze de prosecco uit de ijsemmer.

'Dit is waarschijnlijk mijn favoriete maaltijd in Rome tot dusver,' zei Tess, gelukzalig kauwend. Ze draaide zich naar hem toe en rilde, nauwelijks in staat te geloven dat hij naast haar zat, dat dit gebeurde, dat deze prachtige, knappe, aardige vreemde man echt bestond.

'Heb je nog geen pizza gehad dan?'

'Jawel,' zei Tess. 'Maar elke keer zat ik met een groep mensen die me aan mijn arm trokken en vroegen wat Parmezaanse kaas in het Italiaans is, of waar de wc is, of wanneer we weggingen, of ze stortten volledig in en gedroegen zich volslagen maf. Ik heb niet alleen...' ze draaide zich naar hem toe en lachte '... alleen maar wat zitten eten en kletsen.'

Hij stopte een eigenzinnige haarlok achter haar oor en liet zijn vinger naar haar nek glijden. 'Arm kind.'

'Ik klaag niet,' zei ze zachtjes, genietend van zijn aanraking. Ze wreef in haar ogen. 'Nou ja, ik klaag wel en dat moet ik niet doen. Ik ben gewoon moe.'

'Dat is mijn schuld.'

Ze keek hoe de grijsblauwe hemel overging in de nacht, het gloedvolle oker onder hen, de pizzadoos op haar schoot, zijn hand op haar schouder. 'Hoe kun je dat zeggen, Peter?' zei ze lachend. 'Dit is het fijnste wat ik tot dusver heb meegemaakt.'

'Het wordt nog beter,' zei hij en hij schoof naar haar toe. Hij kuste haar zacht en beet teder op haar onderlip, met zijn hand in haar nek. Achter hen passeerde een stelletje dat rap Italiaans sprak, zonder hun gesprek te onderbreken en zich te verwonderen over twee mensen die daar hoog boven de stad zaten te kussen. Dat vond ze zo heerlijk aan Rome. Geen truien en jassen, het gevoel van de zon op haar schouders, het gevoel van Peters lippen op de hare. Ze voelde dat ze weer opbloeide. Niemand om voor te zorgen, niemand die vragen stelde... althans, vanavond en morgen.

'Ik ben vrij,' zei ze gelukzalig.

'Je beseft het eindelijk,' zei hij, haar hals kussend.

'Nee, ik bedoel... ik heb vanavond en morgen vrij. Het is mijn vakantie, binnen de vakantie.'

'Dat is waar,' zei hij met ogen die schitterden in het donker. 'Dat is waar. En, wat ga je morgen doen?'

'Ik weet het niet,' zei ze, plotseling bedeesd. 'Ik wilde...' Ze vouwde haar handen in elkaar op haar schoot. 'Ik weet het niet,' gaf ze toe.

Peter leunde naar achteren en keek haar aan. 'Kom mee naar

mijn huis. Vanavond. Dan kunnen we morgen samen iets leuks gaan doen.'

'Nee,' zei Tess lachend. 'Dat kan ik niet doen.'

'Waarom niet?' vroeg hij ernstig. 'Wat houdt je tegen?'

'Ik...' Tess keek uit over de lichtjes van Rome, dat als een decor voor haar lag. 'Ik ken je niet. En ik moet vanavond terug om me ervan te overtuigen dat er niemand is overleden of weggelopen of zoiets.'

'Ga verder.'

'En...' Ze knipperde met haar ogen die de hele dag al brandden. 'Ik ben echt doodop.'

'Dat klinkt zielig.'

'Ik weet het,' zei Tess. Ze keek hem aan, schudde haar hoofd en haalde diep adem. 'Ja, je hebt gelijk. En, ach! Het zal ook wel goed met ze gaan als ik er niet bij ben, het zijn tenslotte geen kleine kinderen meer.' Ze zweeg even. 'Maar toch.'

'Je bent bang omdat je me niet kent.'

'Nee, ik ben gewoon moe,' zei ze lachend. 'Echt waar.'

'Hoe moet ik je bewijzen dat ik te vertrouwen ben,' zei Peter. Zijn hand lag op het blote stukje van haar bovenbeen, en er ging een rilling door haar heen. Hij klapte in zijn handen. 'We doen een spelletje, oké?'

'Oké,' zei Tess onzeker.

'Goed.' Peter streek over de boord van zijn prachtig gestreken overhemd – hij was altijd smetteloos gekleed, zag Tess, als een echte Italiaan – en stak de wijsvinger van zijn rechterhand op. 'Ik vertel iets over mezelf. En...' hij stak de wijsvinger van zijn linkerhand op '... jij vertelt iets over jezelf.'

'Goed,' zei Tess. 'Dat is makkelijk.'

'Maar het mag alleen iets zijn wat je nog nooit aan iemand anders hebt verteld. Het maakt niet uit hoe stom het is. Je mag het alleen nog nooit eerder hebben verteld. Oké?'

Wauw. 'Oké.'

Het was warm op de heuvelrug terwijl de avond verstreek en de lichtjes van de stad een voor een doofden. Tess was nog steeds doodmoe, maar ze voelde zich heerlijk toen een zacht briesje als een vriendelijke geest over haar haar, haar schouders en door de bomen van het park achter hen speelde. 'Jij begint,' zei Peter, en hij knikte haar toe.

'Nou...' Tess wist niet precies wat ze moest doen. Dit was moeilijk, net zo moeilijk als een boodschap schrijven op een kaartje voor een collega die vertrok. Je moest kort en bondig zijn, maar wel iets te melden hebben. Iets zeggen, maar niet te veel. 'Goed,' zei ze ten slotte. 'Een van de ergste dromen die ik ooit heb gehad was een droom waarin ik een kraag van zwart schaamhaar rond mijn nek had.'

'Dat is echt afgrijselijk,' vond Peter vol bewondering. 'Weerzinwekkend.'

'Ja,' zei Tess, blij om het effect van haar bekentenis. 'Ik weet niet waarom het zo afgrijselijk is. Het is gewoon zo.'

'Dat is een goed begin.' Hij schraapte zijn keel. 'En toen ik tien was, heb ik een klein beetje in het glas bier van mijn vader geplast toen hij even niet keek, en hij heeft het opgedronken.'

'Wat afschuwelijk,' zei Tess.

'Ja.'

'Heb je het hem ooit verteld?'

'Nee,' zei Peter kalm. 'Hij is vier maanden later overleden aan een hartaanval. Ik dacht dat het mijn schuld was. Dat heb ik jaren gedacht.'

'En je kon het tegen niemand vertellen?'

Hij schudde zijn hoofd.

'Arme jongen.'

'Ja. Dat was niet fijn.' Peter wreef in zijn handen. 'Zo... nu jij weer.'

Tess nam een slokje. 'Een van mijn leerlingen spiekte bij een examen, en ik heb niets gezegd. Het kwam doordat ze ziek was geweest, ik mocht haar graag en ze had een zwaar leven.'

'Wat deed ze precies?'

'De ene helft van de kandidaten deed 's ochtends examen, en de andere helft 's middags, en zij heeft 's ochtends bij iemand gekeken wat de opgave was toen ze met een ander onderdeel bezig was.' Tess knipperde met haar ogen. 'Dus toen heeft ze tijdens de lunchpauze de tekst kunnen opzoeken en uit haar hoofd leren.'

'Wat heb je daarmee geriskeerd? Als ze erachter waren gekomen?'

'Ik weet het niet.' Tess keek op haar handen. 'Ontslag, waarschijnlijk. Het jaar daarop hebben ze die afdeling trouwens opgeheven. Het gekke is dat ik nog steeds vind dat ik juist heb gehandeld.'

'Echt?'

'Min of meer,' zei Tess. 'Ze deed examen op het hoogste niveau, ze had haar milieu tegen en thuis was het een complete chaos. Ze wilde naar de universiteit. Anders had ze dat niet kunnen doen.'

'Maar ze pleegde fraude.'

'Maar ze was ziek geweest, een virus, en ze had niet alles kunnen bestuderen.' Tess' stem trilde. 'Dus... nou ja. Ik heb het tegen niemand verteld.' Ze schudde haar hoofd. 'Nu jij weer.'

'Oké.' Peter knikte terwijl hij over de stad uitkeek. Hij pakte de fles, en schonk het restant in hun glazen. 'Nou. Oké. Toen ik in Rome kwam wonen, heb ik...' Hij schudde zijn hoofd. 'Wauw. Ik wist dat ze een verhouding had, vlak nadat we getrouwd waren. Dat gevoel had ik gewoon. Dus volgde ik haar. Ik ben haar ongeveer twee weken gevolgd.'

'Serieus?'

Hij knikte. 'Serieus. En ik had gelijk.' Hij wreef in zijn ogen. 'En het gaf me zo'n arm moedig gevoel. Ik scharrelde rond als een rat, liep constant achter haar aan en verborg me in hoekjes – daarom denk ik soms dat ik hier weg moet, terug naar de States – Rome is daar geschikt voor, om je te verstoppen, zijstraatjes in te schieten.' Hij glimlachte bitter.

Tess vond het vreselijk om hem zo te zien. 'Heb je haar gezien?'

'Ik heb haar gezien. Ik hoorde haar...' Hij zweeg ineens. 'Toen ben ik ermee opgehouden.'

'Je hebt haar gehóórd?' vroeg Tess ongelovig. 'Met hem?'

'Ik volgde haar naar een hotel, ergens bij de Tuinen van Borghese. Ik wist niet precies welke kamer, dus liep ik de gangen door.' Hij schraapte zijn keel. 'Toen heb ik haar gehoord.'

'Wat deed ze?'

Hij keek haar ongeduldig aan. 'Tess, ik weet wat voor geluiden mijn vrouw maakt tijdens het vrijen, ook al is dat niet met mij.'

'Mijn god.' *Mijn vrouw*. Hij noemde haar nog steeds zijn vrouw.

'Het is zielig.' Hij dronk zijn glas leeg en zette het in de ijsemmer. 'Het is zo... zielig. Je krijgt vooral een hekel aan jezelf. Ik ben gewoon naar huis gegaan en heb uren op de rand van mijn bed gezeten. Ik heb niets gezegd toen ze terugkwam. En in de twee maanden die daarop volgden ook niet.'

'Wauw.'

'Het was zielig,' zei hij weer, en toen fronste hij zijn voorhoofd. 'Shit, ik kan niet eens woorden bedenken om het te beschrijven, en ik ben nog wel een journalist. Dat was nog het ergste.'

Ze tikte hem op de hand die op haar been lag, en streelde hem. 'Dat kwam niet door jou. Dat kwam door haar. Dat is afschuwelijk, Peter. Zo iemand verdien je niet.'

'Nou, zeg dat maar niet te hard.' Hij klonk somber. 'Ik verdien iemand die nog erger is dan ik. Iemand die in het geniep mensen filmt die liggen te vrijen, en het daarna terugkijkt.'

'Nee, een beter iemand!' zei Tess. 'Veel beter. Iemand die je zover krijgt is jou niet waard.'

De hemel trok dicht, zodat de wolken boven hen bijna paars leken. Hij haalde zijn schouders op. 'Als jij het zegt. Jouw beurt.'

'Nou,' zei Tess. 'We gaan er wel snel doorheen, hè? Oké.' Ze slikte. 'Ik heb... O jee, dit is erg.'

'Wat?' Peter keek geïnteresseerd op.

'Nou,' begon Tess. 'Mijn oudere zus, Stephanie, speelde altijd samen met mij en Adam, mijn oudste vriend. En toen we tieners waren, vertelde ze me dat ze hem leuk vond. Maar ik wilde niet dat ze iets... dat ze iets déden. Ik wilde hem voor mezelf. Als vrienden, weet je wel.'

'En wat heb je toen gedaan?'

'Nou, Stephanie zei dat ze hem mee uit zou vragen.' Tess wist het nog als de dag van gisteren. Stephanie, twee jaar ouder dan zij en met veel zelfvertrouwen, slank en niet gehinderd door de angst voor wat anderen van haar vonden, stond op een ochtend in de zomervakantie na het ontbijt monter op. *Ik ga Adam mee uit vragen,* had ze gezegd. Alsof het niets was.

'Vooruit!' Peter gaf een klap op het bankje. 'Wat heb je gedaan?'

'Ik heb... O, jezus.' Tess begroef haar gezicht in haar handen. 'Ik heb toen heel terloops in mijn neus gepulkt en een snotje in haar haar gestopt. Ik deed alsof ik haar bemoedigend op haar hoofd klopte, zo van "veel succes", dus het was goed zichtbaar. En toen ging ze – hij woonde aan de overkant. Zo'n vijf minuten later kwam ze terug, en ze heeft het er nooit meer over gehad.'

Peter staarde haar aan. 'Jij bent echt kwaadaardig.'

'Ik weet het.' Tess schudde haar hoofd. 'Ik weet het, ik kan er niets aan doen.' Ze haalde diep adem.

'Je moet echt dol op hem zijn geweest.'

'O.' Tess krabde in haar hals. 'Het was gewoon mijn beste vriend, weet je wel. In mijn zelfzuchtige tienergedachten wilde ik niet dat zoiets tussen ons in kwam.'

'Wat is er van hem geworden?'

'Hij woont er nog,' zei Tess. 'Ja, nog steeds. We zijn nog bevriend.'

'Wat tof.'

'Ja, dat is heel tof.' Ze keek hem aan. 'Nu jij weer.'

'Ik weet niet zeker of we verder moeten met die onthullingen. Zo is het wel genoeg,' zei hij. Hij keek haar taxerend aan. 'Goed dan. Pff.' Hij haalde diep adem; het was inmiddels wat rustiger geworden, en het leek alsof zij de enige mensen in het park waren. 'Ik heb mijn moeder brieven geschreven alsof ik een knappe bewonderaar van haar was. Toen was ik zestien. Om te zeggen dat ze mooi was.'

'Wat?'

'Ze was in die tijd heel triest. En huilerig. Ze was echt eenzaam.' Hij sloeg zijn armen strak om zijn bovenlichaam. 'Niet te geloven dat ik dat heb gedaan. Ik heb haar vier of vijf keer geschreven.' Hij klonk alsof hij een lesje opzegde dat hij uit zijn hoofd had geleerd. 'Ik weet het nog heel goed. Ik deed me voor als iemand uit de buurt en schreef dat ik haar heel mooi vond, dat ik haar heel aardig vond, maar dat ik niet kon zeggen wie ik was.'

'Dat meen je niet,' zei Tess. 'Wat... wat bijzonder.'

'Tja, het is raar.' Peter trommelde met zijn vingers op de bank. 'Ik geloof wel dat ze er blij van werd, dat is het gekke. Ik geloof echt dat het haar iets deed.' Hij sloeg zijn blik ten hemel. 'Ze begon afspraakjes te maken, ze ging in de zomer met ons naar het strand. Ze trouwde met mijn stiefvader, zo'n drie jaar later. Alsof dat iets te maken had met...' Hij stak zijn hand uit. 'Soms denk ik dat mensen moeten horen dat iemand hen aardig vindt, ook al is het niet waar. Het is goed voor de ziel. Je gaat je anders gedragen.'

Tess knikte. 'Dat is waar,' zei ze gloedvol. Hij had haar verbaasd. Ze legde haar hand op de zijne. 'Het is goed voor de ziel.'

'Ik vind het raar,' zei Peter. 'Als ik erop terugkijk. Maar vergeet niet' – hij glimlachte – 'dat ik ook dacht dat ik mijn vader had vermoord. Het heeft heel erg met het oedipuscomplex te maken. Nou, dat is het. Het grootste geheim uit mijn tienerjaren. Poeh.' Hij ademde diep uit. 'En wat is dat voor jou? Dat ding in het haar van je zus, of die rare droom, welke is het?'

Er viel een stilte. Vanuit de diepte steeg de sirene van een ambulance op vanaf de weg langs de Tiber, en ergens luidde een kerkklok; en heel vaag kon ze muziek horen vanaf een piazza, onder aan de heuvel. Het was polkamuziek, een viool, een piano en een tamboerijn.

Ze hoorde zichzelf zeggen: 'Ik heb een abortus gehad. Toen ik achttien was. Ik heb het niemand verteld. Behalve dan aan... aan hem, de jongen.'

De muziek klonk iets harder. 'Oké,' zei Peter.

Tess knikte. 'Het is inmiddels lang geleden.'

'Ja, dat geloof ik,' zei hij. Hij legde zacht zijn hand achter in haar nek en streelde haar haar. 'Zie je hem nog wel?'

'Zoals ik al zei...' Tess haalde diep adem '... we zijn nog steeds bevriend.'

'Ah.' Peter liet langzaam zijn hoofd zakken. 'O jee. Juist.'

'En het is heel lang geleden,' zei ze. 'Heel lang.'

'Ik ben blij dat je het me hebt verteld,' zei hij. 'Dank je.'

Ze zuchtte en dronk haar glas leeg.

'Het is geen probleem meer,' zei ze. 'Dat was het wel. Maar nu niet meer. Het is jaren geleden.'

Zijn hand gleed naar haar schouder en hij trok haar naar zich toe.

'Mooi hierboven, hè?' zei hij, alsof hij wist dat het onderwerp afgesloten was. 'Wij alleen.' Hij kuste haar zacht op haar kruin. 'Je zult wel doodop zijn.'

Het was zo lang geleden dat iemand zich zo om haar had bekommerd, haar zo in de watten had gelegd, dat ze een brok in haar keel kreeg. Ze was inderdaad moe. Ze legde haar hoofd op zijn schouder en tuurde naar de stad. 'Ben ik ook,' zei ze. 'Maar ik ben blij dat ik hier zit.'

'Mooi,' zei hij, zachtjes haar schouders knedend. Ze slaakte een kreetje. 'O, shit, is dat je zere schouder?'

'Hij is al veel beter,' zei ze. 'Echt.'

'Je hebt ook wel wat achter de rug: je bent gehavend, op één dag heen en weer geweest naar Pompeii, je hebt je ziel en zaligheid voor me op tafel gelegd, en dat allemaal na slechts vier uur slaap.' Hij stond op en trok haar overeind.

'Ik heb vanavond nog een paar uur geslapen,' bracht ze te berde. 'Voordat je me wakker maakte met een natte prop pleepapier in mijn gezicht.'

'Pleepapier... Wat heb je toch een leuk accent,' zei hij. 'Sorry, ik zal het niet meer zeggen, maar het is aanbiddelijk. Jij bent aanbiddelijk.' Hij kuste haar terwijl zijn handen zacht over haar rug gleden en haar schouder streelden. Ze ontspande in zijn armen en voelde dat haar haar even opwaaide in de wind. Ze stonden boven op de heuvel, zonder er zich om te bekommeren of iemand hen kon zien. Ze kon zich niet herinneren wanneer ze zich voor het laatst zo fijn, zo tevreden had gevoeld. Misschien kwam het door de vermoeidheid. Misschien kwam het door Rome. Maar ze genoot ervan.

Hand in hand liepen ze naar haar hotel en af en toe bleven ze stilstaan voor een kus, en toen ze onder aan de verraderlijke trap kwamen die naar haar straat leidde, pakte Peter haar hand.

'Ik wil je uitnodigen,' zei hij. Hij kuste de binnenkant van haar hand. 'Kom morgenochtend bij mij thuis ontbijten. En nu eerst lekker slapen.' Zijn hand kroop van haar schouder naar de katoenen rand van haar T-shirt. Die duwde hij iets opzij en hij kuste de zachte welving van de zijkant van haar borst. Ze snakte even naar adem, van genot en schrik.

'Wat vind je van dat idee?' vroeg Peter ten slotte.

Ze keek hem onderzoekend aan om te zien waarom het niet zou kunnen, maar ze kon niets vinden wat daarop wees. 'Klinkt geweldig.'

'Dat is het ook.' Hij liet zijn charmante glimlach zien. 'Het was een heerlijke avond. En nu naar binnen. En slapen jij, schoonheid. *A domani.*'

'Welterusten,' zei ze bijna timide, en ze kuste hem op de lippen en opende de deur van het hotel alsof het de gewoonste zaak van de wereld was. Hij wachtte buiten tot de deur dicht was, en vertrok.

Pompeo had dienst aan de balie. Hij schonk haar terloops een beleefde glimlach. Tess kon hem wel zoenen. Haar hart roffelde zo snel als een dolgedraaid aapje op batterijen dat op een trommel slaat. Het deed bijna pijn. *Ik heb een fantastische avond gehad, Pompeo,* zou ze willen roepen. *Ik geloof dat ik verliefd...*

Nee. Nee. Beheers je, hield ze zich voor.

'Een heerlijke avond,' zei ze vrolijk tegen Pompeo terwijl ze de trapleuning greep, niet helemaal vast op haar benen van opwinding. 'Perfect voor een glas prosecco op een terras.'

'Ja,' zei Pompeo. Zijn knappe, vlezige gezicht was een toonbeeld van desinteresse. 'Fijn zo. Welterusten.'

Teleurgesteld maar nog steeds vrolijk neuriënd rende Tess de trap op. Ondanks Peters woorden twijfelde ze eraan of ze nu goed kon slapen. Maar het kon haar niet schelen. Ze zou zich uitkleden, haar pyjama aantrekken, in bed gaan liggen, en de tijd ging vanzelf voorbij, en dan werd het ochtend en dan... dan zou ze hem weer zien. Het was bijna te mooi om waar te zijn.

22

Ik zie hem straks, zei ze tegen zichzelf. Ik zal zijn handen voelen. Hij gaat me kussen, we gaan vrijen, hij zal op mij liggen en ik op hem, tegen elkaar aan... Hij gaat al die dingen met me doen, ik kan niet wachten.

Tess haastte zich opgetogen de brug over, haar vermoeide voeten vol blaren voelden na een verrassend goede nachtrust een stuk beter. Een speels briesje deed haar jurkje opwaaien; ze trok het snel naar beneden. Het was weer zo'n prachtige dag in deze prachtige stad, en ze was vervuld van liefde voor de wereld, niet alleen omdat het een prachtige dag was en omdat ze op weg was naar Peter, maar ook omdat ze vandaag vrij had.

Vrij! Het stond zwart op wit in de reisbeschrijving, ze had vandaag vrij, de hele groep had vrij, om te doen waar ze ook maar zin in hadden. Jan en Diana gingen naar de botanische tuinen, Carolyn zou gaan 'lezen' (Tess begreep daaruit dat ze waarschijnlijk in haar kamer bleef met de deur op slot, doodsbang om zich naar buiten te wagen, tenzij ze begeleid werd door minstens twee politiekordons; Jacquetta zou iets gaan doen afhankelijk van 'hoe ik me voel', en Claire en Liz trokken hun mooiste jurkje aan en gingen naar het bijzonder stijlvolle Hotel Russie voor een cocktail en mogelijk een lunch. Ron en Andrea hadden allebei apart geheimzinnig gezegd dat ze 'de deur uit gingen'. Leonora Mortmain had alleen gezegd dat ze de brug over zou lopen op zoek naar een schilderij waar ze bijzonder op gesteld was, in een kerk bij het Pantheon. Tess had gezegd: 'Weet u het zeker, mevrouw Mortmain? U ziet een beetje bleek...'

'Ik voel me uitstekend, dank je,' snauwde Leonora toen. 'Ik weet echt wel wat ik doe.'

Maar zij, Tess, was op weg naar een woning aan de overkant van de rivier voor een ontbijt met een verrukkelijke, grappige, geheimzinnige Amerikaan, en hopelijk zouden ze de hele dag in bed doorbrengen. Misschien moest ze de Ara Pacis bezoeken, of een afgelegen kerk, maar dat deed ze niet. Misschien moest ze... Ach, wat kon het haar schelen. Het was een mooie, zonnige dag, in de mooiste, vriendelijkste, heerlijkste stad van de wereld, en toen ze de brug over ging en haar zeegroene zonnejurkje om haar heen fladderde, was het alsof het allemaal alleen voor haar was, alsof alles mogelijk was, alsof het leven voortaan altijd zo zou gaan.

Ze drukte op de bel naast de grote groene houten deur, vreemd nerveus, al wist ze niet waarom. Misschien deed het haar eraan denken dat ze Peter pas een paar dagen geleden had ontmoet. Vreemd, want het leek wel eeuwen geleden, en ze voelde zich totaal anders. Ze kende hem nu ook. Er was nog veel wat ze over hem te weten moest komen, maar ze wist wie hij was. En elke keer dat ze meer over hem te weten kwam, mocht ze hem meer.

Hij is net de jasmijn die hier op de muur groeit, dacht ze. Volkomen bedwelmend. Heel even flitste het door haar hoofd hoe Jane Austen thuis aan de muur zou kijken als ze Tess dit soort dingen hoorde denken, maar die gedachte duwde ze weg.

'Hoi, Tess. Het is op de derde etage. Kom maar boven,' zei Peter met een stem die kraakte van de statische ruis op de intercom. Ze schrok even en duwde toen meteen de grote deur open.

De gang was koel na de warmte buiten. Hij kwam uit op een kleine witte binnenplaats vol planten. Ze vloog de trap op en ging met haar hand over de gladde houten leuning. Het was binnen oud en mooi, met zwart-wit geblokte tegels op de vloer, en de trap was van zwart smeedijzer. De derde verdieping, kom op, niet buiten adem raken, hield ze zich voor, en ze ging iets langzamer lopen. Net toen ze op de tweede verdieping was, ging er een enorme eiken deur open en een stem zei: 'Hoi!'

Tess schrok op. Het was Peter, in een wit overhemd en een katoenen broek. 'Je zei de derde etage,' zei ze beschuldigend.

'Dit is de derde etage,' zei Peter. 'Je kunt niet rekenen. Een,' zei hij, wijzend op de benedenverdieping. 'Twee, drie,' zei hij tergend langzaam.

'Nee,' zei Tess, en ze probeerde niet al te verontwaardigd te klinken. 'Suffe Amerikaan. Benedenverdieping,' zei ze, wijzend naar de voordeur. 'Eerste verdieping. Twééde verdieping. Hier.'

'Dat slaat nergens op,' zei Peter. 'Je komt uit een stom land.'

'En jij ook,' zei Tess. 'En nog zoiets; waarom schrijven jullie eerst de maand, dan de dag en dan het jaar? Je moet eerst de dag schrijven, dan de maand, en dan het jaar. Anders slaat het nergens op. Want...' Ze raakte buiten adem en bleef hem aankijken.

'Wil je het over het verschil van datering hebben in Amerika en Engeland?' zei Peter, met zijn handen in zijn zakken. 'Of wil je binnen komen ontbijten?'

'Ik wil ontbijten,' zei Tess. Ze legde haar hand op zijn schouder en liet hem om zijn nek glijden, daarna kuste ze hem. 'Heel graag.'

Hij keek haar even van onder zijn oogharen aan en zijn mondhoeken trilden. 'Dan kun je beter binnenkomen.'

Ze gingen de woonkamer in, waar Tess Peter een beker koffie aanreikte die ze in een winkeltje bij het piazza in Trastevere had gekocht. 'Voor jou,' zei ze.

'Geweldig,' zei hij. 'Want ik heb helemaal geen koffie in huis, dat zou net een enorm probleem worden. Je bent fantastisch, Tess.' Hij kuste haar weer en ze stonden midden in de kamer, dicht tegen elkaar aan. Tess maakte zich los en keek eens goed rond. 'Wauw,' zei ze.

Het was een grote kamer. Twee enorme ramen met houten luiken van de vloer tot aan het plafond, waaraan mousselinen gordijnen zachtjes bewogen in de wind. Ze slenterde ernaartoe en keek uit over de tuin van het Palazzo Farnese, over de rivier naar Trastevere, de Janiculum, het noorden van de stad, het Vaticaan en nog verder. Alles was terracottakleurig en goud onder de blauwe hemel, met hier en daar wat groen-zwart van pijnbomen en witte marmeren ruïnes. Ze bleef even staan om alles in zich op te nemen.

'Een kamer met uitzicht,' zei ze dromerig in zichzelf. Ze hoorde klokken luiden, geroezemoes op het plein, de geur van warmte en eten en asfalt van Rome in de vroege ochtend. De hoge plafonds hadden fraaie sierlijsten, de muren waren blauwgrijs en hingen vol ingelijste zwart-witfoto's, en één muur was eenvoudigweg bedekt met planken vol boeken en tijdschriften. Een donkere houten eettafel die vol lag met papieren, bonnen, bekers en pennen stond aan de ene kant van de kamer. Voor het grootste raam lag een tapijt, een wollig exemplaar uit de jaren zeventig, en aan de andere kant stonden een bank, een paar stoelen en een tv.

'Wat is het hier fantastisch,' zei Tess simpelweg. 'Gewoon fantastisch.' Peter kwam achter haar staan en sloeg zijn armen om haar heen. Hij kuste haar in haar nek, op haar oor, haar schouder.

'Dank je,' zei hij. 'Ik krijg doorgaans niet veel bezoek – sinds Chiara heb ik geen...' Zijn stem stierf weg. 'Dat is bot. Sorry. Ik maakte me alleen zorgen voordat je er was.' Ze voelde zijn hart, zijn warme lichaam tegen haar rug. 'Er is niemand geweest, sinds ze is vertrokken. En het is oké. Het voelt... goed.'

'Het is een fantastisch huis, Peter.'

'Ik ben blij dat je het mooi vindt.' Hij zweeg. 'Sorry. Die vrouw.' Hij schudde zijn hoofd. 'Het doet er nu niet toe. Ik ga iets te eten voor je maken. En iets te drinken.' Hij zuchtte even en kuste haar opnieuw. 'Wat wil je?'

Ze draaide zich naar hem toe in zijn armen, legde een vinger tegen zijn lippen en keek lachend in zijn donkere ogen. 'Ik wil jou,' zei ze zacht. 'Ik wil jou.'

Hij schudde zijn hoofd met een ernstige maar lieve glimlach, zijn ademhaling ging onregelmatig. Hij kuste haar nek, haar oren, legde zijn handen op haar armen en trok haar voorzichtig mee naar de grond. Toen trok hij langzaam haar jurk uit en bedreef de liefde met haar op het tapijt, met overal zachte strelingen en kusjes. Toen hij uiteindelijk een condoom omdeed en in haar gleed, dacht ze dat het anders zou voelen, vreemd, omdat ze zich toen pas herinnerde dat het de eerste keer was na Will, maar het was niet vreemd, het voelde helemaal goed. Ze bewogen ritmisch op de harde vloer, en hij richtte zich op om haar aan te kunnen kijken. Daarna kwamen ze allebei snel tot een hoogtepunt en terwijl ze onder hem lag kietelde ze de haartjes op zijn borst en streelde zijn schouders om het moment te rekken, en ze keek in zijn ogen en vroeg zich af waar ze dit geluk aan had verdiend. Ze zeiden niets. Het leek haar ook niet nodig.

Ten slotte stond hij op, gooide een groot kussen van de bank en een sprei naar haar toe en verdween in de keuken. Tess legde de sprei over zich heen en bleef liggen kijken naar de houten plafonds, de antieke ventilator die boven haar hoofd zoemde en de zon die brede witte banen in de kamer wierp.

Peter verscheen even later met twee bekers en een schaal met hapjes, plus een groene, beslagen fles. Hij hief hem naar haar op. 'Ik vond dit wel een toost waard. En wat hapjes.'

Hij knielde naast haar neer en zette de schaal – met salami, kaas en brood – en de bekers neer. Hij boog zich naar voren, kuste haar en streelde haar nek.

'Je bent bijna te mooi om waar te zijn,' zei ze. 'Dit is superperfect. Ha!' Ze leunde op een elleboog terwijl hij de fles openmaakte, zich weer naar haar toe boog voor een kus, en zijn hand over haar arm liet glijden. Ze streek zijn donkere haar weg uit zijn gezicht, waardoor zijn karamelkleurige huid zichtbaar werd, de lijntjes rond zijn ogen, de moedervlek op zijn wang. 'Ben jij een fantasiefiguur, Peter Gray?'

'Ik zweer je van niet,' zei hij lachend. Hij schonk de bruisende wijn in een beker met daarop PRINCETON '94, en gaf hem aan haar. 'Het is alleen leuk om... Nou ja. Doet er niet toe.'

Hij ging naast haar liggen en trok haar in de holte van zijn schouder, waarna hij met zijn beker tegen de hare klonk.

'Leuk om wat?' wilde Tess weten.

'Leuk om iemand te hebben om dit voor te doen. Iemand zoals jij,' zei hij, en hij kuste haar op haar hoofd. 'En, hoe bevalt je vrije dag?'

Ze lachte diep. 'Stukken beter. Dankzij jou.' Ze zette de beker op haar buik en luisterde naar de bruisende belletjes. Ze voelde dat hij glimlachte. Zijn vingers streelden haar ribben en borst onder de sprei.

Tess voelde zich volkomen ontspannen, en toch een en al leven. O god, ik hou van je, wilde ze roepen. Dank je, dank je, dank je voor het feit dat je in mijn leven bent gekomen. Bedankt, Romeinse goden, voor Peter Gray. Ik weet niet waar ik hem aan heb verdiend, maar bedankt. Ze wilde zich naar hem omdraaien om dit te zeggen, gewoon hardop te zeggen. Ik hou van je. Het was dwaas, ze wist het. Ik wil niet naar huis. Ik wil hier blijven, in Rome, in dit huis, met jou.

Ze merkte niet dat ze in slaap viel, maar toen Peters vingers haar bleven strelen vielen haar ogen dicht. Peter pakte voorzichtig de beker uit haar hand en zette hem op de grond, waarna hij tegen haar aan kroop en ook in slaap viel. Het was nog geen elf uur in de ochtend. Rond het middaguur, toen de kanonschoten klonken en alle kerkklokken van Rome zich lieten horen, sommige hard en vrolijk, andere zacht en lieflijk, bewoog ze even in zijn armen, sloeg haar ogen open, glimlachte en viel weer in slaap.

Ze verlieten het huis pas na drie uur. Ten slotte liepen ze, gedoucht en opgefrist, hand in hand de straat op. Toen Peter zachtjes de grote voordeur dichtdeed, keek Tess om zich heen om te zien of iemand hen zag: Peter en haar, dit splinternieuwe, fantastische, geweldige koppel. Konden anderen zien dat ze de hele ochtend en een deel van de middag in de woonkamer op de vloer hadden doorgebracht, op de bank, in Peters bed, vrijend, fantastische seks bedrijvend, waarbij hij haar had aangeraakt en gelikt totdat ze het uitschreeuwde van genot? Konden anderen zien dat ze hadden gedronken, gekletst, gelachen, steeds dichter tot elkaar gekomen waren naarmate de minuten in uren overgegaan waren en de tijd verstreek? Het kwam door de prosecco, hield ze zich voor – maar ook door iets anders. Het tegenovergestelde van zomaar een vakantieliefde.

In de vooravond liepen ze terug naar het hotel van Tess, langzaam slenterden ze door Trastevere voordat ze zich bij haar groep aansloot voor het avondeten, en in stilte wandelden ze gelukzalig tot ze bij de Ponte Sisto kwamen. De grijze keien leken te schitteren in de warme avondzon. Peter hield haar hand vast en intussen keek Tess naar de mensen die langs haar liepen. Het toeristische stelletje – waren het Amerikanen? – allebei in gestreepte shirts, hij met een camera rond zijn nek. De dynamisch uitziende man en vrouw, allebei in zakenkostuum en donkere bril, die snel doorliepen, vreemd genoeg met een ijsje. Ze liepen langs een oudere man met een gebloemd overhemd en een hond aan de lijn. De zon scheen en Tess keek naar Peter, die haar toelachte.

'Nou, dat was waarschijnlijk mijn ideale manier om een vrijdag door te brengen,' zei hij. 'Vind je ook niet?'

'Beslist,' zei ze. Ze kuste hem en zuchtte even. 'Ik heb het gevoel dat ik op vakantie ben geweest.'

Zijn lippen waren zacht op de hare, zijn vingers warm op haar huid. Ze zuchtte weer even. Hij kuste haar inniger.

'Niet zo triest doen,' zei Peter ten slotte.

'Ik ben niet... Nou ja, je weet wel...' Tess wist plotseling niet precies hoe ze verder moest, alsof het oversteken van de brug haar terug in de werkelijkheid smeet. In gedachten zag ze Diana met haar opschrijfboekje, Jans zonneklep, Carolyns verongelijkte gezicht. 'Maar het was ook zo fijn. En nu... moet ik terug naar het gewone leven.'

Ze stonden op het einde van de brug.

'Tess,' zei Peter, en hij draaide zich naar haar toe. 'Ik weet dat we hebben gezegd dat het een vakantieromance zou zijn, maar weet je...' Zijn handen waren zacht op haar huid. 'Weet je wat ik denk?' Hij drukte zacht een kus op haar voorhoofd, en ze sloot langzaam haar ogen en dronk het geluk in.

'Ja,' zei ze, 'ik dacht ook zoiets...'

'Tess!' riep iemand. 'Ben jij dat? Tess?'

Tess en Peter vlogen uit elkaar, en Tess kon maar net een jong meisje op een fiets ontwijken. 'O, sorry,' zei ze, en ze pakte de rand van de brug om haar evenwicht te bewaren. Ze keek naar het Piazza Trilussa, dat naar het hotel leidde. Daar stond Andrea Marsh te zwaaien met een verhit gezicht.

'Ze heeft... ze heeft iets!' riep ze. 'Ron... Ze zegt dat Ron...! Tess, kom nou... snel! O hemel!'

Tess schudde haar hoofd. 'Wat is er?' Ze sprong de stoep op. Ze werden gescheiden door een drukke weg waar auto's langs zoefden. Peter stond achter haar. 'Wat is er aan de hand?' riep ze. Maar Andrea's stem werd deels gesmoord door het verkeer.

'Leon... gek geworden!' zei ze.

'Leon?' vroeg Peter. Tess draaide zich met een ruk om.

'Leonora Mortmain,' zei ze. 'Ik heb je over haar verteld, die oude vrouw... O, jezus, Peter, wat zou ze...'

Aan de andere kant van de weg stond Ron bij de kleine fontein, met zijn handen omhoog in een boos gebaar, alsof hij iets ontkende. Hij zag er opgewonden uit, en voor hem stond Leonora Mortmain, een klein figuurtje in het zwart, leunend op haar stok, voortdurend met haar hoofd te schudden.

'Kom mee,' zei Tess wanhopig, toen er op wonderlijke wijze eindelijk een eind kwam aan de stroom auto's. Ze renden snel het zebrapad over naar het schreeuwende stel, en Andrea die ernaast stond.

'Je bent gestoord!' schreeuwde Ron. 'Je bent gewoon gestoord, dat is het!' Hij had zijn neus opgetrokken en zijn ene ooglid trilde aldoor. 'Ik luister niet meer naar je, leugenachtige feeks!'

'Jij hebt haar vermoord!' schreeuwde Leonora hees met haar krakerige stem. 'Je hebt haar bij me weggehaald en toen heb je haar vermoord!' Het was verschrikkelijk om te horen; Tess bleef stokstijf staan. Toeristen die langsliepen bleven ook staan.

'Is alles goed met haar?' vroeg een vrouw met een Iers accent vriendelijk aan Tess. 'Alles goed met die dame?'

'Ja, bedankt,' zei Tess, die het allemaal niet kon geloven. 'Ze is alleen een beetje... in de war.'

'Ze is ons gevolgd vanaf het hotel,' zei Ron hard. 'Tess, ze is ons gevolgd. Ze is gek!'

Andrea stond op een afstandje in haar handen te wrijven. Ze deed een stap naar voren en legde vriendelijk haar hand op die van Ron. 'Het geeft niet, Ron,' zei ze met een kalmte die Tess nog niet eerder bij haar had gezien. 'Luister, mevrouw Mortmain,' zei ze, en haar kin stak een beetje naar voren. 'Wat is het probleem? Ooo, kijk uit.'

Een scooter schoot langs hen heen – ze stonden strikt gesproken op de rijweg – en Andrea greep de oude vrouw bij haar arm. 'Blijf van me af!' riep Leonora Mortmain, en het hese geluid klonk als het krijsen van een vogel. Een man liep langs met een hond, een doodgewone bastaard, kleiner dan een labrador, die even gromde. Ze sprong op, kneep haar lippen op elkaar en haar ogen werden groot als schoteltjes, als bij een klein kind.

'Ik haat honden,' zei ze. 'Ik haat honden.' Ze keek Ron aan. 'Je weet dat ik honden haat.' Haar handen vlogen naar haar buik, en toen keek ze op en zei plotseling: 'Jij hebt haar weggehaald!' Ze blikte rond alsof ze ineens besefte waar ze zich bevond. 'Waar is hij?' vroeg ze met een verontrustend wilde blik in haar ogen.

'Waar is wie?'

Haar gezicht was een en al rimpels. 'Philip. Waar is Philip?'

Tess verstond het verkeerd. 'Philippa? O, mevrouw Mortmain...'

'Niet zij! Niet zij! Haar wil ik niet. Ik zei Philip! Waar is hij?'

'Wie is Philip?'

De oude vrouw stampte ongeduldig met haar stok op de grond. 'Philip! Ik vraag het nog eens, waar is hij? Ze zeggen steeds dat hij komt... maar dat is niet zo. Hij komt niet.'

Weer schoot een scooter langs, dit keer zo dichtbij dat Andrea een kreet slaakte toen hij haar rok schampte. Ron trok haar weg, en ook Leonora, maar het was te laat. De ogen van de oude vrouw vlogen voor de laatste keer wijd open.

'Jij bent echt net als ik, net als ik,' zei ze, terwijl ze Tess een blik vol ergernis, grenzend aan haat, toewierp. En daarna klemde ze haar lippen op elkaar en zakte ze langzaam in elkaar op de grond, nog steeds met haar blik op Tess, totdat ze uiteindelijk haar ogen sloot.

23

Een paar jaar geleden had Tess een programma gezien over de restauratie van het beroemde standbeeld van David van Donatello, in het Bargellomuseum in Florence. De restaurateur was een jonge vrouw die anderhalf jaar lang niets anders had gedaan dan voorzichtig het oppervlak van het brons schoonmaken, zodat het beeldschone lichaam van de jongeling weer in zijn glanzende pracht hersteld werd. Ze had zich er met haar hele ziel in gestort, met als resultaat dat ze per dag minder dan drie vierkante centimeter schoonmaakte. En het zou de moeite lonen, legde ze voor de camera uit, voor zo'n waardevol stuk.

Tess herinnerde zich dit allemaal tijdens die verschrikkelijke avond, al wist ze niet waarom. Achteraf dacht ze dat het misschien een teken was geweest van de tegenstrijdigheid van Italianen. Zo schijnbaar geneigd tot chaos, en toch zo bijzonder goed georganiseerd, geduldig, vriendelijk, nuchter. De ambulance die hen naar het ziekenhuis vervoerde – zij staarde met een niets ziende blik voor zich uit en Peter stelde vragen in het Italiaans, terwijl mevrouw Mortmain stil en stram op een brancard lag – reed als een bezetene, ook al was het ziekenhuis maar een paar minuten rijden. De bestuurder zwaaide, vloekte, bonsde zelfs op de voorruit. Ze had de hele week al sirenes van ambulances horen loeien. Het leek totaal onwerkelijk dat zij er nu zelf in zat.

Godzijdank was Peter er, dacht ze steeds weer. Hij had de ambulance gebeld, hij had hun gevraagd uit te leggen wat er aan de hand was. Hij was ook duidelijk geschrokken, maar ze wist niet wat ze zonder hem had moeten doen. Hij vertaalde alles voor haar terwijl ze de straten door vlogen.

'Ze zegt dat... mevrouw... deze dame... waarschijnlijk een beroerte heeft gehad, een behoorlijk zware, maar ze moeten onderzoeken wat dat bij haar heeft aangericht.' Hij klopte bemoedigend op haar hand. 'Het komt goed. Ik weet het zeker. Het ziekenhuis is...' Hij wees naar de rivier. 'Daar. Het Isola Tiberina.'

Tess had bij het oversteken van de Tiber al een paar keer gezien dat er een eiland midden in de rivier lag. 'Is daar een ziekenhuis?'

Hij wees weer. 'Ja. Het is heel oud. Het staat er volgens mij al vanaf de Romeinse tijd. Maar het is een heel goed ziekenhuis.'

'Geweldig,' zei ze, al was het dat niet echt. 'Dus het is...'

'Twee minuten rijden, Tess. Het komt goed.'

Zei hij dat maar niet steeds. Het kwam niet goed. Het was niet goed.

Ron en Andrea waren teruggegaan naar het hotel om de anderen op de hoogte te brengen. Omdat ze niet wist wat ze anders moest doen had Tess snel naar Beth Kennett gebeld, het hoofd van de school, om haar het nieuws mee te delen. Beth, anders altijd heel kalm, had haar niet echt gerustgesteld.

'O god, en dat overkomt niet zomaar iemand,' zei ze. 'Dat dat nu juist met háár moest gebeuren. Shit.'

'Sorry,' zei Tess, die niets anders wist te zeggen. Het was niet haar schuld dat een van haar cursisten door een zware beroerte was getroffen. Ze keek toe toen mevrouw Mortmain de ambulance in werd gedragen terwijl zich een groepje mensen om haar heen had verzameld in de late middagzon.

Beth klonk wanhopig. 'O god,' zei ze steeds weer. 'Heeft ze nog familie? Die moet ik dan bellen.'

Tess was even stil. 'Nee, die heeft ze niet.'

'Er moet toch íémand zijn. Ze is toch niet alleen op de wereld?'

'Ik weet het niet...' zei Tess. Ze had het gevoel dat het grof was om de nadruk te leggen op het ontbreken van familie van het slachtoffer. 'Ze was erg... eh... op zichzelf.'

'Geen man? Waarom laat ze zich dan "mevrouw" noemen?' vroeg Beth doortastend.

'Zo heet ze altijd al,' zei Tess. 'Ik weet het niet.' Ze besefte nu pas dat ze dat echt niet wist. 'Ze is nooit getrouwd. Dacht ik. Maar daar zeg je wat. Ik weet helemaal niet wie haar naasten zijn.'

'Tja, dat bedoel ik,' zei Beth Kennett. 'Er moet toch iemand zijn. En we moeten hen op de hoogte brengen.'

Tess had toegekeken toen de bestuurder van de ambulance de

deur dichtsloeg. Hij gebaarde haar en Peter naar de wagen te komen. Tess dacht even na. 'Carolyn Tey zal het wel weten. Ik zal het haar vragen. Zij zal ook wel weten hoe ze in contact moet komen met Jean.'

'Jean?'

'Haar huishoudster.'

'God, wat een andere wereld,' zei Beth, die iets liet horen wat het midden hield tussen een proest en een zucht. 'Goed. Laat je het dan even weten? Ik zal met haar moeten praten. Om de schade binnen de perken te houden, in elk geval. En we moeten bespreken wat je hierna gaat doen, hoe je de groep thuisbrengt, haar ook, afhankelijk van wat haar familie zegt, als we die te pakken krijgen. Vreselijk. Hou me op de hoogte, Tess. Arm kind.'

De plotseling vriendelijke toon maakte Tess een beetje wiebelig, vooral nu de schok, de warmte, het gebrek aan slaap ineens toesloegen. Ze knikte, niet in staat iets te zeggen, en besefte toen dat dat geen zin had aan de telefoon. 'Bedankt,' zei ze schor.

'Andiamo,' had de bestuurder geroepen. *'Signorina, basta, basta!'*

Tess had afscheid genomen en was achter in de ambulance gestapt. Ze ving nog een laatste glimp op van de brug, de toeristen die zich weer rond de fontein verzamelden, bijna alsof dit allemaal nooit was gebeurd. De auto spoot weg en ze verloor haast haar evenwicht. Iemand legde een hand op haar been, ze schrok.

Toen ze opkeek zag ze Peter. Ze greep zijn hand vast.

'Bedankt,' zei ze, in een poging flink over te komen. 'Ik ben blij dat jij er bent.' Ze keek uit het raam naar de omgeving die langsvloog en probeerde er iets in te onderscheiden, maar het was één groot waas.

Het ziekenhuis was heel oud, maar de vleugel waar de ambulance hen naartoe bracht was betrekkelijk nieuw, met decoraties uit de jaren zeventig die vreemd contrasteerden met marmeren beelden van priesters in kerkelijke gewaden. Het personeel bestond uit nonnen. Ze waren niet vriendelijk maar wel efficiënt toen ze Tess en Peter naar een rijtje stoelen wezen waar ze konden wachten. En maar wachten en wachten. Ze zaten in een lange, lange gang waar geen eind aan leek te komen en die naar een onduidelijke bestemming leidde. Het was er vreemd stil, alsof de aanwezigheid van de nonnen alles overstemde: patiënten, artsen, degenen die op nieuws wachtten.

Peter was stil. Hij hield haar hand vast en streelde haar been.

'Je kunt beter gaan,' zei Tess een aantal keer. 'Ik red het wel, echt.'

'Nee, dat doe je niet,' zei Peter naar waarheid. 'Als je het echt wilt ga ik, maar ik kan het woord doen, als er tenminste iemand komt die kan vertellen hoe het met haar gaat...'

'Er zal zo wel iemand komen.' Tess haalde zijn hand van haar been.

Hij lachte naar haar. 'Ik heb de pest aan duimendraaien.' Hij stond op met het zelfvertrouwen van een Amerikaan in een internationale omgeving, en ging op zoek naar een verpleegkundige, een arts, iemand die hen kon helpen.

Toen Tess besefte dat ze er al bijna een uur zaten, stond ze op en liep ze de deur uit, naar de oude brug. Ze draaide het nummer nog eens, terwijl ze God dankte voor het feit dat ze in een zeldzaam moment van efficiency – voor een crisissituatie als deze – alle nummers van de deelnemers had opgeslagen. 'Hallo?' zei ze.

'Ja, met wie?' vroeg een geruststellend vertrouwde stem.

'Jan, met mij, met Tess. Ik dacht dat ik Carolyn had gebeld. Is ze daar?'

'Nee, ze is beneden. Hoe gaat het? Waar ben je?'

'Ik ben bij het ziekenhuis, we wachten op nieuws.'

'Ze leeft toch nog wel?'

Tess zweeg even. 'Voorzover ik weet... Ja, ze leeft nog.' Het was zo vreemd om dit te zeggen. 'Heeft Carolyn Jean nog kunnen bereiken?'

'Ze is nogal overstuur,' zei Jan.

'Natuurlijk.' Tess klemde haar tanden op elkaar.

'Diana heeft gebeld,' zei Jan.

'Diana?' Tess was verbaasd. 'Heeft zij dan het nummer van Jean?'

'Ze zei dat ze wist wie ze moest bellen.' Jan klonk een tikje uit het lood geslagen. 'Ik moet wel zeggen, Tess, lieverd, dat het hier het afgelopen uur één grote chaos is geweest. Maar goed, de orde is hersteld, ik dacht werkelijk dat Diana Carolyn zou slaan. Ze werd nogal hysterisch. Maar goed, ze heeft gebeld. Jean zal wel weten wat ze moet doen, het is een verstandige vrouw.'

Tess had Jean Forbes maar een paar keer ontmoet, maar ze wist dat dit waar was. Ze tuurde naar het ziekenhuis en naar de avondhemel. 'Ik hoop het,' zei ze. Ik voel me volkomen verantwoordelijk, wilde ze zeggen, maar dat deed ze niet. 'Nou, hou me op de hoogte als ze iemand te pakken krijgen.'

Er klonk geroezemoes op de achtergrond; Jess hoorde Jans opgewonden stem, gedempt door iets – een hand? – op de telefoon. Toen een stem die zei: 'Tess? Met Diana.'

'O, Diana,' zei Tess opgelucht. 'Goed om...'

'Leeft ze nog?'

'Ja, ze leeft nog. Hoor eens, heb jij...'

'Maar je geen zorgen,' zei Diana. 'Ik heb Jean kunnen bereiken, zij heeft het aan Clive Donaldson doorgegeven.'

'Clive...?'

'De opvolger van Eddy Tey.' Tess wist het weer. 'Notaris. Behartigt alle zaken in Langford voor de Mortmains. Ze hebben nog een kantoor in Londen, een chique boel, maar op dit moment weet hij wat het beste is. In dit soort situaties moeten er dingen geregeld worden.'

'Zoals wat?'

'Luister, ik kan het nu niet allemaal uitleggen. Je kunt beter ophangen, Tess. Ik zie je later.' Het contact was verbroken. Tess ging weer naar binnen.

'Waar was je?' Peter stond te praten met een chic uitziende vrouw in een witte jas. 'Dit is de behandelend arts.'

'*Buona sera*...' begon Tess, in de wetenschap dat een gesprek over medische aangelegenheden haar pet te boven zou gaan. '*La vecchia femina*...'

'Goedenavond,' zei de dokter met een nauwelijks merkbaar accent, terwijl ze haar vluchtig bekeek. 'Ik ben Francesca Veltroni, de arts van signora Mortmain.'

'Hallo,' zei Tess, en ze gaf haar een hand. 'Dokter Veltroni – hoe gaat het met haar?'

'Ik ben bang dat het er niet goed uitziet,' zei de dokter. Ze sprak elk woord weloverwogen en behoedzaam uit, met een harde steminzet van 'niet' en 'goed'. 'Signora Mortmain is getroffen door een bijzonder zware beroerte. Ze is niet bij bewustzijn. *Penso che...*' ze wachtte even '... ik denk dat ze hier niet van zal herstellen, mevrouw...' ze keek even in haar aantekeningen '... mevrouw Tennant. Maar morgen weten we waarschijnlijk meer over haar toestand.' Ze trok haar fijne wenkbrauwen op naar Tess, die onzeker naar Peter keek, die naast haar stond. Hij knikte begripvol. Dankbaarheid jegens hem overspoelde haar. Ze glimlachte naar hem, en hij lachte terug terwijl hij haar een knipoog gaf.

'U kunt teruggaan naar uw hotel,' zei dokter Veltroni. 'Is het dichtbij?'

'In Trastevere, tien minuten lopen.'

De dokter knikte. 'Dat is ge–' ze aarzelde even voor ze het woord uitsprak, '... gemakkelijk. Ik zou als ik u was teruggaan naar uw gezelschap, en probeert u vanavond in elk geval te slapen. Morgen zullen we signora Mortmain opnieuw onderzoeken. Misschien is haar toestand dan beter.'

'Dokter Veltroni, moet ze hier blijven? Of kan ze terug naar Engeland?'

'Haar toestand is stabiel,' zei de arts. 'Zoals ik al zei, weten we morgen meer. Natuurlijk kan ze hier blijven. Maar haar familie wil haar misschien meenemen naar huis, zodat ze daar door anderen verzorgd kan worden.'

'Daar gaat het nu net om,' zei Tess. 'Er zijn geen anderen die voor haar kunnen zorgen.' Ze glimlachte naar de dokter en dacht intussen aan de verontruste groep in het hotel, de doodzieke vrouw in de kamer ernaast, aan Beth Kennett die liep te ijsberen in haar kantoor in Langford College, en ze probeerde de golf paniek te bedwingen en al haar krachten te verzamelen om deze situatie tegemoet te treden. Ik weet niet wat ik doen moet, dacht ze, terwijl Peter en de arts, vorige week nog volstrekt onbekende mensen, haar verwachtingsvol aankeken. Ze vertrouwen allemaal op mij, en ik heb geen flauw idee wat ik doen moet.

24

Het was avond toen Tess en Peter eindelijk het ziekenhuis verlieten. Ze hadden Leonora Mortmain, kleintjes onder de witte gesteven lakens, zien liggen bij het gele licht dat van een buitenlamp in de kleine kamer scheen. Haar handen lagen op haar borst en haar gerimpelde gezicht zag er vreemd sterk uit, met hoge, geprononceerde jukbeenderen. Het was een schok om haar zo te zien: passief, languit in het bed, waar iedereen zomaar langs kon lopen en haar zien liggen. Ze droeg een lichtblauw ziekenhuishemd. Haar oppervlakkige ademhaling weerklonk reutelend in de kamer.

'Ze zal u niet herkennen,' zei dokter Veltroni. Ze sprak op troostende toon, maar Tess wist niet precies of ze dat ook bedoelde.

Ze stonden nu op een rustig pleintje voor het ziekenhuis. Tess had zich nog niet echt kunnen oriënteren en ze keek om zich heen tot ze ineens weer besefte dat ze op een eiland was, midden in de rivier. Het ziekenhuis stond achter hen, een kerk voor hen. Een oude witte marmeren brug leidde terug naar het centrum.

'Dat is de oudste brug van de stad,' zei Peter. 'Ponte Fabricio. Hij is al gebouwd vóór Caesar. Zo, vind je dat niet interessant?' Hij sloeg zijn armen om haar heen en ze legde haar hoofd tegen zijn schouder. 'O, liefje. Dit had ik niet voor je in gedachten. Gaat het wel?'

'Ja,' zei Tess. 'Het gaat wel.' Ze schudde haar hoofd en wilde het liefst in zijn armen vallen en daar blijven. 'Maar ik kan beter teruggaan. Ik moet kijken of het goed gaat met de groep in het hotel. En of ze nog dierbaren van mevrouw Mortmain hebben kunnen opsporen.' Ze sprak de laatste woorden bitter uit.

'Je mag haar niet, hè?' zei Peter.

Tess' ogen vlogen open. 'Nee,' zei ze uiteindelijk, en ze liep met hem naar het midden van het plein, waar slechts een paar verdwaalde toeristen in het halfdonker stonden. 'Ik mag haar niet.

Het spijt me dat ik het moet zeggen, maar ik vind haar een kwaad-aardige vrouw.'

Peter schudde zijn hoofd. 'Dat is vreselijk, Tess.'

'Ik weet het.'

'Nee, dat is vreselijk om te zeggen,' zei Peter.

'Dat weet ik ook.'

'Wat heeft ze je misdaan? Je weet niet waardoor ze zo is geworden.'

Hij sprak luchtig, maar met een ernstige ondertoon, en Tess was ook ernstig. 'Ze... heeft zich niet zo aardig gedragen tegen de meeste mensen. Dat is het probleem. Daarom weet ik niet wat ik moet doen.'

'Hoezo?' Peter sloeg zijn armen over elkaar en ging op een oud ijzeren paaltje zitten. 'Wat heeft ze gedaan dat zo verschrikkelijk is?'

'Nou...' zei Tess. 'Ze heeft veel vijanden gemaakt. Ze denkt dat ze beter is dan alle andere bewoners. In Langford. Waar ik – waar we allemaal vandaan komen.'

'Waarom denkt ze dat?'

Tess haalde haar schouders op en keek om zich heen. 'Wist ik het maar.' Ze vertelde hem in het kort over de uiterwaarden en de vergunning die de projectontwikkelaar was toegezegd. 'Ik denk dat het moment van dit uitstapje ongelukkig gekozen is, vanuit dat standpunt bezien,' zei ze, en ze beet op haar nagel. 'Er zijn hier nu mensen die tegen elke stap van dat plan hebben gevochten, en die zijn heel boos op haar.'

Hij knikte en keek haar met zijn intelligente donkere ogen aan, maar ze voelde dat hij het niet begreep. 'Het is hun stad, weet je. Hun thuis. Ze zijn er opgegroeid, ze hebben hun kinderen daar grootgebracht, of ze hebben ervoor gekozen daar te wonen, en dat lijkt haar gewoon niet te kunnen schelen. Stel je voor – waar kom jij vandaan?' Ze besefte dat ze dat niet precies wist. 'Uit de staat New York, toch?'

'Long Island,' zei Peter. 'Veel goede tandartsklinieken en plastisch chirurgen. Niet veel uiterwaarden.' Hij sprak het laatste woord uit met een verschrikkelijk Brits accent en ze besefte hoe onbekend het allemaal voor hem moest zijn. 'Maar ja, mijn moeder is Italiaanse en in het dorp waar haar ouders vandaan komen, vlak bij Turijn, heeft de burgemeester vorig jaar een standbeeld van Berlusconi willen zetten, en toen brak hij zijn benen.' Hij knikte. 'Allebei.'

Ze waardeerde zijn poging. 'Het is dwaas, ik weet het. Maar ze is echt... ze is echt geen goedmoedig mens.'

'Je zei net dat ze kwaadaardig was.'

Tess wierp haar handen in de lucht. 'Oké, oké! Misschien is ze niet... kwaadaardig. Ze is alleen niet bepaald beminnelijk.'

'Dat is al beter,' zei Peter, en hij stond op en legde zijn handen op haar schouders. 'Echt kwaadaardig is heel erg. Je weet het niet, misschien is er iets gebeurd waardoor ze zo is geworden.' Hij zweeg even. 'Waardoor ze is veranderd.'

Zijn gezicht stond ernstig. Ze streelde het en trok hem naar zich toe voor een kus. 'Oké,' zei ze. 'Ik begrijp het.'

Hij maakte zijn hand los en streelde haar haar. 'Wil je dat ik met je meega naar het hotel?'

Eigenlijk wilde ze dat wel, maar ze wist dat het waarschijnlijk niet zo'n goed idee was om in het Albergo Watkins terug te keren met een aantrekkelijke jongeman aan haar zijde – ze wist dat de praatjes al in gang waren gezet door Ron en Andrea, en ze zat er niet op te wachten dat vuur nog verder op te stoken. Bovendien was ze ineens bang dat dit alles – het echte leven, als het dat al was – een verkeerde invloed zou hebben op wat er was geweest tot het moment dat Leonora Mortmain drie uur geleden voor hun ogen neerzakte, iets wat bijna perfect was geweest. Ze wilde niet dat het echte leven dit in de war stuurde. Nog niet. Laat die droom bestaan, voor dit moment.

'Nee, dat is oké,' zei ze. 'Ik kan beter alleen teruggaan. Je snapt het wel.'

'Ja, maar bel me als je me nodig hebt.' Peter greep haar polsen. 'Je bent mooi, Tess.' De blik in zijn ogen was intens. 'Dus gaan we op de brug ieder onze eigen weg. Ik bel je morgen, goed?'

'Ja, graag,' fluisterde ze. Kon hij maar met haar mee. Hij kuste haar, met zijn hand onder haar kin, en liep de brug op. Tess draaide zich om, naar het zuiden, terug naar het hotel, naar de rest van haar leven.

'Tess, daar ben je!' Carolyn Tey zat in de lobby van het Albergo Watkins met een zakdoek in haar hand gepropt, haar verhitte gezicht vlekkerig van de tranen, haar pluizige blonde haar nog pluiziger dan anders. Jacquetta zat naast haar en klopte op haar hand, waarbij ze tegelijkertijd met haar lange wimpers wapperde, alsof ze op de automatische piloot stond. 'O, schat... hoe is het met haar?'

Tess klopte Carolyn geruststellend op haar schouder terwijl ze naar de bank liep die onder het schilderij van het Colosseum stond. Ze steunde erop met één knie, ineens een beetje duizelig, en het felle licht in de lobby deed pijn aan haar ogen. Achter de balie zat Diana Sayers aan de telefoon, en naast haar zat Jan. Opluchting welde in Tess op toen ze besefte wat ze al wist: dat Diana en Jan verstandige vrouwen waren, in sommige opzichten weliswaar wat merkwaardig, maar wel verstandig. En dat had ze op dit moment nodig.

'Het gaat niet zo goed, vrees ik,' zei Tess. 'De dokter kan ons morgen meer vertellen. Ze heeft geen pijn. Maar ze is niet bij bewustzijn.'

'En die dokter, heeft hij een oorzaak genoemd?' vroeg Carolyn.

Tess keek op en zag Andrea Marsh en Ron naast elkaar onder aan de trap staan. Ze keken haar met een angstige blik aan.

'Zij. De dokter is een vrouw,' zei Tess. 'Ze heet Francesca,' zei ze ten overvloede, en ineens drong het tot haar door. Francesca... Wat zou háár Francesca nu doen, op vrijdagmiddag in het regenachtige Langford? Het leek aan de andere kant van de wereld. 'Ze heeft niets over een mogelijke oorzaak gezegd. Ze zei dat mevrouw Mortmain heel teer was, meer niet.'

'Arm kind,' zei Diana, die de hoorn neerlegde en nu de lobby in kwam. Ze klopte Tess op haar rug en het deed Tess goed toen ze besefte dat ze het tegen haar had. 'Wat een dag. Verder geen nieuws?' Tess schudde haar hoofd. 'Dus ze houdt het nog wel even vol?'

'Diana!' protesteerde Jan verontwaardigd. 'O hemel, dat kun je toch niet zeggen!'

'Nou, blijft ze leven of niet?' zei Diana kalm. 'Het maakt mij niet uit, maar alles in aanmerking genomen willen we toch niet dat onze vakantie in het water valt door een noodlottig ongeval?'

Tess schoot in de lach, deels als gevolg van de schok. 'Heb je Jean Forbes nog te pakken gekregen?' vroeg ze.

'Ja,' zei Jan. 'Ze neemt contact op met de juristen van de familie Mortmain. Ze... o, ze zei...'

Diana viel haar plotseling in de rede en keek bezorgd naar Tess. 'Je ziet er afgeknoedeld uit, Tess, als ik het mag zeggen. Het is een lange dag geweest. Heb je al gegeten?'

Tess besefte dat ze na de lange vrijpartij op de vloer, de prosecco, de rondwandeling, de toestand met Leonora en het urenlange wachten de hele dag niet veel meer had gegeten dan wat brood en kaas bij Peter. 'Nee,' zei ze. 'Ik heb razende trek. Ik kan wel even iets gaan halen...'

'Maak je geen zorgen,' zei een stem achter haar, en toen ze zich omdraaide zag ze Liz en Claire met een wit pakje in hun hand in de deuropening staan. 'We zijn naar de bakkerij op het Campo dei Fiori geweest. We hebben wat gehaald, omdat we niet wisten wat iedereen vanavond deed. We dachten dat je wel trek zou hebben.'

Tess keek hen dankbaar aan. 'Jullie zijn schatten,' zei ze.

'Graag gedaan,' zei Liz monter. 'Het leek me het enige wat we konden doen.'

'Kom mee naar het terras,' zei Diana. 'Eet het daar op, dan laten we ook een glas wijn brengen. Wat een dag.'

'Wat een dag, nou, zeg dat,' zei Jan, die achter haar aan kwam. Ze tikte Jacquetta op haar schouder. 'Ga je mee, lieverd?'

'Ik kom zo,' zei Jacquetta op gewichtige toon. 'Ik wil alleen zeker weten dat Carolyn wat is bedaard...'

'Het gaat wel,' zei Carolyn, die opnieuw in tranen uitbarstte. 'Het... het gaat wel... O hemel, het is ook allemaal zo verschrikkelijk.'

Tess keek naar haar en wist niet goed hoe ze hierop moest reageren. Zij had de leiding en ze wist zich eigenlijk geen raad. 'Kom mee,' zei Claire, en ze pakte Tess bij de arm. 'We kunnen daar bespreken wat we gaan doen. Het is heerlijk buiten. Laten we proberen er nog even van te genieten.'

Ze zaten op het terrasje voor het hotel, waar de jasmijn zich om de klimop heen slingerde en de geluiden van de stad langsdreven, alsof ze door een briesje werden aangevoerd. Ze wisten dat er de volgende ochtend beslissingen genomen moesten worden, maar nu konden ze niets doen, en Tess ontspande een beetje. Ze praatten tot laat in de avond over van alles en nog wat, lachend om verhalen over verschrikkelijke baantjes, rampzalige afspraakjes, vriendinnen met kinderen, hun hoop voor de toekomst enzovoort. Het was een vreemd einde van een vreemde dag en voor het eerst besefte Tess hoe fijn het was om daar met mensen van haar eigen leeftijd over te praten.

'Je was altijd een beetje angstaanjagend, in de klas,' zei Liz terwijl ze het staartje van de fles in het glas van Tess schonk. 'Ik durfde de eigenlijk niet naar je toe te gaan en voor te stellen of je meeging om iets te drinken.'

'Wat vreselijk,' zei Tess, toen ze bedacht dat ze eigenlijk nog nooit eerder met hen had gepraat, het zelfs niet had gewild. Ze waren van haar eigen leeftijd, ze hadden tot voor kort allebei in Londen gewoond, en het had haar niets kunnen schelen. En dan had ze ook nog geklaagd dat het zo moeilijk was om vrienden te maken in Langford. Ze was... Nou ja, ze was een stommeling.

'Nou, het is nu fijn om met je te praten.' Claire geeuwde en rekte zich uit, en Tess deed hetzelfde. 'Al zijn de omstandigheden niet ideaal.'

'Nee,' zei Tess somber. Ze geeuwde weer en duwde het vetvrije papiertje van haar broodje van zich af. 'Ik denk dat ik maar naar bed ga. Morgen weten we meer, en dan nemen we een besluit over wat er moet gebeuren.'

'Of we eerder naar huis gaan, bedoel je?' vroeg Liz.

'Het besluit ligt eigenlijk bij jullie,' zei Tess. 'We vertrekken maandag, dat is over drie dagen. Ik moet aan de verzekering vragen wat er gebeurt als mensen morgen terug willen.'

De twee meisjes knikten. 'En hoe je haar thuis krijgt.' Claire stond op en pakte het papiertje en de flessen.

'Wat?' Tess was even afgeleid toen ze, terwijl ze naar de daken en de sterrenhemel keek, naar het vage geluid van ambulances luisterde die over de hoofdweg langs de Tiber stormden.

'Haar. Leonora Mortmain. Hoe je haar thuis krijgt. Jij hebt de leiding,' zei Liz terwijl ze haar op haar schouder klopte.

'Ja.' Tess knikte en er ging weer een rilling door haar heen. 'Ja. Ik denk dat ze me morgen op de hoogte brengen, en dan zal ik moeten besluiten wat we gaan doen.'

Maar het bleek niet nodig om een besluit te nemen. Het werd voor haar genomen.

De volgende ochtend om halftien was Tess al gedoucht en aangekleed. Ze had ontbeten en stond op het punt met Jan, Andrea en Ron naar het ziekenhuis te gaan om te horen hoe Leonora de nacht was doorgekomen; de vraag was eigenlijk of ze de nacht had overleefd, bedacht Tess. Ze pakte haar spulletjes in haar slaapkamer terwijl de ochtendzon tussen de takken van de bomen voor haar raam speelde. De vogels zongen zich bijna schor. Ze neuriede in zichzelf en probeerde de moed erin te houden, toen het geluid van een auto het vogelgezang overstemde. Een portier ging open en sloeg dicht. Als Leonora was overleden, zouden ze haar, Tess, toch gebeld hebben? Ze zouden toch niet wachten tot ze in het ziekenhuis was? Misschien was het goed nieuws – als je dat al goed nieuws kon noemen, voor iemand in die situatie – ze wist het niet.

Ze liep naar het raam en deed het dicht. De auto reed weg en ze hoorde voetstappen op de trap. Het was weer rustig. Ze zocht de vogels in de boom maar ze zag ze niet. Ze pakte haar sleutels en haar tas, sloot haar kamer af en ging naar beneden. Ze was de eerste.

'Vreemd,' zei ze hardop. 'Als ik geen orders uitdeel, blijven ze gewoon...'

Maar toen ging krakend de voordeur open, en een man met een tas over zijn schouder liep binnen.

Hij bleef stokstijf staan toen hij haar zag.

'Tess,' zei hij. Ze staarde naar hem, naar die lange, vreemd vertrouwde man, en hoofdschuddend besefte ze wie hij was. Alsof ze hem voor de eerste keer van haar leven als volwassene zag. Haar mond viel open.

'Adam?' zei ze, en haar hart zat ineens in haar keel. 'Adam, wat doe jij hier in vredesnaam?'

'Tess. Lieverd.' Adam glimlachte, maar alleen met zijn mond en niet met zijn ogen. 'Wat fijn je te zien.' Hij staarde haar somber aan, met een onpeilbare blik in zijn ogen. Hij was een man, een volwassen man, dacht ze. Hoe kwam het dat ze dat nooit eerder had gezien?

Achter haar zei iemand: 'Aha, je bent er.'

Achter Tess kwam Diana snel de trap af lopen en ze omhelsde hem. Ze greep zijn arm en kneep haar lippen op elkaar, en Tess merkte ondanks haar verbazing dat ze probeerde niet in tranen uit te barsten.

'Waarom... Wat is er gaande?' vroeg Tess. 'Adam... wat doe jij hier?'

'Hij is naaste familie,' zei Diana. 'Hij is degene naar wie je op zoek was.'

'Het is waar, Tess,' zei Adam. Zijn lage stem weerklonk in de blinkende hal, maar hij sprak alleen tegen haar.

Ze schudde haar hoofd. 'Ik begrijp niet...'

Hij viel haar in de rede. 'Er is iets wat je moet weten.' Hij schraapte zijn keel.

'Degene die... diegene naar wie ik op zoek was?' papegaaide Tess. Ze schudde haar hoofd en richtte zich weer tot Adam.

Hij knikte langzaam.

'Luister. Er is iets wat ik je nooit heb verteld, Tess.'

'Wat dan?' Tess liep naar hem toe. 'Adam, wat is er?'

'Tess – ze is mijn grootmoeder.'

'Wie?' vroeg Tess dwaas, hoewel ze diep vanbinnen al wist wat hij ging zeggen, omdat ze het allang had moeten zien.

Ze keek hem in zijn gezicht en zag dat de blik in zijn ogen niet overeenkwam met de onverschillige toon waarop hij zei: 'Leonora Mortmain. Zij is... ja, zij is mijn grootmoeder.'

25

Een stilte daalde als een deken over hen heen. Tess staarde hem aan en schudde opnieuw haar hoofd.

'Wat?' zei ze ten slotte.

'Ik ben haar kleinzoon. Haar enige bloedverwant. Zoals blijkt.' Hij glimlachte vermoeid.

'Hoe lang al? Ik... ik bedoel, wanneer ben je daarachter gekomen?'

'Toen mijn moeder stierf,' zei Adam. 'Zij was haar... moeder. Is haar moeder.'

'Leonora? Mortmain?' zei Tess, een en al ongeloof. 'Adam... weet je dat zéker?'

'Ja,' zei hij met een glimlach. 'Ik ben bang van wel.'

Hij zette zijn tas op de grond en wreef met zijn handen over zijn gezicht.

'Maar wanneer...? Wanneer heeft Leonora een kínd gekregen?'

Adam sprak tussen zijn vingers door. 'Het is een lang verhaal. Kunnen we het er later over hebben?'

'Goed idee,' zei Diana terwijl Tess haar stomverbaasd aankeek. 'Je zult wel uitgeput zijn, Adam. Wanneer ben je vertrokken?'

'Even na zessen,' zei hij. 'Ik ben gisteravond naar Heathrow gegaan en heb daar op een bank in de lounge geslapen. Het was de eerste vlucht die ik kon krijgen.'

'Heb je wel geslapen?'

'Een beetje,' zei hij. Hij gaf haar hand een kneepje. 'Zo, dus...'

Op dat moment verscheen Jan, die aan het riempje van haar vest frummelde, met Ron in haar kielzog.

'Hé, hallo, Adam,' zei ze zonder enige verbazing. 'Godzijdank, je bent er. Hoe was je vlucht? Hè, dat stomme ding wil niet dicht. Ron, waar is Andrea?'

'Ik heb het haar verteld,' zei Diana op luide fluistertoon tegen Adam, alsof Jan er niet bij was. 'Sorry.'

'Hé, maat,' zei Ron tegen Adam. 'Wat doe jij hier?'

'Dat is een lang verhaal,' zei Adam met strakke lippen. 'Alles goed met jullie?'

'Jawel, het was nogal een schok, nietwaar? Wanneer ben je hier aangekomen?'

'Net,' zei Adam. 'O, hallo, Andrea.'

Andrea kwam haastig de trap af gelopen. 'Adam Smith? Ben jij dat? Wat doe jij hier?'

Tess verroerde zich niet. Ze wist niet wat ze moest doen, wat ze moest zeggen. Misschien kwam het door de herhaalde vragen, misschien door de schok, misschien doordat ze besefte dat Smith waarschijnlijk helemaal niet zijn achternaam was, en dat dat het minst belangrijk van alles was – zijn naam.

'Je moet je inchecken,' zei ze tegen Adam. 'Eh... je wilt zeker met ons mee naar het ziekenhuis?'

'Ik denk het wel,' zei hij. 'Ja.'

Ze kende hem niet, besefte ze, deze onbekende man. Hij was een onbekende. Hij was niet de Adam met wie ze was opgegroeid, maar een ander. Dat was hij al tien jaar, maar zij was er blind voor geweest. Ze verdrong gedachten aan de laatste keer dat ze hem had gezien, aan zijn lippen op de hare, dat het als thuiskomen had gevoeld. Maar ze kende hem totaal niet. Al die tijd had hij dat geheim bij zich gedragen... Ze keek naar hem en glimlachte snel, alsof ze wilde zeggen dat het goed zou komen. Maar hij keek wezenloos naar haar en ze deinsde terug alsof hij zijn tanden had ontbloot.

Tess hield de map met informatie als een schild tegen zich aan. 'Nou, ik kan het onderweg vertellen. Zet je bagage maar even weg. Ik wacht buiten, jongens.' Ze liep naar buiten, trok de deur achter zich dicht en ademde diep de ochtendlucht in, hoewel het pijnlijk was vanwege het benauwde gevoel in haar borst, alsof er een gewicht op rustte.

Adam – die lieve nietsnut, die al bijna heel haar leven haar beste vriend was – bleek heel iemand anders te zijn. Allerlei gedachten die ze niet had begrepen kregen nu betekenis voor haar – dat hij al die jaren van vrijwel niets had geleefd, waarom hij niet was vertrokken, zijn vreemde, bijna gekoesterde teruggetrokkenheid, zijn onverschillige houding tegenover het leven. Zijn gulheid, zijn perioden van stilte, van hekel aan zichzelf. Hij had de abortus betaald zonder ooit te vertellen waar het geld vandaan kwam. De herinnering stormde vanuit het niets op haar af en Tess keek naar de stralende blauwe hemel en ging met haar hand naar haar hals, alsof ze probeerde iets weg te halen wat daar dwarszat en wat haar het ademhalen bemoeilijkte. Gebeurtenissen, gedachten, verhalen – alles begon door haar hoofd te draaien als een carrousel, en ze voelde dat haar ademhaling dieper en sneller werd...

Genoeg. Nu niet. De deur ging weer open.

'Gaat het, Tess?'

'Natuurlijk.'

'Ze kunnen elk moment buitenkomen. Adam brengt even zijn spullen weg.' Diana Sayers schraapte monter haar keel en gooide haar degelijke bruine handtas over haar schouder. Tess keek haar aan.

'Hoe lang wist je dit al?' vroeg ze. Ze draaide zich om en keek weer naar de zon terwijl ze haar best deed om terloops te klinken. 'Van Adam? En Philippa?'

'O,' zei Diana. 'Altijd al. Ik bedoel, Philippa heeft het me een paar jaar nadat ze in Langford was komen wonen verteld. We waren heel goed bevriend, weet je.' Haar stem trilde en ze greep haar tas stevig vast, alsof ze steun zocht. 'Door dit alles moet ik eraan denken hoe alleen ze was. Ze was zoveel... beter dan de meeste andere mensen. Ze was mijn...' Ze slikte tranen weg. 'Ze was mijn beste vriendin.'

'Wat is er gebeurd?'

'Wanneer?'

De gedachten tolden door Tess' hoofd. 'Hoe heeft ze een kind kunnen krijgen?'

'Mevrouw Mortmain? Ik denk niet dat iemand dat weet.' Diana snoot haar neus. 'Ze heeft het in elk geval nooit aan Philippa verteld. Philippa kwam naar Langford om haar te zoeken zodra ze had gehoord wie haar moeder was. Ze was toen acht maanden zwanger. Ze was radeloos. En Leonora Mortmain weigerde iets met haar te maken te hebben.' Ze knikte om zichzelf te corrigeren.

'Dat is niet eerlijk. Ze schonk haar de cottage. Maar die stond helemaal aan de andere kant van de stad, en ze zei tegen haar dat ze het geheim moest houden. Dat ze niets met haar te maken wilde hebben.'

'Maar... maar waarom niet?'

Er verscheen een glimlach op Diana's ernstige gezicht. 'Ik weet het niet, Tess. Ze was... Ze is... een heel moeilijke vrouw.'

'Dus ze heeft nooit verteld...'

Diana viel haar in de rede. 'Philippa heeft het me verteld, dat is denk ik genoeg.' Ze zei het plotseling, alsof het haar ontsnapte: 'Je weet niet hoe moeilijk het is geweest om het al die jaren binnen te houden. Als je weet hoe die vrouw haar heeft behandeld.'

Tess wilde nog zoveel weten, zoveel vragen, maar ze zei slechts: 'O, Diana. Wat erg voor je.'

Diana snufte. 'Het gaat wel, hoor.' Ze rommelde in haar tas en snoot nogmaals weinig elegant haar neus in een verfrommeld papieren zakdoekje. 'Adam is degene die het moeilijk krijgt. Nou,' zei ze met een blik op Tess, alsof het ineens tot haar doordrong wie ze was. 'Gaan we?'

De deur ging open, Jan kwam naar buiten en keek hen over de rand van haar zonnebril aan. 'O, hallo. Diana? Zullen we gaan?'

'Waar is Adam?'

'Hier,' zei Adam terwijl hij de deur wijder opendeed. Hij keek omhoog naar de wolkeloze hemel, en toen naar Diana en naar Tess. Hij had papieren in zijn hand; ze ritselden toen hij ze vastgreep. 'Zullen we gaan?'

Tess besefte dat hij het tegen haar had en dat zij de leiding had. 'Ja, goed idee. We kunnen gaan lopen, het is maar vijf minuten. Kom.'

'Wil je dat we meegaan?' vroeg Andrea, die achter hen was opgedoemd.

'Nee, bedankt,' zei Tess met een blik op haar bleke gezicht. 'Maak je geen zorgen, Andrea. We zijn snel weer terug. Ga lekker met Ron een kop koffie drinken op het plein. En wil je tegen de anderen zeggen waar we naartoe zijn?'

'Goed, kom mee,' zei Jan, verend op de bal van haar voeten. 'Hoe eerder we vertrekken... enzovoorts.'

Adam keek haar aan. 'We redden het wel met ons drieën, denk ik. Bedankt, Jan,' zei hij. En Jan deinsde naar achteren, alsof ze zojuist ergens op was betrapt.

'O,' zei ze. 'O, nou, goed, Adam.'

'Heb je de papieren bij je?' vroeg Diana zachtjes toen ze een hobbelig straatje in liepen. Voor hen uit gooide een oude vrouw een emmer water over de keien en liep fluitend weer naar binnen. Tess keek naar haar.

'Ja,' zei Adam. Hij liep sneller dan zij, merkte Tess op, alsof hij er meer vaart achter wilde zetten. 'Ik weet eigenlijk niet... Ik heb een legitimatie bij me. En mijn geboortebewijs. Voor het geval we iets moeten regelen... iets moeten ondertekenen. O god, ik weet het niet.'

Diana klopte geruststellend op zijn arm. 'Het komt wel goed, Adam,' zei ze langzaam.

'Nee,' zei Adam, alsof Tess er niet bij was. 'Nu komt het uit, en iedereen zal het horen...'

'Ze moesten het een keer te horen krijgen,' zei Diana. Ze wierp snel een blik op Tess. 'De mensen moesten het weten. Leonora zou toch op een gegeven moment overlijden, Adam. Dus misschien...'

'Ze is niet dood,' zei Adam kort.

Hij liep iets verder dan Diana, die daardoor weer naast Tess liep. Diana zei niets en ze liepen in stilte verder tot ze bij het eind van de weg kwamen, waar Adam bleef staan. Tess was zo onderworpen aan zijn leiderschap dat ze niet begreep waarom hij stil bleef staan, totdat ze besefte dat zij hem de weg moest wijzen.

'Hier gaan we de brug over,' zei ze. 'Het is op dat eiland midden in de rivier.'

'Wauw,' zei Adam, turend naar het ziekenhuis en daarna naar de rest van de stad, de stromende rivier, het witte marmer en de zwarte bomen die schitterden in de hitte. 'Mooi hier, zeg.' Hij zuchtte. 'O god. Wat is dit een maffe toestand.'

Tess legde haar hand op zijn schouder, maar hij liep snel verder.

Bij het binnengaan van het ziekenhuis keek Tess zijdelings naar Adam. Ze wist dat ze zich een vriendin moest tonen, nu meer dan ooit, maar ze had geen idee hoe ze dat moest doen. Haar telefoon zoemde, en ze greep in haar tas, in de wetenschap dat ze hem had moeten uitzetten voordat ze naar binnen gingen. Het was een sms'je van Peter.

Denk aan je. Hoop dat het goed gaat. Ik moet je iets vragen, kom naar mij toe, of anders bel ik je nog. P xx

Dokter Veltroni had gelukkig weer dienst. Ze keek ernstig naar Adam en zei met haar welsprekende, zachte stem op enigszins aarzelende toon: 'Bent u naaste familie?'

'Ja,' zei Adam. 'Ik ben haar kleinzoon.'

'U moet deze papieren tekenen.' Ze gebaarde naar de receptie achter hen, waar de Italiaanse bureaucratie ongebreideld haar gang ging. 'Maar u zult nu eerst wel naar uw grootmoeder willen.'

'Ja,' knikte Adam. Tess vroeg zich af of hij besefte wat hij deed. Dokter Veltroni keek nieuwsgierig naar hem, toen naar Tess, en daarna naar Diana.

'Het gaat vanochtend niet zo goed, het spijt me. We zien geen verandering bij de patiënte. Dus... ik ben bang dat we het over de opties moeten hebben als u haar hebt bezocht. Meneer...' Ze stak beleefd haar hand uit.

'Smith,' zei Adam. 'De naam is Smith.'

'Meneer Smith. Ik denk niet dat uw grootmoeder hiervan zal herstellen. Zoals ik gisteren al tegen de jongedame en de jongeman heb gezegd, weten we vandaag meer.'

Adam draaide zich met samengeknepen ogen naar Tess, deed zijn mond open en weer dicht, schudde zijn hoofd en draaide zich weer om. Dokter Veltroni ging door: 'U moet een paar beslissingen nemen en we moeten een paar dingen bespreken, of ze hier blijft of dat u haar meeneemt naar Engeland. Het spijt me. Het is niet anders.'

Adam knikte weer en Tess greep de rug van de stoel naast haar. Diana schraapte haar keel en zei: 'Pardon, dokter. Betekent dat... dat ze doodgaat?'

'Welzeker,' zei dokter Veltroni. 'In de eerste plaats omdat ze al zo oud is. En in de tweede plaats omdat ze een zware beroerte heeft gehad. Dus het gaat algauw deze kant op...' Haar hand gaf een glijdende schaal aan. 'Het spijt me. Ze zal niet meer herstellen.'

Er viel een stilte. Dokter Veltroni keek verwachtingsvol naar Adam. Hij haalde nietszeggend zijn schouders op en keek naar Diana.

'Dan kan ik nu maar beter naar haar toe gaan.'

Tess wachtte buiten toen hij naar binnen ging; het leek haar het best als hij haar alleen bezocht. Zij en Diana gingen in de benauwde gang zitten met als enig geluid een ruisende plafondventilator en een zoemende vlieg. Ze zeiden niets, ze wachtten. Toen Adam na een paar minuten het kamertje uit kwam, sprak hij met dokter Veltroni, en van zijn gezicht viel niets af te lezen.

'Dus ik bel het hospice thuis, en wacht af wat ze zeggen. Dat laat ik u nog weten.'

Ze knikte. 'Maar de beslissing is natuurlijk aan u, meneer Smith.'

Diana en Tess stonden op toen ze hen naderden. Tess keek vragend naar Adam op. 'We bespreken net wat we hierna gaan doen. Ze kan hier blijven of ze kan mee naar huis. Er is sprake van enige reactie, dus we moeten zeker weten dat ze de juiste zorg krijgt.'

'Je bedoelt dat er een kans bestaat...' begon Tess, maar hij viel haar in de rede.

'Ik weet het niet. Ik moet nadenken over wat het gemakkelijkst is. Voor ons, voor dit goede ziekenhuis dat te weinig bedden heeft. Voor het ziekenhuis thuis.'

Er viel een akelige stilte, die Diana verbrak door te zeggen: 'Adam, ze is je grootmoeder.'

'Nee hoor,' zei Adam luchtig. "Grootmoeder" is er niet het juiste woord voor. Ik ben een verwant.' Hij keek naar het plafond en ademde in en uit alsof hij zijn uiterste best deed om zich goed te houden. 'Ik moet doen wat juist is. Voor haar, maar voornamelijk voor mijn moeder. Verdomme. En dan is het klaar. Dokter... kunt u me de formulieren laten zien die ik moet ondertekenen?'

Hij draaide zich om en ging het kantoor binnen. Tess keek op haar horloge. Het was nog geen twaalf uur.

Ze wachtten schuifelend en stilzwijgend op de harde houten bank. Toen Adam tien minuten later tevoorschijn kwam, zei Tess: 'Wat wil je nu gaan doen?'

Zij wilde naar Peter – de gedachte in zijn armen te vallen en zijn warme, troostende lichaam tegen haar aan te voelen en zijn handen over haar haar, was bijzonder aanlokkelijk. Peter zou weten wat er moest gebeuren. Ze waren allemaal vreemd in dit onbekende land, overgeleverd aan receptionistes, obers, doktoren, politieagenten. Hij maakte deel uit van deze stad, hij kende de weg, hij was hier thuis en hoewel ze hem pas had ontmoet – was het pas vijf dagen geleden? Ze glimlachte bij de gedachte – kende ze hem. Ze kende hem beter dan Adam, bleek nu. Was dat echt waar?

'Ik weet het niet,' zei Adam. Hij keek naar Diana.

'Ik ga terug naar het hotel,' zei Diana. 'Op zoek naar Jan, en de anderen. Om te beslissen wat we gaan doen.'

Tess wist dat ze ook terug moest, maar ze kon het nog niet aan. 'Ik kom wat later. We moeten bij elkaar komen om te bespreken wat we hierna doen.' Diana trok een wenkbrauw op en Tess vervolgde: 'Kun je de anderen bij elkaar roepen? Ik ben er over een paar uur.'

'Waar ga je dan naartoe?' vroeg Adam.

'O, wat rondwandelen,' zei ze simpelweg. 'Alleen even mijn benen strekken.'

'Dan ga ik mee, als dat goed is.'

'Natuurlijk,' zei Tess snel.

'Nu ik hier toch ben zou het zonde zijn als ik niets van Rome te zien krijg.'

Diana keek hen aan met een vreemde uitdrukking op haar gezicht. 'Goed,' zei ze. 'Dan ga ik alvast. Tot later.'

'Ja,' zei Tess. Ze had de pest aan zichzelf. 'Tot later. Oké... Ga je mee, Adam?'

Toen ze naar de noordkant van het eiland liepen en de brug over gingen naar het Centro Storico, wierp Tess tersluiks een blik op Adam. Ze vroeg zich af wat ze moest doen. Ze had Peter willen bellen, maar dat kon nu niet. Ze kon het ook niet aan Adam vragen, want die wist zich duidelijk geen raad.

Hij strekte zijn armen, rolde met zijn schouders en knipperde een paar keer met zijn ogen. 'Waar gaan we heen?'

'Waar wil je naartoe?' vroeg Tess.

'Koffiedrinken,' zei hij ineens. 'Een kop koffie, dat zou lekker zijn.'

'Dan gaan we naar het Campo dei Fiori,' zei ze. 'Voor een ontbijt. In de zon.'

Daarna konden ze langs Peters huis lopen, dan kon ze in elk geval een blik naar binnen werpen, op de boekenkast, een stukje van die lichte, luchtige kamer. Dat zou haar de kracht geven om verder te gaan. Daarna moest ze erachter zien te komen wat ze met de groep zouden doen. En wat ze voor Adam kon betekenen, als dat al mogelijk was...

Ze slenterden stilzwijgend voort over de Via Giulia, waar het verkeer voorzichtig afsloeg en de geur van jasmijn zwaar in de lucht hing.

'Wat een heerlijke geur,' zei Adam snuivend. 'Het ruikt naar de kamperfoelie die we vroeger thuis hadden, weet je nog?'

Ze was het vergeten, maar nu wist ze het weer. De herinnering overspoelde haar. Philippa's wilde, kleurrijke ommuurde tuin, een zonnig hoekje aan de rand van het oude stadje, vol bloemen die elkaar in afmeting, kleur en geur naar de kroon staken.

'Ja, natuurlijk,' zei Tess, met een verwonderde glimlach. 'Nu weet ik het weer. Ja, zo ruikt het precies.'

'En de violieren,' zei Adam. Hij stak zijn handen in zijn zak. 'Al die inwoners van Rome met hun buitenhuizen in Pompeii en Napels. Ik vraag me af hoe hun tuinen eruitzagen.'

Tess moest lachen om het absurde van de situatie. 'Ja,' zei ze toen ze de straat overstaken.

'Wat?' Adam keek haar niet-begrijpend aan. Een scooter kwam in volle vaart de hoek om, zodat ze opsprong. Hij legde zijn hand op haar arm. Ineens dacht ze aan Leonora Mortmain, haar boze gezicht verkrampt van verwarring en norsheid. *Waar is hij? ... Waar is Philip? ... Hij komt niet.*

'Jij ook,' zei ze. 'Jij met je klassieke brein, Adam. Luister, we komen nu bij de...'

Ze naderden het Piazza Farnese, dat uitkwam op het Campo dei Fiori, en ze keek omhoog naar Peters woning op de derde – volgens hem de tweede – verdieping, dat schitterde in de zon. Alsof hij daar zou staan, en leunend uit het raam haar naam riep, zoals Romeo en Julia, maar dan andersom.

Er klonk een harde dreun, waardoor ze weer opsprong. 'Je bent nogal schrikachtig, hè?' zei Adam. 'Het was alleen maar die deur daar, die dichtgeslagen werd, kijk...

Hij wees naar de hoofdingang van de flat waar Peter woonde, en ze volgde zijn blik. De oude deur was dichtgeklapt en daar, op de drempel, stond Peter. Automatisch stak ze haar arm op en ze liet hem meteen weer vallen, maar hij had haar al gezien. Hij staarde met zijn grote, donkere ogen naar Tess.

'Wat raar,' zei Adam. 'Hij kijkt naar jou. Hij zwaait, alsof hij je kent.'

Tess, die als vastgenageld bleef staan, zag dat hij op hen af kwam. 'Ja,' zei ze. 'Ik ken hem.'

'Hoi,' zei Peter. 'Tess...'

Hij keek naar Adam. Adam keek naar hem. 'Hoi,' zei Adam ten slotte en hij schudde Peters hand. 'Ik ben Adam. Ik ben...' Zijn stem stierf weg. 'Ik ben vanochtend pas aangekomen, en...'

'Ja, natuurlijk,' zei Peter, alsof hij het helemaal begreep. 'Aangenaam.'

Tess had het gevoel dat ze iets uit moest leggen. 'Adam is de oude dame met die beroerte... Ik bedoel, hij is haar grootmoeder.' Ze stampte met haar voet. 'Ik bedoel, hij is haar kleinzoon.'

'Hallo,' zei Peter. 'Leuk je te ontmoeten.' Hij kneep Tess even in haar schouder. 'Hallo, schatje.' Hij kuste haar licht.

'Wilde je me iets vragen?' vroeg Tess zachtjes.

'Ja,' zei hij. 'Ik moet eigenlijk even met je praten. Maar het kan nog wel even wachten.' Hij richtte zich weer tot Adam en keek hen toen beiden fronsend aan. 'Jullie zullen wel een hoop te bepraten hebben. Het spijt me van je grootmoeder, Adam. Ik hoop voor je dat het goed komt.'

'Eh... bedankt,' zei Adam. 'Leuk om je te leren kennen...' Hij staarde hen allebei aan en kneep zijn ogen half dicht tegen de felle zon. 'Het is een lange ochtend geweest. Ik moet koffie hebben.'

'Ik kom eraan,' zei Tess. Ze draaide zich om en liep met hem mee, terwijl ze Peter een kus toeblies. Hij keek haar na en zwaaide, en toen zij en Adam naar het café liepen bleef hij staan kijken tot ze zich nog een keer omdraaide. Toen glimlachte hij naar haar en ging terug naar zijn flat.

26

Zonder iets te zeggen namen ze plaats in een café aan de rand van het Campo. Nadat de ober was vertrokken, boog Tess zich naar voren en keek Adam aan. 'Wauw,' zei ze. 'Adam, hoe heb je in hemelsnaam...'

Hij keek haar recht aan. 'Wie was dat?'

'Peter?' Ze wist even niets te zeggen. 'Dat is... een vriend.'

Adam bleef haar aankijken. 'Waar ken je hem van?'

'We... we zijn elkaar min of meer tegen het lijf gelopen,' zei Tess, en ze onderdrukte een glimlach bij de herinnering. 'Hij is journalist. Hij woont hier.'

'En jij gaat met hem om? Wat... wat is er gaande tussen jullie?'

'Adam!' riep Tess verbaasd uit. 'Wat kan het je schelen? Dat is op dit moment toch niet belangrijk? Ik bedoel – wat is er met jóú gaande, dáár gaat het om, toch?'

Hij knikte en boog zijn hoofd. 'Ik weet het,' zei hij eerlijk. 'Ik weet het. Tess – ik ben je op zijn minst een verklaring schuldig. Het spijt me dat ik het je niet eerder heb kunnen vertellen...'

'Het geeft niet,' zei ze. Ze tikte ritmisch met een theelepeltje op de tafel. 'Het geeft echt niet.'

'Jawel,' zei Adam. 'Volgens mij heeft het alles beïnvloed. Zelfs dat ik het geheim heb gehouden. Soms denk ik, als alles anders gelopen was, dat mijn moeder er nog zou zijn. Zelfs...'

Hij viel stil en keek terneergeslagen. Ze keek hem aan en dwong zichzelf aan het heden te denken – en aan het verleden, het alom aanwezige verleden. 'O, Adam,' zei ze ten slotte. 'Denk je dat echt? Hoe dan?'

'Ik weet het niet,' zei hij. 'Maar Tess...' Hij staarde naar buiten, naar het kleurrijke plein waar de markt in volle gang was, naar het bloemenstalletje waar zich een kleine massa verdrong. 'Ik weet het niet. Al dat liegen, wat dat met mijn moeder heeft gedaan, met ons allebei. Ik voel geen band met die vrouw. Ik denk niet dat ik dat ooit zou kunnen.' Hij wees met een vinger in de richting van de rivier, waar het ziekenhuis stond. 'Ook al ben ik haar vlees en bloed. De enige bloedverwant die ik heb.' Hij ademde uit. 'Diana is de afgelopen tien jaar meer familie voor me geweest dan zij, ondanks al haar eigenaardigheden.'

'Maar... wanneer ben je erachter gekomen?' vroeg Tess aarzelend, niet goed wetend hoe ze moest beginnen. Ze had zoveel vragen. 'Van Leonora, dat ze je... je grootmoeder is?'

'Toen mama doodging,' zei Adam. Hij lachte vreugdeloos. 'Mja. Leuk cadeautje voor de begrafenis, vind je niet? Je moeder is dood, je bent helemaal alleen op de wereld, maar nee hoor, er is iets wat ze je nooit heeft verteld, en jij mag het ook aan niemand vertellen!' Hij speelde met een suikerklontje in een plastic verpakking; hij plette het ineens en de bruine suiker schoot over het tafeltje.

'Wat gebeurde er?'

'Nou, je weet nog wel die zomer na haar dood,' zei Adam.

'Natuurlijk.'

'Ik wilde niet terug naar de cottage. Ik was heel veel buiten.' Zijn blik ontmoette de hare. 'Met jou, voornamelijk.'

'Jep,' zei ze.

'Toen werd er steeds gebeld. We hadden toen nog geen nummermelder, maar de telefoon ging heel vaak, en nooit werd er een boodschap ingesproken. Ik was altijd weg of... bezig.'

Ze wist het nog goed. Ze waren zo verdiept in hun eigen wereldje, dat ze het aanhoudende rinkelen van de telefoon waren gaan zien als een bewijs van hun dubbelhartigheid. Ze dachten er niet aan om op te nemen als ze op de antieke beddensprei lagen in het gammele ijzeren ledikant in Adams zolderkamer. Zes, zeven, acht uur verstreken soms, zomerdagen die ze binnen doorbrachten met slapen, eten en vrijen. Mensen klopten op de deur, ze wilden weten hoe het met hem ging; hij negeerde ze. De telefoon ging; hij negeerde het. Als ze iets te melden hadden, spraken ze dat toch wel in. Tegen het eind van die zomer kenden ze elkaars lichaam beter dan dat van henzelf; de moedervlek aan de binnenkant van een dijbeen, de kleine vergroeiing onder een borst, het litteken onder de ribben. Het was hun eigen wereld, gecreëerd om de buitenwereld op een afstand te houden.

Tess sloot haar ogen om de herinneringen weg te duwen. 'Hoe hebben ze je weten te bereiken? Wie was het?'

'Clive. Die goeie ouwe Clive.'

'Clive Donaldson?'

'Jep. Hij kwam op een dag aan de deur, nadat jij was vertrokken, denk ik. "Ik heb geprobeerd je te bereiken, jongeman. Ik heb je iets belangrijks te vertellen." Dat zei hij... Ik weet het nog precies.'

'Heeft híj het je verteld?' Tess was verbijsterd.

Adams glimlach kreeg iets verwrongens. 'Hij belde Diana. Ze spraken af dat zij erbij zou zijn. Ze was per slot van rekening de beste vriendin van mijn moeder. Dus wachtten we tien minuten in de woonkamer en voerden beleefde conversatie over het voetbal, het weer, je kent het wel. En toen verscheen Diana, en samen hebben ze me toen alles' – hij maakte een weids gebaar met zijn handen – 'verteld.'

Ze schudde haar hoofd. 'Jezus. En je moeder... Heeft ze je er nooit iets over gezegd?'

'Niets, helemaal niets.' Adam tikte tegen de menukaart. 'Maar ik wil haar niets kwalijk nemen. Ze had waarschijnlijk het juiste moment willen afwachten. Zij wist niet dat ze zomaar opeens dood neer zou vallen, nietwaar.'

'Nee, nee, natuurlijk niet. Maar... wie weet het verder...' begon Tess, maar toen werd hun bestelling gebracht, en het moment ging voorbij.

Toen de serveerster weer was vertrokken, zei Tess: 'Adam, het spijt me vreselijk, weet je.'

'Jij hoeft toch geen spijt te hebben?' vroeg hij op luchtige toon. 'Het is niet jouw schuld.'

Het was vreemd om hier zo met hem te zitten, nu alle spanning verdwenen was. Weer besefte ze dat het was alsof hij een ander was, de man die ze die ochtend in de lobby van het hotel had gezien was niet de Adam tegen wie ze voor het Claridge had staan schreeuwen, om wie ze had gehuild. Had het altijd maar zo kunnen zijn, dacht ze. Had ze maar... had ze al die jaren maar een echte vriendin voor hem kunnen zijn. Had ze maar geweten...

'Ik weet dat het niet mijn schuld is,' zei ze. 'Maar je moet zoveel hebben doorgemaakt. En je had niemand...' Ze trok een grimas, pakte zijn hand en kneep er zacht in. 'Niemand om je bij te staan.'

'Hé,' zei hij, en hij kneep ook even in haar hand. 'Het is een beetje laat voor berouw, meisje. Waar was jij toen ik op mijn vierentwintigste een diepe depressie doormaakte? Toen zat jij lekker in Londen, mijlenver weg.'

Ze keek naar hem op. 'Denk je dat echt?'

De stemming was veranderd. 'Tja,' zei hij uiteindelijk op neutrale toon. 'Er was niemand anders aan wie ik het kon vertellen.'

Er waren een paar dingen die ze wilde zeggen, maar het was er nu niet het juiste moment voor. Later misschien. Ze knikte zacht, alsof ze de klap aanvaardde. 'Het spijt me dat je dat zo hebt gevoeld,' zei ze.

'Laat maar,' zei hij op vlakke toon. 'Daar is het nu niet het tijdstip voor.'

Ze glimlachte.

'Wat is er zo grappig?' vroeg hij.

'Niets,' zei ze. 'Helemaal niets.'

'En,' zei Adam na een korte stilte. 'Die Peter... Hoe is dat gegaan?'

Ze staarde hem met grote ogen aan. 'O, Adam. Hij is... Dat is nu niet belangrijk. Gewoon, een man.' Ze beet op haar lip.

De ober bracht hun bestelling en vertrok, mompelend in zichzelf.

'Hij leek me toch vrij belangrijk,' zei Adam. 'Hij is een Amerikaan, hè? Wat doet hij hier?'

Eh... hij is naar Italië verhuisd toen hij met een vrouw trouwde die een verhouding bleek te hebben met haar beste vriend, nadat hij haar een paar weken had gestalkt... Tess overwoog of ze dit zou zeggen, en besloot het niet te doen. 'Hij is journalist, zoals ik al zei,' zei ze uiteindelijk.

'Journalist, hm?' Adam brak een stukje van zijn tosti af. 'En...'

Tess was niet klaar voor een gesprek over Peter, met wie dan ook, al helemaal niet met Adam, en zeker niet nu. 'Meende je dat?' vroeg ze nadat ze een hap had doorgeslikt. 'Dat je niemand anders had om mee te praten? Vond je echt dat ik er niet voor je was?'

Adam keek haar verbaasd aan. 'Nou, het is toch waar, of niet?' zei hij. 'Ik bedoel niet dat het jouw schuld is, Tess. Ik bedoel alleen... Nou, hier zitten we dan, zogenaamd als beste vrienden, oudste vrienden, of wat we ook zijn. En we hebben het allemaal verkeerd gedaan. We hebben met elkaar geslapen, we hebben tegen elkaar gelogen, we zijn er niet voor elkaar geweest, we zijn uit elkaar gegroeid...' Hij keek haar aan en zuchtte diep. 'Tjemig, wat een rotzooi. Vind je niet?'

Het meest verontrustend vond ze de nonchalante manier waarop hij het zei. 'En dat kun je allemaal zomaar zeggen?'

'Waarom niet?' zei hij met een vreemde uitdrukking op zijn gezicht. 'Het is toch waar?'

'Ik...'

'Als dit stomme gedoe met Leonora me iets heeft geleerd, dan is het wel dat het leven te kort is. Ik zat vanochtend op het vliegveld op mijn vlucht te wachten, op een vlucht naar Rome, om jou te zien – en haar. En ik zag ertegen op, door wat er de laatste keer, die avond in Londen, is gebeurd. Hoe stom we toen zijn geweest.'

'O,' zei ze, spelend met een punt van haar servet. 'Ja, dat is zo.'

'Vind jij dat ook?' vroeg hij behoedzaam. 'Gelukkig. Ik dacht het al. Het spijt me... Tess, ik heb het gevoel dat we elkaar dit voortdurend aandoen. En het is zo stom.'

'Precies,' zei Tess. Ze dronk haar koffie en slikte moeizaam. 'Goed. Wat ga je nu doen?'

'Met Leonora?' Adam tuurde weer naar de suikerkorreltjes. 'Ik heb er veel over nagedacht. Ik denk dat we moeten proberen haar mee naar huis te nemen. Er is een hospice vlak bij Thornham, daar zullen ze haar wel opnemen.'

'Heb je al gebeld?'

'Ja. Gistermiddag, toen ik het had gehoord. Ik heb met Clive gesproken – hij is nu mijn notaris. Nou ja, die van Mortmain.' Hij schudde zijn hoofd en er kwam een boze blik in zijn ogen. 'Jezus, wat een waanzin is dit. Maar goed, hij heeft al haar verzoeken in een dossier op kantoor. Hij heeft alles nagelopen. Ze heeft aan alles gedacht.' Hij lachte even. 'Aan alles, behalve de bepaling waarin ze haar dochter of kleinzoon publiekelijk erkent.'

'Dus je ging naar haar toe? Je bent...' Tess kon het niet bevatten.

'Ongeveer elk halfjaar, ja,' zei hij.
'Maar ze was...'
'Ik moest.'
'Voor het geld?' vroeg Tess, en ze had onmiddellijk spijt van die vraag. Hij staarde haar aan.
'Denk je dat het daarom gaat?' vroeg hij verbijsterd. 'Echt waar, Tess? Denk je dat ik geld van haar wil?'
'Maar is dat niet...'
'Ik heb nooit een cent van haar aangenomen,' zei Adam op kille toon. 'Ik wil haar geld niet. Hoe kun je dat zeggen? Ik heb haar twee keer per jaar opgezocht omdat ik de enige bloedverwant ben die ze heeft. Ik moest wel. Maar zeg nooit dat ze me geld heeft gegeven.'
Tess schaamde zich omdat ze dit voetstoots had aangenomen. Wat kende ze hem slecht.
'Die toelage voor school...' zei ze zacht. 'Die moet ze hebben geregeld om je te helpen.'
Adam knikte. 'Ja,' zei hij. 'En ik heb er nooit met mijn moeder over gesproken. Ze moet hebben gedacht dat ze het deed voor mijn bestwil, dat ze ons uit de problemen hielp. Daarom is mijn moeder ook teruggegaan – ze had geen andere plek om te wonen, geen geld, en Leonora schonk haar die cottage. Ik hoorde het pas toen mijn moeder stierf... Ze zou het vreselijk hebben gevonden als ik dat had geweten.' Hij sprak langzaam en slikte. 'Maar jezus... ik was liever voor al mijn examens gezakt als ik daardoor mijn moeder een dag langer in leven had kunnen houden.' Zijn neusvleugels trilden. 'Nou, dat is inderdaad gebeurd, dus die kans heb ik ook verpest.' Hij ging met zijn handen door zijn haar. 'Sorry. Ik heb zoveel dingen moeten verwerken. Maar een heleboel maken me nog razend.'
'Weet je wat er is gebeurd?' vroeg Tess nieuwsgierig. 'Wie was het? Met wie heeft Leonora een verhouding gehad?'
'Geen idee,' zei Adam. 'Dat is het juist. Dat wil ze me niet vertellen. Ik denk dat mijn moeder het ook niet wist – maar mijn moeder heeft mij ook nooit verteld wie haar eigen moeder was.'
'En je vader... die ken je ook niet.'
'Dat ligt anders. Ik weet tenminste wie hij ís,' zei Adam. 'Hem

heb ik een of twee keer ontmoet toen hij over was. Maar ik kén hem niet echt. En mijn moeder was er altijd volkomen open over: zij wilde een kind, hij niet, ze waren niet echt een stel, en ze gingen ieder hun eigen weg. Die... die toestand met Leonora is iets anders. Misschien dat ze nu...' Hij huiverde en zweeg. 'Als ze doodgaat, wanneer dat ook is... dan zal ik erachter komen. Het is moeilijk voor te stellen, moet ik zeggen. Leonora Mortmain als... Nou ja, ik kan me haar om te beginnen moeilijk als jonge vrouw voorstellen. Laat staan als ongehuwde moeder.'

'Misschien.'

'Ik weet er niets van,' zei hij. 'Een aanwijzing, meer hoef ik niet. Ik zit in die stad, ik kom uit die familie, en ik weet niet eens de meest basale dingen...' Hij wreef over zijn slapen.

'En niemand anders weet het,' zei Tess. 'En als mensen erachter komen dat zij je grootmoeder is... dat zal wel raar zijn.'

'Ik weet het.' Hij zweeg en staarde uit over het plein, wreef weer met een vinger over zijn slaap en keek op zijn horloge. 'Ik kan zo maar beter gaan.'

'Waarheen?' zei ze geschrokken.

'Terug naar het ziekenhuis. Ik heb tegen dokter Veltroni gezegd dat ik over een paar uur terug zou komen.'

Tess fronste haar voorhoofd. 'Echt waar?'

'Jep.' Adam maakte een prop van zijn papieren servetje. 'Dan praten we wel verder als ik terug ben.'

'Eh...' zei Tess. 'Ja.'

Hij trommelde met zijn vingers op de zijkant van de stoel. 'Ik bedoel, wat heb je besloten met de groep te doen? Wanneer gaan jullie terug, hebben jullie dat al besproken? Wat willen zij?'

'Ik weet het niet.'

'Maar jij hebt de leiding,' zei hij met een halve grijns.

'We komen er wel uit,' zei Tess boos. 'Ik weet nog niet wat ze willen.'

'Wat, heb je nog steeds niet met ze gepraat?' Hij klonk een beetje verbaasd.

'Nee,' zei Tess, rustig door haar neus ademend om kalm te blijven. 'Wat denk je, na al die uren in het ziekenhuis, bellen met mensen thuis en pogingen om de familie te pakken te krijgen.'

'Je hebt anders wel tijd gehad om met je Italiaanse vriendje uit te gaan,' zei Adam met opgetrokken wenkbrauwen.

Tess draaide zich naar hem toe, maar zijn gezicht verried niets. 'Hij is een Amerikaan. Nou ja, half Italiaan. Ach, wat doet het ertoe.'

'Je zei toch dat hij...'

'Hij was bij me toen je... toen zij... toen mevrouw Mortmain in elkaar zakte! Natuurlijk is hij met me meegegaan, en dat was maar goed ook!' Tess besefte dat ze schreeuwde. Ze beheerste zich. 'Sorry. Maar hij was de enige die wist wat er moest gebeuren en die met het ambulancepersoneel en de artsen kon praten. Dus hou er maar over op.'

'Goed,' zei hij, met zijn handen omhoog. Hij legde wat geld op het tafeltje. 'Sorry. Ik wilde niets suggereren. Het gaat me trouwens niets aan.' Hij stond op en zij volgde zijn voorbeeld.

'Hier...' Ze reikte hem een plattegrond van de stad aan. 'Hiermee kun je de weg vinden.'

'Bedankt,' zei Adam, en hij stopte zijn portefeuille in zijn jasje. 'Tot ziens. En... red je het wel?'

'Ja, natuurlijk,' zei ze, haar ogen half dichtknijpend tegen de zon. 'Tot straks.'

'Ja,' zei hij. 'Tot straks.' De zon verblindde haar, zodat ze zijn gezichtsuitdrukking niet kon zien. 'We zullen een en ander moeten bespreken. Nadat jij met de groep hebt gepraat en nadat ik heb besloten wat ik ga doen. Is dat goed?'

'Ja,' zei Tess. 'Natuurlijk. Doe... doe voorzichtig.'

'Oké.'

Hij beende weg zonder om te kijken. Duiven vlogen overal op toen hij terugliep zoals ze waren gekomen, over het plein. Ze bleef achter en keek hem na.

27

'Heb je de verzekeringsmaatschappij niet gebeld?' vroeg Andrea, die op haar handen zat en heen en weer wiegde.

'Nee,' zei Tess. 'Ik dacht dat we het beter eerst met z'n allen konden bespreken.'

'Nou, lieverd... als we besluiten om naar huis te gaan, moesten we daar maar iets aan doen,' zei Jan. 'En zo snel mogelijk.'

'Ik weet het,' zei Tess. Ze keek om zich heen en probeerde geen hulpeloze indruk te maken. 'Daarom dacht ik dat we er misschien maar over moeten stemmen.'

Er klonk misnoegd gemompel op de achterste rij (Ron en Andrea), een onderdrukte zucht op de voorste (Carolyn Tey), en keelgeschraap in het midden (Diana Sayers). Ze zaten in een kleine vergaderzaal van het Albergo Watkins. Het was een donkere, ongezellige ruimte, met een oude plafondventilator die bij elke draai rammelde. Er hing een vage rioollucht.

Het was na enen en drukkend warm. Ze waren allemaal moe, hongerig en kribbig, als een stel schoolkinderen. Tess wilde dat ze wist hoe ze hen tot bedaren moest brengen, hoe ze de stemming kon verbeteren.

'Ik denk dat je beter eerst de verzekeringsmaatschappij kunt bellen, voordat we een besluit nemen,' zei Jacquetta enigszins nors. 'Het heeft geen zin om ons een dag eerder naar huis te laten gaan als we morgen te horen krijgen dat ze die schade niet dekken.'

'Inderdaad,' zei Carolyn. 'Tess, lieverd, ik denk dat we moeten proberen erachter te komen welke voorzieningen de school heeft getroffen voor dit soort onverwachte gebeurtenissen.'

Tess reageerde een beetje snauwerig: 'Voor de kans dat een van jullie een beroerte zou krijgen, en ook nog eens een ongehoord ingewikkelde familieachtergrond heeft? Weet je, ik denk niet dat dat in de clausules is opgenomen,' zei ze.

'Tess,' zei Diana Sayers op bestraffende toon. Carolyn leunde achterover in haar stoel, als een kind dat de les wordt gelezen. Tess bloosde van schaamte.

Er klonk een stem achteraan. 'Ik zou graag tot maandag blijven,' zei Liz. 'Maar ik vind het ook niet erg als we morgen teruggaan. Ik ga mee met de meerderheid.'

'Ik ook,' zei Claire. 'Tess, wil je dat we iets doen?'

Tess wierp haar een dankbare blik toe en schaamde zich nu nog meer voor haar kinderachtige gedrag. 'Nee, maar bedankt.' Ze kreeg het gevoel dat ze haar nu allemaal, oud en jong, hun vertrouwen gaven. 'Maar vinden jullie het erg om hier een paar minuten te wachten?' vroeg ze terwijl ze iedereen aankeek. 'Dan bel ik Beth en de verzekering, en dan kom ik straks terug met meer informatie. Dames – het spijt me. Geef me een paar minuten.'

'Dames en héér,' mopperde Ron zachtjes toen Tess het zaaltje uit liep.

'Goed – wil iedereen die morgen weg wil zijn hand opsteken? Nou, dat lijkt me vrij duidelijk,' zei Tess. 'Jullie stemmen er met een ruime meerderheid voor om morgen terug te gaan. Er is een vlucht in de ochtend, en volgens de verzekering kunnen we daar vrijwel zeker mee meevliegen. Ik moet nog...' Ze zweeg even. Wat zou Adam willen? Ze wist het niet, en ze hoorde nog zijn tamelijk scherpe toon. *Maar jij hebt de leiding... Wat, heb je nog steeds niet met ze gepraat?* Nou, hij had gelijk. Haar loyaliteit lag in de eerste plaats niet bij hem, maar bij haar groep, en als ze dit wilden, zouden ze morgen vertrekken. Hij kon later volgen, als hij erachter was wat er zou moeten gebeuren met Leonora Mortmain.

'Dus dit is onze laatste avond,' zei Jan met een spijtig lachje. 'Ik had niet verwacht dat het zo zou eindigen, jij, Tess?'

'Nee...' zei Tess. 'Onze laatste avond, je hebt gelijk...' Ze dacht ineens aan Peter. Nog één avond, zou ze nog tijd hebben om hem te zien, terwijl de dames hun spullen bij elkaar zochten?

Jan begreep haar verkeerd. 'Het was geweldig, lieverd. Denk nu niet dat dat niet zo was.' Ze sloeg haar blik ten hemel. 'Tot het moment dat mevrouw Mortmain bijna dood neerviel was het een heerlijke vakantie, nietwaar, Carolyn?' Ze kneep Carolyn Tey stevig in haar arm.

'Eh... ja,' zei Carolyn met een flauw lachje naar Tess. 'Heerlijk, Tess. Een heerlijke vakantie! Neem me niet kwalijk,' besloot ze, en ze snelde naar de deur.

'Dwaas mens,' zei Diana. Ze knipoogde naar Tess. 'Gaat het, Tess? Wat moet er nog meer gebeuren?'

'Niets. Jullie kunnen het best gaan inpakken. Luister even, allemaal!' Tess klapte in haar handen. 'Carolyn! Wacht nog even. Het vliegtuig vertrekt om vijf voor halftien, dat betekent dat we hier morgenochtend om zeven uur weg moeten, is dat duidelijk? Ik weet dat dat heel vroeg is, maar...'

De groep verliet achter elkaar de zaal, Tess als laatste. Ze keek om zich heen in de slecht verlichte ruimte en knipte op weg naar buiten het licht uit. Het had niets meer van Rome. In het echte leven reed je niet rond op scooters, dronk je geen prosecco met Peter, lag je niet op de vloer in zijn armen, danste je niet op muziek van Ella Fitzgerald. Nee, nee. Dít was het echte leven. Ze zuchtte en liep de trap op. Ze moest inpakken. Haar telefoon ging toen ze naar boven liep.

'Peter?'

'Hallo, schatje.' Peters zware stem klonk door de telefoon alsof hij vlak naast haar stond. 'Heb je even? Ik wil alleen...'

'Ik ga morgen weg,' zei ze wanhopig, terwijl ze haar deur open- en weer dichtdeed. 'We vertrekken in alle vroegte.' Ze greep haar koffer uit de kast.

Er viel een stilte. 'Shit,' zei hij ten slotte. 'Dan moet ik je zien.'

'Ik weet het.'

'Ik kom vanavond. We moeten praten.'

'Moeten we praten?' zei Tess in een poging tot luchthartigheid.

'Er is iets gebeurd, en ik weet niet wat ik ermee aan moet,' zei hij. 'En nu ga jij weg. Misschien moest ik het maar doen.' Het was alsof hij in zichzelf praatte. 'Ga je echt weg?'

'Ik moet wel, Peter,' zei ze, frummelend aan haar halssnoer. Ze keek rond naar de rommel in haar kamer. Ze zuchtte diep. 'Wat is er aan de hand? Kun je me er iets meer over vertellen?'

'Ik leg het je later uit,' zei hij. 'Maar het heeft niets met jou te maken. Jij bent fantastisch. Tot gauw.'

'Ik...' begon ze, maar de verbinding was verbroken.

Rond vier uur had Adam zich nog niet laten zien, en tegen zessen had Tess een drukke dag achter de rug. Ze had haar koffer ingepakt, nog eens met de verzekering gebeld en met de vliegmaatschappij. Ze had gecontroleerd of alles goed ging, ze had alles uitgelegd aan het hotel, drie taxi's besteld om hen naar het vliegveld te brengen, en een minibusje van Brian gereserveerd in Langford om hen op te halen van Gatwick. Claire en Liz gingen voor de laatste keer naar de bar op het grote plein van Trastevere, en ze hadden gevraagd of Tess meeging.

'Kom op. Nog één prosecco,' had Liz gezegd toen ze bij Tess op de deur klopte.

Tess had even gezucht en toen met een lachje ingestemd. 'Dat lijkt me een heerlijk idee. Dank je, Liz.'

Het was vroeg op de avond en het drukste moment van de dag op het plein. Er waren straatartiesten en Senegalezen die zilveren schijven verkochten die ze met een stok omhoog wierpen en die minutenlang in de lucht leken te blijven voordat ze weer naar beneden kwamen. De schittering van de zon op de schijven weerkaatste op het gebouw ertegenover toen de drie meisjes in stilte zaten te kijken naar kinderen die van opwinding op en neer sprongen. Er kwam een geestelijke de kerk uit die zich over het plein heen haastte, met een toegeeflijke glimlach naar de kinderen en een misprijzende blik naar de straatverkopers. Toeristen en plaatselijke bewoners kuierden langs – de passeggiata op de vroege avond, het wandeluurtje, was begonnen.

'Morgen op deze tijd,' zei Liz dromerig. 'Hè, wat jammer dat we dan weer thuis zijn.'

'Ik weet het,' zei Claire. 'Ik vind dat we er goed aan doen om eerder te vertrekken, maar toch...'

'Ja,' zei Tess. 'Ik weet het. Maar jullie twee hadden best kunnen blijven.'

'Dat bedoelde ik niet,' zei Claire. 'Ik wil met de anderen mee. Samen uit, samen thuis. Maar het was zo heerlijk... en nu is het voorbij.' In een opwelling ging ze door: 'O, Tess, vertel eens. Hoe zit dat met Adam en mevrouw Mortmain? Is hij echt haar verloren kleinzoon? Natuurlijk, als je niets mag zeggen, moet je het niet doen. Maar ik ben zo nieuwsgierig, wij allemaal.' Ze klemde haar handen in elkaar. 'Is het wáár?'

'Het is een lang verhaal,' zei Tess. 'En het grootste deel weet ik zelf ook nog niet.'

'Waar is hij vandaag geweest, weet je dat?'

'Geen idee. Ik vroeg het me ook net af.' Sinds hun abrupte afscheid tussen de middag had ze niets meer van hem gehoord. Ze hield zich voor dat dat typisch Adam was, dat hij toch niet echt veranderd was, hij was altijd al grillig. Waarschijnlijk was hij een kijkje gaan nemen bij het Pantheon of, meer waarschijnlijk, hij had wat geflirt met een Italiaans meisje, of zelfs met dokter Veltroni, die nogal van hem gecharmeerd leek – en hij zou niet zijn best hoeven doen om haar naam te onthouden, want die luidde hetzelfde als die van zijn vermeende vriendin, dacht Tess vilein.

Claire knikte. 'Oké, ik snap het. Sorry.' Ze zag dat Tess verder niets zou prijsgeven. 'Nou, we komen er nog wel achter.'

'Dat hoop ik ook,' zei Tess en ze probeerde niet afwijzend te klinken. Liz knikte.

'Nou, je hebt gelijk. Het is een geweldige week geweest,' zei ze. 'Hoefden we nog maar niet naar huis.'

Tess knikte instemmend en keek meelevend naar Liz. Het was waar, maar het was ook waar dat het leven dat haar thuis wachtte niet zo fijn was als het leventje dat ze de afgelopen week had geleid. Haar leven van een oude vrijster in Langford, compleet met taartjes in de tearoom, voortdurend regen en weinig modieuze kleren. Jemig, ze had op een zaterdagavond in april een kwartier doorgebracht met het opstapelen van fondantjes! Om maar te zwijgen over het feit dat ze onbewust dezelfde kleren was gaan kopen als de bevolking van Langford. Toen Jan Allingham haar complimentjes begon te maken over hoe ze eruitzag was het hoog tijd geweest voor een nieuwe outfit.

Maar deze week had Peter alles voor haar veranderd, dacht ze, terwijl ze de warme avondzon op haar blote armen voelde. Ze was nog niet toe aan een leesbril en een abonnement op een roddelblad...

Later op de avond zou hij naar het hotel komen. Nog één laatste avond... nog één keer een paar gestolen uurtjes met hem. Tess zag hem zo helder voor zich alsof hij voor haar neus stond, en ze schrok van de heftigheid van haar gevoelens voor hem. Door hem voelde ze zich springlevend. Ze kende hem amper, maar dat leek er niet toe te doen. En morgen op dit tijdstip zou ze weer thuis zijn... Ze richtte zich in een impuls tot de andere twee.

'Vinden jullie het fijn in Langford?' vroeg ze. 'Hebben jullie zin om ernaar terug te gaan?'

'Ik woon niet in Langford,' zei Claire schaapachtig. 'Ik woon in Salisbury, weet je nog? We hebben dat gesprek al eens gevoerd, over de kathedraal daar, en jij zei toen...'

'O ja, ja,' zei Tess, al kon ze het zich totaal niet herinneren. 'Sorry, natuurlijk. En hoe ga je dan naar de cursus?'

'Met de auto,' zei Claire simpelweg.

'Maar dat is toch wel een uur rijden?'

'Ja, maar dat is het zeker waard,' zei Claire. 'Ik heb tijd om te oefenen in de auto, met behulp van audioboeken. Daarvoor heb ik deels mijn baan opgegeven, om iets nieuws uit te proberen, meer tijd aan mezelf te besteden.'

Liz schraapte haar keel. 'Ik ga niet graag terug, om even op je vraag terug te komen,' zei ze, zonder te reageren op Claire. 'Ik vind het hier heerlijk.'

'Ik ook,' zei Tess. Ze sloeg haar armen om haar lichaam.

'Ik zou hier kunnen wonen,' zei Liz. Haar ogen volgden een kind dat over het plein rende; ze glimlachte naar hem. 'Met alle plezier. Ik zat al te denken, toen ik uit Londen wegging, waarom ben ik toen in allerijl naar Langford gegaan? Waarom kwam ik niet op het idee dat ik in Londen kon blijven en iets anders kon gaan doen? Bijvoorbeeld in een theatercafé gaan werken, in plaats van bij dat afschuwelijke agentschap. Of bij een tuincentrum, of een opleiding volgen voor docent, of...' Ze haalde haar schouders op. 'Ik kwam in april, en mijn vriendinnen vonden het allemaal fantastisch en nu... Nou, ik vind het er wel fijn maar het valt niet mee, hoor. Naar een nieuwe stad verhuizen.' Ze keek

Tess aan. 'Niet voor jou, jij kent iedereen daar. Maar het valt niet mee.'

Tess dacht aan de keren dat ze Liz had gezien in de delicatessenwinkel, of op straat, dat ze haar had gegroet en vriendelijk tegen haar was geweest, maar verder nooit moeite had gedaan om haar te leren kennen. Er was iets... Tja, wat was het? Misschien hield ze mensen die om aandacht schreeuwden liever juist op een afstand. Ze keek even naar Liz en riep zichzelf tot de orde. Liz schreeuwde niet om aandacht. Ze was alleen een beetje eenzaam. Ze was in elk geval moediger geweest dan Tess.

'Denk je erover om er weg te gaan?' vroeg Tess aan haar. 'Misschien naar Rome?' Ze zei het min of meer als grapje, maar Liz knikte.

'Misschien. Niet per se naar Rome. Naar Parijs misschien! Of naar Madrid. Ik heb altijd Spaans willen leren.'

'Ik leer Spaans,' zei Claire. 'In de auto, het gaat geweldig.' Ze keek stralend naar Liz. 'Dat zijn dingen die je gaat doen als je jezelf wat meer tijd gunt. Ik heb een cursus bloemen drogen gevolgd, weet je. En salsa maken van mijn eigen tomaten! Dat had ik vorig jaar niet kunnen doen. Zijn we geen gelukvogels?' Ze hief haar glas en Liz klonk, een tikje spijtig, met het hare. Ze keken vragend naar Tess.

Tess voelde iets van paniek opkomen. 'Ja,' zei ze. 'Geluksvogels.' Ze hief haar glas om met de beide meisjes te klinken maar ineens begonnen die een beetje onzeker te lachen.

'Hé, hallo,' zei Liz, een tikje te enthousiast.

'Wat?' zei Tess.

'Tess,' klonk een stem achter haar. 'Hallo.'

Ze draaide zich om. Daar stond Adam. In het schemerlicht doemde hij boven haar op, hij leek langer en donkerder dan ooit.

'Ik heb je gezocht,' zei hij. De twee anderen deden zenuwachtig, alsof hij een beroemdheid was.

'Adam, ga zitten en drink een glas mee,' riep Claire. 'Er is nog genoeg over.' Ze slikte. 'Goh. Hoe... hoe gaat het met je?'

Adam keek naar haar. 'Wie ben jij?' vroeg hij. 'Sorry.' Hij corrigeerde zich toen hij zag dat Claire hevig bloosde.

'Dit is Claire,' zei Liz, en ze klopte op Claires hand. 'Hallo, Adam.'

'Jóú ken ik,' zei hij, terwijl hij haar een hand gaf en glimlachte. 'Fijn om een vriendelijk gezicht te zien. Sorry,' zei hij, terwijl hij zich met een uitgestoken hand naar Claire omdraaide. 'Dat was vreselijk bot van me.'

'Nee, nee,' haastte Claire zich hem te overtuigen. 'Het spijt me van je grootmoeder,' vervolgde ze. 'Is ze...'

'Ze leeft nog,' zei Adam kort. 'Daarom was ik op zoek naar Tess. Ik heb informatie nodig voor het ziekenhuis, en het nummer van de verzekeringspolis.' Hij tikte even op haar schouder. 'Het spijt me dat ik jullie borreluur kom verstoren.'

Door de manier waarop hij 'jullie borreluur' zei, leek het alsof ze languit champagne en lekkere hapjes nuttigden, terwijl Leonora Mortmain hun hulp nodig had. Tess stond op.

'Moet je dat nu hebben? Dan gaan we naar het hotel om het te halen.'

'Ik wil niet storen...'

'Nee,' zei ze, even kort en bondig. 'Ik heb zo een afspraak met Peter, dus ik moest er toch vandoor. Kom mee. Ik hoop dat het oké is.' Ze richtte zich tot de meisjes.

'Ja!' riep Claire bereidwillig.

'Natuurlijk,' zei Liz. 'Tot straks. Bel even als we ons moeten verzamelen.'

Tess glimlachte haar dankbaar toe en legde een biljet op het tafeltje. Haar vingers trilden, al wist ze niet waarom. 'Bedankt allebei. Het was gezellig.'

'Nee,' zei Liz, en ze gaf haar het geldbiljet terug. 'Hou maar. Volgende keer mag jij ons op een drankje trakteren.'

Tess glimlachte. 'Goed,' zei ze en ze draaide zich om naar Adam. Hij keek haar zonder lach aan. 'Laten we nu dan maar gaan.'

28

Adam liep snel. Ze haastten zich terug door de hobbelige straten, langs de groepjes toeristen en restaurants, opzij stappend voor de potten met geraniums die op de hoeken van de straten gegroepeerd stonden. Ze had haar armen over elkaar geslagen, net als hij; ze zeiden niets, maar tegen de tijd dat ze bij het hotel waren leek de spanning gestegen. Tess stond weer zenuwachtig met haar sleutels te rommelen. Adam wachtte met gefronste wenkbrauwen bij de deur.

'En... wat heb je uiteindelijk besloten?'

'We vliegen morgen terug. Ik heb je een sms'je gestuurd.'

'O. Mijn telefoon doet het niet.'

Ze haalde de deur van haar kamer van het slot en hij hield hem voor haar open.

'Ik wist niet hoe ik je anders moest bereiken,' zei ze terwijl ze naar de ladekast liep. 'Ga zitten.' Ze gebaarde naar het lege bed en hij ging zitten, met zijn handen tussen zijn knieën, pulkend aan zijn vinger. Ze merkte op dat hij er moe uitzag.

'En... hoe laat gaat jullie vlucht?'

Ze pakte de map met al haar informatie en begon erin te bladeren. 'Vroeg, vrees ik. Vijf voor halftien.'

'Nou, fijn,' zei Adam weer. 'Dan moet ik alleen terug.'

Tess legde de map met een klap op de ladekast. 'Adam, kom op. Wat wil je nou in godsnaam dat ik zeg?'

'Niets,' zei hij. 'Niets, Tess. Waarom zou je doen wat ik wil?'

'Jij hebt gezegd dat ik het aan hen moest vragen!' schreeuwde ze tegen hem, verbaasd over de heftigheid van haar gevoelens en haar opgefokte gedrag. 'Jij hebt verdomme tegen me gezegd dat ik het moest regelen, vanochtend! Dus ga nou niet op die toer. Ik heb gedaan wat jij zei, Adam. Het spijt me dat die vlucht niet later is, maar jij hebt je eigen probleem op te lossen.'

Adam sneerde: 'Het "probleem", zoals jij het zo charmant uitdrukt, komt volgende week naar huis, en ze hebben gezegd dat ik gewoon een vlucht naar huis kan boeken en haar kan komen afhalen op het vliegveld.'

'O,' zei Tess. 'Best.' Het is niet mijn schuld, wilde ze in haar verbijstering zeggen. Ze begreep hem niet, ze wist niet wat ze moest zeggen om hem hiermee te laten ophouden. 'Ik zal de gegevens voor je noteren,' zei ze. 'Ga jij maar slapen nadat je het hebt geregeld, je ziet er uitgeput uit.' Ze krabbelde zwijgend iets op, waarbij alleen het geluid van de balpen op haar blocnote te horen was in de warme, benauwde kamer.

'Ik zal je tijd niet langer in beslag nemen,' zei Adam vlak. 'Ik weet dat je een afspraak met je Italiaanse Hengst hebt en dat je nog één nacht hebt om je droom in vervulling te laten gaan.' Hij zweeg even toen ze hem het papiertje aanreikte. 'Je hebt geen tijd om...'

'Laat maar,' zei Tess, die diep inademde door haar neus. Ze sloot haar ogen en probeerde haar zelfbeheersing te bewaren. 'Adam, ik weet dat het een lange, afschuwelijke dag is geweest. Ik weet dat dit verschrikkelijk voor je is. Maar reageer je niet af op mij. Wat heb ik verkeerd gedaan?'

Hij vouwde het papier steeds verder op. Ze keken elkaar intens aan in de schemerige kamer.

'Niets,' zei hij na een poosje. 'Je hebt gelijk. Je hebt niets verkeerd gedaan. Ik moet het niet op jou afreageren. Je hebt geen idee.'

Hij liep naar de deur, maar ze greep zijn arm vast. 'Adam... het spijt me. Ik ben er voor je. Dat weet je. Altijd.'

'Als het jou uitkomt,' zei hij verdrietig, en zijn stem stokte. Hij draaide zich om en stopte het papiertje in de zak van zijn spijkerbroek. 'Vergeet het, Tessa. We hoeven dit niet altijd zo te doen.'

'Gaat het over de periode nadat je moeder was gestorven?' vroeg Tess, en ze legde haar hand tegen de muur, zodat ze ertegen leunde. Ze knarsetandde. 'Je weet niet...'

'Jawel,' zei hij. 'Ik weet hoeveel pijn ik je heb gedaan.'

Ze staarde hem aan.

'Ik weet het echt. Je denkt van niet, maar het is wel zo. Je verdween. Je verdween, acht, negen, tien jaar. Toen ik je het hardst nodig had. Je was als familie... en...' Hij schudde zijn hoofd en lachte halfslachtig. 'Nee, vergeet het.'

Tess liet een holle lach horen. 'Adam! Weet je niet meer wat er tussen ons is gebeurd? Er waren redenen... Er was een reden waarom ik je niet meer wilde zien, dat weet je.'

'Wat... die abortus?' vroeg hij zachtjes. 'Dat weet ik, dat weet ik.' Ze keek hem hulpeloos aan. 'Maar jemig, alles was toen zo triest. Mijn moeder... Het nieuws over de familie... Je weet wel. Die zomer... Het spijt me. Ik had je dat niet mogen aandoen. Ik heb er nooit spijt van gehad, Tess. Nooit.' Hij greep haar arm. 'Maar het gebeurde.'

'Je hebt mij niets aangedaan,' zei Tess, en ze probeerde niet kwaad te klinken. Ze haalde diep adem. 'We waren er beiden schuldig aan. Maar ik was degene die ervanaf moest zien te komen. En dat is ook gebeurd, weet je. Zelfs al heb je...' Haar stem begaf het even. 'Je hebt er niet eens naar gevraagd. Nooit. En daarom ben ik nog steeds zo kwaad op je... zo kwaad...' Ze ademde weer diep in om kalm te blijven en de geur op te snuiven van jasmijn. 'Je hebt gelijk. We kunnen het beter vergeten.' Ze haalde nog eens diep adem. 'Laten we hier niet over beginnen, Adam. Dat is geen goed plan. Niet nu.'

'Geen goed plan.' Adam knikte ernstig. 'Goed, Tess. Goed.'

'Ik bedoel alleen, dit is niet het juiste moment. Je grootmoeder...'

'Wil je haar niet zo noemen.'

'Ach, word toch eens volwassen.' Tess gaf een klap op de ladekast, waar een vochtige afdruk van haar hand op het gelakte hout achterbleef. Hij trilde even vervaarlijk. 'Word eens volwassen, Adam!'

'Ik moet... volwassen worden...' zei Adam zonder uitdrukking op zijn gezicht. 'Ik moet volwassen worden! Jezus, Tess, en dat uit jouw mond. Het zou om te gillen zijn als het niet zo...' hij schudde zijn hoofd en zocht naar de juiste woorden '... tragisch was, dat bedoel ik.'

'Ik heb tenminste nog wérk, en een eigen huis, en een leven!' schreeuwde ze naar hem, zo kwaad dat ze bang was dat ze haar zelfbeheersing kwijtraakte. Haar mond was droog, ze voelde het bloed gonzen in haar oren en ze spande haar kaakspieren. Ze opende haar mond en staarde hem vol verachting aan. 'Klootzak! Zelfingenomen klootzak dat je bent! Ik probeer mijn leven inhoud te geven, ik ontwikkel me... en jij... jij blijft gewoon hetzelfde. Je hele leven woon je in dezelfde plaats, kom je in dezelfde pub, doe je hetzelfde werk, heb je dezelfde vrienden... en jij zegt tegen mij dat ik niet volwassen ben?'

'Mijn leven berust niet op een droom,' zei hij. Hij klonk onaangenaam. 'Ik probeer niet een leven te leiden dat op een film lijkt, Tess. Ik word niet verliefd op iemand omdat die in een romantische stad woont en een paar lieve woordjes in mijn oor fluistert bij een glaasje wijn.'

'Ik en Peter zijn...'

'Peter en ik,' corrigeerde hij haar. Ze kon hem wel slaan. 'Peter is niets, Tess, hij is een fantoom, een droom, je kunt hem niet echt zien. Waar ben je mee bezig? Het is weer hetzelfde verhaal als met Will.'

'Hij lijkt totaal niet op Will,' zei ze kwaad. 'Hou je erbuiten.'

'Je wilde een stabiele, saaie en bezadigde man die je zei hoe fantastisch je was en nee maar! Daar was Will! Alleen was hij zo stabiel en saai dat hij niet eens met je naar bed kon,' zei Adam alsof hij een lesje uit zijn hoofd opzegde. Ze deinsde naar achteren. Het voelde als een klap in haar gezicht.

'Dat is niet waar,' zei ze op fluistertoon.

'En nu ben je hier en heb je ineens de pest aan mij en aan Langford, en wat gebeurt er? Wauw! Daar is een knappe onbekende man die net een relatie achter de rug heeft en in reactie daarop uit is op een avontuurtje, dus overtuig ik mezelf ervan dat ik verliefd op hem ben, en dan komt alles goed, en dat kan ik tegenover mezelf rechtvaardigen!' Adams ogen spoten vuur. 'Want dat kun je altijd, Tess, zelfs als je het helemaal mis hebt, kun je dat altijd. Maar je begrijpt het niet, hij heeft je geen toekomst te bieden. Hij biedt je afleiding van het verleden en dat is niet hetzelfde.'

Ze staarde hem aan. 'Goh, ik wist niet dat je zo de pest aan me had,' zei ze gebroken.

Hij zweeg en liet zijn handen naast zijn lichaam vallen. Ze keek hem aan, bijna angstig, en tot haar verbazing zag ze tranen in zijn ogen.

'Dat is het niet,' zei hij rustig. 'Ik hou te veel van je, dat is het.'
'Wat?'
Hij knikte in de duister wordende kamer; ze kon nauwelijks zijn gezicht nog zien. 'Jarenlang, toen je vertrokken was. En ik had je zo nodig. Ik miste je zo. Jij was mijn beste vriendin.' Hij slaakte een diepe zucht. 'Je hebt gelijk, Tess. Sorry. Dat is het probleem, nietwaar. Met jou en mij. Altijd al.'
'Wat?' zei ze weer, rustiger nu. Ze legde haar hand beschermend tegen haar hals. Hij keek haar aan en raakte zacht en bedroefd haar hand aan. Hij keek haar aan, met zijn wenkbrauwen opgetrokken, en krabde in zijn haar, dat in pieken rechtop stond, zoals altijd wanneer hij boos was, of gekwetst, of verward.
'Het is niet belangrijk meer. We weten hoe we elkaar pijn moeten doen, beter dan wie ook. Ja toch? En dat hebben we dan ook gedaan, uitvoerig. Ik begrijp niet waarom het moest, maar het is zo.'
Zijn woorden maakten haar diepbedroefd. 'O,' zei ze. 'Misschien. Ik weet wat je bedoelt.'
'Ik zou Francesca niet op die manier pijn kunnen doen, niet als ik er twee weken over had nagedacht,' zei hij. 'En vergeleken bij jou is ze niets voor me.'
Maar door de naam van Francesca te noemen, was het alsof er een betovering was verbroken, en Tess deed een stapje naar achteren. Ze ging met haar hand naar haar voorhoofd, naar haar nek; ze transpireerde in de broeierige hitte, en ademde nog steeds snel.
Hij keek naar haar. 'Het spijt me nogmaals,' zei hij.
'Denk je dat er nog een weg terug is voor ons?' Maar ze wist eigenlijk het antwoord al.
'Ik weet het niet,' zei hij. 'Ik weet het niet. Ik geloof niet dat we vrienden kunnen zijn op de manier die we zouden willen.'
'Misschien,' zei ze. Ze keek hem aan en ze zag hem weer zoals ze hem die ochtend had gezien – het leek nu een eeuw geleden. 'Ik geloof het ook niet.' Ze schraapte haar keel. 'En jij... Je hebt nog heel wat op te lossen,' zei ze zonder wrok.
Hij knikte. 'Ik weet het.'
Maar hij wist het niet, dat was juist het probleem. Het was alsof ze in het donker tastten, over dingen struikelden, zichzelf en el-

kaar pijn deden, en daar moest een eind aan komen. Misschien kon dat alleen door te accepteren dat er te veel was gebeurd om ooit nog vrienden te zijn. Misschien was dit een afscheid, en misschien had dat al lang geleden moeten gebeuren.

'Ik zal je morgen waarschijnlijk niet zien,' zei Adam. Hij stond bij de deur.

'Nee,' zei ze. 'Tot ziens, Adam. Ik hoop... ik hoop dat ze goed thuiskomt.'

'Jij ook.' Hij boog zich naar voren alsof hij een kus op haar voorhoofd wilde drukken, maar bedacht zich. Hij maakte een klein, triest geluid, iets tussen een lach en een snik in, en toen verliet hij de kamer en deed de deur achter zich dicht.

Tess liet zich langzaam op het bed zakken en staarde in het niets. Ze had niet eens in de gaten dat het donker was geworden. Ze verroerde zich niet. Ze zat daar maar, en probeerde te zien waar het was misgegaan. Waar haar vriendschap met Adam onmogelijk was geworden. Misschien, dacht ze uiteindelijk, misschien was de kiem al lang geleden gezaaid en konden ze er geen van beiden iets aan doen. Waar die kiem vandaan kwam, zou ze waarschijnlijk nooit te weten komen.

Haar vakantie in Rome was bijna voorbij, en in een ziekenhuis midden in de rivier lag een oude vrouw die vocht voor haar leven, de enige die kon uitleggen wat hun in Langford te wachten stond, ver van deze magische stad waar alles mogelijk leek.

Tess stond op, deed het raam open en tuurde in de stille avond naar buiten. Ze wachtte op Peter en verroerde zich niet.

29

Toen Peter eindelijk arriveerde en ze de deur voor hem opendeed, lag de rest van het hotel in diepe rust. Toen ze hem zag was er iets in zijn blik wat haar verontrustte, alsof er in de verte een alarmbel ging.

'Hallo, lieverd,' zei hij toen hij de kamer in kwam, haar gezicht in beide handen pakte en haar lang en innig kuste. 'Het moet een zware dag voor je zijn geweest.'

'Het ging wel,' zei ze, maar toen ze terugdacht aan deze ochtend en aan Adam die plotseling was opgedoken, moest ze tot haar verbazing constateren dat dat diezelfde dag was gebeurd en niet weken ervoor. Ze legde haar hand op zijn borst en keek hem aan.

'Hoe gaat het met jou?' zei ze.

'Goed,' zei Peter. 'Maar ik moet met je praten.' Hij wond nooit ergens doekjes om en kwam meteen ter zake. Hij ging met haar op het bed zitten. 'Ik had vandaag dat sollicitatiegesprek. Voor die baan aan de westkust van Amerika.'

'Wat?' Tess moest moeite doen om zich te herinneren wat er de vorige week gebeurd was. 'Die baan...' Ze spoelde alles in haar hoofd terug. 'O ja, die eerste avond... Toen heb je me erover verteld.'

'Ja, en ik had vandaag een sollicitatiegesprek met Donald, aan de telefoon. Hij wil dat ik volgende week naar New York vlieg.'

'Wauw, wat spannend,' zei Tess, en ze probeerde heel positief over te komen, alsof het het beste nieuws was dat ze ooit had gehoord. 'Wat betekent dat?'

'Ik weet het niet.' Peter keek haar onderzoekend aan. 'Wat denk jij?'

'Tja, dat kan ík niet weten, toch?' zei Tess. 'Maar ze zullen je wel waarderen. En waarom ook niet? Je bent...'

'Nee,' viel hij haar in de rede. 'Wat betekent het voor ons? Dat bedoel ik.' Hij boog zich naar voren en kuste haar zachtjes in haar hals.

'O.' Het was een heel lange dag geweest, en Tess was moe, niet in het minst als gevolg van de onenigheid die ze zojuist met Adam had gehad. Tot haar afschuw voelde ze tranen opwellen. 'Dat is... dat is geweldig,' zei ze snuffend.

'Is het geweldig dat ik ga?' Peter keek onzeker.

'Nee, suffie.' Ze sloeg haar armen om zijn nek en kuste hem. 'Het is geweldig dat je aan ons denkt. Want...' ze snikte even '... dat doe ik ook.'

'Ik weet niet wat ik doe als ze me die baan aanbieden,' zei hij ernstig. Hij streek een lok uit haar gezicht. 'Het is een fantastische baan, Tess... ik moet eerlijk tegen je zijn.'

'Daarom hou ik zo van je. Omdat je zo eerlijk bent. Het geeft niet. Als die baan is wat je wilt...'

'Dit is toch geen vakantieliefde?' vroeg hij. 'Of wel?'

'We weten dat het dat niet is, schat.' Ze kuste hem weer. 'Maar het is wel iets anders, toch?'

'Ja,' zei hij. Hij pakte haar sjaal die op het bed lag. 'We hebben nog één nacht samen. Zullen we nog even uitgaan?'

Dus greep ze voor de laatste keer haar tas en verlieten ze samen het hotel, en voor de laatste keer liep ze door de donkere, hobbelige straatjes met Peter, hand in hand, kussend en lachend in de zwoele nachtlucht, zonder veel te praten, maar genietend van het feit dat ze bij elkaar waren. Ze streken neer bij een kleine *endeca* aan de rivier en bestelden brood, salami en wijn, en praatten over onbelangrijke dingen, hun lievelingsfilms, de Amerikaanse taal tegenover de Britse, zoals de nummering van etages, waardoor ze de eerste keer in de war raakte toen ze naar zijn appartement kwam. Ze stapten op zijn scooter, die hij daar in de buurt had geparkeerd, en reden door de maanverlichte stad die ze voor hen alleen hadden, terug over de brug naar het hotel. De wind voelde koel op haar gezicht, haar hals en haar schouders, terwijl ze zich nog één laatste keer aan hem vastklemde.

In het hotel zetten ze zachtjes de smalle eenpersoonsbedden tegen elkaar aan. Hij nam haar in zijn armen, trok haar dicht tegen zich aan, en kuste haar in haar nek. Ze kon niet slapen, ook al wilde ze dat nog zo graag. Ze lag de hele nacht wakker en haar gedachten gingen in een kringetje rond zonder tot een conclusie te komen, terwijl Peter ritmisch koele adem over haar rug blies.

De volgende ochtend vroeg namen ze afscheid voor de deur van haar hotelkamer. Ze wisselden een lange kus, waarbij het lange handvat van Tess' koffer steeds tegen de gepleisterde muren viel als ze zich aan Peter vastklampte. Ze had het gevoel dat ze in huilen zou uitbarsten als hij haar losliet. Ze hield hem aan zijn overhemd vast.

'Niet weggaan,' zei hij ten slotte, en ze lachte toen hij haar hand losmaakte. 'Blijf hier.'

Dat was de reden waarom ze er zeker van was dat ze van hem hield, dat ze dit soort wezenlijke dingen tegen elkaar konden zeggen zonder dat er een spelletje werd gespeeld, zonder dat ze er een naar gevoel bij kreeg. Dat ze in zijn ogen kon kijken en niets anders zag dan vriendelijkheid en genegenheid en een verlangen naar haar liefde. Adam had het helemaal mis. Peter was niet uit op een avontuurtje, en dit was geen reactie op een voorbije liefde. Nou ja, toch wel... maar dat was juist zo goed aan hem. Dat wist ze! Ze kende zowel zijn sterke als zijn zwakke punten, en daardoor waardeerde ze hem des te meer. Omdat ze geen spelletjes speelde, ze was volkomen zichzelf. Ze loog niet tegen hem, ze verborg niets voor hem. Hij was niet anders dan ze had gedacht.

'Je weet dat dat niet kan,' zei ze, en ze ging met haar wijsvinger over een van zijn overhemdknoopjes. 'Ik moet gaan.'

Alsof het zo afgesproken was, klonk er buiten een claxon.

'Je hoort het,' zei ze.

'Kom terug,' zei Peter. 'Kom hier bij mij wonen.'

'Dan ben je hier misschien niet,' zei ze lachend.

'Ik ben van gedachten veranderd. Ik ga niet in op die sollicitatie. Ik wil hier blijven.' Ze schudde vragend haar hoofd en hij vervolgde: 'Stel je voor... wij in het appartement, alleen wij twee. We zouden elke avond ergens kunnen gaan eten. Je zou Italiaans spreken, een scooter kopen, pasta eten... overal naartoe wandelen, hier je leven leiden, elke dag verse bloemen kopen op de markt.' Ze moest lachen en wilde iets zeggen, maar hij legde zijn vinger tegen haar lippen. Ernstig zei hij: 'Je zou hier gemakkelijk een baan op een school kunnen vinden, want ze hebben altijd tekort aan leerkrachten Engels. Er is ruimte voor je boeken... Je kunt zelfs je portret van Jane Austen hier hangen. Waarom ga je eigenlijk terug?'

Hij kuste haar zacht op haar voorhoofd, en dit tedere, perfecte gebaar ontroerde Tess meer dan ze had kunnen zeggen. Ze haalde diep adem.

'Jij moet gaan, en ik moet gaan.' Ze kneep haar ogen stijf dicht om niet te huilen.

'Dat staat leuk,' zei Peter.

'Niet doen,' zei Tess. 'Ik... ik probeer niet...' Ze haalde diep adem. 'Ik probeer niet te huilen.'

'Ach, schatje,' zei hij vertederd. Hij legde zijn vinger onder haar kin. Ze vermeed hem aan te kijken en keek naar de deur naast hen. 'Als je weer thuis bent, denk er dan aan hoe je je voelde toen je hier was. Het is zo gemakkelijk om dat soort dingen te vergeten.'

Waarom ga je eigenlijk terug? Ze voelde het nog allemaal: de warme bries in de kamer, de geur van het hotel, jasmijn gecombineerd met koffie, en de warmte, de warmte van terracotta en benzine en asfalt die je nooit in Engeland zou vinden, zeker niet in Londen, laat staan in Langford. In Langford rook het naar nat gras, benzine, regen, een 'boerderijlucht', zoals haar moeder het altijd noemde, en nog iets... de geur van een Engels plattelandsstadje, wat dat ook inhield. De geur van mosterd? Natte tweed? Goedkope, smerige geurkaarsen die overal te koop waren?

Tess dwong zich terug te keren in het hier en nu. Ze sloeg weer langzaam haar armen om Peters nek.

'Ik vergeet het niet,' zei ze, en ze ging op haar tenen staan. 'Ik vergeet het niet. Ik zal me jou altijd herinneren, schat.'

Zijn hand gleed over haar heup naar achteren, hij trok haar tegen zich aan, en even liet ze zich helemaal onderdompelen in het heerlijke, vertrouwde gevoel van totaal geluk, van prosecco en maanlicht en seks. Toen deed Peter de deur open en reed haar koffer naar de trap. Ze liep achter hem aan. Toen ze de deur achter zich sloot, klonk er een zachte tik in de gang, en Tess keek op. Daar stond Adam, in een gekreukt hemd en spijkerbroek, met zijn haar rechtop. Hij had donkere, bijna zwarte kringen onder zijn ogen, en hij zag eruit alsof hij haastig was opgestaan. Er was geen tijd om iets te zeggen... Ze hadden al te veel gezegd. Ze schonk hem een waterig lachje.

'Ik ga net weg.'

'Natuurlijk,' zei hij.

Peter stond halverwege de trap. 'Hé, Adam? Tot ziens, man. Het was leuk om je te ontmoeten.'

Adam boog zich over de trapleuning. 'Dag, Peter. Ook zo. Tess, kan ik even met je praten?'

'Natuurlijk.' Ze tikte even op Peters schouder om hem duidelijk te maken dat hij alvast naar beneden kon lopen. 'Wat is er?' Ze opende haar handtas om te kijken of ze haar paspoort bij zich had. Ze keek hem niet aan, ze wilde niet zien hoe overstuur hij was.

'Ze is dood,' zei Adam kortweg. Tess hief met een ruk haar hoofd.

'Leonora?'

'Ja,' zei hij. 'Het ziekenhuis belde zojuist. Ik ben op weg ernaartoe.'

'Wat is er gebeurd, weten ze dat?'

'Ze is gewoon... weggegleden, zeiden ze.' Hij krabde op zijn hoofd en sloot even zijn ogen. Tess keek naar de groep die beneden stond te wachten, naar Peter die met Diana praatte. 'Je moet gaan,' zei Adam.

'We kunnen de vlucht annu...'

'Nee, nee,' zei Adam stellig. 'Geen denken aan. Dat is nergens voor nodig.'

'Jemig.' Tess legde haar hand op de zijne. Buiten toeterde het minibusje ongeduldig. 'Het spijt me, Adam... Ik weet niet wat ik moet zeggen.'

'Het is voorbij,' zei Adam knikkend. Hij tuurde langs haar heen in de verte. 'Meer is het niet. We kunnen nu naar huis.'

Pas later bedacht Tess hoe triest het was dat er op een dergelijke manier gereageerd werd op iemands dood. Zelfs op die van Leonora Mortmain.

April 1943

Geen van hen wist dat het zou gebeuren. Als ze terugkeek verbaasde het haar dat ze die dag wakker was geworden zonder een idee van wat haar te wachten stond. Dat ze de dag zou beginnen als een... o, als een kind! ... en eindigen in zijn armen terwijl zijn handen onhandig haar haar streelden, met hun bezwete lichamen dicht tegen elkaar aan, opgetogen, uitgeput.

Die ochtend in april was de sfeer in Langford Hall gespannen, net als in de hele stad, in het hele land. Ze waren nu al drieënhalf jaar in oorlog; er waren mannen en vrouwen uit de stad in onderzeeboten op de Atlantische Oceaan in gevaar, in gevecht in Tripoli en Tunesië, in Italië en ergens in het bezette Frankrijk. En wat lag er tussen Frankrijk en Engeland? Niets, alleen Het Kanaal. En dus deden ze hun werk en wachtten ze af.

Ook Leonora was gespannen. Er was een lepel uit haar hand gevlogen – ze had hem, als in slow motion, tollend door de lucht tegen een vaas op de houten kast in de eetkamer zien klappen. De vaas lag in stukken. Het was gewoon pech, zij kon er niets aan doen. Vaders honden Bonhote en Tugendhat (vernoemd naar generaals uit de Eerste Wereldoorlog) waren in de hal ineens keihard gaan blaffen en daar was ze van geschrokken.

'Je bent achttien, Rara!' had haar moeder gezegd, waarbij ze had geprobeerd haar stem niet te verheffen. Haar gezicht was verwrongen van onderdrukte woede. Haar moeder verhief nooit haar stem, dat deed niemand in Langford Hall. 'Waarom ben je zo onhandig? Je moet echt voorzichtiger worden!'

'De honden blaften, moeder. Het spijt me. Ik wist niet dat ze zo dichtbij waren, en toen schrok ik.' Ze zei er niet bij dat ze de honden haatte, altijd al. Hun grote kwijlende muil, de manier waarop ze tegen je op sprongen, of je dat nu leuk vond of niet. Tugendhat was een keer grommend tegen haar aan gesprongen in de gang

– hij was een Duitse herder en een lelijk, vals beest – en toen Leonora had gegild, had sir Charles Mortmain haar met een liniaal drie keer op haar hand geslagen. Omdat ze had geschreeuwd.

Haar moeder knapte bijna van ergernis. 'Daar heb ik niets mee te maken. Je moest je schamen. Kijk nou naar die rommel. Je vader zal verschrikkelijk boos zijn.' Mama boog zich naar voren en schreeuwde nu tegen haar dochter, waarbij de opgekropte woede als gevolg van de spanning en de plotselinge voorjaarswarmte naar buiten kwam. Ze had rode, glimmende wangen. Een vettige lok sprong achter haar oor vandaan.

'Het spijt me, mama,' zei Leonora, oprecht berouwvol bij het zien van haar moeders woede. 'Het was niet mijn bedoeling, maar de honden...'

Ze wilde zeggen: de honden maakten me bang, maar ze zweeg ineens toen ze bedacht dat haar moeder dit antwoord waarschijnlijk niet wilde horen. Haar ouders hadden geen mededogen met haar angst voor de honden, vooral haar vader niet.

'Laat maar,' zei haar moeder, en ze onderdrukte een snik. 'Ik zal Eleanor moeten vragen of we dit kunnen laten repareren. O, Rara... gá nu maar!'

Leonora vertrok zonder om te kijken. Ze rende naar de deur, trok hem open en rende met een bezwaard gemoed naar buiten, de zon in. Haar verontwaardiging ging snel over in schuldgevoel en verdriet, en het voornemen iets mee te brengen voor haar moeder. Een ijsje? Bloemen? Een boek? Ze keek om zich heen terwijl ze even op adem kwam. Toen ze de wirwar van middeleeuwse straatjes in schoot, ving ze door een opening tussen de huizen een glimp op van de weilanden en het land erachter, aanlokkelijk groen. Het voorjaar was in volle gang, het was de eerste echt warme dag van het jaar. Ze huiverde even. Ze zou stilletjes door de straten lopen, door de opening in de eeuwenoude stadsmuren de trap af naar de uiterwaarden. Een appel en een boek, meer had ze niet nodig, en op weg naar huis zou ze een paar bloemen voor haar moeder plukken. Ze had een fraai geel boekje met gedichten van Catullus in haar zak: Leonora was een romantisch meisje, ook al kreeg ze in Langford Hall weinig gelegenheid om dat te ontwikkelen. En nu was ze vrij. Ze maakte van opwinding een huppelpasje en krabde over haar blote armen. Alles was weer goed en met de ongevoeligheid die de jeugd eigen is was de herinnering aan haar moeders gezicht toen ze de kleurige scherven opraapte al weer verdwenen.

'Hé, Atalanta! Wat heb jij voor stoute plannen?'

Ze sprong op en draaide zich schuldbewust om. 'Philip! Jemig, je liet me schrikken.'

'Precies.' Hij glimlachte en haalde haar hand van haar mond. 'Als jij geen slecht geweten had,' zei hij, en hij deed net of hij haar een tik gaf, 'zou je niet zo schuldbewust kijken. Wat is er aan de hand?'

Philip Edwards was dit jaar bijzonder irritant met zijn hoogdravende gedoe. Hij was pas één jaar in Cambridge, en hij vond zichzelf al heel wat. Ze trok snel haar hand terug, boos op zichzelf om de blos die ze voelde opkomen door de warmte van zijn hand. 'Niets. Ik ben alleen gevlucht van huis. Mama is razend op me. Ik heb me vreselijk gedragen.'

'Dat geloof ik graag.' Er klonk een lach in zijn stem, maar ook iets van medeleven. Ze hoorde het. 'Ik wilde net gaan wandelen,' zei hij. 'Ik moet iets lezen.'

'O, ik ook,' zei ze luchtig. Ze klopte op haar zak.

'Wat is het?' vroeg hij, en hij boog zich naar haar toe.

Ze voelde zich onmiddellijk opgelaten, alsof hij haar had betrapt op een leugen of iets van haar wat niemand mocht zien. 'Ga weg,' zei ze, en ze draaide zich om, maar hij had het boekje al uit haar zak gehaald en hield het boven haar hoofd. Hij grinnikte.

'Liefdesgedichten!'

'Niet,' zei ze, maar ze bloosde. 'Allerlei gedichten.'

'Ik weet het, mijn kleine Atalanta,' zei hij.

'Noem me niet zo,' zei ze, al vond ze de naam eigenlijk wel leuk.

Hij wees naar haar. 'Kijk... Atalanta, de lichtvoetige jaagster, die alle mannen afwees en niet wilde trouwen tot iemand die gouden appels liet vallen haar afleidden. Tweede gedicht.'

'Dat is niet waar!' De blos op haar wangen verdiepte zich; een huwelijk, of wat voor relatie ook met het andere geslacht, was iets waar ze nooit aan dacht, grootgebracht als ze was in de benauwende sfeer van huize Mortmain. Nooit – tot voor kort.

'Ach, kom,' zei hij met een sluw lachje. Maar toen hij haar verlegenheid zag, werd hij milder. Hij klopte op haar arm en ze ontspande. 'Ik wilde naar de uiterwaarden lopen. Ik wilde jou zien, om iets met je te bespreken.' Hij schoof heen en weer. 'Eh... zin om mee te gaan?' Hij keek haar aan. Hij was ineens zo lang, en zij voelde zich zo klein; wanneer was hij uitgegroeid tot die lange, breedgeschouderde man? Waar was de achtjarige Philip gebleven die in haar roze zijden feestjurkje had gepast? Wie was deze onbekende jongen, bijna een man, die voor haar stond?

Ineens voelde ze zich belachelijk verlegen. 'Natuurlijk,' zei ze, en ze ging zo recht mogelijk staan. 'Ik was trouwens toch van plan die kant op te gaan.'

'O ja?' Hij glimlachte. 'Dan hebben we dezelfde gedachte.'

'Helemaal,' zei ze, en ze vertrokken samen toen de ochtendzon langs de hemel klom en over de daken van het stadje in de stille straten scheen.

Ze had het niet goed moeten vinden. Maar de waarheid was dat ze het wilde. Ze wilde zijn armen om haar heen voelen, zijn lichaam op het hare. Ze waren altijd maatjes geweest. Soms omhelsde ze het dienstmeisje, Eleanor, met wie ze op Philip na misschien wel het meeste fysieke contact had. Maar hoe jong ze ook was, niemand omhelsde haar, niemand raakte haar aan, dus was er niet veel voor nodig om over te gaan naar de volgende fase, aangezien Philip de enige was om wie ze ooit spontaan haar armen had geslagen, met wie ze op de grond had liggen stoeien, die ze had gekust.

Dus toen ze daar naast elkaar lagen op het kleed dat hij had meegebracht, en in stilte naar de houtduiven luisterden die in de bomen aan de rand van het park droevig zaten te koeren, en de warme, lome zomerwarmte voelden, protesteerde ze niet toen hij zich over haar heen boog, en ze was niet ook echt verbaasd. Leonora Mortmain was een onberispelijk opgevoede jonge vrouw. Ze zou gewoonweg niet hebben geweten hoe dit soort dingen in gang gezet werden. Ze wist alleen dat ze één seconde doodsbang was, en vervolgens diep gelukkig toen hij op één arm leunde en haar schouder streelde, haar wang kuste.

Zijn haar viel naar voren en verborg zijn gezicht.

'Voel je je prettig?' vroeg hij, terwijl hij haar been streelde. Ze voelde de warmte van zijn hand door haar dunne katoenen jurk.

Ze bewoog even, waardoor haar haar als een waaier achter haar op de grond werd uitgespreid, en glimlachte naar hem. 'Natuurlijk. Jij?'

'Nu wel, Rara.' Zijn vingers bewogen langzaam. 'Ik heb je gemist. Het was een lang trimester. Kerst lijkt eeuwen geleden.'

Met kerst had ze hem op een feestje gezoend of liever, ze had zich door hem laten zoenen in een donkere hoekje van een huis dat stikvol was met oude mannen en vrouwen – de mensen die achtergebleven waren. Ze waren alleen in de studeerkamer terwijl er muziek schalde uit een opwindbare grammofoon in de woonkamer. Hij had haar tegen zich aan gedrukt, met zijn handen om haar hoofd. Ze had ervan genoten, ook al had het verkeerd moeten voelen dat de jongen die nu een man was, haar beste vriend, die dingen met haar deed.

De volgende dag was hij met haar meegelopen naar de Hall, op weg naar huis, en toen had hij haar weer gekust. Hij had haar zachtjes tegen de oude eik gedrukt die al eeuwenlang op de kruising stond. Zijn lichaam voelde warm in de kou, zijn tong was eerst schokkend maar later opwindend. Deze keer hadden ze het allebei gewild, en ze waren pas opgehouden toen ze het vage geronk van een motor hoorden die hun kant uit kwam. Ze hadden elkaar losgelaten en toen pas besefte ze dat zijn hand onder haar jurk was, op haar borst, en dat ze het fijn vond.

Nu, hier op de uiterwaarden, wist Leonora niet wat ze deden; ze wist niet zeker of hij het wist, alleen dat het goed voelde. En op dat moment kuste Philip haar. Hij maakte de knoopjes van haar dunne zonnejurkje los en kuste zacht de huid die, knoopje na knoopje, werd onthuld, totdat ze bijna naakt was. Hij trok zijn broek en overhemd uit, en toen deed hij haar gesteven brassière af en legde hem voorzichtig op het hoge gras; hij bewoog zachtjes in de wind.

'Weet je nog dat we hier vroeger in de zomer kwamen, toen we klein waren?' Hij streek het haar uit haar gezicht en kuste haar oogleden, haar wangen, haar lippen. 'Wij alleen, met z'n tweetjes?'

'Natuurlijk,' zei Leonora bedeesd. Haar vingers streelden zijn nek. Ze streelde zijn huid, die glad was, en lekker rook, naar heide en wierook en... o, naar Philip, haar beste, liefste vriend. Het was heerlijk, verrukkelijk, goed om naakt bij hem te zijn, ook al had het nog zo vreemd en verkeerd moeten voelen.

'Als ik me op school heel ellendig voelde, deed ik mijn ogen dicht en dacht ik aan jou, aan ons, hier, in de zomer, en dan kon ik alles ineens weer aan.' Hij legde haar armen boven haar hoofd en hield ze vast, zodat hij haar lichaam kon strelen, haar borsten, en kusjes kon drukken op haar buik, haar borstbeen, haar tepels – ze voelde de stoppeltjes op zijn wang langs haar huid gaan. Ze glimlachte en keek omlaag naar zijn zachte haar, zijn handen op haar lichaam, en daarna keek ze omhoog, naar de hemel, de bomen om hen heen, en ademde diep in. Ze was gelukkig – een beetje bang, maar gelukkig. Ze kuste zijn kruin.

'Nu is het goed,' zei ze zachtjes. 'Je bent weer hier. En ik ook.'

'Ik weet het,' zei hij met gedempte stem. 'O... Rara.' Hij kuste haar hartstochtelijk, en zij beantwoordde zijn kus, en hij liet haar niet gaan totdat ze naar adem snakte. Ze bewogen samen, en ze nam hem in haar hand, instinctief en nieuwsgierig, en streelde hem tot hij kreunde. Even was hij stil, en ze knikte hem toe, waarna zijn ogen groot werden en zijn gezicht ernstig.

Toen hij eindelijk langzaam en voorzichtig in haar kwam, deed het maar heel even pijn, en daarna voelde het vreemd en fijn. Alsof hij haar opvulde. Ze bewogen nauwelijks; hij drukte zijn heupen intens tegen de hare en zij verwelkomde hem totdat hij tot een hoogtepunt kwam, met een onderdrukte kreet, alsof ze hem pijn deed. Daarna was het stil.

En toen waren ze in één klap weer in de werkelijkheid terug, ze waren weer twee tieners, de een in een halfopen jurkje, met haar onderbroek in het gras, de ander met zijn onderbroek op zijn knieën, zwaar hijgend en wiegend, alleen zij twee, tot hun ademhaling bedaarde en ze naar hem opkeek.

'Hallo,' zei hij, en hij schoof het haar van haar voorhoofd. 'Mijn kleine Atalanta.' Hij glimlachte en knipperde met zijn ogen.

'O... hallo,' antwoordde ze. 'O, Philip...'

'Dit wilde ik al een tijdje,' zei Philip in een poging tot rust te komen, en toen verscheen er een glimlach op zijn gezicht, die ze zo goed kende, en hij richtte zich een stukje op en overlaadde haar mond met kussen.

Het was snikheet en doodstil in het gras waar ze lagen. Ze zweeg en vroeg zich af wat ze zojuist hadden gedaan, verbaasd over het intense gevoel, en ze wist dat het goed was.

'Ik ga weg,' zei Philip na een poosje met zijn mond in haar haar. 'Volgende week vertrek ik.'

Hij rolde van haar af en greep zijn broek. Ze bleef liggen en wist niet wat ze moest zeggen, zijn zweet droogde op haar lichaam op en voelde koel in de warmte. Ze voelde iets nats tussen haar benen. Ze voelde zich ineens vies, daar in het stoffige gras.

'Waar naartoe?'

'Naar de kazerne, denk ik.' Hij schraapte zijn keel.

Ze begreep het nog niet. 'De kazerne?'

'De plaatselijke kazerne, in Thornham. Mam hoopte dat ik zou worden afgekeurd vanwege mijn ogen. Maar gisteren ben ik er geweest. En de sergeant-majoor had geen enkel bezwaar.' Ze staarde hem met open mond aan. Hij zei, bijna trots: 'Er is geen enkele reden om thuis te blijven als een bangeschijter, zoals Roger Bowen, die door zijn vader van de dienst is gevrijwaard. Er is een oorlog aan de gang, en ik ben nu achttien.'

'Philip... je gaat toch niet vechten?' zei ze terwijl ze rechtop ging zitten en hem aan zijn jasje trok. Hij draaide zich verbaasd naar haar om. 'Dat kun je niet doen!' zei ze met een stemmetje dat zelfs in haar eigen oren iel en kinderachtig klonk. 'Je...'

'Ik moet gaan, Rara,' zei hij met een verwarde uitdrukking. 'Ik kán niet anders, toch?' Hij glimlachte haar liefdevol toe en streek het haar weer van haar voorhoofd. Hij trok haar, nog steeds halfnaakt, dicht tegen zich aan. Ze voelde zijn hart in zijn borst slaan, het afkoelende zweet op zijn sterke lichaam. 'Wat zou je van me vinden als ik niet ging vechten? Luister eens. Het is een smerige strijd, maar we gaan Hitler verslaan. Dat zul je zien. Ik ben thuis met kerst, en dan gaan we trouwen, en je vader kan naar de pomp lopen. Als ik er niet van overtuigd was, zou ik je niet... zou ik dit niet met je hebben gedaan.' Hij keek haar intens aan. 'Hoor je dat?'

Zijn hand greep de hare terwijl hij haar wiegde.

'Ga niet,' zei ze, nu ze in volle ernst besefte wat ze hadden gedaan, en wat hij altijd voor haar had betekend. Ze maakte zich van hem los. 'Hoe kun je nu weggaan? Hoe kun je zeggen dat we later bij elkaar komen? Dat kan niet!'

'Jawel,' zei hij, en het was bijna alsof hij haar uitlachte, wat haar nog kwader maakte. 'Alles is veranderd, Rara. De wereld is veranderd. Dat komt door die oorlog.'

'Mijn vader niet,' zei Leonora. 'Philip, ze laten ons nooit... De oorlog verandert niets. O, god... je had niet mogen...' Overweldigd door emoties pakte ze haar schoenen terwijl een snik in haar keel opwelde. 'Ik haat je!' Ze kroop door het gras naar haar ondergoed, trok haar jurk omlaag en maakte met trillende vingers de knoopjes vast.

'Leonora!' zei hij verbaasd toen ze bij hem vandaan strompelde. 'Leonora, kom terug!'

Ze rende door de vruchtbare velden, haar voeten werden drijfnat van de ochtenddauw, haar haar fladderde achter haar aan en toen ze stilstond bij de brug om op adem te komen, haalde hij haar in.

'Ik hou van je,' zei hij vol vuur terwijl het water ruisend onder hen door stroomde. 'Het kan me niet schelen dat je een Mortmain bent en dat ik de zoon van de dominee ben. Het maakt niets uit, zie je dat niet? Alles verandert. Ik hou van je, Leonora, en het wordt allemaal fantastisch als ik terug ben. De oorlog is bijna voorbij. Het komt goed. We geven die Duitsers ervan langs.' Hij ging met zijn hand over haar buik, bijna alsof hij het wist, en hij kuste haar. 'Hierna zijn we samen, jij en ik. Ik beloof het je. Ik bied je een toekomst. Niet het verleden.' Ze hield zich aan hem vast en snikte even terwijl haar haar langs haar gezicht viel. Hij glimlachte. 'Geef me nu maar weer een kus.'

Ze kuste hem, ook al proefde ze het zout van haar eigen tranen. Hij legde zijn hand onder haar kin en met zijn andere hand streek hij haar dikke, goudblonde haar over haar schouder.

'Je bent zo mooi,' zei hij. 'Voelt het niet goed?'

'Jawel,' zei Leonora naar waarheid. Het voelde goed, ongeacht wie haar vader was, wie Philip was. Ze had zich nog nooit zo bruisend gevoeld als op dit moment. 'Ja, het voelt goed.'

'Tot morgen,' zei hij, toen ze zich omdraaide. Ze knikte met een lachje alsof het haar pijn deed. 'En de dag erna, en de dag daarna. Jij en ik, Rara, alleen jij en ik. Beloof me dat je me gelooft.'

'Ik geloof je,' zei ze, klaar om ervandoor te gaan, maar ze draaide zich om en kuste hem nog één keer met een heerlijk lichtzinnig gevoel terwijl ze haar gezicht naar hem ophief. 'Ik hou van je,' zei ze, niet langer bedeesd.

'Ik ook van jou,' fluisterde hij na hun kus. Het voelde als iets van hen alleen. Nooit had ze kunnen voorzien wat de gevolgen zouden zijn van die ene voorjaarsdag.

30

Toen Mick Hopkins in 1970 naar Langford verhuisde om daar als barman in de Feathers te beginnen, was de pub totaal anders. Mick, die geen pionier was, maar wel een scherpe, zij het nuchtere kijk op mensen had, vergeleek de pub – dit hield hij voor zichzelf – graag met een broodje ham-kaas.

Toen de jaren verstreken en Mick uiteindelijk eigenaar van de pub werd, merkte hij al enige verandering, maar pas in de jaren negentig was het overduidelijk. In 1970 was niet alleen de prijs van een biertje na de invoering van het decimale stelsel nog elf pence, maar de klanten die hij kreeg waren hoofdzakelijk mannen, allemaal geboren en getogen binnen een straal van een kilometer. Op de kaart stonden broodjes ham, kaas en ingelegd zuur. In de jaren dertig was de ham zelfgerookt, de kaas een romige, scherpe Somerset-cheddar, het zuur ingelegd door de vrouw van de kastelein, maar halverwege de jaren zeventig was er fabrieksham in gladde, glanzende plakjes, de cheddar was voorverpakt in plastic en het zuur kwam uit een potje, met een vage bijsmaak van afwasmiddel.

Mick bleef gewoon bier tappen en asbakken legen, bordjes met eten neerzetten en luisteren naar de klanten die klaagden over het weer, over de stakingen, over de kosten van levensonderhoud, de regering... En toen de jaren zeventig overgingen in de jaren tachtig en Langford een beetje opgepoetst werd, kwamen er tien keer zoveel toeristen en Mick, die toen al eigenaar was, stelde de tuin erachter, tot die tijd een betonnen plaatsje waar de vuilnisbakken stonden, open. Hij zette er een paar bankjes en een stel bloempotten neer, creëerde een paar parkeerplaatsen, en begon high tea te serveren, met slagroom uit spuitbussen, maar ook broodjes met ham, kaas en zuur. Janey, zijn jonge, aantrekkelijke hulpje, werd naar Bath gestuurd om Laura Ashley-gordijnen en beddenspreien te kopen, plastic bloemen in vaasjes, en lichtblauwe en roze handdoeken voor de vier slaapkamers boven. De toeristen vonden het prachtig.

Daarna, eind jaren tachtig, stelde iemand van de gemeente voor dat Langford mee zou doen aan de wedstrijd 'Britain in Bloom'. Mick had geen bezwaar: het leek hem goed voor de zaak. En dus werd de Feathers opgesierd met paarse anemonen, koraalrode geraniums, vlijtige liesjes enzovoort; alle beschikbare vensterbanken en de patio leverden kleurrijke plaatjes op. Het parkeerterrein werd omgetoverd tot een grasveld, en de eigenaars van winkels mochten hun auto op het terrein van het stadhuis parkeren. Er werd een speelplaats gecreëerd, en de inwoners van Langford kwamen daar op zomeravonden, in het weekend, en om feestjes te vieren. De broodjes ham en kaas werden gegarneerd met krulsla, en geserveerd in driehoekjes. Ze begonnen ook Pimm's te schenken.

Toen het Jane Austen Centre in de jaren negentig een behoorlijke subsidie ten deel viel, leek dat te bevestigen wat ze in de stad altijd al hadden geweten: Langford was meer waard dan andere steden, het was een stijlvolle stap terug in de tijd. Men vergat voor het gemak dat het geld vroeger was verdiend met de inmiddels in onbruik geraakte kolenmijnen vijftien kilometer in westelijke richting, en met het boerenbedrijf. Men herinnerde zich alleen – en zag alleen – de gouden steen, de connectie met Beau Brummell, de vermogende bezoekers, de Mortmains, de glamourachtige details. Toen Jacquetta Meluish in 1997 uit Chelsea kwam en haar smaakvolle cadeauwinkel in de hoofdstraat opende, wist Mick dat alles anders werd.

Binnen vijf jaar waren er nog twee van dit soort winkels bij gekomen: een delicatessenzaak en een glamoureuze slijterij die gespecialiseerd was in Spaanse wijnen. Algauw volgden het wereldberoemde Mr. Dill's Cheese Emporium, met allerlei soorten kaas, en Vistas, een kunstgalerie, gespecialiseerd in aquarellen van het nabijgelegen landschap, waar Mick altijd een beetje onpasselijk van werd. Hij hield van de omgeving van Langford, die hij indrukwekkend en verrassend vond – zowel van de welige, bijna tropische vegetatie in de zomer en de felle herfstkleuren, als van de grimmige, zwarte schoonheid van de heuvels en de hagen in de winter.

Nu werd de melk voor de thee in de Feathers geproduceerd door George Farm, de jam werd gemaakt door de lankmoedige Janey – inmiddels getrouwd, met drie volwassen kinderen – de kaas was weer de beroemde Somerset-cheddar, en de ham was afkomstig van varkens uit de buurt. Maar het zuur kwam nog steeds uit een pot, de fish-and-chips kwamen nog steeds uit de vriezer, en de gefrituurde brie was nog steeds het populairste voorgerecht op de kaart. Sommige dingen kon je veranderen, andere kon je beter zo laten, vond Mick. Hij kwam op leeftijd en hij wist het, en sommigen mochten zeggen dat veertig jaar een hele tijd was om mensen drankjes in te schenken, maar hij vond het nog steeds leuk werk.

Maar deze zomer was alles anders in Langford. De laatste paar weken waren vreemd verlopen. Juni was verstreken en het was steeds warmer geworden, de wegen waren stoffiger dan ooit, de altijd frisse lucht in Langford – dat, in tegenstelling tot Thornham, hoog op een heuvel lag – werd steeds benauwder, zonder een zuchtje wind. Het had al ruim een maand niet geregend toen juli ten einde liep. In de cottages en huizen die gebouwd waren om de warmte binnen te houden baadde men in het zweet, baby's huilden en konden niet slapen, de bewoners woelden in hun bed en baden om regen.

Mick woonde boven de pub – aan de achterkant, boven het terras, met uitzicht op het dal en het oudste gedeelte van het stadje, dat zich op de heuvelrug uitstrekte tot aan de uiterwaarden. Tijdens warme nachten sliep hij met het kleine raam open, zodat hij de houtduiven in de bomen eronder kon horen koeren, en de merel midden in de nacht kon horen zingen.

Ooit had er een wespennest in de dakgoot naast de luiken gezeten, en toen hij op een middag boven was om zijn bril te zoeken, zag de kamer zwart van de rondzwermende insecten. Het was geen gezoem, het klonk als een naderende storm. Hij had de deur achter zich dichtgedaan en bleef voor zijn gevoel een eeuw met stomheid geslagen midden in de kamer staan, voordat hij bij zijn positieven kwam. Adam stond beneden achter de bar. 'Jezus, wat is er gebeurd?' had hij gezegd toen Mick de pub binnengestrompeld was, en pas toen hij naar zijn arm keek en drie rode bulten zag, had hij beseft dat hij was gestoken. Hij had naar het ziekenhuis gemoeten.

Dat was de afschuwelijkste ervaring die hij had gehad sinds hij hier werkte. Langford was voor het merendeel een fijne plaats om te wonen en sommigen hadden – zij het pas na veertig jaar hier – laten weten dat ze hem nu beschouwden als een vaste bewoner. Natuurlijk betekende dat steeds minder nu er steeds meer toeristen en bezoekers uit Londen kwamen, maar het was evengoed aardig.

Op deze ochtend in augustus was Mick al vroeg op, maar hij had niet goed geslapen. Zelfs toen hij 's nachts het raam had opengezet was er geen zuchtje wind binnengekomen. Mick was een gelijkmoedig man, maar zelfs hij was een beetje uit zijn doen. Zijn botten deden meer pijn dan normaal en toen hij het oude schoolbord met de specialiteit van de dag op straat zette, bleef hij even staan genieten van de koelte op de smalle weg, waar de ochtendschaduwen nog lang waren. Zoals altijd keek hij naar het huis aan de overkant, maar de luiken van Leda House waren dicht, al vanaf het moment dat Leonora Mortmain was overleden. Mick schudde zijn hoofd, veegde zijn handen af aan zijn schort en ging weer naar binnen.

Het was niet goed, hield hij zich voor. De vrouw was nu bijna twee maanden dood en niemand wist wat er zou gebeuren. Er had zelfs nog geen begrafenis plaatsgehad. Ze lag nog steeds in Rome, ergens in een vrieskast, wachtend op toestemming om teruggebracht te worden – vanwege de bureaucratie, zeiden ze. Het was voor niemand goed, vooral niet voor Adam, en ook Mick was er niet blij mee. Hij bleef staan in de gang naar de patio terwijl hij met de sleutels rommelde voor hij de deur van het café openmaakte.

Nu was Mick geen fan geweest van mevrouw Mortmain, maar hij was ook niet het type man dat partij koos. Behandel anderen zoals je zelf behandeld wilt worden, was zijn lijfspreuk. Dus had hij haar de afgelopen veertig jaar altijd met een glimlach beleefd gegroet, ook al negeerde zij hem en was ze de laatste tien jaar steeds onmogelijker geworden, een beetje maf zelfs, dacht hij. Mick ging de warme, stoffige bar in en bedacht dat hij zich haar wist te herinneren van toen hij pas in Langford was komen wonen, en hij wist dingen die anderen – zoals Ron, of Clive, of Diana of zelfs Adam – wellicht vergeten zouden zijn. Maar hij herinnerde zich dat ze niet altijd zo lelijk had gedaan. Ze was toen achter in de veertig geweest.

Hoewel Mick het belangrijk vond dat de bar schoon bleef, en hoewel Janey en haar dochter Kirsty, die nu parttime werkte en verdacht veel op Mick leek, de vorige avond hadden schoongemaakt, rook het er nog niet fris, maar naar verschaald bier en een beetje naar zweet. Langzaam liep Mick naar de glas-in-loodramen die uitkeken op straat, en zette ze open. Hij tuurde nog even naar het huis en ging toen achter de bar staan.

Hij had vaak gedacht dat Leonora een knappe vrouw geweest moest zijn toen ze jong was. Met haar donkere ogen, bleke teint en uitstekende jukbeenderen had ze iets van Audrey Hepburn. Ze droeg hoofddoekjes en veel zwart, en ze had een wat jongensachtige manier van lopen.

Mick controleerde de vaten en liet zijn gedachten de vrije loop. Dat was het probleem, dat had hij altijd geweten. Magere vrouwen werden maar al te vaak schriel. Dat was met Audrey Hepburn ook gebeurd, toch? Mick had liever vrouwen met een gulle lach op hun gezicht en wat vlees op hun botten. Dat kon hij natuurlijk niet hardop zeggen, maar in de loop van zijn bloeiende slaapkamerleven in de Feathers waren het de Janeys van deze wereld die nog steeds een glimlach op zijn gezicht konden toveren. En dat was in al die jaren het probleem geweest met Leonora Mortmain. Ze werd magerder, ze leek voor zijn ogen uit te teren, alsof iets aan haar vrat. Voor die tijd had ze nog iets sprankelends gehad. Maar de laatste paar jaren was ze gewoon angstaanjagend, altijd zenuwachtig achter die gordijnen, altijd een norse blik, zelden buiten, maar ze koos ervoor haar wereld binnen die vier sombere muren te houden. Het was een groot, prachtig huis. Echt zonde.

Er kwam ook zelden iemand. Behalve dan Jean Forbes natuurlijk, en een paar anderen. Notarissen, mannen uit Londen die haar zaken behartigden. Mick velde geen oordeel, dus zei hij er niets van als hij Adam daar eens in de paar maanden na zijn werk binnen zag glippen. Hij mocht de jongen en hij had van zijn moeder gehouden – net als iedereen. Nadat ze in Langford was komen wonen had Mick zelfs een korte verhouding met Philippa gehad, in de zomer dat Adam nog een kleuter was. Ze hadden het op een vriendschappelijke manier beëindigd, maar Mick had daarna altijd een zwakke plek gehouden voor Philippa – zij leek ook echt op Audrey Hepburn, en ook al was ze een tikje te mager, ze was prachtig en ze lachte graag. Hij had zich daarna altijd betrokken gevoeld bij haar zoon, vooral na haar dood. Hij wist niet waar ze vandaan was gekomen, maar hij had het zich afgevraagd naar aanleiding van een paar dingen die ze had gezegd. Hij had gezien dat Philippa nooit nieuwe kleren kocht, dat Adam geen lunchbox voor school had, dat hun huis sober was ingericht en hij vroeg zich af hoe dat kon. En toen Philippa stierf... Tja, hij had wel vaak gedacht dat ze op elkaar leken, maar het was duidelijk dat daar de gelijkenis tussen hen ophield. Zelfs Mick had nooit kunnen raden wat men in Langford nu zei. Dat Philippa niet alleen de dochter was van de oude vrouw, maar dat die laatste had geweigerd iets tegen haar te zeggen toen ze naar Langford kwam, hoogzwanger, met tegenzin op zoek naar haar moeder. Ze kreeg de cottage, en daar moest ze het mee doen. Mick begreep het niet. Philippa – je moest gewoon van haar houden. Het was de liefste, hartelijkste vrouw van de wereld geweest...

Mick schudde zijn hoofd, verbaasd omdat hij daar ineens aan moest denken, aan Philippa's lieve gezicht, haar wilde bos haar, haar prachtige naakte lichaam schrijlings over hem heen, haar brede glimlach als ze vooroverboog om hem te kussen... Hij leunde tegen de bar en slaakte een diepe zucht. Hij wist niet waarom juist vandaag deze herinnering hem zo van streek maakte.

'Ha, Mick!' klonk een stem achterin. Mick schrok op uit zijn dagdroom.

'O,' zei hij, zich langzaam omdraaiend. 'O. Jij bent het. Hallo, Ron.'

Ron Thaxton kwam de pub in en zette vermoeid zijn ellebogen op de oude bar. 'Wat is het heet, hè.' Hij stak zijn onderlip naar voren en blies lucht tot over zijn voorhoofd.

'Nou, zeg dat wel, Ron.' Mick ging weer achter de bar staan. 'Maar het is pas negen uur, ik mag je nog niets inschenken,' zei hij in een poging tot humor die zelfs voor hem niet erg geslaagd klonk.

'Ik wil geen bier, maak je geen zorgen,' zei Ron. Hij zuchtte. 'Toen we in Italië waren, hebben Andrea en ik campari leren waarderen, weet je. Campari-soda. Op een gezellig plein, 's avonds. Lekker hoor, moet ik zeggen. Met een schijfje sinaasappel, wat ijsblokjes. Andrea...' hij beklemtoonde haar naam '... dronk het soms liever met jus d'orange, en dan noem je het "*sugo d'arancia*".'

'Klinkt goed,' zei Mick. Hij ging met een doek over de toog. 'Ik heb zelf nooit zo van campari gehouden. Ik wil zo af en toe wel eens een whisky drinken.'

'Whisky is ook lekker, ja,' zei Ron. Hij zweeg even en blies weer luidruchtig uit. 'O hemel.'

'Wat is er, Ron?' vroeg Mick geduldig. 'Alles goed met je?'

'Ik weet niet,' zei Ron. Hij klauterde vermoeid op een kruk en begon met een bierviltje te spelen. 'Ik slaap momenteel niet zo goed. Ik weet niet waardoor het komt.'

'Door de hitte,' zei Mick. 'Vijf weken zonder regen, dat is voor niemand goed, weet je.'

'Je zult wel gelijk hebben,' zei Ron. 'Maar er is nog iets aan de hand. Sinds we terug zijn uit Rome heb ik er last van.'

'Nou, dat is acht weken geleden,' voerde Mick aan. 'Dat weet ik nog omdat mevrouw Mortmain begin juni is overleden, op de dag dat jullie terugkwamen, toch?'

Ron knikte.

'En nu is het augustus. En nog steeds geen begrafenis.'

'Ik weet het,' zei Ron. 'En ik denk dat dat de boosdoener is.' Hij keek Mick aan en zei met gedempte stem: 'Ik geloof dat ze bij me spookt. Die vrouw. Ze ligt nog niet in de aarde. Ze is een soort ondode.' Hij likte over zijn lippen. 'Ik heb eens een paar vampierboeken bekeken, Mick. Het is precies hetzelfde.'

'Ron Thaxton, dat mag je niet zeggen,' zei Mick met een lachje. 'Je mag geen kwaad spreken over de doden.'

Ron zei ernstig: 'Nou, ik was al behoorlijk bot tegen haar toen ze nog leefde, dus het zou hypocriet van me zijn als ik nu ineens zou treuren om haar dood, vind je niet?'

'Ja, dat zal wel,' zei Mick. Hij draaide de kraan open en schonk een glas water in voor hem en voor Ron, die het met een knikje aannam. Ze bleven even in stilte zitten.

'Ik moet steeds aan haar denken,' zei Ron na een poosje. 'Weet je, we hadden woorden toen we in Italië waren. Ze wist iets van me.' Hij zweeg even, alsof hij nog meer wilde zeggen. Mick zei niets. 'Nou,' vervolgde Ron bijna uitdagend. 'Ze was een kwaadaardige oude vrouw. Het kan me niet schelen wat iedereen zegt. Ze was uit op rottigheid, ze ging mee met die excursie zodat we geen hoorzitting over de uiterwaarden konden houden. Ze wist wat we allemaal over haar zeiden. Het was alsof het haar niets kon schelen!' Hij keek met een blik van onbegrip naar Mick. 'Ik geloof niet dat het haar iets kon schelen dat we de pest aan haar hadden. Dat is toch raar?'

'Ja, raar,' zei Mick.

'En ze was ook niet aardig tegen Tess Tennant – eerlijk gezegd wist die arme Tess niet wat ze met die vrouw aan moest. Ik zag het als ze naar haar keek, alsof ze wilde...' Hij huiverde. 'Ik weet het niet. Akelig mens.'

'Ron,' zei Mick vermanend, maar Ron schudde zijn hoofd.

'Het punt is... We waren erbij toen ze die... die beroerte kreeg. Andrea en ik. En ik voel me verantwoordelijk. Ik mocht haar niet, maar ik wenste haar ook geen kwaad toe, weet je.'

'Natuurlijk,' zei Mick. 'Maar het is wel een vreemde situatie.'

Ron keek naar hem op. 'Je bedoelt met Adam Smith? Vreemd? Zeg dat wel. Wie was de vader? Weet iemand dat?'

'Voorzover ik weet niet.'

'Ik ook niet,' zei Ron weinig adequaat. 'Wie het ook is geweest, hij moet een dappere vent geweest zijn, meer kan ik er niet over zeggen. Ik vraag me af of Adam het weet.'

'Ik denk dat hij de laatste paar jaar genoeg geheim heeft moeten houden,' zei Mick.

'Mja.' Ron was niet echt overtuigd. 'Maar was het nou nodig om dat al die jaren voor zich te houden?'

'Ik kan het hem niet kwalijk nemen,' zei Mick ferm. 'Ik zou het ook voor me houden.'

'Tja, misschien,' zei Ron. 'Maar hij is nu wel goed af, hè?'

'Hé, Mick, ben je daar?' klonk een slepende stem door het raam.

Mick stak zijn hand op om Ron het zwijgen op te leggen. 'Ja,' riep hij. 'Ben jij dat, Suggs?'

'Jep,' zei Suggs. 'Ik wilde even kijken of je er was. Wil je dat ik vrijdag kom of niet? Ik wilde het even zeker weten.'

'Nee,' zei Mick. 'Ik dacht dat je zaterdag en zondag zou werken, is dat goed?'

'Geen probleem,' zei Suggs. Hij tuurde door het raam naar binnen, waarbij hij op de oude bank leunde en zijn ogen half dichtkneep tot ze aan het donker gewend waren. 'Ik dacht ik vraag het maar even. Wie is dat? Ben jij dat, Ron?'

'Jep,' zei Ron. 'Hoi, Suggsy.'

'Dan kom ik even binnen,' zei Suggs en met een wonderbaarlijk gemak sprong hij door het open raam op de bank en van daar op de grond. 'Heb je toevallig nog koffie?'

'Te warm voor koffie,' zei Ron humeurig.

Mick gebaarde met zijn hoofd. 'In de keuken, maat. Ga je gang.'

'Bedankt, Mick.' Suggs verdween hard fluitend in de keuken en Ron richtte zich weer tot Mick.

'Ik wil alleen maar zeggen,' zei hij, 'dat Adam Smith niet langer zonder geld, zonder baan, zonder...'

'Wacht even,' zei Mick luchtig. 'Hij werkt hier, dat is een baan!'

'Je weet wel wat ik bedoel,' zei Ron. 'In plaats van niets heeft hij nu... Nou ja, die man is nu toch miljonair? Dat moet wel. Alleen doordat hij geluk heeft gehad met zijn ouders.'

Mick keek hem aan. 'Dat zou ik geen geluk noemen,' zei hij toen Suggs net binnenkwam. 'Ik noem dat ronduit pech.'

'Dat is beter,' zei Suggs, en hij liet zich met een diepe zucht naast Ron neervallen. Hij nam een slok koffie. 'Ik heb het gisteravond laat gemaakt, ik heb zitten drinken met Adam. Vanochtend had ik een beetje hoofdpijn.' Hij keek op. 'Wie heeft er pech?'

'Over hem hadden we het net,' zei Mick, en het sierde Ron dat hij lichtelijk beschaamd keek. 'Adam, en wat hem is overkomen.'

Suggs knikte en veegde zijn mond af. 'Tja, ik zei al tegen hem, als je geld krijgt, wat kan het je dan schelen waar het vandaan komt, als het maar legaal is? Ik geloof alleen niet dat hij er ook zo over denkt.' Hij tuurde peinzend in zijn beker. 'Die arme jongen. Hij heeft heel wat aan zijn hoofd.'

‘Zoals wat?’ vroeg Ron nieuwsgierig.

‘Zoals die toestand die hij moet regelen. Het lichaam uit Italië hierheen laten vliegen... Nou, dat was echt een horrorverhaal, dat geloof je niet.’ Hij schudde zijn hoofd. ‘Arme jongen. En die besprekingen met de notaris, en met de landeigenaren...’

‘Over het landgoed?’ vroeg Mick.

‘Ja, al die dingen. Dan heb je nog de uiterwaarden, de mensen die het land hebben gekocht willen er meteen gaan bouwen, en daar moet hij met hen over in onderhandeling...’

Wat?’ zei Ron. ‘Dus... hij gaat daar gewoon mee door? Laat hij ze daar bouwen? Na al die toestanden?’

Suggs keek hem aan. ‘Dat zegt hij, Ron.’ Hij trok een grimas. ‘Maar ik heb met hem te doen. Hij heeft genoeg op zijn bordje zonder dat ik me er ook nog eens mee ga bemoeien.’ Ron wilde zijn mond al opendoen, maar Suggs zei kordaat: ‘Nee, wacht even, Ron. Nu het lichaam terugkomt en het testament wordt voorgelezen en de begrafenis gaat plaatsvinden, kan hij alles gaan regelen.’

‘De begrafenis?’ zei Mick, en Ron riep tegelijkertijd: ‘Wat?’

‘Daarom wilde ik even vragen of je me vrijdag hier nodig hebt,’ zei Suggs. ‘Sorry, Mick, ik dacht dat hij je had gebeld. De begrafenis is vrijdag, om drie uur.’

‘Hemel,’ zei Mick. ‘Dus... Oké. Het gaat eindelijk gebeuren.’

‘Weet je, Mick?’ zei Suggs. ‘Ik denk dat daarna de tent hier vol zal lopen.’

‘Mja,’ zei Mick, ernstig knikkend. ‘Arme jongen.’

‘Dat wordt een drukke dag voor je, Mick,’ zei Ron met enig genoegen. ‘Er zullen zat mensen komen voor een drankje na de begrafenis, dat kan ik je wel vertellen.’

Mick keek om zich heen in de lege pub. ‘Dat zou best eens kunnen,’ zei hij. ‘Nou, dat moet dan maar.’ In gedachten telde hij het aantal biervaten; zijn blik gleed langs de planken met gin en wodka; zijn lippen mummelden toen hij probeerde zich te herinneren wanneer er voor het laatst witte wijn was geleverd. Hij sloeg zijn handen tegen elkaar. ‘We zullen zorgen dat er genoeg bier is voor iedereen. Laat ze maar komen.’

31

'Christian, dost thou see them, on the holy ground?
How the troops of Midian, prowl and prowl around?
Christian, up and smite them, counting gain but loss;
Smite them by the merit of the holy cross!'

'Gaan ze allemaal zo?' fluisterde Francesca tegen Tess toen de eerste psalm voorbij was. 'Ik heb het idee dat ik me in een victoriaanse roman bevind.'

Tess veegde haar voorhoofd af toen ze ging zitten. 'Ik geloof het wel,' zei ze. 'Het wordt zelfs nog erger.'

Het was benauwd in St Mary's Church; de lelies op het altaar en de kist verwelkten, hun geur was overweldigend en misselijkmakend. De mensen, gekleed in stemmige kleuren, waren moe en de sfeer was drukkend.

Francesca en Tess zaten achter in de volle kerk. Ze hadden mevrouw Store, hun buurvrouw, meegenomen. Mevrouw Store was in de tachtig, bijna blind, en ze had een indrukwekkende snor en baard. Ze was al op jonge leeftijd dienstmeisje in Langford Hall, totdat het huis in 1960 was verkocht. Toen Tess bij haar langsging om te vragen of ze met Francesca en haar mee wilde naar de begrafenis zei ze: 'Ik heb het gevoel dat ik moet gaan, lieve kind. Zij mocht dan een moeilijke vrouw zijn, maar die vader van haar was echt een monster. En ik vind dat er iemand uit de Hall bij moet zijn om haar de laatste eer te bewijzen.'

Tess en Francesca hadden gezegd dat ze haar graag zouden ophalen. Bovendien, zo voerde Tess aan tegenover mevrouw Store, bood het hun een geldig excuus om naar de begrafenis te gaan. Ze waren er niet zeker van of het wel gepast was dat ze gingen – was het geen besloten aangelegenheid? Adam had gezegd van niet, maar Adam zei verder ook niet veel. Ze zouden vroeg vertrekken, zodat ze een goede plaats hadden en mevrouw Store alles kon volgen.

Maar hoewel de begrafenis pas om drie uur zou beginnen en de meisjes en mevrouw Store even voor halfdrie arriveerden, zagen ze tot hun verbazing dat de kerk al stampvol zat, en tegen de tijd dat de dienst begon waren er alleen nog maar staanplaatsen. Zo'n dertig man stonden achterin op elkaar gepakt, sommigen op de verhoging rond het doopvont om alles beter te kunnen zien. Het leek erop dat vrijwel iedereen in Langford wilde kunnen zeggen dat hij erbij was geweest. Sinds de datum van de begrafenis bekend was gemaakt deden steeds meer geruchten de ronde.

Het was de sensatie die Tess zo... smakeloos vond. Het feit dat ze over straat kon lopen met Francesca en – zoals een paar weken eerder was gebeurd – iemand aan de overkant degene naast hem of haar aanstootte en fluisterde: 'Kijk... daar is ze. Francesca. Dat is Adams vriendinnetje. Ik vraag me af of ze...' en daarna stierven de stemmen weg onder de boze blik van de meisjes.

Toen Tess na de eerste psalm rondkeek, was ze blij dat ze hier zaten. Achterin waren ze in elk geval bijna gevrijwaard voor nieuwsgierige blikken.

'En nu,' zei Joanna Forster, de predikante, en de akoestiek werd gedempt als gevolg van de hoeveelheid zwetende mensen voor haar, 'gaan we over tot de eerste lezing, namelijk uit een brief van de heilige Paulus aan de Korintiërs. Hij wordt voorgelezen door Clive Donaldson.'

De notaris van Mortmain, een magere, geleerd uitziende man, schreed naar de katheder en streek de grote bijbel, die verfraaid was met het wapen van de Mortmains, open. Hij keek naar de voorste rij, waar Adam naast Jean Forbes, Diana Sayers en Carolyn Tey zat. Hij schraapte zijn keel en begon.

> *Zoals de dood er is gekomen door een mens, zo is ook de opstanding uit de dood er gekomen door een mens. Zoals wij in Adam allen sterven, zo zullen wij door Christus allen levend worden gemaakt. Maar ieder op de voor hem bepaalde tijd: Christus als eerste en daarna, wanneer hij komt, zij die hem toebehoren. En dan komt het einde en draagt hij het koningschap over aan God, de Vader, nadat*

hij alle heerschappij en elke macht en kracht vernietigd heeft. Want hij moet koning zijn totdat God alle vijanden aan zijn voeten heeft gelegd.

'Zoals wij in Adam allen sterven?' siste Francesca iets te hard tegen Tess. 'Is dat leuk bedoeld? Wat betekent dat verdomme?'

'Geen gevloek in de kerk,' zei Tess nuffig toen een heer in tweed op de rij zich omdraaide en Francesca een vermanende blik toewierp.

'Serieus,' zei haar huisgenootje humeurig. 'Dit zeg je toch niet. Dat is een grap. Wie heeft dat stuk uitgezocht?' Ze staarde over de rijen inwoners van Langford tot de plek waar Adam zat. Tess volgde haar blik en probeerde aan zijn achterhoofd af te lezen hoe hij er emotioneel aan toe was. 'Wat een maffe boel hier,' zei Francesca.

De waarheid was dat ze geen van beiden veel wisten van wat er zich achter de coulissen afspeelde. Sinds haar terugkeer uit Rome had Tess Adam maar een paar keer gezien. Ze had hem een sms'je gestuurd: *Laat je me weten als ik iets kan doen? Ik meen het. Oprecht aanbod.* Maar ze had niets terug gehoord. Hij was veel weg geweest, in het buitenland, naar besprekingen. In de weken waarin ze wachtten totdat Leonora's lichaam door het ziekenhuis in Rome werd vrijgegeven dacht ze eraan hoe onnozel dat aanbod klonk – er was tenslotte niets wat ze kon doen? Ze was geen Italiaanse bureaucraat, en ook geen diplomaat op de Britse ambassade.

Ze had Adam op een avond in de pub gezien toen ze met Liz had afgesproken daar wat te drinken, en toen had ze gezegd: 'Hoi... als je wilt dat Peter iets voor je doet in Italië, moet je dat zeggen...'

'Peter? Waarom?'

'Nou...' Tess had zich opgelaten gevoeld. Het uitspreken van Peters naam in Langford voelde als een luxe. Ze miste hem en Rome intens. Ze wilde de afstand die er nu tussen hen was overbruggen. 'Hij woont daar. Meer niet. Ik weet dat hij het...'

Adam had beleefd doch stellig zijn hand opgestoken. 'Bedankt, Tess. Dat is heel aardig van je, maar ik red het wel.'

'Dus je bent bezig met de voorbereidingen van de begrafenis?' had ze stoutmoedig gevraagd. 'Als je wilt dat ik ergens mee help...'

'Het staat allemaal op schrift,' zei hij. 'Er zijn instructies. Dus ik hoef niets te doen. Niemand. We moeten alleen wachten tot het lichaam hierheen wordt gebracht. Maar evengoed bedankt.' Hij had even vriendelijk naar haar geglimlacht en had toen zijn gesprek over cricket hervat met Suggs, die die avond achter de bar stond. Tess bleef achter met het gevoel dat hij de deur zachtjes maar duidelijk voor haar had dichtgetrokken.

Er zijn instructies. Ze wist inmiddels van Diana dat er inderdaad instructies waren die in de kluis lagen, samen met het testament. De gedetailleerde instructies voor de begrafenisdienst zoals Leonora Mortmain die wilde, tot aan de volgorde van de kerkdienst toe. En het testament dat voorgelezen diende te worden nadat ze aan de aarde was toevertrouwd in het familiegraf bij de kerk.

Dominee Forster stond op en keek de kerk rond. 'De volgende lezing is uit Job, hoofdstuk negentien, vers vijfentwintig:

> *Ik weet, mijn redder leeft en hij zal ten slotte hier op aarde ingrijpen. Hoezeer mijn huid ook is geschonden, toch zal ik in dit lichaam God aanschouwen. Ik zal Hem aanschouwen, ik zal Hem met eigen ogen zien, ik, geen ander, heel mijn binnenste smacht van verlangen.*

Nu werd de menigte onrustig. Er stonden veel waarschuwingen in de Bijbel over de dood, en minstens evenveel loftuitingen en dramatische onthullingen. Wanneer stond Adam op om genade af te smeken voor de ziel van de overleden grootmoeder die hij jarenlang niet had gekend? Wanneer zei hij: 'Een rondje van mij! En die plannen met de uiterwaarden – weg ermee!'

Sommigen zeiden dat Adam al even erg was als zijn grootmoeder. Er was iets aan deze geheimzinnigheid waardoor mensen zich niet op hun gemak voelden. Geen rook zonder vuur, zeiden ze. Tess had Ron een paar dagen eerder in het postkantoor tegen Andrea horen zeggen: 'Er is iets niet in de haak, let op mijn woorden. Waarom heeft hij er niets over gezegd, hm? Ik vertrouw hem niet, hoor. Ik denk dat straks blijkt dat hij niet veel beter is dan zijn grootmoeder.'

Tess had hem kunnen slaan. *Niet veel beter dan zijn grootmoeder*. En zijn moeder dan, Philippa? Niemand had het over haar, het ging alleen maar over de nalatenschap van de Mortmains, de geheimhouding... Niemand zei: Hij is zijn moeder kwijtgeraakt, hij heeft zijn vader nooit gekend, laat hem! En niemand wist trouwens wat er gebeurd was.

De temperatuur in het oude gebouw leek te stijgen. Het was niet eens zonnig buiten; de hemel was overdekt met dikke wolken die op het stadje en de omringende heuvels leken te drukken. Tess keek bezorgd naar mevrouw Store, die piepend ademhaalde. 'Gaat het wel?' vroeg ze zachtjes.

'Ja hoor, kind,' zei mevrouw Store opgewekt. 'Het is een mooi afscheid, vind je niet? Wat gaat er hierna gebeuren?'

'O, hemel,' zei Tess, die op het programma keek. Ze verborg een glimlach achter haar hand. 'Ik geloof niet dat ik nog veel aankan.'

'En nu,' zei predikant Forster, 'voor onze laatste lezing, zingen we nog één psalm: "De zon gaat snel onder".'

De menigte zuchtte diep en stond op. Mevrouw Store zat aan het eind van de bank, naast het gangpad, en Tess zat naast haar. Toen Tess Miss Store overeind hielp en op haar lip moest bijten omdat ze plotseling werd overmand door het absurde van de situatie, keek ze Adam ineens recht in zijn ogen. Hij schonk haar een zweem van een glimlach en draaide zich bijna onmiddellijk om, maar ze wist wat hij dacht. Ze keek op het programma van de dienst, en probeerde niet te lachen toen het orgel de treurige melodie inzette:

De zon gaat snel onder;
het daglicht sterft weg;
Laat de liefde ontwaken
en haar avond een offer brengen.

Tess keek tijdens het zingen een paar keer naar Francesca om te zien hoe het haar verging. Ze was zich er deze dag meer dan ooit van bewust dat Francesca een buitenstaander was. En ze was er een beetje jaloers op. Francesca leek de afgelopen weken langer, zelfbewuster, meer zichzelf dan ooit.

Er hing nu een vreemd soort spanning tussen hen, alsof er iets was veranderd. Een paar dagen nadat Tess was teruggekeerd uit Italië, had ze Francesca na school aangetroffen in haar gebruikelijke hoekje op de bank. Maar ze had gehuild, zag Tess.

'Alles goed met je?' had Tess wat beschroomd gevraagd, nadat ze haar een glaasje water had aangeboden.

'Ja hoor!' had Francesca luchtig gezegd. 'Niets aan de hand.'

Tess had deze vraag al willen stellen sinds ze terug was, en nu leek het er het juiste moment voor. 'Hoe is het tussen jou en Adam?'

'Heel goed,' zei Francesca quasi-enthousiast. Ze reikte naar het schaaltje chips. 'Ja, uitstekend. Weet je, we hadden het uitgemaakt en toen weer bijgelegd, en het was fantastisch. Tot hij zonder verdere uitleg vertrok en ik erachter kwam dat hij familie heeft waar ik niets van afweet. Ja hoor, geweldig.'

'Het is voor hem ook moeilijk,' zei Tess loyaal, maar toen dacht ze aan Adams harde, ontoegankelijke gezicht toen hij haar het vuur na aan de schenen legde over Peter. *Hij heeft je geen toekomst te bieden. Hij biedt je afleiding van het verleden en dat is niet hetzelfde.*

Misschien was dat waar. Of niet? Ze wist het niet nu ze weer terug was. Wat in Rome zo eenvoudig en duidelijk had geleken, bleek dat allesbehalve te zijn. Haar hart deed pijn, zoals steeds wanneer ze aan Peter dacht. Wanneer zou ze hem weer zien? Hij was zo ver weg. 'Ik weet zeker dat het niet zijn bedoeling was om je voor te liegen,' zei ze. 'Niemand wist het.'

'Dat weet ik,' zei Francesca. 'Ik vraag me nu alleen af wat ik hier doe.'

'Echt? Hoezo?'

Francesca nam een slokje wijn. 'Nou ja, in mijn oude baan...'

Tess knikte haar bemoedigend toe, al wist ze niet precies waar ze naartoe wilde.

'Nou, in mijn oude leven eigenlijk.' Francesca knipperde met haar ogen. 'Toen had ik het zo druk, vreselijk, al die spanningen. Ik moest keurig in het pak bevelen blaffen, en ik heb miljoenen ponden zien wegstromen. Toen ik ontslagen werd, was ik niet een van de mensen die mét hun baan hun identiteit kwijt waren. Ik dacht eigenlijk: hoera! Maar weet je wat ik nog het meest van alles mis?'

'Nee,' zei Tess belangstellend.

'Het ritme. Dat ik meedraaide in de maatschappij,' zei Francesca. 'Ik had de pest aan school, aan die structuur. Maar ik hield om een andere reden van mijn werk. Ik vond het fijn om mijn plaatsje te weten in de mierenhoop. Hier is mijn werk, daar is de cafetaria waar ik lunch, daar is het café waar ik met andere bankiers een praatje maak, omdat het de enige mensen zijn met wie ik omga.'

Ze klonk verdrietig.

Tess knikte. 'Mja...' zei ze, weinig op haar gemak. 'Maar je kunt toch niet altijd zo blijven leven?'

'Nee, ik zou het niet veel langer hebben volgehouden. Maar wat ik bedoel is dat ik dacht dat ik het vreselijk vond, dat ik daar echt weg moest, maar eigenlijk denk ik dat we allemaal een bepaalde structuur nodig hebben.' Ze knipperde een traan weg en gooide haar haar naar achteren. 'Een plan. Ik... ik moet iets te doen hebben. Wij allebei.'

Tess wist niet wie ze met 'wij' bedoelde. Zij en Francesca, of Adam en Francesca? Ze wilde het net vragen, toen Francesca's telefoon ging; ze nam op. 'Ja. Ja. Goed. Rond twaalf uur? Goed.'

Ze had opgehangen en was weer in haar tijdschrift gaan lezen.

'Was dat Adam?' had Tess nieuwsgierig gevraagd.

'Jep. Hij komt langs als hij klaar is met zijn werk.'

Zo ging het tegenwoordig, en dat was de reden waarom ze Adam nooit zag. Zijn relatie met Francesca leek inmiddels alleen nog om seks te draaien. En het voelde raar. Echt raar. Het deed haar denken aan de zomer dat zij en Adam samen waren, maar dat zou ze nooit tegen iemand zeggen.

Die nacht in bed, toen Tess naar de nachtelijke hemel keek door de te smalle gordijnen die nooit helemaal dicht konden, hoorde ze hem binnenkomen en naar Francesca's kamer gaan. Ze hoorde hen, ook al wilde ze dat niet: ze hoorde het bed kraken, kreten van Francesca en af en toe ook van Adam. Ze raakte erdoor van streek en ze wist niet waarom. Niet om de voor de hand liggende reden, maar omdat het zoiets wanhopigs had.

's Ochtends was hij altijd vertrokken – ze stond meestal rond zeven uur op, en dan was Adam er nooit. Zo'n drie weken na de dood van Leonora had Tess hem laat, na middernacht, horen binnenkomen. Het was een bijzonder warme, benauwde nacht en ze was om drie uur uit bed gegaan om water te drinken. Toen ze op haar tenen over de ongelijke vloerdelen naar de badkamer liep, zag ze Francesca's deur wagenwijd openstaan, en Francesca lag te slapen – alleen. Hij was nog geen drie uur gebleven. En dat gebeurde niet een enkele keer, maar minstens vier keer per week, dus ze raakte eraan gewend, ook al zag ze hem nooit.

Ze vroeg tijdens die weken een keer aan Francesca: 'Gaat het goed met Adam? Ik heb hem al eeuwen niet gezien.'

En Francesca zei: 'Nee, niet zo goed. Maar dat is ook wel logisch. Die arme jongen.'

'Laat hij er iets over los?'

Francesca legde haar tijdschrift neer en keek haar onderzoekend aan. 'Hij zegt helemaal niets. Ik denk dat hij me nodig heeft om de spanning van zich af te schudden. Ik vind het best.'

En toen had ze, op de avond voor de begrafenis, de e-mail van Peter gekregen, die alleen nog maar benadrukte hoe ver die dagen in Rome achter haar lagen.

Allerliefste Tess, cara mia,
Sorry dat ik er niet was toen je belde. Ik ga die baan hier aannemen. Het goede nieuws – is dit goed nieuws? ik hoop het – is dat het maar voor drie maanden is, en daarna willen ze me voor een jaar terug in Rome om een groot project over Berlusconi af te maken waar we al mee bezig waren. Het wordt waarschijnlijk een boek, en ze willen dat ik er één geheel van maak als ik terug ben. Maar hier kan ik onmiddellijk aan de slag. Misschien is het goed voor me om een tijdje uit Rome weg te zijn, weg van de nare herinneringen; maar er zijn ook mooie herinneringen, en die hebben allemaal met jou te maken.
Dus, om een lang verhaal kort te maken, ben ik dankzij een maffe Italiaanse premier met kerst weer in Rome. Rome is de beste plek om kerst te vieren. Kunnen we elkaar dan zien? Kom je daarheen? Ik vond wat wij hadden de moeite waard om verder te verkennen. Het had iets magisch, vind je ook niet?
Ik bel je nog.
Heel veel liefs
Peter

'Ik weet zeker dat Leonora Mortmain verheugd zou zijn geweest met zo'n stampvolle kerk,' zei dominee Forster na de psalm. Ze zweeg even en tikte tegen de groene zijden stool om haar hals. 'Zoals u weet, heeft ze haar hele leven in Langford gewoond, en ze hield veel van deze stad.'

De stilte in de kerk werd verbroken door wat vaag protesterend gemompel, en door een paar mensen die hun keel schraapten. Dominee Forster ging onvervaard verder.

'Haar familie heeft me gevraagd u mee te delen dat er na de dienst thee wordt geschonken in de Feathers.'

'Thee?' hoorde Tess iemand hardop zeggen.

'Ik ben ervan overtuigd dat we allemaal wel een kopje kunnen gebruiken in dit benauwde weer!' zei de dominee lachend, en ze legde een hand op haar buik. 'Ik bedank u voor u komst. We eindigen met een paar woorden van Johannes, hoofdstuk veertien – zoals alle bijbellezingen uitgekozen door mevrouw Mortmain zelf.' En toen tikte ze tegen haar bijbel en begon te lezen:

Filippus zei tot hem: Laat ons de Vader zien, Heer, meer verlangen we niet.' Jezus zei: 'Ik ben nu al zo lang bij jullie, en nog ken je me niet, Filippus? Wie mij heeft gezien, heeft de Vader gezien. Waarom vraag je dan om de Vader te mogen zien?'

'Wat betekende dat?' vroeg Francesca toen ze naar buiten dromden. 'Wie is Filippus? Waar ging dat over?'

Tess had geen idee, maar Francesca sprak hard, zodat mensen zich omdraaiden. 'Eh...' zei ze, 'ik denk dat het erover ging dat we God meer in ons leven moeten toelaten.'

'Maar ik ben atheïst,' zei Francesca. 'Ik wil dat niet.'

'Nou,' zei mevrouw Store, die op haar arm steunde toen ze de trap naar buiten af liepen. 'Dan moet je het ook zeker niet doen.'

'Hebt u ervan genoten?' vroeg Francesca aan haar. 'Ik bedoel niet echt "genoten", maar bent u blij dat u bent gegaan?'

'O, zeker,' zei mevrouw Store stralend, en ze schudde haar behaarde kin. 'Ik vond het een heel mooie dienst. Er was iets bij voor iedereen.'

'Hm,' zei Francesca. 'Dat weet ik zo net nog niet.'

De meeste bezoekers stonden voor de kerk nog wat te kletsen voordat ze zich langzaam verspreidden in de richting van de hoofdstraat en de Feathers. De bewolking nam toe en Tess keek naar de kleine stoet aan de zijkant die op weg ging naar het open graf waar de teraardebestelling zou plaatsvinden. Dominee Forster liep achter de kist, die werd gedragen door vier zeer rechtop lopende, maar kleine dragers. Ze liep met gebogen hoofd, en achter haar volgden Jean Forbes, Carolyn Tey en Clive Donaldson, daarachter Diana, en als laatste Adam, hoog boven de anderen uittorenend. Zijn pak leek nog zwarter onder de steeds donkerder wordende hemel. Diana sloeg een arm om zijn schouder en drukte hem even tegen zich aan.

'Wacht je niet op hem?' vroeg Tess aan Francesca.

'Nee,' zei Francesca kortweg. 'Hij weet waar ik ben. Hij zal me later wel willen zien, niet nu.'

'Oké,' zei Tess. 'En – wil je thee?'

'Thee? O, ouwe teut.'

'Ik bedoelde de bijeenkomst in de Feathers,'

'Zullen we u even naar huis brengen, mevrouw Store?' vroeg Tess vriendelijk.

'Nee, bedankt,' zei mevrouw Store. 'Ik ga naar de Feathers voor een kop thee. Of misschien een klein glaasje gin-tonic. Ik moet zeggen,' zei ze, opkijkend naar Tess en Francesca, 'ik weet dat die arme jongen een zware tijd achter de rug heeft, maar hij is echt zijn verstand kwijt als hij denkt dat we nu thee willen. Zullen we gaan?'

'Zo snel mogelijk,' zei Francesca, en ze ging met grote stappen voor terwijl Tess een beetje opgelaten naar mevrouw Store grijnsde en haar een arm gaf.

'Gezellig hoor,' zei mevrouw Store. 'Om de hele stad zo samen te zien.'

'Wel een nare reden om bij elkaar te komen,' zei Tess. 'Ik bedoel, ik wil geen kwaad spreken over de doden, maar ze was niet bepaald geliefd, toch?'

'Nee,' zei mevrouw Store. 'Ze was zelfs een nare vrouw. Maar je had haar moeten zien toen ze klein was. Een schatje.' Ze glimlachte. 'We waren zo goed als vriendinnen, zij en ik. We waren even oud toen ik daar in betrekking was, en onze namen lijken op elkaar.'

Tess drukte de arm van mevrouw Store nog iets steviger. 'O, hoe is die van u dan?'

'Eleanor,' zei mevrouw Store. 'En die van haar Leonora, zoals je weet. We zeiden altijd dat we wel tweelingen hadden kunnen zijn, want we waren even groot en even oud.'

'Dat wist ik niet,' zei Tess. 'Dus u hebt haar als jong meisje gekend?'

'Ja. Ik bracht haar 's ochtends altijd thee, ik stak de haard aan in haar kamer en legde haar kleren klaar. We praatten dan over de dag die voor haar lag, en ze vroeg ook naar mijn dag, het was altijd heel gezellig. Ik... ja, ik mocht haar graag.' Ze keek glimlachend naar Tess. Tess wilde dat Francesca dit ook had gehoord, maar die was al een paar meter verder, met haar gedachten elders.

'Maar wanneer is ze dan... zo veranderd?' zei ze nieuwsgierig.

'Ik weet het niet. Ergens tegen het eind van de oorlog. Ze is toen een paar maanden weg geweest, en toen ze terugkwam was ze heel anders. En ze lachte nooit meer. Vreemd hè.' Er viel een stilte. 'Ik neem aan dat ze toen het kind heeft gekregen. Natuurlijk.' Ze schudde haar hoofd. 'Vreemd, het is nooit in mijn onschuldige hoofd opgekomen. We zullen nooit weten wat er toen is gebeurd. Het arme mens.'

Iemand tikte Tess op haar schouder; ze draaiden zich om en gingen aan de kant om de lege lijkwagen door te laten die de kist door de menigte had vervoerd. Tess keek peinzend naar de stoet mensen die van het kerkhof naar de hoofdstraat liepen en langzaam in de richting van de pub wandelden.

32

Tess wist wel waar ze aan begonnen waren toen ze de deur opendeed naar de grote bar van de Feathers en opzij ging om mevrouw Store voor te laten gaan. Op haar vraag: 'Moeten we niet daar naar binnen... waar thee wordt geschonken?' had mevrouw Store met een blik vol minachting naar het officiële zaaltje achter het terras gekeken en gezegd: 'Hemel, nee. We gaan naar de bar.'

Ze had gelijk. Iedereen in Langford dacht er kennelijk zo over, want toen Tess de deur opendeed kwam haar een muur van lawaai tegemoet en een walm van zwetende lichamen, bier, parfum – en warmte. De warmte was overweldigend – door het lage plafond was het er altijd al warm, maar juist vandaag was het bijna ondraaglijk heet.

Mevrouw Store, die klein en verrassend taai was voor een vrouw van haar leeftijd, verdween bijna onmiddellijk in de menigte door zich onder de armen van haar stadsgenoten door te wurmen terwijl Tess en Francesca bij de deur bleven hangen, bijna huiverig om naar binnen te gaan.

'We kunnen ook naar huis...' zei Tess. 'Het is behoorlijk...'

'Ben je mal?' zei Francesca. 'Geen denken aan. Dit is een laatste juichkreet. In meerdere opzichten. We blijven hier, *mon amie*, en we zetten het op een zuipen.'

Ze tikte twee oude mannen die voor hen stonden op hun rug en zei met een charmante glimlach: 'Sorry heren, mag ik even...' en glipte langs hen naar de bar. Tess volgde in haar kielzog.

Voor de bar stond het minstens acht rijen dik. Tess zag mensen die ze al niet meer had gezien sinds ze al die maanden geleden was teruggekomen, zoals Donna Roberts, die haar op school had gepest, nog steeds met een paardenstaart aan de zijkant – of misschien was hij door de drukte van zijn plaats geraakt, dacht Tess dwaas toen ze zich langs haar heen perste. Joe Collins, de gepensioneerde eigenaar van de weilanden achter de uiterwaarden, die jarenlang met Leonora Mortmain in de clinch had gelegen. Hij stond geanimeerd te kletsen, met een flonkering in zijn ogen. Naast hem stond Guy Phelps, eigenaar van George Farm, met een chagrijnig gezicht keihard tegen Mick te praten, die beleefd naar hem glimlachte terwijl hij als een bezetene glazen volschonk. Suggs' vriendin was er, de verrassend respectabele Emma, die in de bibliotheekwagen werkte die tussen Thornham, Morely en Langford reed. Ze glimlachte naar Tess toen die zich langs haar drong.

'Alles goed, Tess? Wat een dag, hè?'

Tess glimlachte. 'Nou, zeg dat wel.' Ze klopte op haar arm en sloeg haar blik ten hemel, alsof ze wilde zeggen: ik moet die kant op, ik zie je straks, draaide zich om en botste tegen iemand op.

'Hallo, Tess, lieverd,' zei Jacquetta Meluish, met een groot glas wijn in haar hand. Ze zweeg even om haar paisley sjaaltje af te doen. 'Nou, wat een dag. Het lijkt zo lang geleden allemaal, vind je niet? Rome... Ach, ach. Wat is het hier heet, hè?' Ze tikte dramatisch tegen haar voorhoofd. 'Ik haat de warmte. Niet in een exotisch oord, maar hier.'

Tess knikte en moest eigenlijk wel met haar instemmen. Ze glimlachte haar toe. 'O, je sjaaltje...' Tess wees naar de vloer waar het bewuste voorwerp was afgegleden terwijl Francesca naar de bar liep. 'Kijk, je hebt het laten vallen.'

'O, jemig,' kreunde Jacquetta een beetje overdreven toen ze het zag liggen. 'Nou ja... ik zal het straks wel oprapen.' Ze dronk haar glas leeg en draaide zich weer om naar haar metgezel, die Tess niet kon zien. 'Nog een wijn,' riep ze, als de dame met de camelia's op een schitterende soiree in Parijs.

'Wat wil jij?' schreeuwde Francesca vanaf de bar.

'Wijn,' zei Tess. 'Laten we een fles bestellen.'

'Waar is mevrouw Store?' riep Francesca. 'Alles goed met haar?'

Tess ging op haar tenen staan en draaide rond als een ballerina. 'Ze staat bij de bar. Te praten met de dominee. Gaat goed.' Francesca knikte en Tess draaide zich om. 'Hé! Liz!'

'Godzijdank,' zei Liz opgelucht, terwijl ze zich moeizaam omdraaide. Ze stond ingeklemd tussen Ron en iemand van de parochieraad die Tess wel kende, maar van wie ze de naam was vergeten.

'Dit is waanzin,' zei ze. 'Eerst die begrafenis... en dan dit. Wat een bijbelse toestand. Als je begrijpt wat ik bedoel.'

'Ik begrijp het,' zei Tess. Ze keek naar Francesca. 'Gaat het?' mimede ze. Francesca knikte. 'Wij wachten hier – kun je drie glazen meenemen?'

'Ja.' Francesca knikte.

Tess wurmde zich door de massa heen met Liz aan haar arm, ze voelde zich vreemd beschermend tegenover de relatieve nieuwkomer in de waanzin van Langford.

'Ik ben er!' riep Liz uit toen ze bijna struikelend bij het raam waren aangekomen. 'Bedankt, Tess. Poeh.' Ze ging met haar hand naar haar nek. 'Het is hier kokendheet. Straks smelt ik nog.'

'De ramen zijn nog dicht ook,' zei Tess. 'Er komt geen frisse lucht binnen, wat een waanzin.'

'Buiten is het even heet,' voerde Liz aan. 'Het moet snel gaan regenen, vind je niet? Zo kan het niet langer doorgaan, het is al weken zo heet.'

'Ik weet het,' zei Tess. Ze keek op om te zien hoe ver Francesca was. Het was net een schilderij van Brueghel, bedacht ze fantasievol: het houten interieur, de blozende dorpelingen, het schuimend bier, korenschoven in de hoeken – alleen was die blos op de wangen het gevolg van alcohol, hitte en hysterie, en de korenschoven waren oud, stoffig en uitgedroogd. Ze tikte tegen haar voorhoofd en liep de menigte in om Francesca te helpen dragen, die met drie glazen plus een grote plastic beker met ijs aan kwam lopen.

'Hoe heb je in vredesnaam...' zei Tess vol bewondering. 'Francesca, je bent een wonder.'

'Vraagt en ge zult krijgen,' zei Francesca. 'Bedankt,' zei ze tegen Andrea Marsh, die haar een fles wijn in een koeler aanreikte.

'Graag gedaan,' zei Andrea. Francesca pakte de glazen en schonk ze vol.

'Wil jij ook, Andrea?' vroeg ze.

'Nee, dank je. Ik drink campari-jus.'

'Zeker met een glaasje amaretto ernaast,' zei Ron achter haar, en hij tikte even op haar heup. Andrea bloosde en leek dit openlijke blijk van genegenheid niet erg te vinden. Ron hief zijn glas naar

we zien elkaar binnenkort wel een keer in Rome.' Ze wilde er op dit moment niet verder op ingaan.

'Dat is ook niet erg bevredigend, toch? Je ziet hem dus bijna nooit!' riep Diana. Tess blies haar haar uit haar gezicht.

'Nee,' zei Tess bedroefd. 'Dat klopt...' Ineens voelde ze zich behoorlijk aangeschoten. 'Diana,' zei ze. 'Is alles goed met hem?'

'Met wie?'

'Met Adam. Ging het wel? Het testament en zo, is dat voorgelezen?'

'Ja, ja, en ja,' zei Diana als een sfinx. 'Het ging allemaal goed. Hoewel ik niets heb gekregen. Ach, nou ja. Volgend jaar gaan Richard en ik toch naar Mauritius.'

Tess nam nog een slokje, maar dat had ze beter niet kunnen doen. De ruimte die zojuist nog vol bekenden leek te zijn, chaotisch, rommelig en druk, was nu vol vreemden, de vloer leek te hellen en de hitte was ondraaglijk.

'Ik ga,' zei ze ineens. 'Ik moet weg. Oké?'

'Natuurlijk,' zei Diana. 'Gaat het wel, Tess?'

Maar Tess hoorde haar niet. Golven paniek – of was het pure dronkenschap? – overspoelden haar. Ze perste zich tussen de resterende drinkers door, naar buiten. Peter. Péter. Ze had de hele dag niet aan hem gedacht, niet één keer, en nu ineens overviel de gedachte aan hem haar als een koele bries.

Hij genoot van zijn werk in San Francisco; als ze eerlijk was, besefte ze dat ze niet wist wat er zou gebeuren als hij terug was. Ze vroeg zich af of hij in de VS zou blijven, maar ze wist het antwoord niet, ook al had hij gezegd dat het niet zo was. Dat was het lastige aan communiceren met iemand die niet vlak voor je stond. Ze spraken elkaar elke dag, eventueel via Skype, waar ze nu na enige moeite wel aan gewend begonnen te raken. En ze mailden en sms'ten elkaar constant. Maar de nuance ging verloren, grapjes kwamen niet over, ze misten stembuigingen en oogbewegingen, alle dingetjes die zo belangrijk konden zijn. En het intieme van de geur van zijn huid, zijn aanraking... dat alles was er niet meer.

Peter had beloofd op tijd terug te zijn, erop aangedrongen dat ze een uur na hem zou aankomen. Ze wist niet wat er zou gebeuren, maar één ding wist ze zeker. Binnenkort zat ze in Rome, weg uit deze vreemde stad, en dronk ze gekoelde wijn ergens op een plein, met Peters arm om haar heen, zijn lippen op de hare...

Daar was het weer: gerommel – was het onweer nog ver weg? Ze wist het niet. Tess liep het terras over en keek naar de bijna donkere hemel. De maan had haar bij moeten schijnen; toen ze de hoofdstraat op liep zag ze lange, loodgrijze wolken langs de horizon. Ze was misselijk van de wijn op haar lege maag en ze had een akelig voorgevoel. Ze keek bijna wanhopig naar Leda House, maar het was in duisternis gehuld. Wat er daar ook was gebeurd, het was nu voorbij, en de acteurs in dat vreemde kleine drama waren vertrokken. Haar ogen voelden zwaar; ze had het idee dat ze gedrogeerd was; het zweet liep over haar lichaam en haar voeten deden pijn toen ze door de hoofdstraat liep – een eenzaam figuurtje onder de inktzwarte hemel. Iedereen was in de pub of thuis, besefte ze. Ze was helemaal alleen op straat.

Een paar minuten later sloeg ze met enige opluchting Lord's Lane in. Ze stond in het donker naar haar sleutels te zoeken, nog steeds misselijk van de drank. Maar terwijl ze daar stond, vloog ineens de deur open. Ze deinsde achteruit.

'Adam,' zei ze, bijna opgelucht. 'Mijn god... Hallo.'

Hij was bezig zijn colbert dicht te knopen. Hij keek haar aan. 'Sorry,' zei hij. 'Ik wilde je niet laten schrikken.'

'Dat deed je niet,' zei Tess, en ze zocht steun tegen de deurpost. 'Heb je Francesca een bezoekje gebracht?'

In haar stem klonk een oordeel door, meer dan haar bedoeling was geweest, en ze besefte dat ze een beetje dronken moest overkomen.

'Ik ging net weg,' zei hij op een vreemde toon. 'Het is bijna middernacht. Ik moet gaan.'

Tess keek op haar horloge. Het was halftwaalf; hoe kon het ineens zo laat geworden zijn?

'Ik hoop dat het vandaag niet al te erg voor je was,' zei ze, en ze legde onbeholpen haar hand op zijn arm. Er viel iets nats op haar schouder. 'Je weet wel. Niet al te... verschrikkelijk, hoop ik.'

'Het ging wel,' zei hij, haar blik vermijdend. 'Het had veel erger gekund.' Hij krabde op zijn hoofd. 'Wanneer ga je naar Italië?'

'Binnenkort,' zei ze onmiddellijk, niet uit het veld geslagen door de vraag, die haar net ook door Diana was gesteld. 'Ik popel.' Ze keek hem aan. 'Adam, wil je niet even blijven, een glaasje drinken, over deze dag praten... of zo?'

Hij schudde zijn hoofd. 'Nee... Tess. Sorry, schat. Zoals ik al zei, ik moet gaan.' Hij keek omhoog. 'Wauw. Het gaat eindelijk regenen.'

Ze staarde hem aan. 'Kun je niet nog één glaasje met ons drinken, in plaats van ervandoor te gaan als... als een dief in de nacht? Wat is er op dit tijdstip voor dringends waar je zo nodig naartoe moet?'

Hij lachte, en ze knipperde met haar ogen toen er weer een druppel in haar gezicht viel. 'Sorry,' zei hij, plotseling ernstig. Hij liep langs haar heen, de straat op. 'Ik ga weg, Tess.' Hij boog zich naar voren en drukte een kus op haar voorhoofd. 'Voor een poosje. Maar ik spreek je als ik terug ben, oké? Veel plezier in Italië. Je verdient het.'

Het regende echt; druppels vielen nu op haar schouders, in haar ogen. Tess schudde haar hoofd en knipperde snel met haar ogen. Er was nog steeds geen wind. 'Waar ga je naartoe?'

'Gewoon, weg,' zei hij.

'Wat bedoel je daar in vredesnaam mee?' zei ze. Na deze dag en de alcohol was haar tong losser en kon ze tegen hem praten als de Adam die ze van vroeger kende.

Hij veegde de regen van zijn voorhoofd. 'In Rome heb je tegen me gezegd dat ik moest veranderen. Dat ik te lang hetzelfde was gebleven. Door hier te blijven.' Hij verhief zijn stem toen het na een donderslag nog harder begon te regenen. 'Nou, ik was het toen niet met je eens, maar misschien heb je toch wel gelijk.'

'Adam, ik zei toen stomme dingen, ik was...'

Hij legde haar met een handgebaar het zwijgen op. 'Ik kan maar beter rennen, ik heb nog een hoop te doen. Ga gauw naar binnen. Het begint nu echt te gieten.'

'Maar...'

'En pas een beetje op Francesca, ja?'

'Dat doe ik altijd,' zei Tess hoofdschuddend. 'In godsnaam, Adam, dit is... gekkenwerk. Blijf nog even wat drinken!'

Maar hij wilde er niets van weten. 'Nee, sorry.'

'Kan ik dan niets voor je doen?' vroeg ze wanhopig.

Hij keek in haar ogen alsof hij daarin iets zocht, toen klopte hij op zijn zakken. 'Hier,' zei hij. 'Wil je hier goed op passen tijdens mijn afwezigheid?'

Hij haalde een gehavend, gelig boekje uit de jas van zijn colbert. Het was niet groter dan haar hand. Tess herinnerde zich dat ze het in Rome had gezien. Hij legde het in haar hand. 'Dit had bij mijn grootmoeder bij zich toen ze stierf,' zei hij. Hij slikte.

Ze keek ernaar, en toen naar hem. 'Wat is het?'

'Het is een bundeltje met liefdesgedichten. Van Catullus. God mag weten waarom ze dat altijd bij zich had. Sommige stukjes heeft ze onderstreept.'

Tess hield het vast. 'Ze nam het overal mee naartoe,' zei ze.

'Ik... ik wil dat jij het krijgt,' zei Adam. 'Dat je erop past. Het moet veel voor haar hebben betekend, als ze het altijd bij zich had.'

'Waarom wil je het aan mij kwijt?' vroeg ze.

'Omdat...' Zijn stem stierf weg. 'Omdat ik... graag geloof dat er ooit iemand van haar heeft gehouden. En dit is misschien het enige bewijs daarvan. Dus als jij het bij je houdt zolang ik weg ben, vind ik dat een prettig idee.' Hij keek haar niet aan, maar hij vouwde haar vingers om het boekje en greep haar hand. 'Welterusten, Tess. Ik... ik zie je wel weer.'

"Ik zie je wel weer?" herhaalde ze niet-begrijpend, maar hij glimlachte alleen en liep het straatje in. Terwijl ze hem nakeek begon het pas echt te hozen: zware druppels die keihard op de keien spatten. Er volgde een donderslag en na een paar seconden liep het water in stroompjes langs haar nek en spoelde het zweet en het vuil van die dag weg. Toen hij de hoek om was, bleef ze nog lang voor zich uit staan staren, totdat ze doorweekt was. Toen draaide ze zich om naar het huis, waar een streepje goudgeel licht onder de deur door scheen, en ging naar binnen.

33

Francesca zat zoals gebruikelijk op de bank. Ze had haar zomerse vrijetijdsoutfit aan: een katoenen short met stippen en een lichtblauw vestje. Tess schudde zich uit toen ze de deur had dichtgedaan. De druppels vlogen in het rond, er vielen er ook een paar op Francesca, maar die verroerde zich niet.

'Hoi,' zei Tess, in een poging nuchter over te komen. Ze legde het boekje op het bureau. 'Het giet, heb je het gezien? Ik zag Adam nog. Hebben jullie een leuke...' Ze zweeg en keek verschrikt om zich heen. 'Francesca, wat is er in godsnaam gebeurd?'

De kleine zitkamer zag eruit alsof er een poltergeist had huisgehouden. Boeken waren van de planken geveegd; een vaas (niet echt mooi, uit de tijd dat Francesca allerlei rommel kocht) lag in gruzelementen op de grond; Tess' dierbare etagère lag er in twee stukken naast. De grote flatscreen was van plaats veranderd en stond nu naast de deur; aan de afdruk in het tapijt was nog te zien waar hij altijd had gestaan, omringd door dvd's, kruimels en zelfs een klokhuis als bewijs van de luiheid van de meisjes als het op huishouden aankwam. Tess nam alles in zich op, en haar mond viel open. Bij de deur van de keuken stond een enorme koffer, van Francesca, waar de kleren half uit hingen. Een lamp, speakers van een iPod en een paar klerenhangers lagen ernaast; het enige teken van ordelijkheid in de kamer.

'Jemig,' zei Tess, en ze ging naast Francesca zitten. 'Wat heb je gedaan?'

Francesca zei niets, maar bleef naar de muur staren. Tess klopte zachtjes op haar arm. 'Francesca...'

'Ik zal een nieuwe etagère voor je kopen, oké?' Francesca maakte zich los en stond op. 'Ik ga pakken.'

'Ga je pakken? Waar ga je dan naartoe?'

'Ik ga weg.' Ze stond voor de deur, met haar armen over elkaar. 'Ik vertrek morgen in alle vroegte.'

Tess wreef in haar ogen. Dit moest een droom zijn. 'Ga je met Adam mee?'

'Nee,' zei Francesca kortweg, en ze liep de keuken in. 'Ik ga terug naar Londen,' riep ze. 'Ik heb er genoeg van hier. Ik betaal je de huur tot het eind van de volgende maand, is dat goed?'

'Eh...' Tess stond op en volgde Francesca de keuken in. 'Ja, natuurlijk, maar... wat is er dan gebeurd? Wat is er aan de hand, lieverd?'

'Laat me maar,' zei Francesca. Ze bukte en haalde een stel borden uit de kast. 'Ik wil er niet over praten, oké?' Haar haar viel voor haar gezicht en ze wierp Tess een vreemde blik toe. 'Het is niet jouw schuld.'

Tess sloeg haar armen over elkaar en keek haar huisgenoot aan. 'Heeft het met Adam te maken?' vroeg ze aarzelend. 'Is het weer uit tussen jullie?'

Francesca lachte, waarbij haar haar golfde als zijde. 'Uit? Lieverd, we hebben geen relatie, dus het kan ook niet uit raken.'

'Maar...' Tess schudde haar hoofd om de laatste sporen van haar dronkenschap weg te wissen. Ze was vrij snel nuchter geworden. 'Hebben jullie...' Ze stak haar hand uit.

'Raak me niet aan,' zei Francesca. 'Luister, het is gewoon iets lichamelijks. Volgens een bepaald patroon.' Ze slikte. 'Hij stuurt me een sms'je met de vraag of ik iets te doen heb. Hij komt langs als jij naar bed bent, we neuken tot we uitgeput zijn, daarna vallen we in slaap. We praten niet, niet ervoor en niet erna. Het is alleen maar seks,' zei ze vlak. 'Fantastische seks. Meer is het niet.' Ze beet op haar lip alsof ze nadacht. 'Dat wil zeggen... hij slaapt slecht sinds zijn grootmoeder is overleden, en ik slaap ook nooit goed, dus... we konden ons net zo goed vermaken zonder dat we echt een relatie met elkaar hadden.'

Tess dacht aan de keren dat ze Francesca 's nachts hartstochtelijk had horen huilen, en ze geloofde haar niet. Francesca keek Tess weer aan en liet een gesmoorde snik horen. Tess zag dat ze haar tanden in haar lip zette om te voorkomen dat ze zou gaan huilen. 'O, Francesca,' zei ze bedroefd. Ze vouwde haar handen op haar rug en leunde tegen het aanrecht alsof ze wilde benadrukken dat ze haar niet zou aanraken. 'Je bent echt op hem gesteld, hè?'

'Nee,' zei Francesca, maar het was niet overtuigend, en ze legde haar hand op haar mond. 'Maar hoe dan ook,' zei ze, heen en weer wiegend en fronsend alsof ze probeerde zich groot te houden, 'hoe dan ook, ik kan dit gewoon niet meer, ik wil dit niet...' ze gebaarde naar de puinhoop op de vloer van de zitkamer. 'Ik heb mijn vriendin Kate gebeld, zij en Mac zijn op vakantie, ik kan een paar weken in haar flat logeren.' Tess wist dat Kate een van Francesca's beste vriendinnen was. Ze knikte.

'Francesca... weet je het zeker?' vroeg ze nadrukkelijk. 'Je was... je was danig overstuur voordat je hier kwam, en je verblijf hier heeft je wel goedgedaan, toch? Denk eens aan hoe het toen was? Je was ontslagen, je wist niet wat je wilde met je werk. Je was een beetje...' Ze zocht wanhopig naar het juiste woord, maar kon het niet vinden. 'Een beetje... maf.'

Ze zei het een beetje jolig om de spanning te verlichten.

'Je bent lachwekkend,' zei Francesca, terwijl ze de kamer weer in liep. Tess volgde haar.

'Waarom?'

'Ben ik maf?' riep Francesca. 'Wat ben jij voor een hypocriet, Tess! Zeggen dat ik maf ben! Het zou geestig zijn, als het niet zo betuttelend was. En onterecht, trouwens. Zie je dan niet dat we hier het echte leven naspelen? Met die...' ze gebaarde naar de scherven '... met die koekschalen en stomme kussens en... Bah.' Ze liet haar schouders hangen en haar armen naast haar lichaam vallen. 'We zijn volwassen vrouwen en we willen allebei niet weten waar we horen.' Ze schraapte haar keel. 'Ik ben niet gek, Tess. Ik had een rotbaan die me ongelukkig maakte. Maar ik weet waar mijn plaats is, en die is in Londen, bij mijn vrienden, waar ik nieuw werk moet zoeken en het leven leiden dat ik vroeger had.' Ze keek haar aan. 'Vorige week heeft iemand me gebeld over een baan. Het is pro-Deowerk, alleen voor mensen die het niet kunnen betalen. Er is een hoop competitie, kennelijk. Maar ik ga ervoor.'

'O,' zei Tess. 'Nou... ja, dat is geweldig.'

'Sorry dat ik het je niet heb verteld.'

'Ach...' Tess schudde haar hoofd. 'Dat doet er niet toe. Ik wil alleen dat je...'

Francesca viel haar in de rede. 'Tess, ik weet waar mijn plaats is, en als ik in Langford blijf is het net alsof... alsof ik voor spek en bonen meedoe. Ik vergooi mijn leven aan een stompzinnig baantje en met wachten tot Adam 's nachts langskomt en drie uur later weer weggaat. Ik weet waar ik thuishoor, dat is alles. Kun jij hetzelfde zeggen?'

'Ja, natuurlijk...' zei Tess weifelend.

Maar ze herinnerde zich wat Leonora Mortmain die eerste avond in Rome tegen haar had gezegd, een zinnetje dat de hele dag al door haar hoofd speelde. Ze zag weer die scherpe neus en kraalogen die haar behoedzaam opnamen toen ze het zei. *Je vindt dus dat een vrouw voor zichzelf moet leven, niet in de schaduw van anderen.* Ze had het toen evenzeer over zichzelf als over anderen gehad.

'Echt?' zei Francesca, terwijl ze armenvol kleren naast de bank opraapte en in de open koffer gooide. 'Vertel dan eens waarom je Peter niet meer hebt gezien sinds je hier terug bent?'

'Ik... Dat kon nog niet. En vandaag was de begrafenis dus... Dat weet je.'

Francesca knikte. Tess keek om zich heen en haar blik bleef rusten op de kapotte etagère voordat ze besefte dat ze niet de indruk wilde wekken dat ze het erg vond.

'Ik zal een nieuwe voor je kopen,' zei Francesca. 'Dat zei ik al.' Tess schudde ongeduldig haar hoofd – het was niet belangrijk. 'O, o, Tess.' Francesca klonk bijna smekend. 'Je moet begrijpen wat ik bedoel.'

'Ik begrijp het niet,' zei Tess, en ze probeerde niet te laten merken hoezeer ze van streek was. 'Ik denk dat je me een rotgevoel wilt geven om je eigen gedrag te rechtvaardigen, maar ik wil geen ruzie met je maken, Francesca, zeker niet als dit je laatste avond hier is.' Ze lachte even en schudde haar hoofd. 'Waar zijn we trouwens... Dit is waanzin! Je laatste avond. Je moet niet weggaan!'

'Ik moet,' zei Francesca hard, te hard. 'Jemig Tess, zie je het dan niet? Kijk hier, kijk naar ons!' Haar gezicht was verwrongen van woede; toen ontspande ze en er liep een traan over haar wang. 'We wonen in een stad die nog steeds gedomineerd wordt door een familie die dat tweehonderd jaar geleden al deed! Jij geeft les in dingen die tweeduizend jaar geleden zijn gebeurd! Je denkt dat je verliefd bent op een man in Italië die naar de andere kant van de wereld verhuist, en jij denkt serieus dat jullie een stel kunnen worden!' Ze huiverde, alsof het pijn deed om die dingen te zeggen, maar ze liet zich er niet door weerhouden. 'Je praat tegen het portret van Jane Austen, omdat een schilderij aan de muur het meest in de buurt komt van vriendschap, behalve die met mij en Adam. En jullie twee zijn geen vrienden – wat er ook tussen jullie is, het is geen vriendschap.' Francesca zweeg op om adem te komen, en vervolgde toen: 'En iedereen hier is boven de vijftig, behalve dan wij en Adam, en hij is de grootste hypocriet van allemaal, hij slaapt met iedereen!' Ze snikte nu. 'Het is net alsof ik vandaag ben wakker geworden, en nu zie ik dat ik hier geen dag langer kan blijven. Ik kan het gewoon niet.' Ze schokte met haar schouders. 'Ik moet mijn eigen leven leiden. Ik wil weer op natte stoepen lopen, ik wil de pest in hebben omdat de metro niet komt, ik wil verliefd op iemand worden die ook verliefd op mij is, en ik wil nooit meer zo'n stomme theedoek zien, nooit meer.' Ze schopte tegen de zijkant van de bank. 'Vanavond is mijn besluit vast komen te staan.'

'Heb je daarom...' Tess gebaarde naar de rommel, omdat ze niets wist te zeggen.

'Dit? Dit heb ik niet alleen gedaan. Je dierbare Adam heeft er ook aan meegewerkt.' Ze glimlachte alsof het haar bijna een genoegen deed om Tess zo geschokt te zien. 'Ik wist al dat ik weg zou gaan na die bespottelijke dienst, en die afschuwelijke bijeenkomst in de pub. Ik wist dat ik weg moest. Maar hij... hij heeft het proces alleen maar versneld.'

'Heeft... Adam dit gedaan?' Tess kon het niet geloven.

'Nou, wij allebei,' zei Francesca kortweg. 'Hij ging bijna door het lint.'

'Jullie moeten wel erge ruzie hebben gehad...' Tess was verbijsterd. 'Hoe kunnen jullie zo tegen elkaar doen?'

Ha.' Ze lachte weer breeduit. 'Je denkt dat ik maf ben, schat. Je hebt geen idee.' Ze keek Tess aan, met een blos op haar wangen en haar haar door de war. 'Je zou af en toe eens in de spiegel moeten kijken. Of naar die man die je denkt zo goed te kennen. Je mag hem hebben. Ik weet niet wat er met zijn moeder is gebeurd, of met zijn verschrikkelijke grootmoeder, maar wat het ook is geweest, het heeft zijn hele leven verpest.'

'Het is best te begrijpen,' zei Tess in een poging loyaal te zijn aan Adam en de nagedachtenis van die lieve Philippa, die nog steeds door iedereen werd gemist. 'Ik kan het hem niet kwalijk nemen, weet je.'

'Niets kan zo erg zijn,' zei Francesca. 'Ik ben het zat. Ik ga hier weg, schat, het is de enige manier. Ik kan niet blijven.'

'Hoe laat gaat je trein?' vroeg Tess omdat ze niets anders wist te zeggen.

'Om elf uur. Ik ben rond twaalf uur thuis, en jij kunt 's middags je cursus geven. Tegen de avond ben je al vergeten dat ik hier ooit ben geweest.'

Met een gedecideerd gebaar gooide ze haar ochtendjas, de blauwe kimono, in de koffer en liet het deksel dichtvallen.

Voorjaar 1977

De jonge vrouw liep met zware stappen over het gras naar de gestreepte strandstoel die met de rug naar haar toe stond. Ze zag een paar voeten in puntige zwarte pumps, elegant over elkaar geslagen, en ze schraapte aarzelend haar keel.

'Hallo?'

Geen reactie.

'Eh... hallo?' zei ze, iets harder terwijl ze probeerde niet te hijgen. Ze veegde het zweet van haar voorhoofd. Ze was nerveus.

Stilte.

'Eh... moeder?' zei ze. 'Bent u dat?'

Een zachte, slepende stem kwam uit de stoel, maar verder gebeurde er niets.

'Als je één ding wilt leren van deze ontmoeting, laat het dan zijn dat je nooit meer "moeder" tegen me zegt.'

Philippa verplaatste haar gewicht van haar ene voet op de andere. Het was warm, zelfs in haar kaftan van kaasdoek, en ze was hoogzwanger. Zat zij daar maar, in de schaduw van de breed uitgroeiende magnolia aan de rand van het gazon, in net zo'n strandstoel, met een koel drankje. De laatste tijd leken haar voeten constant twee keer zo dik als normaal. Alles deed pijn: haar voeten, haar rug, haar borsten, haar nek; ze was voortdurend misselijk en ze had hoofdpijn die niet wilde wijken, en ze mocht er nu niets tegen innemen. Ze voelde zich nooit echt lekker, vooral niet sinds ze in Langford was komen wonen. Ze had nooit op zoek gewild naar haar moeder, ze had nooit de neiging gehad om het verhaal van haar leven rond te maken. Philippa was gewend aan haar onafhankelijkheid. Maar nu was ze radeloos. Dat was de enige reden waarom ze hier was.

Ze kwam er nooit achter hoe ze hadden geweten waar ze was. Sinds Tony teruggegaan was naar de Verenigde Staten, was Philippa ontzettend alleen, en het groepje vrienden in Dublin – toch al niet groot – werd met de dag kleiner. Ze was altijd een einzelgänger geweest. Ze was dan ook enig kind. Vanaf het moment dat ze de verstikkende zorg van haar adoptiefouders had kunnen ontvluchten, was ze zo ver mogelijk gegaan: het was in de jaren zestig, en ook al wist ze het niet, ze was met haar verlangen te vluchten veel minder alleen dan ze zou hebben gedacht. Het kon haar niet echt schelen wie haar echte ouders waren, en niemand vroeg er ooit naar. De babyboomers bestonden uit zoveel verschillende soorten gezinnen, gebroken door de Tweede Wereldoorlog, en in die tijd was er niet echt een garantie dat je er ooit achter kwam. Bovendien wilde ze nu haar eigen leven leiden. Het verleden lag achter haar; ze wilde een toekomst.

De paar jaar daarna waren als een droom die uitkwam. Ze was een jaar naar Marokko gegaan en had met een vriendin van de universiteit over de Zijderoute gereden in een bestelbusje, tot ze in India kwamen, waar ze een paar maanden in Varanasi had gewoond en bier had verkocht aan gelijkgestemden. Ze was met vrienden in een ander busje door de Verenigde Staten getrokken, en uiteindelijk gaf ze op de een of andere manier Engelse les in Californië. Toen Philippa de Atlantische Oceaan weer overstak, wist ze dat ze niet terug kon naar het oude vertrouwde gebied rond Londen, dat ze was gaan minachten. Ze ging naar Dublin en vestigde zich daar. Ze studeerde af, leefde een aardig bohemien leven, dronk tot 's avonds laat en sprak over poëzie, discussieerde over politiek en kunst, bevond zich ineens op allerlei plaatsen, en bedreef seks met wie haar maar wilde. Ze liet zich door niets binden, ze wilde niet meer het gevoel hebben van de kleine Philippa Crabtree uit Basingstoke, die opgroeide in een rijtjeshuis, met vlechtjes in haar haar zoals alle kleine meisjes bij haar in de straat, en met dezelfde schoenen, schooltas en poppen.

Ze nam zich plechtig voor dat dat haar nooit meer zou gebeuren.

En toen werd ze zwanger.

Ze zei tegen iedereen dat het een ongelukje was, maar dat was strikt genomen niet de waarheid. Ze was nu halverwege de dertig en koesterde diep vanbinnen een kinderwens. Tony – de lieve, aardige Ierse leraar Oud-Engels met wie ze de afgelopen paar maanden een verhouding had gehad – was verbijsterd toen hij het hoorde, maar hij was mans genoeg om dat te verbergen toen ze het vertelde. De opluchting op zijn gezicht toen ze uitlegde dat ze het kind alleen wilde grootbrengen was bijna grappig. Philippa wist weer waarom ze liever alleen was.

Maar dat was voordat ze haar baan kwijtraakte – de arbeidswet was halverwege de jaren zeventig nog niet wat hij later zou worden. Tony was als docent in Amerika gaan werken. Veel van haar andere vrienden waren ook werkloos geworden of teruggegaan naar Engeland, omdat dit het economische dieptepunt was, en zelfs Dublin ermee besmet was. Overal werd gestaakt, de inflatie was nog nooit zo hoog geweest; het voelde alsof de wereld met al zijn gouden beloften ineens instortte. De Crabtrees, haar adoptiefouders, hadden de bui al zien aankomen en waren een paar jaar eerder naar Australië geëmigreerd – waarschijnlijk in de hoop, dacht Philippa wrang, zoveel mogelijk afstand te scheppen tussen hen en hun teleurstellende dochter.

Ineens besefte de vrijgevochten, onbekommerde Philippa dat ze zwanger was, platzak, en over drie dagen de huur moest betalen. Ze had niets en niemand om op terug te vallen. En toen kwam er, als door een wonder, op een dag een telefoontje uit een klein stadje genaamd Langford.

'Juffrouw Crabtree?'

Ze had bijna niet opgenomen; de telefoon hing te ver, in de gang, en zij lag op de smoezelige corduroy bank stilletjes te huilen terwijl ze zachtjes op haar buik klopte.

'Juffrouw Crabtree, u spreekt met Edward Tey. Ik bel u namens een cliënt van me. We weten al enige tijd waar u zich bevindt. Ik vroeg me af, zou u naar Engeland willen komen? We hebben u een voorstel te doen.'

En zo kwam Philippa erachter wie haar moeder was. Twee dagen later was ze voor het eerst sinds tien jaar terug in Engeland, en liep ze over een typisch Engels gazon in het heetst van de zomer. Ze voelde zich een vreemde eend en wenste uit de grond van haar hart dat ze weer in Dublin was. Maar daarvoor was het nu te laat. Het ging niet meer alleen om haar. Ze was niet langer alleen, en dat zou ze ook nooit meer zijn.

Daar stond Philippa ongemakkelijk haar dikke haar uit haar bezwete gezicht weg te strijken, terwijl ze wachtte tot de vrouw zich zou omdraaien. Ze hoopte vooral dat ze haar een stoel zou aanbieden.

Toen de vrouw opstond en zich omdraaide, kneep Philippa haar ogen tot spleetjes. Ze droeg een breedgerande strohoed, waaronder het grootste deel van haar gezicht verborgen bleef, en een enorme zonnebril. Haar grote handen had ze gevouwen en ze droeg een blauwe zijden tuniek – die veel geld had gekost, dat kon zelfs Philippa zien. Ze zei niets.

'Hallo,' zei Philippa langzaam. 'Fijn om u te...'

'Hier is het eigendomsbewijs van het huis,' zei Leonora Mortmain, en ze pakte een envelop van het ijzeren tafeltje naast haar. Een druppel condens liep over de kan met water. Philippa keek er verlangend naar. 'Het is vorig jaar nog geverfd voor de vorige bewoners. Er staan meubelen, ook nog van de vorige bewoners. In deze envelop vind je vijfhonderd pond. Dat is voor kleding et cetera, voor de baby, en om de eerste paar maanden door te komen, totdat je ergens kunt lesgeven. Ja?'

Philippa kneep haar ogen toe, alsof ze een beetje aangeschoten was, en probeerde iets van haar moeders gezicht te zien. 'Het is fijn om u te ontmoeten,' zei ze. 'Heel hartelijk bedankt voor...'

'Luister eens,' zei Leonora Mortmain, en haar stem was afschuwelijk om te horen. 'Ik heb altijd je gangen nagegaan, eerst via de familie Crabtree, daarna via privédetectives. We weten dat je ten einde raad bent, dat je geen opties hebt, en dat jij en dat kind, dat een bastaard zal zijn, in feite alleen op de wereld staan. Daarom heb ik je hulp willen bieden.' Ze schraapte haar keel, kort en afgemeten. 'Ja, jij bent mijn kind, en ook het kind van iemand anders, daarom wil ik je helpen. Maar voor de rest hebben we niets met elkaar te maken. Ik wil niets meer van je horen. Ik wil niet dat iemand, en vooral niet dat kind daar, weet waar je vandaan komt. Vertel het hem niet. Vertel niemand dat je een Mortmain bent. Zorg dat niemand het verband kan leggen. Dit zijn mijn enige voorwaarden. Is dat duidelijk?'

De baby in Philippa's buik – de reden waarom ze daar was, in dit kleine stadje, waar ze genoegen moest nemen met iets wat haar totaal niet beviel – gaf ineens een schopje. Ze legde haar hand op haar buik en voelde de gespannen huid onder haar katoenen jurk.

'Noem mijn kind geen bastaard,' zei ze zachtjes. 'Het huis hoef ik niet, dank u beleefd. Ik wil niets van u.'

Er viel een stilte.

'Je zult wel moeten,' zei Leonora Mortmain vlak. 'Je vindt jezelf heel onconventioneel, nietwaar? Je leeft er maar op los, zonder zorg of verantwoordelijkheden, maar je bent toch niet zo zelfzuchtig dat je dit afslaat? Ik weet dat je echt aan de grond zit.' Ze zette haar zonnebril af, vouwde hem netjes op en legde hem op het tafeltje. De baby schopte weer en de band rond Philippa's hoofd, als gevolg van de zon en vermoeidheid, werd nog strakker toen ze voor het eerst van haar leven in haar moeders donkere ogen keek.

'Kan het u niets schelen?' zei ze verwonderd terwijl ze hete tranen weg knipperde. 'Gaf u dan helemaal niets om me? Hebt u nooit aan me gedacht toen ik opgroeide?'

'Niet echt,' zei Leonora Mortmain. Haar blik was ondoorgrondelijk. Ze staarde haar dochter onbewogen aan. 'Je was een ongelukje, weet je.'

'Zo hardvochtig kunt u niet zijn,' zei Philippa. Ze boog naar voren en pakte de envelop. 'Dat kan gewoon niet. Ik zal u laten weten wanneer de baby is geboren, wat het is geworden en hoe het met hem of haar gaat. Wees maar niet bang...' zei ze, toen Leonora gebiedend haar hand opstak '... ik zorg dat niemand er iets van weet. Ik zeg geen woord. Dank u. Dank u voor het huis en voor het geld. Het is vriendelijk van u, al wilt u kennelijk niet dat ik er zo over denk.'

Ze moest ontzettend nodig plassen, ze wilde zitten, huilen. Ze moest hier weg.

'Ik heb het al uitgelegd,' zei Leonora Mortmain. 'Ik denk niet dat ik het nog een keer moet doen. Ik heb een verplichting tegenover jou, in zoverre dat ik je niet zonder een cent kan laten zitten. Je bent kennelijk iemand die leiding nodig heeft in haar leven. Misschien kan ik je die geven.'

Philippa voelde het zweet tussen haar borsten lopen. 'Kunt u me vertellen wie mijn vader is?' vroeg ze rustig.

De oude vrouw bracht haar hand naar haar ogen alsof ze ze wilde beschermen tegen de zon, en toen sprak ze met trillende stem: 'Nee, dat kan ik niet. Ik heb je alles gezegd wat ik te zeggen had. Neem die envelop mee en beschouw de zaak verder als afgedaan.'

En met die woorden wandelde Leonora Mortmain doodleuk weg, het huis in. Ze sloeg de deur dicht en liet haar dochter midden in de zon op het gras met tranen in haar ogen achter. Philippa greep de envelop. Het leek wel een nachtmerrie. Het kind was een verschrikkelijke vergissing, wist ze nu.

Misschien kon ze het afstaan, weggaan uit deze stad en opnieuw beginnen.

Toen besefte ze met een kille, kalme zekerheid dat ze aan de rand van een afgrond stond. Dat ze het vreselijke risico liep haar kind aan te doen wat haarzelf was overkomen. Dit zou haar kind niet gebeuren, nooit, nooit!

Ze huilde nog steeds een beetje toen ze door het stille huis liep, de gang door en de voordeur uit. Niemand zei haar gedag, maar ze had het gevoel dat ze voortdurend in de gaten werd gehouden. Philippa stond in de hoofdstraat en keek om zich heen alsof ze probeerde zich te herinneren waar ze was. Het was een totaal nieuwe wereld. Daar, aan de overkant, was een pub die de Feathers heette. Philippa veegde haar neus af en liep er naar binnen.

Er stond een man achter de bar die fluitend de glazen stond op te wrijven. Hij keek op toen ze binnenkwam, wierp haar een nieuwsgierige blik toe en glimlachte.

'Alles goed, schat?'

'Eh... ik weet het niet,' zei Philippa, terwijl ze haar buik omvatte toen het schoppen heviger werd. 'Ik ben hier pas komen wonen.'

Ze wist niet waarom ze dit zei.

'Als ik iets mag zeggen,' zei de man achter de bar, 'je ziet eruit alsof je even rustig moet zitten met een lekkere kop thee.'

'Dat lijkt me heerlijk,' zei Philippa. 'Maar eerst moet ik naar de wc.'

'Nou, ik wijs je de weg en dan zet ik thee voor je.' Hij boog zich over de bar. 'Welkom in de Feathers. Ik ben Mick. Leuk om een nieuw gezicht te zien in Langford. Je bent hier heel welkom, meisje.' Hij grijnsde hartelijk.

Philippa gaf hem een hand en schonk hem een waterig lachje, en toen ze om zich heen keek en haar tranen inslikte, had ze voor het eerst sinds lange tijd het gevoel dat ze misschien niet helemaal alleen was.

34

'Ik weet dat een paar mensen van streek waren door wat er deze zomer gebeurde,' zei Beth Kennett, terwijl ze op de toelatingslijst die voor haar lag trommelde. 'Maar wat kan ik eraan doen? Wij hebben geen schuld aan haar dood.'

'Ik weet het niet,' zei Andrea Marsh, terwijl ze behendig een stapel papieren recht schudde; het maakte een hard, scherp geluid op het oude houten bureau. Ze keek naar haar werkgeefster. 'Maar er zijn minder cursisten, en daar moet een reden voor zijn. En als we dit niet snel herstellen...' ze tikte veelbetekenend tegen een map in haar bakje '... krijg je problemen.'

Beth zuchtte. 'Ik weet het.' Ze krabde op haar hoofd en slaakte een diepe zucht. 'O, hemel. Je zou denken dat het iets uitmaakt als je een connectie hebt met de Mortmains, maar nee. Er zijn bijna dertig procent minder inschrijvingen dan vorig jaar. We moeten het altijd hebben van de inwoners die muzieklessen en kookcursussen en zo volgen. En die zijn afgenomen met...'

'Bijna veertig procent,' zei Andrea opgewekt. 'Ik ben bang dat mensen in zware tijden niets willen leren over een of andere keizer of beschaving van tweeduizend jaar geleden. Wat heeft het voor zin?' besloot ze, alsof zij als laatste op de wereld onlangs een cursus Klassieke Oudheid had gevolgd, als extraatje van haar werk, en begin juni zelfs nog hand in hand met iemand in Rome standbeelden had staan bewonderen.

'Het heeft zeker zin, Andrea. Natuurlijk wel.' Beth keek uit het glas-in-loodraam over de oprit naar de ondergaande zon. Het was een prachtige herfstavond en het was al fris. De volgende dag was het Halloween en de bladeren in het park waren op hun mooist: terracottarood, citroengeel, oranje en groen. De herfst was geleidelijk gekomen, tot in september waren de nachten warm geweest. Ze hadden tot een paar weken terug buiten hun boterham gegeten op het lange gras, en na die lange, hete zomer was het alsof de winter nooit zou komen. Vanavond voelde ze ineens dat die voor de deur stond, en dat hij lang zou duren. Ze huiverde.

'Liep er iemand over je graf?' vroeg Andrea terwijl ze opstond. 'Ik moest maar eens gaan. Er is een vergadering van het comité in de Feathers. Ik wil niet te laat komen.'

Ze ritste haar zalmroze gewatteerde jack dicht en trok haar peper-en-zoutkleurige haar uit haar kraag. Beth keek toe.

'Is het een vergadering van het comité over de uiterwaarden? Ik dacht dat dat opgeheven zou zijn nu Leonora... er niet meer is.'

'Integendeel,' zei Andrea verbeten. 'We weten niet waar die Adam Smith... of liever gezegd Adam Mortmain, uithangt,' zei ze vol minachting. 'En voorzover iedereen weet gaan die plannen nog steeds door. Ze willen in januari beginnen met het draineren van het land en het leggen van de funderingen.'

'Maar ik dacht...' Beth keek verbaasd. 'Had hij die hele zaak niet afgeblazen?'

'Hij strijkt twee miljoen op,' zei Andrea terwijl ze haar schouders ophaalde. 'Dat is het probleem.'

'Wat zonde,' zei Beth nadenkend. 'Ik mocht hem altijd graag.'

'Het gaat er niet om of je hem "graag mag",' zei Andrea. 'Ik mocht hem ook altijd, wij allemaal. Ik dacht dat hij een rottijd had gehad, met zijn moeder, zelfs daarvoor al toen hij klein was, zonder vader, en hij was zo'n schrander jongetje. Altijd lachen, en hij rende als een jonge hond door de stad.' Ze pakte een paar dossiers en drukte ze tegen zich aan. 'Dat betekent niet dat hij een fatsoenlijk iemand is.'

Beth negeerde dit. 'Maar goed... waar is hij? Kun je hem vertellen wat er gaande is?'

'Ja, als iemand wist waar hij was,' zei Andrea. 'Hij is verdwenen, en die Francesca verdween op dezelfde dag. Heel merkwaardig.'

'Allebei?'

'Ja, en nu zit Tess Tennant alleen in dat huis. Ik vraag me af wat zij ervan vindt. Of zij weet waar Adam zit.' Ze schraapte haar keel en wikkelde haar sjaal rond haar nek. 'Ze zal nu wel eenzaam zijn, let op mijn woorden. Ik heb altijd gevonden dat ze die Francesca te snel in huis nam. Ik heb haar nooit vertrouwd, weet je dat? Ze leek me een beetje doortrapt.'

'Francesca hielp jullie toch met het comité? Ze heeft bijna uitstel voor elkaar gekregen, totdat mevrouw Mortmain daar korte metten mee maakte,' zei Beth trouwhartig. 'En Tess is een verstandig meisje.'

Andrea liet zich niet vermurwen. Ze trok haar wenkbrauwen op. 'Denk je? Ik mag haar graag, begrijp me niet verkeerd, maar ik vind haar wel een beetje... Nou ja, vóór dat uitstapje naar Rome zou ik het niet hebben gezegd, maar ze is een beetje wispelturig.'

Beth schraapte haar keel. 'Ze heeft alles toen heel goed opgevangen, vind ik.'

'O ja? Nou, mooi,' zei Andrea spottend. 'Als je het mij vraagt was het maar goed dat Adam hoe-we-hem-ook-noemen kwam opduiken. We zouden daar nu nog allemaal zitten als hij haar niet gepusht had om in te grijpen. Ze was steeds met die Italiaan... en van hém hebben we nooit meer iets gezien of gehoord, of wel?'

'Ik vind dat ze het heel goed heeft gedaan,' zei Beth ferm. 'Jullie zijn geen makkelijk stel, vooral niet voor iemand als zij. Ik ken haar al haar hele leven. Het was heel zwaar voor haar. Tot morgen. Fijne avond, Andrea.'

'Ja, fijne avond,' besloot Andrea terloops, alsof Beth niets had gezegd. Ze bleef even staan in de deuropening van het kantoor. 'Tot morgen.'

Toen Beth alleen in de schemerige kamer achterbleef tuurde ze voor zich uit, terwijl ze aan niets in het bijzonder dacht en luisterde naar het tikken van de staande klok naast de deur. In de verte hoorde ze een vaag gezoem en ze besefte ineens dat ze dat de hele dag al hoorde. Ze voelde hoofdpijn opkomen en wreef over haar slapen. Ze keek naar de klok en sloot de programma's op haar laptop af. Intussen liet ze haar blik door de kamer dwalen terwijl ze zich afvroeg waar dat geluid vandaan kwam. Ze tuurde naar het victoriaanse portret van Ivo Mortmain, boven de haard. Het was een bijna levensgroot schilderij van de ruige Ivo, uitgedost in wapenrusting, zijn blik afstandelijk en een beetje zelfingenomen. Beth klapte het deksel van haar laptop dicht en stond op. Ze keek nog eens naar het portret en slaakte bijna een kreet van herkenning.

'Natuurlijk,' zei ze in zichzelf, glimlachend naar de oude Mortmain. 'Jullie lijken sprekend op elkaar. Dat ik dat niet eerder heb gezien!' Ze deed de deur van haar kantoor open. 'Waar zit je?' vroeg ze zacht. 'Ik vraag me af waar je uithangt.'

'Waar wie uithangt?' klonk een stem achter haar.

Beth maakte een sprongetje van schrik en liet bijna haar laptop uit haar handen vallen. Ze slaakte een kreet en draaide zich om. 'Tess!' riep ze opgelucht, want het was donker in de gang, en Langford Hall was altijd een beetje griezelig, zelfs op klaarlichte dag, als de lichten aan waren.

'Sorry,' zei Tess lachend, deels van de schrik. 'Ik heb mijn bril laten liggen en die kwam ik ophalen. Sorry! Heb ik je erg laten schrikken?'

'Een beetje wel,' zei Beth.

'Heb je alles?' vroeg Tess, omkijkend. 'Tegen wie praatte je net?'

'O... tegen niemand,' gaf Beth toe. Ze keek naar Tess; ze vond dat ze er wat bleek uitzag. 'Heb je je bril? Zullen we gaan?'

'Goed,' zei Tess. 'Leuk om je nog even tegen te komen.'

'Zeker,' zei Beth toen ze bij de ruime vestibule kwamen in de hal, een ronde ruimte in zwart-wit, met twee enorme trappenhuizen die elk naar een andere vleugel leidden. De inwonende studenten sliepen in een aparte vleugel, dus was het gebouw nu verlaten. Beth zocht in haar zak naar de sleutels; er was wel een conciërge, maar die was in de andere vleugel. 's Avonds ging het oude gedeelte van het huis op slot.

'Vreemd om te bedenken dat ze hier is opgegroeid,' zei Tess. Ze sloeg haar armen om haar bovenlichaam terwijl Beth de deur opendeed.

'Wie?'

'Leonora Mortmain,' zei Tess. 'Dat ze een klein meisje is geweest dat hier opgroeide. Vreemd, vind je niet? Waarschijnlijk heeft ze hier in de tuin gespeeld – ik kan het me niet voorstellen.'

'Ze was iemand van wie niemand zich kon voorstellen dat ze ooit kind was geweest,' zei Beth. Ze keek om zich heen naar de lege hal. Ze duwde de voordeur open en werd overvallen door de felle avondzon. Het zoemende geluid dat ze al eerder had gehoord werd harder. Beth knipperde met haar ogen. 'Ja, het is vreemd om te bedenken dat ze hier heeft gewoond. Ook nog met uitzicht op de uiterwaarden… Je zou denken dat die iets voor haar moeten hebben betekend.'

'Inderdaad,' zei Tess zacht.

'Wat is dat voor geluid, weet jij dat?' vroeg Beth. Tess keek verbaasd op.

'Wat voor geluid?'

Beth legde haar vinger tegen haar lippen en liep zwijgend de oprit op in de vallende schemering.

'Ik weet het niet,' zei Tess uiteindelijk. 'Wat raar.'

'Hoe gaat het trouwens met de cursus?' vroeg Beth na een tijdje. 'Klassieke Oudheid – die heb je nu twee keer gegeven, toch?'

'Bijna,' zei Tess met een glimlach. Ze zette een marineblauwe baret op. 'Het is koud, hè? Morgen is het vrijdag, dan behandelen we Catullus, dan heb ik het twee keer gedaan. Het ging goed. Het is wel wat stil…'

'Hoeveel zitten er in je klas?'

'Tien,' zei Tess. Beth zuchtte en Tess haalde haar schouders op. 'Maar ik weet het niet. Misschien is het niet meer zo populair. Ik denk niet dat het aan de school ligt, Beth. Alle kooklessen zitten vol, en die trendy cursussen waarvan ik nooit begrijp dat iemand ze wil doen, zoals bloemschikken of victoriaanse architectuur – die zitten helemaal tot de nok toe vol.'

'Daar mag je met dingen spelen, dat is het verschil,' zei Beth met een glimlach.

'Maar je weet wel wat ik bedoel, toch?' vroeg Tess verontrust.

'Ik geloof het wel. Alle cijfers worden bekendgemaakt. Misschien is het gewoon…' Haar stem stierf weg. 'O.'

'Misschien ligt het aan mij? Of misschien wil niemand meer Klassieke Oudheid doen?' vroeg Tess luchtig. 'Of misschien een combinatie van die twee.'

'Dat bedoelde ik niet,' zei Beth weinig op haar gemak. 'Ik ben heel blij dat we jou hebben.'

Tess legde haar hand op de arm van Beth. 'Dat weet ik,' zei ze. Ze trok een spottende grimas, maar haar hartvormige gezicht zag bleek.

'Heb je al een nieuwe medebewoner gevonden?' vroeg Beth om op een ander onderwerp over te gaan.

'Nee, nog niet.' Tess klonk onzeker. 'Maar ik moet echt iemand hebben. Francesca had nog voor twee maanden betaald, maar dat is nu op. Ik heb geen...' Ze zweeg ineens. 'Ja, ik moet echt iemand hebben. Het lijkt zo lang geleden.'

'Wat lijkt lang geleden?'

'Dat ze wegging, bedoel ik. Die zomer...' Tess zweeg en frummelde aan de gesp van haar laars. 'Het lijkt heel lang geleden.' Ze stonden onder een van de breedvertakte beukenbomen, zodat Beth haar gezicht niet kon zien in het donker. 'Alles.'

'Mis je die Italiaanse knaap niet?' vroeg Beth vriendelijk. 'Hoe heet hij?'

Die Italiaanse knaap. 'Peter,' zei Tess. 'Hij is... half Italiaans. Ja, ik mis hem wel.'

Beth keek haar onderzoekend aan. 'Was het geen vakantieliefde?'

'Eh...' Tess wist niet wat ze moest zeggen. 'Nee, het was...' Had Beth gelijk? Misschien... Toen ze in Rome was, was het niet bij haar opgekomen dat het een vakantieliefde was, daar, op dat moment en onder die omstandigheden ontstaan. Hier in het vochtige, kille Engelse klimaat was ze er niet zo zeker van.

Beth keek verontschuldigend. 'Sorry, ben ik heel erg bot? Ja, hè?'

'Nee, nee,' haastte Tess zich haar gerust te stellen. 'Ik heb aldoor gedacht dat het een toekomst had, maar misschien moet ik accepteren dat dat niet zo is.' Maar ze geloofde zelf niet echt wat ze zei.

Beth keek haar verward aan. 'Juist.' Tess vroeg zich af of Beth dacht dat ze misschien overdreef, en er viel een gespannen stilte, die pas werd verbroken toen Beth zei: 'Hemel, wat is dat?'

Er scheurde een auto de oprit op die met zijn lichten flitste. Er sprong iemand uit.

'Wie is dat in godsnaam?' zei Beth. 'Andrea? Andrea, ben jij dat?'

Uit een gedeukte witte Golf kwam Andrea Marsh met opgeheven armen op hen toe lopen. 'Kijk!' riep ze, terwijl ze naar de muur rende aan de zijkant van het huis die de grens vormde tussen de formele tuin en de glooiing van het dal. 'Kijk! Het is begonnen! Het is begonnen, verdomme!'

‘Wat is er begonnen?’ riep Tess achter haar.

Andrea gebaarde wild met haar hand over haar schouder, alsof ze een vlieg wegjaagde. ‘Kom kijken!’ riep ze. ‘Daar!’

Ze volgden haar tot aan de lage muur. Het werd donker en beneden in het dal was het nog donkerder. Maar toch konden ze tussen de gele en oranje bomen nog net een aantal voertuigen onderscheiden.

‘Wat zijn dat?’ vroeg Beth ademloos achter Tess.

‘Graafmachines,’ zei Andrea verbeten. ‘Kijk.’

Het zoevende geluid dat Beth de hele dag had gehoord bleek nu afkomstig van een tractor die de aarde omploegde aan één kant van de smalle voetgangersbrug. Beth schudde grimmig haar hoofd. ‘O god, dus dat was het.’

‘Heb je het gehoord?’ zei Tess. Ze zag doodsbleek.

‘Ja, de hele dag.’ Beth knikte. ‘Wist jij…’

‘Nee,’ zei Tess, en ze staarde naar de uiterwaarden. ‘Ik had geen idee, ik heb niets van hem gehoord… sinds hij is weggegaan.’

‘De linkmiegel,’ zei Andrea, en haar stem droop van venijn. ‘De klootzak. Het is niet eerlijk, dat is het. Zo inhalig.’

‘Er moet een reden voor zijn,’ zei Tess zachtjes.

‘Noem die dan maar,’ zei Andrea vlak, en ze keek weer in het dal. Hoog in de bomen aan de rand van het landgoed lieten de roeken een naargeestig gekrijs horen. Andrea rammelde met haar sleutels. ‘Ik moet terug,’ zei ze. ‘Ik moet het Ron vertellen… en de anderen.’ Ze draaide zich om naar Tess. ‘Geef me één reden waarom hij dit zou doen.’

‘Die heb ik niet,’ zei Tess, en Beth zag in de schemering hoe ongelukkig ze keek. ‘O, lieverd. Het is verschrikkelijk.’

Beth klopte haar op haar arm.

‘Kom mee,’ zei ze. ‘We gaan naar huis.’

35

Een van de effecten van Francesca's vertrek en Adams verdwijning was dat Tess niet meer kon slapen. Het kwam niet doordat ze te uitgeput was. Toen de herfst kwam, leidde ze een zittend leven en ze was blij dat de dagen korter werden en haar een uitvlucht gaven om binnen te blijven; in de uitbundige zon leek haar leven nog armzaliger. Daaruit werd haar duidelijk dat haar leven in Langford niets meer voorstelde. Op de lange zomeravonden zat ze vol melancholie tot laat op de avond op de bank tv te kijken, met haar bord op de dikke stadsgids van Langford, terwijl het licht door de ramen naar binnen viel, de vogels in de hagen zongen, en het geluid van lachende mensen buiten overal weerklonk.

Het najaar bracht eindeloos veel mist, die niet meer weg te denken leek, en regen en wind, en houtvuren en donkerte en uiteindelijk een uitvlucht om binnen te blijven. Ze maakte talloze maaltijden, rijke stoofschotels met salie en kastanjes, gegrilde kip die droop van knoflook en tijm, dikke uien- en aardappelsoep. Ze kon niet ophouden met eten, als een dier dat zich voorbereidt op een winterslaap. Ze luisterde naar de radio, ze las, ze bereidde haar lessen voor, ordende haar boeken en andere eigendommen om de afwezigheid van haar huisgenote of haar eenzaamheid te compenseren, of om te verbloemen dat ze haar huisgenote miste, of haar beste vriend, of haar vakantieliefde... Het probleem was dat ze niet wist wie ze het ergst miste.

Af en toe haalde ze het dichtbundeltje van Leonora Mortmain tevoorschijn, draaide het om en om in haar handen, en vroeg zich af waarom de oude dame het al die jaren bij zich had gehad. Ze las de gedichten of probeerde ze steeds opnieuw te lezen; het was jaren geleden dat ze Latijn had gelezen dat buiten haar lesmateriaal viel, en het was veel lastiger dan ze zich herinnerde. Sommige gedichten waren onderstreept; bij andere stonden aantekeningen. Voornamelijk asterisken. En 's nachts probeerde ze te slapen, maar dat lukte niet.

Het had haar moeten verontrusten. Het stoorde haar vaag, dat er een heel weekend voorbij kon gaan waarin ze bijna aldoor binnenbleef, opgekruld op de bank, chattend met Meena, telefonerend met haar ouders en Stephanie, en dat ze zich alleen naar buiten waagde om de krant te halen en nog wat melk te kopen. Ze ontweek haar stadsgenoten als ze niet per se met hen hoefde te praten. Ze begonnen weer met nieuwe energie te ageren tegen de uiterwaarden; ze zou naar een vergadering moeten gaan. De brug was neergehaald, het land was afgezet – het was allemaal in gang gezet, en nog steeds kon ze niet echt geloven dat het zou gebeuren.

Het regende, de bladeren vielen, de lucht betrok en de herfst kwam en hulde het stadje in mist, en Tess bleef koken, eten, zitten... en dan naar bed, waar haar hoofd tolde terwijl ze naar het plafond staarde en probeerde zich niet bang te laten maken door de geluiden buiten, de kreten van een dier in de klauwen van een ander dier, de vechtende katten, de vogels die door vossen werden gegrepen. Ze was geestelijk, maar niet lichamelijk uitgeput.

Bij het begin van het nieuwe cursusjaar kreeg ze nieuwe klassen toegewezen en tot haar genoegen gaf ze Latijn aan beginners, een cursus van een jaar, zes uur per week. Het was een boeiend clubje, meer betrokken dan haar vorige cursisten: vrouwen die altijd thuis hadden gezeten met kinderen en nu weer terug wilden naar de schoolbanken, een directeur van een bedrijf die van verhalen uit de Oudheid hield en zich altijd had voorgenomen na zijn pensioen Latijn te leren, en zelfs een priester die Latijn nodig had voordat hij in Londen aan het werk zou gaan en, het meest bizar van allemaal, een librettoschrijver die bezig was aan een opera over een gladiator in het oude Rome.

Tess schrok er een beetje van toen ze besefte dat deze cursus in de herfst begon en tot de volgende zomer zou duren – en dat zij die cursus gaf. Ze wilden dat ze een nieuw contract tekende. De huur van de cottage liep tot januari, dus moest ze die verlengen. Ze nam aan dat ze in Langford zou blijven. Dit was nu haar leven. De zomer lag achter haar. Ze moest naar de toekomst kijken, en niet haar leven herkauwen. Ze moest een aantal dingen doen. Ze moest een nieuwe huisgenote zoeken. Ze moest alle gebeurtenissen van de zomer achter zich laten en zich concentreren op haar leven hier – en haar leven met Peter, dat begon met kerst, en hoe ze die twee dingen met elkaar kon combineren. En toen gebeurde er het volgende.

Een van de eerste dingen die er gebeurden, vond plaats in haar nieuwe klasje Latijn voor beginners, waar ze de dichter Catullus behandelde. Ze waren bezig met zijn tweede en derde gedicht over zijn aanbeden minnares Lesbia en haar geliefde mus.

'Waarom staan die drie streepjes aan het einde van het tweede gedicht?' vroeg iemand. 'Die hebben er toch niets mee te maken?'

Het was vrijdag, en het was een lange dag geweest. Tess was moe omdat ze die nacht niet had geslapen. Ze las de woorden hardop.

Tam gratum est mihi quam ferunt puellae
Pernici aureolum fuisse malum
Quod zonam soluit diu ligatam

Tess tuurde naar het papier. '*Tam gratum est mihi quam* – maar ik ben dankbaar voor...' Ze keek weer naar hen, en herinnerde zich de lay-out van het dichtbundeltje dat Adam haar had gegeven. Ze zag de pagina voor zich. Overal had Leonora krabbels gezet, regels onderstreept, maar dit gedichtje, of juist deze drie regels, waren dik onderstreept, met sterretjes eromheen.

'Dat is echt raar.'

'Wat?' vroeg Sandy uit Esher, die vooraan zat.

'Dit gedicht,' zei Tess zonder na te denken. 'Het staat in een boekje dat ik thuis heb. Iemand heeft het onderstreept. Vele malen. Het betekende kennelijk iets voor die persoon.'

'Van wie was het?'

'Van een dame. Ze is gestorven. Het is een beetje raadselachtig.'

'Wauw!' Sandy hield haar pen in de aanslag. De klas keek vol verwachting naar Tess – dit was spannend! Veel spannender dan Catullus en zijn vriendin Lesbia, wat trouwens een rare naam was voor een vriendin.

'Is het een soort jacht op een schat?' vroeg Lynda, Sandy's beste vriendin.

'Nee, je moet luisteren, het is een raadsel! Zoals in... Ken je Cadfael?' zei Sandy. 'Daarin hadden ze een manuscript waarvoor een monnik was vermoord, en het perkament was met gif bewerkt, en...'

Tess stak haar hand op. 'Eh, nee, zoiets is het niet, denk ik. Eerder...' ze dempte haar stem, 'eerder een kijkje in iemands gemoedsgesteldheid.'

'O,' zei Lynda. 'Dat is niet zo boeiend, hè?' Met haar smetteloos gelakte nagels rolde ze haar potloden en pennen die in een perfect rechte lijn op het houten tafeltje lagen naar voren.

Tess zuchtte. 'Misschien niet,' zei ze.

Ineens klonk er een stem achterin. 'Gaat het niet over het huwelijk?' vroeg Tom, de librettoschrijver. Tess keek verheugd naar haar favoriete leerling terwijl die verderging. 'Ik heb altijd gedacht dat het over Atalanta ging, was zij niet een amazone?'

'Ja, het gaat over Atalanta, maar dat was geen amazone,' zei Tess, hoewel ze onder de indruk was. 'Maar het had wel gekund. Ze had veel vrijers, en ze was bijzonder mooi; ze wilde alleen niet trouwen. Ze zag geen heil in mannen.'

'O,' zei Tom beteuterd.

'Ha,' zei Sandy, die onlangs was gescheiden. 'Dat begrijp ik wel.'

Jemima, een prestatiegerichte vrouw die pas in de stad was komen wonen, leek zich enigszins te generen voor Sandy.

'Atalanta was een groot jaagster,' zei Tess, die op de rand van haar bureau zat. 'Ik heb altijd graag over haar gelezen, moet ik zeggen. Ze hielp mee een wild zwijn te vangen dat het leven op het platteland terroriseerde.' Ze sloeg haar armen over elkaar en keek hen aan. 'Ze zwierf rond en deed wat ze wilde. Liet zich door niemand tegenhouden. En toen besloot ze te gaan trouwen.'

'Waarom?' vroeg Sandy teleurgesteld.

'Dat weet ik niet,' zei Tess. 'Omdat ze het wilde, niet omdat ze het moest. Ik denk dat het daarom gaat. Maar goed, om te bepalen wie de beste was van de huwelijkskandidaten, besloot ze een wedstrijd met hen aan te gaan in snelheid. Zij liep heel snel.' Ze keek in het boek. '*Puella pernici*, dat betekent lichtvoetig meisje.

Tijdens die wedstrijd liet een van hen – ik geloof dat zijn naam Hippomenes was – drie gouden appels vallen, een voor een, en Atalanta bleef staan om ze op te rapen, zodat hij haar versloeg, en met hem is ze toen getrouwd.'

'Dus... vrouwen zijn gemakkelijk af te leiden met gouden ballen,' zei Linda teleurgesteld. 'Zelfs een vrouw die niet op mannen uit is en ervoor heeft gekozen in de bossen te leven en jagen, valt op glinsterend goud. Triest hoor.'

'Daar kan ik over meepraten,' zei Gerald, de ex-directeur (Tess wist niet of hij zelf was opgestapt of dat hij was ontslagen). Hij was een blozende, vrolijke man, maar hij sprak over zijn echtgenote als 'het vrouwtje', waarvoor Tess hem wel kon slaan. 'Ha ha!'

'Ik geloof niet dat dat de moraal van het verhaal is,' zei Tess aarzelend. 'Ik denk dat het erom gaat dat ze het huwelijk te fel afwees, om de verkeerde redenen. Dat ze ervoor op de vlucht was. En de gouden appels dienden als symbool van de afleiding – als er voor de voeten van wereldkampioen Usain Bolt gouden appels werden gegooid, zou hij daar ook door afgeleid worden, toch?'

'Nou ja, die draagt al gouden schoenen,' zei Sherry uit Thornham. 'Dus ik denk het niet. Hij zou ze niet eens zien.'

'Luister,' zei Tess haastig, 'waar het om gaat is dat de spreker – in dit geval Catullus, die het over zijn vriendin heeft, hoewel het maar een klein fragmentje is, dus zeker weten we het niet – blij is dat de gouden appels haar gordel losser hadden gemaakt, dat wil zeggen: haar maagdelijkheid ontnamen. Want het had al te lang geduurd.'

'Wat is dan de vertaling?' vroeg Jemima, de prestatiegerichte moeder. Ze was vroeger marketingmanager geweest en onlangs met haar man en twee kinderen in Langford komen wonen. Ze was zeer belezen. 'Wat betekent het?'

'Eh... nou, het is...' Tess zweeg. Het was een bijzonder cryptisch stukje. Jemima tikte ongeduldig met haar potlood. Tess trok haar neus op en bleef nog even stil. 'Oké,' zei ze ten slotte. 'Ik doe er een gooi naar. Ik denk dat het zoiets moet zijn als: "Maar het doet mij genoegen dat het lichtvoetige meisje de gouden appel had en nu haar gordel losser maakte, die te lang aangesnoerd was geweest."

De gordel staat voor haar maagdelijkheid. Het oprapen van de appel betekende dat ze haar maagdelijkheid, waar de gordel symbool voor staat, verloor. Ze zou echtgenote en moeder worden. Een fatsoenlijk vrouw, zouden ze zeggen. En degene die dit schrijft is hier verheugd om.'

Er viel een stilte terwijl sommigen dit tot zich lieten doordringen, anderen keken ronduit verveeld. Sandy keek haar met belangstelling aan en zei toen: 'Aha. Vertelt het jou dan ook iets?'

'Ja,' zei Tess met een glimlach. 'Ik geloof het wel.'

36

Tess rende die dag naar huis en nam nauwelijks de tijd om nog even gedag te zeggen tegen Beth en de andere docenten. Ze vloog de deur in en gooide haar tas op de grond. Daar lag een briefje. Ze pakte het op.

Tess! Hallo! Ik ben rond zes uur bij je, hoop dat dat goed is! Ik popel!

Tess las het zonder veel aandacht. Ze liep naar het bureau dat voor het raam stond en met trillende vingers haalde ze papieren en boeken van de plank en vertaalde ze het gedicht nog eens met behulp van haar oude, versleten, in leer gebonden Latijnse woordenboek. Misschien betekenden de woorden niets, maar ze wist ineens dat het wel zo was. Ze zeiden iets over Leonora.

Eindelijk zou er iets gaan gebeuren. Ze kreeg die avond een nieuwe huisgenoot, en ze was er vrijwel zeker van dat het niet zo'n sloddervos zou zijn als Francesca. Tess stond op om thee te zetten en keek naar het bureau waarop haar computer stond. Ze zou moeten kijken of Peter haar had gemaild, maar op de een of andere manier kon ze het niet. De vorige avond was ze zwetend en met haar vingers krampachtig om haar dekbed wakker geworden uit een droom waarin ze met kerst teruggegaan was naar Rome. Maar toen ze over het Piazza Farnese naar Peters flat liep, passeerden haar allerlei mensen die gedag zeiden en die ze in paniek aankeek. Ze wist niet meer hoe hij eruitzag; totaal niet. Ze had geen foto's van hem; zijn gezicht leek tijdens het skypen bleek en vaag, zijn stem vervormd en met ruis. Dit was niet de Peter die met haar op de scooter had gereden, prosecco met haar had gedronken, haar had gekust voor de Trevifontein, nee, nee. Ze moest hem gewoon opnieuw vinden, zowel in Rome met Kerstmis als in haar hoofd, ze moest opnieuw verliefd op hem worden. Maar het leek zo ver weg! Als een droom, net zo vreemd als de droom die ze de afgelopen nacht had gehad.

Vreemd, dacht Tess toen ze de keuken in liep. Ze was die eerste keer zo gemakkelijk verliefd op hem geworden – dat zou de tweede keer toch ook moeten lukken?

Ze keek om zich heen naar de aankondiging op het prikbord van het Oogstfeest; de ansichtkaart van Francesca, de kaart van haar ouders tijdens hun vakantie in oktober en het rooster van de vuilnisdienst in de periode tussen Kerstmis en Nieuwjaar. Er was ook een brief van de huurvereniging, die haar er beleefd aan herinnerde dat ze moest doorgeven of ze haar contract voor een halfjaar wilde verlengen. Tess had de envelop geopend en de brief weer teruggestopt en toen het licht op het cellofaan schitterde, was het alsof hij naar haar knipoogde. Zou ze hier nog zes maanden blijven? Of zou ze toegeven aan een impuls en naar Rome gaan?

Hoe zou het in januari in Rome zijn? Regenachtig, grijs... net als hier, maar het was wel Rome. Rome, waar Peter was. Wijn, eten, Italië, scooters, ruïnes uit de Oudheid, Italiaans spreken, met nieuwe leren laarzen aan rondlopen in de mooiste stad ter wereld...

Het regende en het was al donker. Tess staarde in het niets terwijl haar gedachten in ijltempo door haar hoofd heen gingen. Het gedicht over Atalanta, die niet wilde trouwen. Hoe ze ertoe verlokt was haar gordel losser te maken – hoe zou ze zich hebben gevoeld? Het dichtbundeltje... Ze keek ernaar, ze had het nog in haar hand.

Wederom voelde Tess die vreemde band met Leonora Mortmain die ze al eerder had gevoeld en niet kon verklaren. Ze was er vrijwel zeker van dat de oude vrouw de somberste en afschrikwekkendste begrafenisdienst had bedacht die er was, zodat niemand er enig genoegen aan zou beleven. En dat gedoe over *Zoals wij allen in Adam sterven* was wraakzuchtig en hatelijk. Geen wonder dat haar enige verwant al zo'n tijd – hoe lang was het? – het land uit was. Bijna drie maanden. Het programma van de begrafenisdienst zat in het dichtbundeltje. Tess keek het even door en haar oog viel op de allerlaatste bladzij, de laatste lezing.

Filippus zei tot hem: 'Laat ons de Vader zien, Heer, meer verlangen we niet.' Jezus zei: 'Ik ben nu al zo lang bij jullie, en nog ken je me niet, Filippus?'

Ze had geen idee wat Filippus ermee te maken had. Of Philip... Wie was dat trouwens?

De voordeur ging open en een hoofd verscheen. 'Hallo,' klonk het. 'Mag ik binnenkomen?'

Had ze zo lang zitten nadenken? Tess sprong schuldbewust op. 'Hallo, Liz!' zei ze. 'Welkom in je nieuwe huis. Sorry van de rommel.'

'Geeft niets,' zei Liz terwijl ze haar sjaal losmaakte. 'Het regent. Wat een vreselijke avond. Ik had eerder willen komen, maar Jen stond erop dat ik de voorraad nóg een keer doornam. Echt vervelend.' Ze wreef in haar handen en keek om zich heen. 'Al mijn spullen liggen in de auto, zal ik uitladen en dan achter het huis parkeren?'

'Uitstekend,' zei Tess. 'Ik help je. Ik heb nog heet water, wil je eerst een kop thee?'

'Alleen als je een pot zet,' zei Liz simpelweg, en Tess liep warm bij het idee van een dampende theepot die wachtte op anderen, in plaats van het zielige theezakje in de gootsteen, zoals ze hier meestal thee zette. Ze moest zich voorhouden aardig te zijn. Dat Liz een leuk meisje was, en niet het meisje wier Struikelblok met Adam was dat ze moest huilen tijdens het vrijen. Bij de herinnering aan Adam die haar dit vol afschuw vertelde moest Tess even lachen en met een zucht wreef ze over haar schouder.

'Ik wacht anders wel even,' zei Liz. 'Het is hier enig! Bedankt, Tess, dat ik hier mijn intrek mag nemen. Jen was aardig, maar boven de winkel wonen...' Haar gezicht betrok. 'Nou, dat is niet ideaal. Dat weet je. En nu heb ik een echt huis!'

'Ja,' zei Tess met een schuldgevoel. 'Veel geluk.' Ze klopte op haar arm. 'We gaan je spullen halen.'

Liz had alles netjes, handig en overzichtelijk ingepakt. Er zaten zelfs handvatten aan de dozen en ze had overal op gezet wat de inhoud was. BOEKEN. BADSPULLEN. KEUKENSPULLEN (KLEIN), TOILETARTI-

KELEN. In nog geen tien minuten stonden de dozen op de daarvoor bestemde plaats in huis, en was de waterkoker weer aangezet.

Liz kwam de keuken in. Haar lange, magere gezicht was rood en nog nat van de regen. 'Kijk, ik heb voor de gelegenheid wat van die Zweedse gemberwafeltjes meegenomen die jij zo lekker vindt. Ze zijn vanmiddag gebracht.' Ze zette ze op het aanrecht terwijl Tess water opschonk. Liz keek toe.

'Dit is echt geweldig,' zei ze. 'Als ik eraan denk hoe ongelukkig ik me vorig jaar om deze tijd voelde.'

'O ja?'

'Nou,' zei Liz terloops. 'Ik werkte toen voor dat vreselijke bureau. Elke dag moest ik me in die stinkbus persen, waarin je 's winters en 's zomers zat te zweten.' Ze zuchtte. 'Het is gek, er zijn goede tijden en minder goede tijden geweest sinds ik in Langford ben komen wonen. Maar ik heb er nooit aan getwijfeld dat ik het juiste besluit heb genomen.' Ze lachte. 'Je zult wel weten wat ik bedoel. Jij bent hier per slot van rekening opgegroeid.'

'Kijk eens,' zei Tess toen ze haar een kop thee aanreikte.

'Bedankt,' zei Liz. 'Heerlijk. Dat had ik net nodig.'

'Mooi zo,' zei Tess. 'Neem een gemberwafeltje.'

Liz nam er een en lachte. 'Weet je, Tess, ik ben je zo dankbaar. Je hebt geen idee wat het voor me betekent.'

'Wat?' vroeg Tess terwijl ze zelf een wafeltje pakte.

'Een echte woning. Heerlijk. Ik ben hier nog maar een halfuur en ik vind het nu al heerlijk.' Ze nam een slokje van haar thee. 'Neem jij niet?'

Tess leunde tegen het aanrecht. 'Straks misschien.'

'Waar kijk je naar?' vroeg Liz, die het programma van de begrafenisdienst zag liggen.

'O, iets wat we vandaag in de klas hebben behandeld,' zei Tess, die haar de wafeltjes nog eens aanreikte. 'Het deed me denken aan de begrafenis. Wat een heerlijke koekjes. Bedankt.'

Liz boog zich over het programma van de dienst. 'God, wat was dat een deprimerende toestand,' zei ze knikkend. Ze keek op het papier. '*En nog ken je me niet, Filippus?* – waar sloeg dat op? Was het soms een boodschap van gene zijde?'

'Wat?' zei Tess. Ze zette de theepot neer.

'Nou, ik bedoel, heette Adams moeder niet Philippa?' Liz bloosde een beetje, zoals altijd als ze het over Adam had, alsof het haar verlegen maakte dat ze dit wist. 'Wat...?' Ze staarde haar huisgenote aan, die haar bij de pols greep. 'Au.'

'Ja!' zei Tess. 'Ja! Zij was het. Wat ben ik dom, Liz.'

'Wie is Filippus? Of Philip?'

'Dat weet ik niet.' Tess deed de ijskast open. 'Ik weet het niet, misschien zullen we het nooit weten, maar ze wilde dat iemand het uitzocht, daar gaat het om, Liz. Ik ben bang dat ik aan een glas wijn toe ben. Doe je mee?'

'Nou en of,' zei Liz verzaligd. 'Eentje maar, want morgen ga ik naar yoga. Wauw,' zei ze, toen ze het glas wijn aanpakte. 'De eerste avond in het nieuwe huis en het is of ik weer in Rome ben. Wijn, vrouwen en muziek – en dat allemaal op een dinsdagavond. Wie weet wat er hierna komt!'

37

'Maar je zei dat je meteen een vlucht zou boeken,' zei Peter. 'Ik snap het niet. Het wordt steeds duurder als je nog langer wacht, Tess. Wil je niet komen?'

'Dat is het niet...' Tess klemde de telefoon tussen schouder en kaak en nam nog een hap van een gemberwafeltje. Ze at tegenwoordig een hele doos leeg in een paar dagen tijd. Ze slikte zo haastig dat er een stukje in haar keel kriebelde. 'Aah.' Ze hoestte.

'Gaat het wel?'

'Ja hoor,' zei Tess. 'Sorry.' Ze wreef in haar ogen; ze was moe. Ze voelde zich moe, en dik, en eenzaam; de gesprekken met Peter, die eerst een bron van vreugde voor haar waren, voelden niet goed meer. Het tijdverschil was groot, wat het praten nog moeilijker maakte. Er was zoveel wat ze hem moest vragen, en ze wist nooit echt hoe het met hem ging. Net zoals hij niet wist hoe het met haar was.

'Sorry. Ik heb alleen soms het idee dat je van me wegglipt,' zei hij na een korte stilte.

'Dat moet je niet zeggen,' zei Tess. 'Het is alleen – ik voel me een bedrieger. Ik heb niet het gevoel dat ik...'

Ze keek op naar het portret van Jane Austen dat in stille pracht naast de deur hing, en ving een glimp op van zichzelf in de spiegel, waardoor ze verstarde; het koekje bleef halverwege haar mond steken. Hoe ze het ook wendde of keerde, ze kon er niet omheen dat Peter niet van haar zou houden als hij haar nu zou zien. Haar haar was aan een wasbeurt toe en werd op zijn plaats gehouden door een speld en een slordig paardenstaartje. Ze droeg een oude, versleten spijkerbroek en een veel te groot en onaantrekkelijk maar warm marineblauw vest dat ze in de kast onder de trap had gevonden toen ze in het huis trok. Ze droeg geen make-up op haar bleke gezicht, en ze had kringen onder haar ogen. Haar nagels waren onregelmatig afgekloven.

Ze wilde het uitleggen, zeggen dat ze niet het meisje was dat hij de afgelopen zomer had leren kennen. Ze kon zich dat meisje niet herinneren, dat danste in het maanlicht en op een zonnige vloer lag terwijl iemand haar haar kuste, haar borsten streelde, haar zachte, door de zon gebruinde huid. Wie was in vredesnaam dat meisje, en waar was ze gebleven? Ze tuurde naar haar spiegelbeeld terwijl een blik van afschuw over haar gezicht trok.

'Je bent nog steeds dezelfde voor me,' zei Peter, met een tikje ongeduld in zijn stem, dat zelfs te horen was op de galmende lijn vanuit Californië. 'Nog steeds hetzelfde mooie meisje...' Hij zweeg. Even. 'Ik mis je.'

Tess smolt. 'Echt?' zei ze met hoorbaar genoegen.

'Ja, natuurlijk,' zei hij.

'Jij zit in San Francisco!' zei ze. 'Je hebt het daar fantastisch. Ik geloof je niet.'

'Dat is niet waar,' zei hij lachend. 'Ik bel je in de ochtend, ik werk de godganse dag, dan loop ik terug naar het appartement en mail jou.'

'Dus je hebt het daar helemaal niet leuk?' vroeg ze sceptisch. 'Ook niet vorige week, in de wijngaard? Of dat weekend in Big Sur? Vreemd hoor, ik geloof je niet.'

'Nou...' Ze hoorde een lach in zijn stem. 'Ik wou alleen graag dat je hier bij me was.'

Ze zuchtte. 'O, Peter, Peter. Dat zou je echt niet zeggen als je me nu kon zien.'

'Echt wel,' zei Peter. Ze zwegen even. 'Dus je boekt een vlucht?'

'Ik boek een vlucht – maar je kunt natuurlijk altijd hierheen komen.'

Toen ze het zei wist ze dat het niet zou gebeuren: Peter die in zijn lichte katoenen broek en dure zonnebril in de hoofdstraat liep, zijn knappe gezicht gebronsd, oog in oog met mevrouw Store, of Mick Hopkins of wie dan ook. Hij zou het één grote grap vinden – hij vond de plaats waar ze woonde al een giller.

'Naar die Britse miniatuurstad? Waar Winnie de Poeh woont? Zeker, misschien na de kerst,' zei hij in een poging geestdriftig te klinken, en ze drong niet aan. Ze werd overspoeld door neerslachtigheid.

'Waar is Liz?' Hij ging op een ander onderwerp over.

'Die is op kwebbelweekend,' zei Tess.

'Wat?' Zachtjes hoorde ze hem zeggen: 'Graag een bier. Bedankt.'

'Een vrijgezellenfeest,' zei Tess, denkend aan *Sex and the City*. 'Ze zijn naar een cottage ergens buiten.'

'Woont ze niet al in een cottage ergens buiten?'

'Eh, ja,' zei Tess. 'Als ik haar was zou ik daar wel de pest over in hebben.'

'Hoe gaat het?'

Liz woonde nu bijna een maand bij haar in huis en tot dusver ging alles heel goed. Ze was bijzonder goedgehumeurd, op zichzelf en ze was er niet op uit om alles samen te doen; kortom – Tess vond het lastig om het aan zichzelf toe te geven – ze was het ideale meisje om een cottage mee te delen. Ze was wat Diana zou noemen 'uit het juiste hout gesneden'. Ze had pit. Ze droeg rubberlaarzen, luisterde naar Radio 4, zong luidkeels onder de douche, werkte als vrijwilliger op de plaatselijke basisschool, ze was lid van Amnesty International en probeerde een afdeling op te zetten in Langford, wat haar veel tijd kostte. Ze lag nooit te luieren op de bank. Ze dronk niet uit de wijnfles, liet geen foie gras bezorgen en deed niet aan luidruchtige seks. Ze liep als het nodig was in huis rond in pyjama en ochtendjas, en ze zou vol afschuw hebben gereageerd als Tess haar zoiets frivools als een zijden kimono had geleend of gegeven.

En nee, ze maakte nooit een bende in de keuken met het brouwen van mojitos en ze haalde Tess nooit over om karaoke te gaan doen, en ze maakte haar nooit zo hard aan het lachen dat de wijn uit haar neus stroomde, maar het was goed zo. Het was anders, maar meer niet.

'Het gaat heel goed,' zei Tess naar waarheid. 'Maar ik heb niemand om mee uit te gaan.'

'Dat geloof ik niet,' zei hij. 'Wat doet een leuk meisje als jij 's vrijdagsavonds dan op het Engelse platteland?'

Tess wierp een blik op de bank, op het bijna lege pak koekjes, de tv-gids, de nieuwe gids van het postorderbedrijf die die ochtend was gekomen en waar ze naar uit had gekeken. 'O,' zei ze, 'niet veel.'

'Geen drankjes in een gezellige ouwe Britse pub?' zei Pete luchtig. Zijn Engelse accent was afgrijselijk.

'Ben bang van niet,' zei Tess. Ze vroeg zich af wat hij van de Feathers zou vinden. Ze huiverde bij de gedachte.

'Geen programma's over de koningin?' Er klonk geritsel op de achtergrond, ze merkte dat hij afgeleid werd.

'Nee,' zei Tess. 'Geen drankjes in een Britse pub. Geen programma's over de koningin of schoorsteenvegers met vingerloze handschoenen die praten als Guy Ritchie. Geen vrouwen met hoedjes op die "*Good day, sir*" zeggen en ook geen mensen die openlijk op straat huilen om prinses Diana.'

'Niet één?'

'Niet een.'

'Dat klinkt vreselijk.'

'Het gaat wel,' zei Tess. 'Ik red me wel.'

'En Adam?'

Tess pakte nog een koekje. 'Wat?'

'Adam – heb je al iets van hem gehoord?'

'Nee. Geen woord.'

'Jemig, wat maf.'

'Ja,' zei Tess. 'Ik hoop dat het goed met hem gaat. Ik hoop dat hij alles op een rijtje krijgt.'

Ze wist eigenlijk niet wat ze bedoelde toen ze dat zei. Ze wist niet waar hij was, wat hij doormaakte, hoe het met hem ging. Ze wist alleen dat degene die een bende in haar huis had gemaakt en Francesca bijna tot waanzin had gedreven en daarna de stad uit was gegaan, niet de Adam was die zij kende. Ze kneep haar ogen dicht en probeerde zich een andere Adam voor de geest te halen, de Adam die ze meende te kennen, die haar had geholpen de cottage te vinden, die samen met haar en een stel Zweden het ene drankje na het andere had gedronken in een maffe pub in Londen, die haar voor de ogen van Will en Ticky had omhelsd en haar 'honnepon' had genoemd. Het was nu bijna drie maanden geleden dat hij was weggegaan, en ze had geen idee wanneer ze hem terug zou zien. Misschien kwam hij wel nooit meer terug.

Toen ze een paar minuten later afscheid nam, legde Tess de telefoon neer, ging met haar kiezen op elkaar voor de spiegel staan en keek met een vastberaden blik naar zichzelf.

Ineens wist ze met een verblindende helderheid dat het met Peter óf kerst in Rome zou worden, of niets. Ze probeerde zich voor te stellen dat ze hier wegging, en het was veel gemakkelijker dan ze had gedacht; in de spiegel zag ze haar spiegelbeeld ineenkrimpen.

'Juist,' zei ze, met een blik op Jane Austen. Het was pas halfnegen, vrijdagavond, en ze moest er niet aan denken dat ze weer een weekend in haar huisje zat weg te schrompelen. Ze wikkelde een roze wollen sjaal om haar nek, trok de riem van haar jas aan en greep haar tas, waar ze een boek in stopte. Ze sloot de deur achter zich en liep naar buiten.

Het was eind november en de bittere geur van brandend hout en vuurwerk hing nog in de vochtige lucht. De mist die al vanaf oktober over het stadje hing dempte alles. Tess' schoenen weerklonken op de keien toen ze de verlaten hoofdstraat insloeg. Ze liep snel en voelde de bijtende kou. Ze liep het terras van de Feathers op, haalde diep adem en duwde de deur van de pub open.

'Hoi, Mick,' zei ze nonchalant, alsof het de gewoonste zaak van de wereld was dat zij hier in haar eentje iets ging drinken. Ze trok een kruk onder de bar uit, net zoals ze maanden geleden had gedaan op de avond dat ze Francesca had leren kennen, toen er lente in de lucht hing op de avond dat ze pas terug was.

'Goedenavond, Tess,' zei een zware stem.

'O, sorry, Suggs,' zei Tess, toen ze haar vergissing bemerkte. Ze bloosde. 'Sorry.'

'Geef niets, wat kan ik voor je inschenken?' Suggs wreef in zijn handen.

'Eh... doe maar een glas Butcombes.' Ze haalde haar boek uit haar tas. 'Dank je wel.'

Ze sloeg haar boek open – ze herlas *Ik, Claudius* – en nam een slok van haar bier, alsof het doodnormaal was dat ze hier zat. Ze keek eens om zich heen en zag dat het, behalve een stel mensen aan tafel die een verjaardag vierden, rustig was. Een paar mannen zaten te drinken, een stelletje zat te eten in een zitje bij het raam, en een jonge man zat verderop aan de bar de krant te lezen.

'Hoe gaat het?' vroeg Suggs. 'En hoe is het met Liz?'

'Heel goed,' zei Tess. 'Maar ze is dit weekend weg. Dus ik ben alleen.'

'Aha,' zei Suggs, en hij keek haar met een quasiverlekkerde blik aan over de bar. 'Kom mij dan maar eens opzoeken, Tessa.'

'Ja hoor,' zei Tess. 'Tuurlijk.'

'Ik zou het wel willen, hoor,' zei Suggs glimlachend. 'Dat je 't maar weet.'

'Hoe gaat het trouwens met Emma?' vroeg Tess lachend.

De jonge, aantrekkelijke Kirsty wierp Tess een scherpe blik toe vanaf de andere kant van de bar. Suggs leek weinig op zijn gemak. 'Eh... ze maakt het goed, heel goed.' Hij wreef in zijn nek. 'Mja, goed.' Zachtjes vervolgde hij: 'Eerlijk gezegd zijn we uit elkaar.'

'O, wat naar.'

'Laat maar,' zei hij met een snelle blik op Kirsty. 'Er waren namelijk redenen voor.'

'Juist,' zei Tess knikkend.

'En ze vond mijn beschimmelde sokken. Een hele stapel, bij de deur. Ik had de was een beetje laten oplopen vanaf het moment dat Adam wegging.'

'Hou op!' riep Tess. 'Jeetje, wat afgrijselijk.'

'Ik weet het,' zei Suggs. 'Geen wonder dat hij bij me weggegaan is.'

'Heb je onlangs nog iets van hem gehoord?' vroeg Tess en ze nam een slok.

'Nee,' zei Suggs. 'Niet echt. Hij heeft een paar weken geleden gebeld, maar meer niet.'

'Heeft hij je gebeld? Waar was hij?'

'Nou, dat heeft hij niet gezegd,' zei Suggs op gedemptere toon. 'Ik neem aan dat hij nog steeds in Marokko zit. Heb jij iets anders gehoord?'

Marokko? Tess wilde niet laten merken dat ze niet wist dat hij daar zat. 'Nee, ik heb niets gehoord,' zei ze. 'Hoe lang was hij van plan daar te blijven, weet je dat ook?'

'Hoe lang zou het duren om het Atlasgebergte door te wandelen?' Suggs stak zijn wijsvinger op. 'Even wachten, liefie.' Hij richtte zich tot een klant aan de andere kant van de bar, en Tess keek zonder iets te zien in haar boek.

'Hallo, Tess,' klonk een stem achter haar. Toen ze omkeek zag ze Diana Sayers naast haar op de bar leunen.

'Wat een leuke verrassing,' zei Tess blij. Ze klopte Diana op haar arm. 'Ik heb je al zo'n tijd niet gezien.'

Diana lachte even terug. 'Dat is waar. Hoe gaat het met je?'

Tess schudde haar hoofd. 'Goed, dank je. Kom je hier iets eten?'

Diana wees achter zich. 'Richard en ik hebben hier gedineerd,' zei ze, en Tess besefte dat zij het stel waren dat ze bij het raam had gezien. Ze keek naar Diana's echtgenoot Richard, die zich zelden buiten waagde. 'Hij is net terug van een reis, dus we hadden zin om het er eens fijn van te nemen.'

Het was vreemd om Diana te zien; ze deed Tess erg denken aan de zomer en die veelbewogen, maar bijzondere week in Rome, en sinds mevrouw Mortmain was overleden en het nieuwe schooljaar was begonnen, had Tess haar niet meer gezien. Ze had meerdere keren aan haar gedacht, aan haar barse vriendelijkheid, haar bedaarde gedrag tijdens alle opschudding, de manier waarop ze Adam, de zoon van haar beste vriendin, had gesteund. Tess keek weer naar het raam. 'Het is vreemd,' zei ze openhartig. 'De laatste keer dat ik je zag, zat ik waar jullie nu zitten – ik heb toen het raam opengezet...' Diana keek niet-begrijpend, dus vervolgde ze snel, alsof het om iets gênants ging: 'Na de begrafenis van Leonora Mortmain. Ik zag jullie toen staan in de zitkamer van Leda House, met een glas sherry.'

'Jemig,' zei Diana, terwijl ze Suggs' blik ving. 'Is het al zo lang geleden? Dat was een sombere bedoening, dat kan ik je wel vertellen.' Ze plukte een denkbeeldig stofje uit haar sluike grijze haar.

'Dat kan ik me voorstellen,' zei Tess.

'Heb je nog iets gehoord van Adam? Is hij nog in Marokko?'

'Tja, ik weet het niet...' begon Tess, en gelukkig verscheen Suggs op dat moment.

'Zeg het eens, meisje.'

'Nog twee glazen pinot grigio alsjeblieft. Maar dit keer kleintjes.' Diana richtte zich tot Tess. 'Er is iets speciaals met die wijn.

Ik weet niet wat, maar hij is behoorlijk sterk. Wil jij iets drinken, Tess?'

'Nee hoor, dank je.'

'Heb je hier met iemand afgesproken?'

'Nee,' zei Tess. 'Ik kwam alleen wat drinken.'

'Wat leuk,' zei Diana.

'Nou,' zei Tess. 'Het leek mij het verstandigste. Als ik nog een avond thuis zou zitten met de koektrommel zou mijn pens opzwellen als een ballon.'

'Nou,' zei Diana, die deze opmerking verder wijselijk negeerde. 'Ik weet niet waar hij is of wat hij doet. Ik ben ervan overtuigd dat hij het goed maakt, ik zou het alleen graag weten, snap je?' Ze fronste haar voorhoofd en stak haar lip naar voren. 'Dwaze jongen. Hij heeft nooit geweten wat het beste voor hem was.' Ze klopte Tess op de arm. 'Hij had jou al jaren geleden moeten inpikken toen hij de kans kreeg, in plaats van met je te sollen en je naar Londen te verjagen.' Tess zette grote ogen op. 'Hm, ik geloof dat ik te veel heb gedronken. Ik kan me maar beter met mijn eigen zaken bemoeien.'

'Ik denk niet dat hij het met je eens zou zijn,' zei Tess terwijl ze hoofdschuddend glimlachte. 'En voor wat het waard is: ik ook niet. Wij hebben er nooit zo over gedacht, alleen alle anderen in dit belachelijke stadje.'

'Onzin,' zei Diana op het moment dat Suggs met de wijn aankwam. En ze vervolgde: 'Denk je dat echt?'

'Ik snap wel waarom hij hier weg moest,' zei Tess. Ze dacht aan de huur, de brief op de koelkast die ze nog steeds niet had beantwoord. Diana zette de twee glazen terug op de bar.

'Moet ik je helpen dragen, lieverd?' riep een stem achterin. Diana wuifde het aanbod met een stevige handbeweging weg.

'Stil toch, Richard,' riep ze in zijn richting. 'Wat bedoel je?' vroeg ze aan Tess. 'Het is hier niet belachelijk.'

'Ik bedoel niet...' Tess schrok van de kille blik in Diana's ogen. 'Ik zeg niet dat het belachelijk is voor jullie. Ik zeg alleen dat het... soms net een pretpark lijkt. Een miniatuurstadje.' Ze dacht aan Peter en hun gesprek van die dag. 'Je weet wel. Die theedoeken, de toeristen, de... al die dingen.'

'Nou, je moest je schamen, Tessa,' zei Diana. Tess kromp in elkaar toen ze haar ijzige toon hoorde. 'Er mag dan een cadeauwinkel zijn, en wat toeristen, maar het is en blijft een echt stadje. Waar mensen wonen.'

'Weet ik,' zei Tess. 'Maar soms... kan ik het niet verdragen. Iedereen bemoeit zich met iedereen. En begrijpt elkaar meestal nog verkeerd ook.' Ze dacht aan Adam en Philippa, en dat niemand ergens van had geweten.

'Ik weet het,' zei Diana met een bedroefde blik, alsof ze het echt begreep. 'Maar dit is een woongemeenschap. We steunen elkaar. Jou ook, als je dat toelaat. Er zijn hier mensen van wie de naam van hun grootvader op het oorlogsmonument vermeld staat, jonge mensen die hier geen huis kunnen kopen vanwege de mensen met een tweede huis, mensen die zich de uiterwaarden herinneren voordat dit allemaal gebeurde. Dus vergeet dat niet,' zei ze. 'Iedereen komt ergens vandaan, en heel veel mensen die van hier komen, zijn daar trots op. Voor hen is het geen themapark.' Ze haalde diep adem. 'Het echte leven gaat niet over sprankelende ideeën en nieuwe dingen, weet je. Het echte leven is hard werken, maar wel iets wat je op de lange duur bereikt, en af en toe trakteer je dan jezelf op een cake van de delicatessenwinkel of een mooie theedoek van Cath Kidston, en zo vind je een zeker evenwicht.'

Tess keek haar aan en wist niet wat ze moest zeggen. Ze keek om zich heen; Suggs zat te kletsen met de man die alleen aan de bar zat – het was Guy Phelps, zag ze. Hadden ze hen gehoord? En zo ja, zouden ze het ermee eens zijn? Ze sloot haar ogen, bijna alsof ze pijn had, en Diana haalde haar schouders op. 'Jeetje,' zei ze. 'Dat had ik allemaal niet willen zeggen, Tess. Het spijt me.'

'Het geeft niet,' zei Tess. Ze had het gevoel dat er een zware mist optrok. Ze schudde haar hoofd. 'Echt niet.'

'Te veel wijn. Daardoor komt het. Het gaat mij allemaal niet aan, schat. Ik had het wel tegen Adam willen zeggen voordat hij wegging. De afgelopen tien jaar al, geloof ik.' Diana lachte even. 'En nu heb ik het in plaats daarvan op jou afgereageerd.'

'Het is oké,' zei Tess, een beetje van slag. 'Je hebt waarschijnlijk gelijk.'

'Het is niet oké,' zei Diana. 'Ook al is het waar,' voegde ze er op haar botte manier aan toe. 'Ik ben onvergeeflijk lomp geweest, vrees ik, en ik mag je graag. Altijd al, vanaf dat je acht jaar was en je tijdens het dorpsfeest aan de burgemeester vroeg waarom hij zo dik was.' Tess lachte verbaasd. 'Ik ben blij dat je hier blijft.'

Tess dacht aan Peter, en daarna aan het dichtbundeltje op haar bureau en het arbeidscontract dat ze nog steeds niet had getekend, aan de mist, en de rokerige geur van de naderende winter die avond buiten. Ze nam nog een slokje en drukte Diana's hand. 'Je hebt gelijk.'

Peter zou ergens in een café in San Francisco zitten; zij was er nooit geweest, dus ze kon het zich niet voorstellen zoals ze had gekund als hij in Rome was geweest. In Rome zou hij met een biertje op het Piazza Navona zitten, zijn mooie ogen heen en weer schietend tussen de serveerster en het lange, mooie piazza, met op de achtergrond het geluid van gelach en geklater van de fonteinen, zijn elegante gebruinde vingers die met een suikerzakje speelden... Ze kon hem voor zich zien in Rome, alsof ze samen waren. Ze kon hem niet voor zich zien in San Francisco. Misschien ook in een café, aan het biljarten, en gaf hij zijn metgezellen een klap op de schouder? Nee, Peter hield niet van biljarten – of wel? Ze wist het niet. Er was zoveel wat ze niet wist... Tess keek naar Diana en de kleur op haar wangen kwam terug.

'Je hebt gelijk,' zei ze weer.

'En of,' zei Diana, en ze pakte de glazen met wijn weer op. 'Tot later, schat.'

Tess dronk haar glas leeg en liep naar het prikbord, waar haar oog door iets werd getrokken. Op het versleten, droge kurk hing naast advertenties voor yogales in het wijkcentrum en de cursus bloemschikken van Carolyn Tey een roze brochure van Knick-Knacks, de winkel van Jacquetta Meluish. Tess bekeek hem.

FRAAIE SNUISTERIJEN OM CADEAU TE DOEN
OF OM UZELF TE VERWENNEN

Toen draaide ze zich om, greep haar boek en haar tas en liep de avondlucht in. Het zou fijn geweest zijn als de mist ook was opgetrokken, maar dat was niet zo. Toch liep ze met een lach op haar gezicht naar huis. Ze ruimde een beetje op, legde het programma van de begrafenisdienst in haar dichtbundel van Catullus en zette die naast de bijbel en een paar andere boeken. Ze zou er wel uit komen, wist ze. Daarna ging ze naar bed, en voor het eerst sinds lange tijd sliep ze als een roos.

38

'Kom op, Sandy,' zei Tess op overredende toon. 'Dat hoef je niet hier te doen, doe het maar als we in de villa zijn, het is hier niet zo ver vandaan...'

'Ik ga nú die veters strikken,' zei Sandy. 'Want ik weet dat het er allemaal heel goed geconserveerd is, maar het gras en alles zal wel vreselijk modderig zijn, en ik wil niet dat die schoenen nat worden.' Ze rukte aan haar smetteloze wandelschoenen. In de minibus slaakte Brian de chauffeur een hoorbare zucht.

Tess stampte met haar voeten en sloeg haar armen om zich heen in de bittere kou. 'Dat kun je ook in de bus doen,' zei ze kordaat. Ze klopte Sandy op haar arm en nam haar zachtjes mee de bus in, met een verontschuldigend knikje naar Brian. 'Oké. Is iedereen er klaar voor?'

'Ik zit al veertig minuten klaar,' zei Brian bars. 'Waar gaan we heen?'

'Naar Langford Regis,' zei Tess onbewogen. 'Dat weet je best.'

'Ik vroeg het nog maar even,' zei Brian, en hij zette het busje in de versnelling. 'Alleen maar om te checken.'

'Kun je de verwarming aanzetten?' vroeg Sherry toen het oude voertuig krakend en schuddend de poorten van Langford College uit reed. Op de achterste bank zaten Gerald, de bedrijfsdirecteur, in prachtig tweed gestoken, en Tom, de librettist, die meestal niet veel zei, als de twee stoere schooljongens te knikken.

'Verdomd koud,' zei Gerald. 'Jemig.'

'Ik heb geen idee waarom je juist deze dag hebt uitgekozen voor zo'n uitstapje,' zei Tom, tikkend op zijn crèmekleurige kasjmier sjaal.

'Omdat we alles dan voor onszelf hebben,' zei Tess. 'Ik heb gezegd dat je warme kleren moest aantrekken, Tom. Hier liggen extra truien,' zei ze, wijzend op de bagagerekken. 'Trek er maar een aan als je het te koud krijgt.'

Ze hadden wel gelijk; het was een vinnig koude dag, begin december, en als je ademhaalde deed het achter in je neus en in je keel pijn. De rijp had zich vastgezet op de taxusbomen op het kerkhof; de bloemenmanden voor de Feathers, zwart en overdekt met ijs, hingen er troosteloos bij. Tess klopte even op haar tas om zich ervan te vergewissen dat ze alles had: gids, water, mobieltje en natuurlijk een EHBO-kist. Ze wilde niet de naam krijgen dat ze oude dames de dood in joeg. Ze staarde uit het raam. Het was een mooie dag voor een rit, ondanks de kou; de lucht was helder en de hemel was ijsblauw.

'We zijn toch wel op tijd terug voor de thee, lieverd?' vroeg Sherry.

Jemima keek geschrokken op. 'Ik moet Gideon om drie uur ophalen,' zei ze. 'En Maisie heeft om halfvier fluitles. Ik ben echt bang dat ik al om halfdrie terug moet zijn,' Ze begon lichtelijk hysterisch te klinken, zoals alleen kleinburgerlijke Engelse vrouwen dat kunnen. 'Tess?'

'We zijn ruimschoots op tijd terug,' zei Tess geduldig voor de derde keer. 'Maak je geen zorgen.'

'Ik wil ook vroeg terug zijn, want vanavond wordt de kerstverlichting in Thornham ontstoken, en dat wil ik niet missen,' zei Sherry tegen Jemima.

'Nou, de kinderen zijn al helemaal opgewonden over de kerstverlichting bij óns,' zei Jemima relativerend, en ze dook weer in haar boek.

'Wie steekt hem aan?' vroeg Gerald vanaf de achterbank. 'Vorig jaar in Chislehurst was het Dale Winton. Leuke kerel. Heel grappig.'

'Nou, wij hebben dit jaar Frank Roberts,' zei Sherry trots.

'Wie is dat?' wilde Tom weten.

'Frank Roberts, de rugbyspeler,' zei Sherry. 'Heeft jaren voor Bath gespeeld. Tegenwoordig heeft hij een taxibedrijf.'

'Nooit van gehoord,' zei Jemima zachtjes terwijl ze opkeek uit haar boek.

'Ik wel,' zei Gerald. 'Prop, toch?'

'Klopt,' zei Sherry. 'Hij woont in de buurt, zo'n aardige man! Dus die doet het bij ons. En wie doet het in Langford?'

'Kijk,' zei Tess. Ze tikte tegen het raam toen de bus vaart minderde voor een rood licht bij een zebrapad. 'Als bij toverkracht.'

Ze wees door het raam naar iemand die een poster op een houten telegraafpaal plakte. Het was Jan Allingham, die honderduit kletste tegen een onzichtbaar iemand, terwijl ze vocht met stukken plakband die aan haar vingers plakten. Ze draaide zich om toen ze de bus hoorde, en toen ze Tess achter het raam ontdekte, zwaaide ze uit alle macht, waardoor de stukken plakband tegen elkaar plakten.

'Kom je morgen?' riep ze. Ze was vaag hoorbaar door het glas. 'Kijk!'

Tess zag dat Jan tegen Diana Sayers praatte, die tegen de deurpost van de natuurwinkel leunde. Ze zag Tess achter het busraampje, kneep haar ogen half dicht en lachte terug. Ze mimede iets. Tess kon er niets uit opmaken, maar ze zwaaide lachend terug.

'Dus morgen is het bij jullie?' zei Sherry opgelucht. 'Mooi. Dan zitten we elkaar niet in de weg. Wie doet het?'

'Martin Riviere,' zei Tess, wijzend op de verkreukelde poster die Jan vasthield. 'Weer.' Jemima leek verpletterd.

Martin Riviere (die eigenlijk Martin Trowton heette) was een oude quizpresentator uit de omgeving die na zijn pensionering tien jaar geleden een groot huis had kunnen kopen in het dal naast Langford, en sinds die tijd had men hem – als enige beroemdheid in de nabije omgeving – kunnen overhalen twee keer het kerkfeest te openen in Langford en een keer in Thornham, twee keer het zomerfeest in Langford, had hij een gastoptreden gedaan als de engel Gabriël voor een inzamelactie ten bate van een nieuw orgel en inmiddels drie keer de kerstverlichting in Langton ontstoken.

'O nee, niet weer,' zei Sherry, met het kattige van de lokale rivale. 'Wat sáái.'

Overal in de hoofdstraat was te zien dat het binnenkort kerst was. De verlichting hing al klaar voor de festiviteiten van de volgende dag. De etalage van Knick-Knacks lag vol bruine pakjes met een mooi roodfluwelen lint; Jen's Deli toonde een beschaafde hoeveelheid panettone en smeltkaasjes; maar de rest van de stad was minder bescheiden, in alle andere etalages hingen bordjes met VROLIJK KERSTFEEST, afgezet met zilverkleurig folie, grote plastic

Kerstmannen, kleine paarlemoerkleurige kerstbomen, roze, groene, rode en paarse ballen, en slingers van nepglazen kralen. Zelfs Tess en Liz hadden zich aan een worsteling met de kerstboom gewaagd – Tess was helemaal van de 'meer is meer'-mentaliteit als het aankwam op engelenhaar en ballen, en Liz, die dezelfde overtuiging was toegedaan als haar werkgeefster Jen, hief elke keer dat ze een pluk engelenhaar zag vol afschuw haar handen. Toch waren ze tot een overeenstemming gekomen en hun boom stond fier voor het raam, nadat het bureau was weggehaald, zodat hij de blikvanger van de kamer vormde, net als in alle andere huizen in de stad. In bijna alle andere huizen.

Toen de minibus weer optrok, keek Tess even snel naar Leda House, waar de bloembakken voor de ramen er leeg, nutteloos en een beetje smerig bij hingen. Ze keek naar de dichte luiken.

Lynda greep Sandy's hand. 'Het is hier ijskoud,' zei ze rillend.

'Ik weet het, maar de rit duurt niet lang,' zei Tess geduldig. 'We zijn er over een minuut of twintig. En het is echt prachtig, als je het nog nooit hebt gezien. Het best bewaarde mozaïek van… O, jee.' Haar mond viel open. 'Brian… stop! Stop de bus!'

De voordeur van Leda House stond open – iets wat nooit gebeurde. Ze kon gewoon naar binnen kijken: de hal, de lamp aan het plafond die heen en weer bewoog in de wind.

'Kun je alsjeblieft even stoppen, Brian?' riep Tess harder dan haar bedoeling was.

'Wat?' riep Brian.

'Stop, snel,' zei Tess. 'Ik moet even iets bekijken…'

Brian liet de bus piepend tot stilstand komen, zodat alle deelnemers van de cursus op Langford College naar links helden, en Gerald en Tom moesten elkaar vastgrijpen om te voorkomen dat ze op de grond vielen.

'Niet te lang wegblijven,' zei Brian. Tess keek hem even scherp aan en stapte uit. Ze rende de weg over, en ineens onzeker bleef ze bij het hek naar binnen kijken.

Niemand was meer in Leda House geweest sinds de begrafenis. Jean Forbes had een behoorlijk pensioen ontvangen en zij en haar man hadden onmiddellijk het huis gesloten en waren met een langdurige – en welverdiende – cruisetocht mee. De luiken zaten voor de ramen; er lagen stoflakens over de meubelen. Tess tuurde de duistere hal in en riep: 'Hallo?'

Het geronk van de motor van de minibus achter haar leidde haar af. Ze ging voetje voor voetje verder, tot ze op de drempel stond.

'Adam?' riep ze in het duister. Toen haar ogen gewend waren aan het donker, zag ze een prachtig versleten wijnrood tapijt, en aan de muur rijen afbeeldingen, precies naast elkaar, gravures van ruïnes uit de Oudheid, van standbeelden, zuilen, tempels – alles in zwart-wit. Er kwamen vier witte deuren uit op de hal, aan elke kant twee; ze waren gesloten, en het enige licht dat binnenviel kwam door een andere deur die op de grote tuin uitkwam met zijn smetteloze gazon dat ze slechts één keer even had gezien, toen ze als kind op Adams schouders was geklommen en over de dikke muur heen had gekeken. Tess deed nog een paar stappen. Ze stond nu binnen, op het tapijt.

Ineens hoorde ze voetstappen, een slepend, schuifelend geluid, alsof er iemand in huis was. Er ging een schok door haar heen en ze hapte naar adem.

'Adam?' riep ze nu iets harder, en ze liep naar het trappenhuis achter in de hal en keek naar boven. Ze rende naar boven, tuurde over de overloop tot aan de tweede verdieping, maar alle deuren waren dicht en er kwam geen reactie, geen teken van leven. En het geluid was van beneden gekomen, dat wist ze zeker... Trillend liep ze de trap af, snel naar de voordeur. Ze tuurde op straat, maar Diana en Jan waren verdwenen. Misschien was de deur alleen maar opengevlogen; er was hier niemand. Haar vingers jeukten om de deur van de zitkamer open te doen, en ze had haar hand al om de gladde zwarte deurknop geslagen. Maar ze kreeg hem niet open, iets binnen hield haar tegen. Er was daar niemand, dit was belachelijk. Ze sloot de zware voordeur voorzichtig achter zich en ging terug naar het busje, waar de cursisten met hun gezicht tegen de ruit gedrukt op haar zaten te wachten.

'Sorry,' riep ze. Ze stak weer over en sprong de bus in. 'Sorry, stom van me. Het moet een tuinman of zo geweest zijn. Ik dacht dat er iemand terug was.'

'Een geest misschien,' zei Jemima, en haar hand vloog naar haar keel. 'Jacquetta – ken je Jacquetta Meluish? Die woont naast me. Volgens haar vriendin Carolyn zouden daar géésten zijn...'

Ze keek gewichtig rond naar de anderen.

'Ooh,' fluisterde Sherry.

Brian, niet onder de indruk, knikte en gebaarde met zijn hoofd om aan te geven dat ze moest gaan zitten. Ze huiverde toen de bus weer optrok en keek nog één keer om naar het huis, waarvan de dichte luiken op ogen leken die gesloten waren.

'Het was echt eng,' zei Tess die avond tegen haar huisgenote. 'Ik kreeg het gevoel dat er iemand in het huis was. Ik dacht het echt. Maar er was niemand.'

'Misschien was het een géést.' Liz draaide zich van het fornuis af en likte haar vinger af. 'Misschien de geest van Leonora. Griezelig hoor.'

'Dat zei Jemima ook al,' zei Tess onzeker. 'Maar ik betwijfel het zeer. Ik weet zeker dat het dat niet was. Het was alleen zo... eng.'

'Tja,' zei Liz nuchter. 'Hij moet een keer terugkomen, toch? Adam, bedoel ik.' Ze zweeg even, schudde haar hoofd en zei: 'Maar goed, laten we met de appels beginnen. We kunnen ze in de ijskast bewaren tot morgen. Wil jij ze indopen?'

'Ja,' zei Tess. Ze voelde zich net een kind van vijf, maar ook getroost door Liz' geruststellende toon.

'Hier heb je een stokje,' zei Liz. 'Voorzichtig indopen, hoor. Die suiker is gloeiend heet.'

'Oké,' zei Tess mak. Ze keek snel naar Liz. Francesca had nooit karamelappels gemaakt. Zij, Tess, had na een lange dag werken Francesca nooit in de keuken aangetroffen met iets 'voor later'. En ze had Francesca ook nooit haar lakens zien strijken 'omdat ik toch bezig was en die van jou best ook even kon doen'. Francesca had een dure fles lavendelspray gekocht in een fles van geslepen glas die ze nooit gebruikt had. In de vijf maanden die ze daar had gewoond was dat alles geweest wat ze aan 'strijken' had gedaan.

Tess hield de appel even boven de goudkleurige, borrelende suikermassa. Ze vroeg zich af waar Francesca nu was. Ze moest haar weer eens bellen, het was weken geleden dat ze elkaar hadden gesproken. Natuurlijk miste ze haar niet héél erg, alleen...

'Tess!' riep Liz scherp, maar het was te laat. Tess had de appel met een harde plof in de stroperige massa laten vallen. De meisjes sprongen naar achteren, maar niet ver genoeg; een paar druppels van de kokende suiker waren op Liz' onderarm gekomen. Ze gaf een kreet.

'Shit!' zei ze, en haar bedaardheid was verdwenen. 'Dat doet echt pijn.'

'O, sorry!' riep Tess. 'O, hemel! Wat erg!'

'Het gaat al weer,' zei Liz. Ze tikte tegen haar arm. 'Het prikt alleen. Meer niet! Eh...' Ze draaide zich om naar Tess. 'Ga jij maar even rustig zitten in de woonkamer. Ik maak het hier af, en dan gaan we straks eten. Is dat oké?'

'Jazeker,' zei Tess ernstig, een glimlach onderdrukkend. 'Dat zal wel lukken. Laat maar horen als je me nodig hebt.'

In de woonkamer keek ze vanaf de bank naar de boom met zijn fonkelende lichtjes, de kleine gipsen engel bovenin die Liz de vorige week had gevonden op een liefdadigheidsmarkt in de kerk. Het was al over bijna drie weken kerst, maar ze had nog helemaal geen kerstgevoel.

Ze dacht terug aan het jaar ervoor en de flat in Balham, toen zij en Meena een boom hadden gekocht bij een sjofel mannetje in de winkel op de hoek, die ook illegaal vuurwerk verkocht. Ze hadden de boom door de straat gesleept, angstvallig hondenpoep ontwijkend, en toen hij eenmaal in de volle, koude zitkamer stond, hadden ze hem liefdevol opgetuigd met rode, groene en goudkleurige slingers, plastic lampjes, een paar gouden oorringen die Tess bij Accessorize had gekocht, en bovenin een verenboa die Meena de zomer ervoor had gedragen op een bruiloft. Ze hadden in stilte met hun armen om elkaar heen gezeten en wijn gedronken, en daarna was Tess naar bed gegaan en had ze de hele nacht liggen huilen. Want al was het twee maanden geleden dat Will bij haar was weggegaan, pas die nacht was het tot haar doorgedrongen dat het echt voorbij was. Ze zou weggaan uit Londen.

Tess trok haar benen onder zich op de bank en tuurde weer naar de boom. Ze was nu bijna een jaar terug. Wat miste ze aan Londen? Meena, dat zeker. De flat, het bed met de losse veer die in haar rug prikte en de hond van de buren die de hele avond jankte?

Nee. Fair View, de school met die optimistische naam waar ze les had gegeven? Nee. En toch – ongewild gingen haar gedachten terug naar eerder die dag, toen haar cursisten rondliepen in de ruïnes van de villa. Gerald, die op zijn horloge keek en had gezegd: 'Niet te geloven dat hier zoveel geld aan wordt gespendeerd. Echt belachelijk.'

'Dit zijn de mooiste mozaïeken die we van de Romeinen hebben overgehouden,' had Tess gewezen, terwijl ze met haar voeten in de kou stampte om iets van haar agressie af te reageren.

'Jawel, maar ik ben er niet voor om zoiets in stand te houden,' zei Gerald nonchalant. 'Als die Romeinse tent niet bedoeld was om te blijven staan, dan was het niet zo bedoeld. Er kan veel beter geld gestoken worden in het verbreden van de weg hier. Echt belachelijk, dat een snelweg maar één baan heeft op zo'n drukke plek.'

'Dat ben ik met je eens, Gerald,' zei Lynda. 'We hadden er geen uur over hoeven doen om hier te komen. Dat is belachelijk. Nu zijn we ook te laat terug. Ik weet niet wat ze denken.'

Wie denkt wat, wilde Tess vertwijfeld vragen, maar ze wilde zich er niet mee bemoeien en tot haar spijt zei ze dus niets, maar weer dacht ze eraan hoe fijn ze het vond om over de Klassieke Oudheid te onderwijzen, dat ze ervan genoot deze mensen iets nieuws te leren, maar jemig, vergeleken bij haar eerste groep was er geen eer mee te behalen. Als je een stel verveelde veertienjarigen kon boeien met verhalen over de Romeinen die alle volken overwonnen, van Turkije tot de meest onontwikkelde Britse stammen, over de Grieken die de Olympische Spelen bedachten, over de generaal die in de eerste Golfoorlog strategieën toepaste die al genoteerd waren door de eerste geschiedschrijver, Xenofon, omdat de geschiedenis zich helaas altijd herhaalt, dan – dán had je het gevoel dat je mensen iets leerde. Als je naar iemand als Gerald Mottram moest luisteren die liep te bazelen dat er meer wegen moesten komen... Wat een stom werk.

'Een stuiver voor je gedachten,' riep Liz vanuit de keuken. Tess zuchtte.

'Niet de moeite waard. Wil je een glas wijn?'

'Nee, dank je,' zei Liz. 'Ik moet helder blijven, weet je.'

Tess bleef voor zich uit staren. 'De hoeveelste is het morgen?' zei ze ineens.

'Eh...' Liz likte suiker van haar vingers. 'Zeven december.'

Tess schoot rechtop. 'Is dat morgen?'

'Jep,' zei Liz. 'Het is bijna kerst. Hoezo, wat is er voor bijzonders op de zevende?'

'Niets,' zei Tess. 'Dat is iemands verjaardag. Meer niet.'

39

Het was een heldere, zonnige middag. Over de weilanden hing een glinsterende nevel die bedrieglijk zomers aandeed; het gras was goudgeel, en het groen-zwart van de taxusbomen op het kerkhof omlijstte het uitzicht over het dal.

St Mary was een oude kerk, het oudste gebouw van de stad. Het stond achter de hoofdstraat en keek uit over het land, met zijn kleine maar perfect geproportioneerde stenen muren die in de loop der eeuwen een goudgrijze tint hadden gekregen. Op deze tintelfrisse dag was er niemand behalve Tess. Ze sloot het hek achter zich en liep energiek het pad op; de vage geur van eucalyptus drong in haar neus toen ze het portaal passeerde, dat versierd was met kersttakken.

Ze liep de begraafplaats op, die zich uitstrekte achter de kerk en uitkeek over de heuvels, en koos een pad tussen de graven door, terwijl de roeken zich luidkeels in de bomen lieten horen. Steeds weer zag ze dezelfde familienamen, Taylor, Frobisher, Edwards, op de met mos begroeide stenen die enigszins achteroverhelden, alsof ze stonden te sluimeren in het bevroren, ijsblauwe gras. Het uitzicht was prachtig. Het was een mooie plek om in eeuwigheid te rusten, dacht ze.

Aan de rand van het kerkhof bleef ze staan met de kleine kerstster die ze in de bloemenwinkel had gekocht. Ze had het graf gevonden waarnaar ze zocht.

PHILIPPA SMITH

GELIEFDE MOEDER VAN ADAM

7 DECEMBER 1943 – 9 APRIL 1995

Iemand had onlangs het gras geknipt en een krans neergelegd; Tess keek ernaar en dacht er verder niet over na. Voorzichtig zette ze het plantje op de gladgestreken aarde. Het was doodstil. Ze hoorde een roek en een auto op de weg die in de richting van de uiterwaarden reed. Meer niet. Het zonlicht werd gefilterd tussen de kale takken waar de vogels nesten hadden gebouwd, en wierp een wazig licht over de graven. Ze haalde diep adem.

'Gefeliciteerd met je verjaardag, Philippa,' zei ze.

Toen ze de krans wat beter bekeek besefte ze dat hij gloednieuw was. Philippa was zeer geliefd geweest, dus het was niet zo vreemd, maar deze krans was prachtig: weelderige, glanzende blaadjes en witte lelies, met daartussen rode hulsbessen en bovenop een kaartje, in een handschrift dat ze niet herkende.

Voor mijn lieve moeder. Ik mis je elke dag. Adam xx

Tess tuurde naar het kaartje, ineens had ze het warm ondanks de kou, maar toen besefte ze dat hij iemand moest hebben opgedragen om die krans hier af te leveren. Het was niet het handschrift van Adam, maar van een vreemde. Ze moest tot bedaren komen. Ze deed haar ogen dicht en dacht aan Philippa. Vreemd om te bedenken dat ze vandaag vijfenzestig zou zijn geworden – ze was ouder dan de moeder van Tess, en toch had ze altijd jonger geleken, jonger dan de meeste ouders van haar generatie. Misschien kwam het door haar mentaliteit. Waar had ze die vandaan? Tess ademde in en zag Philippa weer helemaal voor zich: haar dansende krullen, haar gretige, brede glimlach, haar voorkeur voor roestbruine kleren, rieten tassen, wijde rokken met diepe zakken, waar ze altijd vol enthousiasme haar handen in stak, haar enorme obsessie voor tajines, wierookstokjes en mango's. Ze was dol op mango's – die waren er altijd bij de avondmaaltijd, maar Tess en Stephanie hadden er een hekel aan. Ze lachte even. Misschien moest ze een mango eten als eerbetoon aan haar en haar zoon.

'Tess?' klonk een stem achter haar. Tess slaakte een kreet en viel bijna om van schrik. Ze greep de grafzerk om steun te zoeken. Ze draaide zich om.

'Adam?' zei ze. Achter haar, zwart afgetekend in de felle zon, stond een silhouet, met iets in zijn handen. Ze kneep haar ogen half dicht. 'O, jezus,' zei ze. 'Adam! Je bent het echt, hè? Jezus christus nog aan toe.'

'Dat is niet echt vrome taal op een kerkhof, Tess,' zei de figuur terwijl hij op haar toe liep. 'Je staat bij het graf van mijn moeder. Wil je niet vloeken als een bootwerker en haar grafzerk als armsteun gebruiken?'

Het was Adam. Hij droeg een lange grijze jas; hij leek er langer door. Zijn gezicht was verweerd en gebruind, lachrimpeltjes waren rond zijn mondhoeken geëtst. Ze kwam lachend overeind staan en vloog op hem af.

'O, jezus!' riep ze weer terwijl ze hem stevig omhelsde. 'Je bent terug!'

Hij sloeg zijn armen om haar heen en trok haar dicht tegen zich aan. 'Fijn je te zien, Tess,' zei hij, en het was heerlijk om zijn stem te horen. Ze besefte hoe erg ze hem had gemist. 'Het is verdomd fijn om je te zien.'

Ze maakte zich los en glimlachte breeduit. 'Adam Smith.'

'Je wist het nog,' zei hij, met een blik op zijn moeders graf. 'Wat geweldig. Je wist het nog.'

'Natuurlijk,' zei ze, en ze omhelsde hem nogmaals. 'Welkom terug.'

Hij was nog dezelfde Adam, maar toch anders. Volwassener. Afstandelijk, misschien. Hij had een paar takken met rozenbottels en hulst bij zich, zorgvuldig omwikkeld met twijndraad, en een gedeukte thermosfles met koffie.

'Dit is het enige wat in de tuin van Leda House groeit,' zei hij, nadat hij ze voorzichtig op het graf had gelegd en ze een tijdje zwijgend, ieder met zijn eigen gedachten, waren blijven staan. 'En ze was dol op rozen.' Ze liepen terug naar de lage muur aan de rand van het kerkhof, waar Adam een mok koffie inschonk en aan Tess gaf. Hijzelf nam een slok uit de fles. Ze vervielen wederom tot stilzwijgen.

Ten slotte zei Tess: 'En? Waar ben je geweest?'

Hij glimlachte. 'In Marokko.'

'Dat had ik al begrepen,' zei Tess.

'Sorry dat ik niets heb laten horen,' zei Adam openhartig. 'Ik wist eerlijk gezegd niet waar ik heen zou gaan. Ik wist alleen dat ik... weg moest. Pas toen ik ver weg was besefte ik hoe erg het was geworden. Hoe... rot ik me voelde.'

'Ja?' zei ze.

Hij knikte. 'Over alles. Die beroerte van Leonora. Dat ik het ineens allemaal onder ogen moest zien. Onze ruzie. Het spijt me.' Adam sprak op zachte toon, met zijn blik neergeslagen, terwijl hij de thermosfles tussen zijn benen klemde. 'En toen... haar dood. En alles wat daarna volgde. Het wachten tot haar lichaam hierheen werd gebracht. Verdomme.' Hij ademde in alsof het pijn deed en sloot zijn ogen. Hij ging iets rechter zitten. 'Allemaal tegelijk. Jemig. De begrafenis – die begrafenis.' Hij richtte zijn blik nu op de zerken van de Mortmains, opzij van de kerk, en het onlangs gedolven graf. 'En... weet je nog hoe heet het was? Die nachten. Ik deed geen oog dicht. Wat ik ook deed, hoe ik ook probeerde mezelf af te matten, ik kon niet slapen.'

Er viel een stilte.

'Heb je iets van haar gehoord?' vroeg hij rustig.

'Van Francesca? We hebben elkaar een paar keer gesproken. Vorige week kreeg ik een e-mail van haar. Ze maakt het goed.'

'Heb je haar gezien? Is ze...'

'Ze maakt het goed,' zei Tess weer.

Hij knikte, alsof hij het begreep. 'Ik moet met haar praten.' Tess knikte ook even. 'Ik heb haar zo slecht behandeld. Die laatste avond voor ik wegging. We gingen helemaal over de rooie. We reageerden ons op elkaar af.' Hij sloot zijn ogen even.

'Wat gebeurde er?' vroeg Tess zacht.

Hij keek haar behoedzaam aan. 'Het was allemaal heel dramatisch, maar als ik er nu op terugkijk was het stom. Ze sloeg me.'

'Echt?' Tess kon het haar niet echt kwalijk nemen. 'Hard?'

'Nogal.' Hij schudde zijn hoofd. 'Ze heeft me een paar rake waarheden verteld. Toen heb ik jouw etagère op de grond gesmeten,' zei hij. 'Ik was razend. Sorry, schat. Ik weet hoe je eraan gehecht was.'

'Geeft niet,' zei Tess met een zweem van een glimlach om haar mond. 'Ze heeft tegen mij ook een paar rake dingen gezegd. Ze had...'

'... gelijk,' zeiden ze als in koor.

'Je hebt haar slecht behandeld,' zei Tess. Het was een vaststelling.

'Ja,' zei hij. 'Niet omdat ik haar niet aardig vond. Ik heb een hoop mensen slecht behandeld.' Hij nam nog een slok koffie. 'God, wat een gedoe. Genoeg drama. Vertel eens hoe het met jou gaat. Wat is er met Peter gebeurd?'

Ze keek hem verbaasd aan. 'Adam, we zijn op een kerkhof. Het is de geboortedag van je moeder, je bent net terug na bijna vier maanden, we mogen best dramatisch doen. Wat denk je nou toch?'

Adam keek haar even aan en stootte een lach uit. 'Je hebt gelijk.'

'Natuurlijk,' zei ze. 'Ik weet niet eens waar je hebt gezeten. Vertel.'

'Ik ben naar Marokko gegaan.'

'Ja, dat had je al verteld,' zei ze. 'Iets meer details, graag.'

'Goed, goed.' Hij hief zijn handen en schoof een stukje op om haar beter te kunnen aankijken. 'Nou, ik heb eigenlijk niet veel gedaan. Ik ben naar Spanje gevlogen, met de boot naar Noord-Afrika gevaren, en toen ben ik van stad naar dorp gereisd, liftend. Ik ben in het Atlasgebergte geweest. Op allerlei verschillende plaatsen.' Hij zweeg en haalde adem. 'Ik wist niet waar ik naartoe ging. Het was... fantastisch. Soms bracht ik een nacht door bij een gezin in een piepklein huis, soms op een prachtig landgoed met een terras en een fontein. Een keer heb ik in een tent geslapen, ergens in een uithoek van de woestijn.'

'Wauw,' zei Tess terwijl ze dromerig voor zich uit keek. 'Dat moet heel bijzonder zijn geweest.'

'Jij zou het fantastisch hebben gevonden, daar moest ik steeds aan denken,' zei hij. 'En weet je, ik moest er ook steeds aan denken dat mijn moeder het ook fantastisch zou hebben gevonden. Zij was dol op dat eten. Weet je nog, die tajines?'

'Wat toevallig, ik stond juist te denken aan alle dingen waar ze dol op was toen jij kwam,' zei Tess. 'Hoe dol ze was op tajines. En vooral op mango's. Ik vraag me af van...'

Ik vraag me af van wie ze dat had, wilde ze zeggen.

De sfeer was veranderd. Adam keek haar zijdelings aan en tuurde toen weer recht voor zich uit. 'Nu weer terug naar de realiteit van alledag, neem ik aan.' Hij dronk de rest van de koffie leeg en draaide de dop op de fles. Hij schraapte zijn keel. 'Maar eh... hoe is het jou vergaan? Hoe is het hier?'

'Nou,' begon Tess zo luchtig mogelijk. 'Er valt eigenlijk niet zoveel te vertellen. Vanavond wordt de kerstverlichting aangestoken.'

'O ja,' zei hij vlak.

'Ik heb een nieuwe huisgenote.'

'Wie is het?'

'Liz.'

'Liz? O... o ja, Liz.' Een opwelling van schaamte verscheen op zijn gezicht, ook al probeerde hij nonchalant te kijken, en toen lachte hij hoofdschuddend. 'Ja. Die is aardig.'

'Jep,' zei Tess, die er eigenlijk niet meer over wilde zeggen. 'Ze is heel aardig.'

'Maar anders dan Francesca, wed ik.'

'Nou, zeker. Heel... ordelijk.'

'Hm.' Zijn ogen twinkelden. 'Weet je nog dat Francesca een kist champagne bestelde voor mijn verjaardag, en dat ze toen de fles schudde voordat ze hem opendeed omdat ze wilde weten hoe het was om winnaar van de Formule 1 te zijn? God, het spoot alle kanten op.' Hij grinnikte bij de herinnering.

'Nee, dat weet ik niet,' zei Tess nuffig.

'O.' Hij probeerde zijn lachen te houden. 'Nou, waarschijnlijk was je er toen niet. Zat je in de tearoom, of was je aan het kletsen met Jan en Diana over degelijke sokken, en waar je die moest kopen.'

Tess slaakte een kreet van woede. 'Zo erg was het niet met me. Toch?'

'Nou, een beetje wel,' zei hij. 'Tot je naar Rome ging.'

Ze knikte een beetje te gretig. 'Ja.'

'Waarschijnlijk had je na je vertrek uit Londen behoefte aan een periode waarin je niets hoefde.'

'Wat bedoel je?' Tess was niet blij met de wending die het gesprek nam.

'Je weet wel, je epileerde je wenkbrauwen niet meer. En je droeg van die dikke vesten,' zei Adam onbekommerd. Tess schudde vol ongeloof haar hoofd.

'Je weet het wel charmant te brengen, hè?'

'Komt door jou,' zei hij. Hij gaf haar een duwtje en zei toen berouwvol: 'Ik maak maar een geintje. Je weet... je weet dat ik het niet meen.'

Ze legde haar arm om hem heen en klopte op zijn rug.

'Wat voor gevoel heb je nu over... over alles?' vroeg ze.

'Je bedoelt de situatie Mortmain?' vroeg hij, elk woord nadrukkelijk uitsprekend. 'Ik weet het niet, Tess. Ik moet nog een hele hoop regelen, ik ben er nog echt niet uit.'

Ze kneep in zijn schouder. 'Wat moet je het eerst doen?'

'Mensen opzoeken, mijn neus laten zien.'

'Adam...' zei ze. 'Je moet weten dat je hier momenteel niet een van de populairste figuren bent.'

'Juist,' zei hij. Hij schrok even. 'Om wat er met de uiterwaarden gebeurt.' Hij keek omhoog naar de torenspits, alsof achteromkijken hem te veel was. 'Ik moet besluiten wat ik moet doen.'

'Ze zijn al begonnen, dat weet je toch.' Misschien wist hij het niet. Misschien waren ze zonder zijn medeweten van start gegaan. 'De mensen in de stad zijn...'

Adam spande zijn kaakspieren 'De mensen in de stad,' zei hij terwijl hij haar arm van zijn schouder haalde. 'Mijn hele leven gaat het al om mensen in de stad die alles bepalen. Wat maakt het uit wat zij denken?'

'Ze wonen hier, Adam,' zei Tess vriendelijk. 'Ze vinden het hier fijn. Het zal alles veranderen.'

Hij zette zijn handen in zijn zij en staarde voor zich uit. 'Nou, ze wisten dat het ging gebeuren. En waar waren zij toen mijn moeder hier kwam wonen en niemand haar een blik waardig achtte omdat ze niet getrouwd was en zwanger en alleen? Waar waren ze toen ze stierf? Toen...'

'Dat is niet eerlijk.' Tess ging naast hem staan. Ze zei: 'Weet je nog dat Diana je heeft geholpen het huis leeg te halen? Dat Mick je bij hem heeft laten logeren, al die nachten waarin jij te dronken was om de weg naar je eigen huis te vinden? Dat mijn vader en moeder je geld hebben geleend voor de begrafenis?' Haar keel was dik. 'En Ron, ja, ik weet dat hij een bemoeial is en een gekke ouwe man, maar hij heeft je een zak met kleren gegeven voor het geval je iets nodig had. Ze wilden je helpen. Jij wilde alleen hun hulp niet.'

'Nu ben jij niet eerlijk,' zei hij, maar wel op milde toon. Hij liet zijn armen langs zijn lichaam vallen. 'O, Tess, ik wil dit niet allemaal opnieuw. Daarom ben ik weggegaan... Ik moet er niet aan denken.' Hij boog zijn hoofd. 'Die verrekte erfenis. Dit allemaal.' Hij wees naar de grafstenen van de familie Mortmain. 'Ik heb er niet om gevraagd. Ik heb er nooit met mijn moeder over kunnen praten, ik weet niet hoe zij ertegenover stond. Het is... het is alsof ik veel van haar niet heb geweten, ik hield zoveel van haar, en zij heeft het voor me verborgen gehouden.'

'Ze zal er haar redenen voor gehad hebben,' zei Tess. 'Je moeder was een verstandige vrouw. Ze was fantastisch. Als ze het je niet heeft verteld, had ze er een reden voor. Ze wist hoe Leonora was...' Ze zweeg tactvol.

'Ze wist dat haar eigen moeder een loeder was, bedoel je,' zei Adam somber. 'Ik vraag me steeds af... Wie was mijn grootvader? Wie was de vader van mijn moeder? Want dat moet een geweldig man zijn geweest, als hij het tegen Leonora heeft kunnen opnemen.'

'Misschien is ze veranderd,' zei Tess. 'Dat weet je niet.'

'Ik weet het niet,' erkende Adam. 'Maar ze heeft zichzelf onmogelijk gemaakt. En ze wilde me niets vertellen. Daardoor zal ik haar nooit mogen, weet je.'

'Dat is vreselijk om te zeggen.'

Zijn ogen waren kil. 'Misschien, maar als allebei je ouders dood zijn en je hebt je vaders familie decennia lang niet gezien, en de enige familie die je hebt bestaat uit deze... deze vrouw die naar je kijkt met...' zijn gezicht verwrong en hij sprak haastig '... met háát in haar ogen, Tess, alsof je voor haar het laagste van het laagste bent omdat ze je moeder haatte, omdat ze zich ervoor schaamde dat ze een dochter had en een kleinzoon... en je niets kunt doen om haar op andere gedachten te brengen... Dat is behoorlijk zenuwslopend.'

'Ze was niet erg beminnelijk,' zei Tess.

'Nee, inderdaad.' Adam knikte. 'Al die jaren heb ik dit geheimgehouden omdat het moest, en ik heb geprobeerd...' Hij schudde zijn hoofd. 'Ik heb geprobeerd haar tegemoet te komen. Maar ze gaf me niets. Ze reageerde nergens op. Ze deed alsof het haar niets kon schelen. Ik ging twee keer per jaar bij haar op de thee, en dan verweet ze me anderhalf uur lang dat ik haar en de familie Mortmain te schande maakte, dat ik had moeten gaan studeren, waarom ik geen baan had. Wat ik met mijn leven wilde gaan doen. Meer niet. En daarna kon ik het aan niemand vertellen.'

'Ook niet aan mij?'

'Ze stond erop dat ik het aan niemand vertelde. Ze zei dat ze het wel zouden horen als ze dood was, en daarmee was de kous af.' Adam kreeg een bedroefd trekje om zijn mond. 'Ik wilde er met jou over praten. Maar je weet heel goed dat we niet meer zo close waren na wat er allemaal was gebeurd. Ik behandelde jou afschuwelijk. Ik kon je niet met nog meer belasten. Ik denk dat je trouwens niet zou hebben geluisterd.'

Tess wist niet wat ze moest zeggen. Na al die jaren waarin ze afstand van hem had genomen, de vriendschap had verloren die zoveel voor haar betekende, en die later bleek hersteld te kunnen worden, jaren waarin ze zich had afgevraagd wat hij in vredesnaam dacht en waarom hij was zoals hij was, had hij al zijn geheimen in vijf minuten aan haar prijsgegeven. Ze trok aan zijn arm.

'Hoor eens, Adam. Ik weet dat het moeilijk zal worden, maar je hebt gedaan wat het beste was. En je weet het, ik ben er voor je, maat.'

Hij glimlachte. 'Dank je.'

'Ik meen het. Je kunt wel wat vriendschap gebruiken.' Ze knikte. 'Sorry dat ik er niet eerder voor je was. Maar nu ben ik er. Het komt goed, alles. Je redt het wel. Het is een nieuwe start, weet je nog? Niet teruggaan in het verleden.'

Adam knikte. 'Je hebt gelijk,' zei hij, iets opgelucht. 'Nu het testament vrijwel geregeld is en ik alles op een rijtje heb, kan ik weer vooruitkijken. Ik moet het verleden gewoon achter me laten.'

'Dat is een goed voornemen,' zei ze nadrukkelijk.

'Misschien wij allebei,' zei hij. Hij stak zijn hand uit, zij schudde hem en daarna legde hij zijn arm om haar heen en trok haar tegen zich aan. 'Zin in een drankje?' vroeg hij. 'Als je denkt dat ik mijn gezicht kan vertonen in de pub.'

'Ik ben bij je,' zei ze. 'Vergeet het niet, dat is een belofte.'

'Oké,' zei hij. 'Bedankt, Tess.'

'Maar niet meer met mijn huisgenootje slapen, oké?'

'Dat beloof ik ook.'

Ze liepen over het kerkhof, hij nog steeds met zijn arm om haar schouder. Tess had ijskoude voeten, zo koud dat het bijna pijn deed. Ze stampte met haar laarzen op de grond.

'Het is hier prachtig, dat moet ik zeggen,' zei Adam. 'Al die tijd in zo'n totaal ander landschap heb ik eraan gedacht hoe het was om hier terug te zijn.' Hij keek omlaag naar het dal. 'Al die mensen die hier vóór ons zijn geweest. Zij hebben hetzelfde uitzicht gezien.'

Ze draaiden zich om naar de kerk, om het graf van de Mortmains niet te hoeven zien. 'Denk je dat je je naam verandert?' vroeg Tess.

'Nee,' zei Adam. 'Dat gaat me te ver. En bovendien kleven daar allerlei dingen aan. Dingen die ik niet wil.'

Ze stonden nu voor de kerk, in de schaduw van het gebouw. Tess stampte nog eens met haar voeten en bleef voor een rij graven staan, terwijl ze in de zak van haar jas naar haar handschoenen zocht. Ze tuurde naar het graf voor haar.

'Adam...' zei ze. 'Philip, Adam.'

'Wat?' Adam bond zijn sjaal iets vaster. Ze wees.

'Philip Edwards. Adam...'

En ze las:

In liefdevolle nagedachtenis van
Philip Edwards
1924-1943
*
Hij stierf voor zijn land, zodat wij in vrijheid konden leven
Beminde zoon van Thomas Edwards, dominee van deze parochie, en Mary Edwards
*
Broer van Primula Edwards
*
Ik ben zo lang bij jullie geweest,
en toch ken je me niet, Filippus?

Ze tuurden allebei naar de steen. Er viel een stilte die minstens een minuut duurde.

'Philip Edwards,' zei Adam. 'Mijn god.' Hij boog zijn hoofd en probeerde tot zichzelf te komen. 'Weet je nog, een van de lezingen waar Leonora voor de begrafenis om had gevraagd.'

'Ik weet het nog,' zei Tess. Ze had het programma van de dienst zo'n twintig keer doorgenomen. De ene gedachte na de andere kwam in haar hoofd op. 'Dat is hem. Ze... ze heeft een keer zijn naam geroepen. Toen ze...'

'Wat?'

'Vlak voordat ze die beroerte kreeg.' Tess wist het nu weer even goed alsof ze daar ter plekke was. Ze kon het verkeer horen, de uitlaatgassen ruiken, de woede en de haat zien, de blik vol – was het wanhoop? – in de ogen van de oude vrouw. *Waar is Philip? Waar is hij?* 'Hij moet het zijn. Dat moet.'

Adam schudde langzaam zijn hoofd. 'Mijn god.' Hij keek weer naar het graf. 'Dus jij was het, oude heer,' zei hij. Hij tuurde met wijdopen ogen. 'Hij was nog maar negentien.'

'Je kunt op onderzoek gaan...' begon Tess. 'Bewijzen zoeken. Misschien zijn er familieleden...'

Hij legde haar met een glimlach het zwijgen op. 'Ik weet het zeker. Dat is het gekke.' Hij spande zijn schouders en liet ze zakken. 'Juist,' zei hij terwijl hij zijn adem uitblies. 'God, wat een welkom.'

'Hij is bij zijn dochter,' zei Tess. 'Op hetzelfde kerkhof. Zou hij het ooit hebben geweten?' Ze beet op haar lippen en tranen sprongen in haar ogen. Ze draaide zich om, zodat hij niet zag dat ze van streek was.

'We zullen het nooit weten.' Adam pakte haar hand. 'Kom, we gaan wat drinken, Tess. Dat hebben we wel verdiend.' Ze liepen naar het hek. 'Gefeliciteerd, mam,' zei hij zachtjes toen ze de hoofdstraat in liepen, in de richting van de Feathers. 'Ik mis je.'

Oktober 1943

Toen ze het aan haar moeder had verteld, werd ze naar haar kamer gestuurd als een klein meisje. Een klein meisje met een zwangere buik van zes maanden.

'Ga naar je kamer, Leonora.'

'Moeder...'

'Ga naar je kámer.' Leonora had haar moeder nog nooit zo – wat was het? – zo boos gezien? Nee. Bang, dacht ze. De angst stond tegenwoordig op ieders gezicht gegrift, ook al probeerden ze het te verbergen, te doen alsof alles in orde was; maar Leonora kon het die zonnige herfstdag overduidelijk aan haar moeders gezicht aflezen toen ze eindelijk de moed had om het haar te vertellen.

'Het... het spijt me,' fluisterde Leonora. Ze greep de fijne batist van haar jurk; hij was gekreukt, haar handen waren klam. Het was koud in haar moeders zitkamer; de haard werd nu niet gebrand, een groot deel van het huis was afgesloten. Ze gingen er een meisjespensionaat van maken, en tot haar vaders ongenoegen maakte de familie zich klaar om naar de stad te verhuizen, naar Leda House, het ouderlijk huis van haar moeder.

Alexandra Mortmain keek uit het raam naar de zwarte ijzeren hekken voor de ingang. Ze slikte, en Leonora voelde zich onpasselijk, erger dan de misselijkheid die haar nu al maanden in zijn greep hield en nooit meer leek weg te gaan. Haar moeder was ook bang. Dat maakte het nog erger.

'Moeder, ik heb je nog niet alles verteld... Wie...' Ze zweeg. Ze wist gewoonweg niet hoe ze dit moest zeggen. Het was Philip, Philip Edwards, wilde ze zeggen. Ik hou van hem, altijd al! We gaan trouwen, moeder, hij komt over een maand met verlof, dan vertel ik het hem! Ergens in Leonora's hoofd zat een kiem van een gedachte dat misschien, heel misschien, alles nog goed zou komen. Zou dat kunnen? Tijdens een huwelijksmis werd er gezegd 'met mijn lichaam aanbid ik u', toch? Want dat deed hij in elk geval, en wat er was gebeurd was het gevolg van zijn liefde voor haar en van haar liefde voor hem. Ze hield van hem, ja... Maar als ze helemaal eerlijk was tegenover zichzelf, wist ze dat het niet zou gebeuren. De blik van afschuw, walging en angst op het gezicht van haar moeder sprak boekdelen.

Maanden had Leonora het geheim voor zichzelf gehouden; ze wist zeker dat Eleanor, het dienstmeisje, er iets van vermoedde. Want elke ochtend moest ze overgeven, ze was zelfs de hele dag misselijk. Ze had het gevoel dat ze binnenstebuiten werd gekeerd. Ze wist niet wat het was, want menstruatie was iets waar je alleen over sprak als het echt niet anders kon, en het uitblijven van haar maandelijkse ongemak hield ze daarom voor een van de symptomen van een ziekte waaraan ze scheen te lijden. Ze was stervende; ze zou gestraft worden voor wat ze met Philip had gedaan, voor haar liefde voor hem.

Pas toen ze het kind voelde bewegen en schoppen toen ze vijf maanden zwanger was, besefte Leonora wat er gebeurde. Wat moest ze doen? Ze kon niets doen, helemaal niets. Ze kon het aan niemand kwijt. Ze had het Eleanor kunnen vertellen, maar die was er niet omdat ze tewerk was gesteld in Home Farm. Ze had geen vriendinnen, want deze jonge dochter van de familie Mortmain was niet door haar ouders gestimuleerd om vriendschap te sluiten met de meisjes op school. Ze kon het niet aan Philip kwijt – hoe kon ze dit in een brief vertellen?

Op een dag sprong een van haar vaders honden, waarvoor ze even bang was als voor haar vader, tegen haar op en duwde haar bijna omver. De honden kregen altijd net iets te weinig eten, om ze scherp te houden voor het geval iemand zich op hun grondgebied waagde. De zwarte, uitdrukkingsloze ogen van Tugendhat, zijn gegrom en zijn kwijlende bek maakten haar doodsbang.

Toen ze wist dat ze geen andere keus had, gaf dat haar op de een of andere manier de nodige moed. Ze klopte op een middag aan bij haar moeder, hief haar kin en wachtte op het enigszins knorrige, prikkelbare 'Ja?' voordat ze de kamer in ging en het haar vertelde.

Leonora zat tien minuten later in haar kamer met haar benen te schommelen op de rand van het oude bed, dat kraakte onder haar wiegende beweging. De baby bewoog in haar buik; ze wreef er zachtjes overheen, zoals ze alleen kon doen als er niemand bij was. Ze keek uit het raam en probeerde een ritme te vinden in haar bewegingen; de gordijnen rond het bed gingen licht heen en weer en verspreidden een waas van stof dat wervelde in de gouden gloed die door het raam naar binnen viel. Ze kon niets anders doen dan het hun vertellen.

Ze dacht aan de laatste keer dat ze Philip had gezien bij een thé dansant dat haar ouders hadden gegeven ter gelegenheid van kerst. De oorlog zal ons niet tegenhouden, zei iedereen; wij gaan door met onze kerkfeesten, thé dansants, met ons leven. Ze hadden de hele avond naar elkaar geglimlacht, elkaar kort gesproken waar anderen bij waren en tersluikse blikken gewisseld, in de wetenschap dat ze elkaar op een bepaald moment zouden spreken. Toen Leonora terugkeerde uit de keuken, waar ze had toegezien op het bereiden van de limonade, was Philip stil uit de schaduwen opgedoken en had hij haar meegenomen naar de gang achterin die naar de moestuin leidde en waar de laarzen en de jassen van de bedienden lagen. Ze kusten elkaar zonder een woord te zeggen, en ze snakte naar adem, geschokt door haar eigen genot, verbaasd toen hij met zijn handen langs haar blote benen ging, haar jurk losknoopte, haar lichaam kuste, haar borst betastte, en brutaal haar handen naar de voorkant van zijn broek bracht zodat ze kon voelen wat voor effect ze op hem had. Hij had verder willen gaan...

'Nee,' zei ze, een lach smorend. 'Niet hier, Philip... Dat kan toch niet!'

'Maar ik moet weg,' zei hij, terwijl hij haar in haar hals kuste. 'Ik verlang zo naar je, Rara.'

'Dat weet ik,' zei ze op geruststellende toon, en ze streelde hem in zijn geschoren nek. 'Gauw, dat beloof ik.'

'Heel gauw,' zei hij, haar opnieuw kussend. 'Mijn Atalanta.'

Ze lachte weer zacht en legde haar hoofd op zijn borst; hij streelde haar haar en zuchtte. Vanuit de grote zitkamer zweefden de klanken van een plaat die werd gedraaid op de opwindgrammofoon.

'Wat is dit?' vroeg ze. 'Wat spelen ze?'

'Ik heb het in Londen gehoord,' zei hij. 'Ze spelen het daar aldoor in de officiersmess.' Ze wiegden langzaam mee, zij samen, een silhouet in het licht van de ondergaande zon dat binnenviel, en hij zong zachtjes de noten mee die op de gewreven vloer weerklonken. '*I remember you, you're the one who made my dreams come true, a few kisses ago...*'

Hij hield haar hand vast, met zijn vinger midden in de palm, zodat zij de druk nog voelde toen ze elkaar loslieten en terugliepen naar de salon.

Dat was de laatste keer dat ze elkaar hadden gesproken. Meer had ze niet. Dat, en de vreemd optimistische zekerheid dat hij van haar hield en dat hij terug zou komen – want daaraan twijfelde ze geen moment.

Dus toen Leonora in haar kamer wachtte en de minuten voorbijtikten tot er minstens een uur was verstreken, dacht ze aan die laatste keer en beleefde ze die steeds weer, met haar handen op haar buik. Door het wiegen op het bed en de herinneringen aan Philip voelde ze een zekere rust.

Toen uiteindelijk de harde klop op de deur klonk, schrok ze op. 'Juffrouw Mortmain. Uw vader wil u spreken. In zijn studeerkamer. Onmiddellijk, zegt hij.'

Het was inmiddels donker. Leonora stapte voorzichtig van het bed, trok haar sandalen aan en deed de deur open.

Ze liep zacht de trap af in het donker, waar het schaarse licht de afdaling over het gladde hout verraderlijk maakte. Onder de deur van haar vaders studeerkamer was een streepje licht te zien. Ze hief haar hand naar de donkere eiken deur en zag dat hij trilde. Ze klopte aan.

'Binnen.'

Leonora zag haar vader al maanden bezig met het schrijven van een nieuw boek, het eerste sinds *De Romeinse samenleving*, dat bijna acht jaar geleden was uitgegeven. Het ging over het leger, over krijgslisten en militaire technieken, en dat sloeg momenteel natuurlijk goed aan. Leonora had haar vader vaak naar zijn werk willen vragen, maar ze kon de moed niet opbrengen. Ze was als de dood voor hem.

Sir Charles Mortmain stond bij het raam achter zijn stoel met zijn rug naar haar toe. Stapels boeken omringden hem en er lag een pijp op het groene leer van zijn bureau, waarvan de randen met goudblad waren afgezet. De deur viel luid krakend dicht toen ze hem voorzichtig sloot. Het harde tikken van de staande klok was het enige geluid in de kamer.

'Vader...' begon Leonora. Ze stond bij de deur, alle kalmte was verdwenen. Ze wist niet of ze moest doorlopen.

'Voortaan noem je me niet meer zo.' Sir Charles verroerde zich niet; ze moest haar ogen inspannen om zijn spiegelbeeld in de ruit te kunnen zien. 'Je vertrekt vanavond. Er is een auto onderweg. Ik heb gesproken met...'

'Vader, ik zou...'

'Zwijg!' Haar vaders hand was geheven en zijn stem klonk hard, duidelijk en scherp. 'Ik. Heb. Gesproken.' Hij wachtte even. 'Met juffrouw Wheeler, de oude kinderjuffrouw van je moeder. Daar ga je vanavond naartoe.'

'Vader...'

'NOEM MIJ NOOIT MEER ZO.'

Bij het horen van de woede en het venijn in haar vaders stem, deinsde Leonora achteruit tegen de deur aan.

'Jij bent mijn dochter niet,' zei haar vader. 'Wij hebben...' hij wachtte even, alsof hij naar woorden zocht '... ja, we hebben gewoonweg geen dochter meer. Je brengt dit vervloekte bastaardkind ter wereld, dan kom je terug naar Langford, en we zeggen er nooit meer een woord over.' Toen draaide hij zich om en zag ze zijn gezicht. Ze werd opnieuw overspoeld door angst. 'Maar laat dit duidelijk zijn. Heel duidelijk. Je bent mijn dochter niet meer, nooit meer.'

De baby schopte. Leonora leunde tegen de deur; de lak voelde koel, haar hoofd tolde.

'Heb je nog iets te zeggen?'

Ze schudde vol ellende haar hoofd.

Sir Charles ging voor zijn bureau staan. 'Accepteer je wat ik heb gezegd?'

Leonora boog haar hoofd. Een traan viel op de grond; haar haar hing voor haar gezicht. Haar vader liep naar haar toe.

'Dan zeg ik het voor alle duidelijkheid nog een laatste keer. Je bent niet langer mijn dochter.' Toen haalde hij uit. Zijn vlakke hand sloeg tegen haar kaak; de klap was zo hard dat haar hoofd naar opzij schoot en de botjes in haar nek kraakten. Ze slaakte een kreet, greep naar haar wang en proefde bloed. Haar andere hand bedekte haar mond om haar snikken te onderdrukken, en met een wilde blik in haar ogen keek ze naar hem.

Hij leek niet geschokt of van streek, zelfs niet in de war door wat hij had gedaan. Zijn blik was zo koud als staal. Hij keek haar aan met een blik vol afkeer, alsof ze een bedelares op straat was die hem de weg versperde, en toen ging hij achter zijn bureau zitten en liet zijn vingers knakken.

'Je kunt nu je koffer gaan pakken,' zei hij, en hij pakte zijn pen op. Hij wuifde even en Leonora deed de deur open, voelde het bloed in haar mond en vroeg zich af of ze moest overgeven. Ze keek niet meer om, maar sloot de deur achter zich en rende naar de trap. Ze legde haar hand op de leuning en zag haar moeder in de deuropening van de salon, met een vreemde uitdrukking in haar ogen. Een paar haren waren losgeraakt uit haar knot. Alexandra Mortmain knikte en draaide haar enig kind domweg de rug toe.

'De auto komt over een uur,' zei ze terwijl ze de salon in liep en de deur achter zich dichtdeed. Haar dochter liet ze achter in het donker. Ze hoorde de honden van haar vader buiten hard blaffen, een gewelddadig en angstaanjagend geluid. Ze huiverde en tranen liepen over haar wangen toen ze naar boven liep.

Leonora's kind, een meisje, werd vijfenzeventig kilometer van Langford in het grootste geheim geboren in een verpleeghuis. Het was begin december, ze kwam een maand te vroeg. De dag ervoor had Leonora een brief ontvangen van Primmie, de zus van Philip, die haar meedeelde dat hij in november 1943 in de Egeïsche Zee als een van de duizenden Britse mannen was gesneuveld tijdens een poging de Dodecanese Eilanden op de Italianen te heroveren.

De lieve, nietsvermoedende Primmie had geschreven:

Ik weet dat jullie het heel goed met elkaar konden vinden. Hij was altijd bijzonder op je gesteld – ik hoop dat ik zo vrij mag zijn? – en ik weet dat hij je vriendschap heeft gekoesterd. Hoewel dit verschrikkelijk nieuws is, dacht ik dat je van me zou willen horen nu je bezig bent met je opleiding tot verpleegkundige. Hij zou zeker hebben gewild dat je het van mij hoorde, en niet van anderen.

De baby kwam te vroeg. Leonora wist dat het kwam door het schokkende nieuws over Philip. Ze stierven bijna allebei; Leonora verloor veel bloed. Ze kreeg nooit te horen hoeveel, niemand zei het haar, en ze vroeg er niet naar. Ze had de brief nog vast toen ze twee dagen later wakker werd door het jammerende geluid van haar dochtertje in het houten wiegje naast haar bed. Ze noemde haar Philippa, en toen ze haar ter adoptie afstond aan een gezin dat dertig kilometer verderop woonde, was dat het enige wat ze vroeg – dat ze haar naam ongewijzigd lieten.

Leonora ging een maand later naar huis. Jaren daarna, toen ze zichzelf toestond aan die zwarte, verschrikkelijke periode te denken, vroeg ze zich af hoe ze die had doorstaan. Het antwoord was dat het haar eerlijk gezegd niet meer had uitgemaakt of ze dood was of leefde. Ze ontdekte dat het mogelijk was om te leven, haar ene voet voor de andere te zetten en te lopen, glimlachen en gedag zeggen, 's ochtends je gezicht te wassen, 's avonds je haar te kammen en daartussendoor al het andere te doen, terwijl je vanbinnen dood was. Voor wie leefde ze eigenlijk? Wie gaf er iets om haar? Philip was dood, haar baby was van haar afgenomen en men had haar botweg gezegd dat ze haar nooit meer terug zou zien. Wat was er verder nog?

Haar ouders zeiden er nooit meer iets over. Als het niet per se moest, richtte haar vader nooit meer het woord tot haar. Ze mocht zelden het huis verlaten. Veel jonge mannen van haar generatie met wie ze wellicht had kunnen trouwen, kwamen om. En zo kwam het dat Leonora het vervallen landgoed erfde toen haar moeder uiteindelijk stierf, en zodra het mogelijk was vertrok. Ze woonde in het huis in Langford, zat aan het raam en keek hoe de wereld daaraan voorbijtrok, denkend aan hoe het had kunnen zijn. Ze had jaren gewacht tot haar ouders dood waren, zodat ze kon doen wat ze wilde.

Maar tegen de tijd dat het zover was, was het te laat voor Leonora, te laat voor haar redding. Misschien kwam het door de frisse wind die volgens het oude gezegde door het stadje waaide, dat ze voorgoed veranderde. Misschien leek ze meer op haar vader dan ze besefte. Maar iets in haar was vergiftigd, en het gif bleef in haar aanwezig, zo erg dat zelfs haar geliefde Philip haar niet teruggekend zou hebben. Ze dwong haar eigen dochter haar te haten, en ook haar kleinzoon. Het was een tragedie, en het meest trieste van alles was misschien wel dat Leonora het meisje vergat dat ze ooit was geweest, de liefde die ze ooit had gekoesterd, de man die ze ooit had gekend en het kind dat ze maar twee weken in haar armen had kunnen houden, huilend om het nietige wezentje alsof haar hart brak – wat in feite ook het geval was.

40

Lieve Tess,
Een vroege kerstkaart voor jou uit San Francisco. Het is hier prachtig, wel veel regen, maar als het droog is, is het heerlijk zonnig. Er is een fantastische bar om de hoek waar we na het werk zitten, en waar we naar het footballteam kijken waar ik tegenwoordig een groot fan van ben. Ik heb veel rondgetrokken en rondgehangen met de jongens van het werk, het is allemaal heel tof. Ik denk dat het jou hier ook zou bevallen!
Bedankt voor de ansicht van Langford, ik begrijp waar je die bijzondere charme vandaan hebt. Het is echt heel Brits, hè? Als het decor uit een film. Grappig.
Ik denk altijd aan je, nog maar een paar weken en dan is het kerst. Ik popel van verlangen.
Peter
X

De hele stad liep uit om de lichtjes aangestoken te zien worden, hoewel het een bitterkoude avond was. Tess liep in de richting van Leda House, waar ze Adam zou afhalen. De straten waren vreemd genoeg leeg, en ze sloeg haar armen om haar lichaam en bibberde in de bijtende kou. Het was een heldere avond, en het was bijna volle maan, terwijl honderden sterren aan de hemel fonkelden. Maar het deed pijn om in te ademen en rijp vormde zich al op de auto's en in de hagen.

Ze zong in zichzelf:

O little town of Bethlehem,
How still we see thee lie.
Above thy deep and dreamless sleep
The silent stars go by...

Ze sloeg met haar handen tegen haar armen om warm te worden. Voor haar uit wandelde een stel, met ieder een kind aan de hand.

Ze liepen natuurlijk langzamer dan zij, en ze zou hen zo meteen inhalen. Alleen besefte ze pas toen het te laat was tot haar ongenoegen dat het Jemima was, een leerling met haar man en twee kinderen.

'Hallo!' riep Jemima toen Tess met ferme stappen probeerde haar ongezien voorbij te lopen. 'Tess, ik ben het!'

'O, hallo, Jemima.'

Jemima straalde bijna vriendelijkheid uit. 'Kijk! Dit is Gideon, en dit is Maisie!' Ze duwde de twee kleintjes naar voren. Ze stonden verlegen te kijken, Maisie met vlechten, terwijl ze uit alle macht op haar duim zoog.

'Hallo,' zei Tess, niet erg op haar gemak. Ze keek naar Jemima's man. 'Jij bent zeker Jon,' zei ze, en ze feliciteerde zichzelf met het feit dat ze zijn naam had onthouden.

Jon glimlachte en gaf haar een hand. 'Leuk om kennis te maken,' zei hij. 'Jij bent toch haar lerares? Klinkt fantastisch, die cursus.'

'Dat durf ik zelf niet te zeggen,' zei Tess. 'Maar bedankt.'

'Ik ben jaloers op jullie uitstapje naar Langford Regis,' zei Jon. 'Ik ben architect, en ik zou er heel graag een keer naartoe gaan.'

'Zullen we doorlopen?' drong Jemima aan. 'Jon, ik wil graag een goed plekje hebben, anders is het zo'n teleurstelling voor de kinderen.'

'O,' zei Jon. 'Ja.' Ze gingen weer allemaal lopen, ze waren al bijna bij Leda House.

'Waar ben je op dit moment mee bezig?' vroeg Tess.

'Nou,' zei Jon. 'Niet echt iets bijzonders, maar ik ben er best blij mee. Het is een nieuw wijkcentrum in Morely. Met zonne-energie. Ze willen alles zo groen mogelijk.'

'Jon! Tess zit toch niet te wachten op verhalen over je werk,' zei Jemima, en Jon haalde zijn schouders op en wierp Tess een glimlach toe. 'Tess, ik wilde je eigenlijk vragen, denk je dat hier dingen te doen zijn die de kinderen leuk vinden?'

'Eh...' Tess keek niet-begrijpend. 'Zoals wat?'

'Nou, activiteiten, verenigingen, dat soort dingen. Het is zo frustrerend als je hoort dat andermans kinderen naar het zwemparadijs zijn geweest, en het zwemparadijs was in april maar twee weken open!' Ze lachte een tikje hysterisch.

‘Ik weet het niet,’ zei Tess. ‘Ik zal er eens op letten.’

‘Wil je dat doen? Ik wil zo graag dat de kinderen buiten zijn. Maisie! Niet op je duim zuigen!’

Ze waren nu bij Leda House en voor hen, waar de hoofdstraat een flauwe bocht naar rechts maakte, waren een paar lichtjes te zien. Jemima pakte Gideon bij zijn arm en duwde hem praktisch de stoep op: ‘Ik bedoel dingen zoals... Ik hoorde dat er één keer per week muziekles werd gegeven in de kerk, en daar had niemand me iets over gezegd.’

‘Ik heb zo’n gevoel dat het hilarisch gaat worden,’ zei Jon. ‘Als mijn arme vader me nu kon zien, zou hij lachen.’

‘Waarom?’ vroeg Tess.

‘Ik ben opgegroeid in Brixton, weet je wel? Mijn vader kwam uit Jamaica, mijn moeder uit Clapham, toen Clapham nog niets voorstelde.’ Hij knikte spijtig toen de voordeur van het huis openging. Daar stond Adam met een glimlach op zijn gezicht. ‘En daar kom ik aan, de architect die in een Engels dorp woont met een dochter van nog geen vier jaar oud, die fluit leert spelen.’

‘Dit is Jon,’ zei Tess, toen Adam zijn hand uitstak.

‘Ik weet wat je bedoelt,’ zei Adam. ‘Wij hadden toen ik klein was een kat en de rekening van de dierenarts liep zo hoog op dat mijn moeder altijd zei dat haar gezin een maand had kunnen leven van wat het kostte om hem een paar weken in leven te houden.’

‘O, hallo!’ zei Jemima, die naar voren liep met een spartelende Gideon onder haar arm. ‘Ik ben Jemima.’ Ze schudde haar haar los en tuitte zelfs haar lippen een beetje. ‘Dus dit is degene naar wie je gisteren op zoek was, Tess!’

‘Wat?’ zei Adam.

‘Niets,’ zei Tess, in verlegenheid gebracht. ‘Ik dacht dat ik... De deur stond open, toen ben ik even binnen gaan kijken. Niets,’ voegde ze er nog eens aan toe, in gedachten Jemima vervloekend.

‘We laten jullie met rust,’ zei Jon knikkend. Jemima wierp hem een boze blik toe.

‘We kunnen samen lopen. Het is heerlijk om weer een Mortmain in het huis te zien,’ zei ze, op een toon alsof ze een feestdag van het koninklijk huis presenteerde. ‘En wanneer ben je teruggekomen?’

'Gisteren,' zei Adam, op een toon die Tess van hem kende en die betekende: hou op met vragen stellen. 'Dus jij bent architect, Jon?'

'Ja, inderdaad,' zei Jon. 'Ik werk voornamelijk aan milieuvriendelijke projecten. Ik heb net het stadskantoor in Morely voltooid, het was fantastisch werk.' Hij keek Adam aan. 'Ben jij niet de man van de uiterwaarden?'

'Jep,' zei Adam.

'Aha,' zei Jon. 'Ik vind het daar prachtig. Goed,' zei hij, en hij pakte de hand van zijn vrouw. 'Tot later, mensen. Leuk om jullie te leren kennen.'

Hij stak zijn andere hand op en ze liepen weg.

'Aardige vent,' zei Adam.

'Zijn vrouw is verschrikkelijk,' zei Tess knorrig. 'Ik moet haar lesgeven. Een van die superprestatiegerichte vrouwen die overal in willen uitblinken. Ik kan haar niet uitstaan.'

'Ik bespeur een goede docentenmentaliteit,' zei Adam spottend. 'Leuk om te weten dat je helemaal niet bevooroordeeld bent.'

'Jij zou ook bevooroordeeld zijn als je haar moest lesgeven,' zei Tess. 'Heb je alles?' Ze keek om naar het donkere huis.

'Jep,' zei Adam. 'Ik heb alles, dat wil zeggen, ik heb eigenlijk niets.' Hij zuchtte. 'Ik zou mijn spullen hierheen moeten brengen, alleen wil ik het niet.'

'Dus je gaat hier wonen? En het huis van je moeder verkopen?'

'Ik denk dat dat wel moet,' zei Adam. Ze wandelden rustig de straat door. Hij streek met zijn hand door zijn korte haar. 'Maar... tja. Ik wil het niet. Goh, wat is het koud, hè?'

Er kwam een vrouw uit de Feathers aan de overkant. 'Hallo, Tess,' riep ze. 'Ben je...' Het was Andrea Marsh. Ze bleef staan en zag wie er bij haar was. 'O. Hallo, Adam. Ik hoorde dat je terug was. Goede reis gehad?'

'Ja, bedankt, Andrea,' zei Adam beleefd. 'Hoe is het met je?'

'Goed, dank je,' zei Andrea. Ze snoof even. 'Een hoop mensen zullen willen weten dat je terug bent, Adam.'

'O, ja,' zei Adam, nog even beleefd. Hij knikte haar glimlachend toe. 'Zien we je zo? We gaan kijken naar de lichtjes die worden aangestoken.'

'Gelijk hebben jullie,' zei Andrea. 'Ik wacht nog... op iemand.' Ze snoof weer afkeurend. Tess en Adam zwaaiden en liepen verder.

'Jemig,' zei Adam zachtjes. 'Ik ben echt persona non grata, hè?'

Tess wist niet wat ze moest zeggen. 'Hm... ja, weet je,' begon ze. 'Een hoop mensen dachten toen ze erachter kwamen dat je... Ik geloof dat het neerhalen van de brug een slecht teken was. Ze hadden gedacht dat het allemaal niet door zou gaan.' Ze vond het vervelend dat ze dit moest zeggen, maar hij moest het toch horen. Adam keek niet-begrijpend. 'De brug? O.'

'Ga er morgen maar heen,' zei ze. 'Ga maar eens kijken.'

Adam fronste zijn wenkbrauwen. 'Ik...'

'Vind je het daar niet mooi?' wilde Tess weten. 'Ik nog steeds wel.'

Hij keek haar aan. 'Ik heb er nooit over nagedacht.'

'Nou, dat moest je dan maar doen.'

'Oké,' zei hij. 'Ik beloof het.' Hij voelde in zijn zakken. 'Heb ik de sleutel van het huis bij me? Het is zo lastig, twee woningen.'

Tess trok haar wenkbrauwen op. 'Ja. Zou je... zou je dit huis kunnen verkopen?'

'Dat kan wel, maar het is moeilijk. Het staat op de monumentenlijst en volgens het testament mag ik het de eerste vijf jaar niet verkopen.' Hij zuchtte. 'Ze wilde dat ik daar blijf wonen.'

Het werd drukker op straat naarmate ze dichter bij de lichtjes kwamen.

'Ik heb nagedacht over Philip Edwards,' zei Tess. 'Je moet met Joanna gaan praten, kijken of de kerk namenlijsten heeft die je kunt inkijken om meer over zijn verwanten te weten te komen.'

'Zeker,' zei hij. 'Vooral omdat dat de enige familie is die ik heb. Weet je wat het enige verwijt aan mijn moeder is?' vroeg hij ineens.

'Eh, nee?'

'Ik zou willen dat ik iets over mijn vader wist. Hij was net als zij hoogleraar, ze hebben een relatie gehad, hij was een Ier – althans dat denk ik. Voorzover ik weet zou hij ook uit Griekenland of Japan of Toxteth kunnen komen.'

'Ik denk dat je het wel zou weten als hij uit Japan kwam,' bracht Tess te berde. 'En ik vind het begrijpelijk, wat ze heeft gedaan, ook al had ze het misschien liever anders gewild. Als je bedenkt hoe ze is grootgebracht.'

'Misschien.'

'Ze had geen goede band met haar ouders, toch?' zei Tess. 'Ik bedoel haar adoptiefouders.'

'Nee, stom toeval, denk ik,' zei Adam. 'Ik voel met ze mee, ik denk dat ze hun is opgedrongen, het arme kind. Het was vlak na de oorlog, ze konden zelf geen kinderen krijgen, ik denk niet dat ze een keus hadden. Toen ze twintig was zijn ze naar Australië geëmigreerd, ik denk niet dat ze hen daarna nog veel heeft gezien. Ik heb ze in elk geval nooit leren kennen.' Hij keek omhoog naar de sterrenhemel. 'God, wat idioot, hè. Mijn enige bloedverwant is een of andere oudtante, en ik weet niets van haar, niet waar ze woont of wat dan ook.'

'Primula Edwards,' zei Tess peinzend. 'Geweldige naam. Zou zo in een verhaal over Miss Marple kunnen staan.'

'Ja, cool,' zei Adam. Hij grinnikte naar haar.

'Ik vind het een prachtige naam,' zei Tess.

'Nou, neem hem over,' zei hij ernstig. 'Ik zie jou wel als een Primula. Je laat je wenkbrauwen welig tieren en zoekt dat oude vest weer op. Dan kun je gaan samenwonen met iemand die Lettice heet en samen katten fokken.'

'Ach, zout toch op,' zei Tess snauwerig. 'Liz komt trouwens later ook,' voegde ze er vilein aan toe. 'Als er iemand in aanmerking komt om mijn Lettice te worden, is zij het.'

'Absoluut,' zei Adam ernstig. 'Trouwens... dat vergeet ik steeds te vragen.' Hij krabde achter op zijn hoofd. 'Wat doe je met kerst?'

'Nou, mijn vader en moeder zijn met een cruise mee, dus...'

'Ik heb nagedacht,' zei Adam. 'Wil je met kerst bij mij komen? Ik wilde een feestje geven. Met Suggs, Mick, Diana en Richard en nog een paar mensen maken we er een gezellige boel van...' Hij onderbrak zijn verhaal toen hij haar gezicht zag. 'Kijk niet zo geschokt, Tess.'

'Dat is het niet,' zei Tess. 'Alleen... Ach, dat is nou jammer. Ik ga eh... ik zou met kerst naar Rome gaan.'

'Naar Rome?' herhaalde hij onnozel. 'Hoezo?'

De deur naast die van Jen's Deli viel met een klap dicht toen er iemand naar buiten kwam. Het was een jonge man die Adam een boze blik toewierp voordat hij de straat in liep.

'Eh... tja.' Tess had het gevoel dat het antwoord voor de hand lag. 'Naar Peter. Omdat mijn vader en moeder dan weg zijn.'

'Je bent... Wauw.' Adam knikte iets te geestdriftig. 'Je bent nog steeds met Peter?'

'Nou ja, niet híér,' zei Tess, om zich heen gebarend. 'Maar... inderdaad.'

'Nou, wat geweldig!' Adam bleef stilstaan. 'Wanneer heb je hem voor het laatst gezien?'

'Ik zie hem de hele tijd,' legde Tess uit. 'Op Skype.'

'Op Skype,' echode Adam. 'Juist, ja. Maar ik bedoel écht, in plaats van dat jullie als een stelletje mafkezen een dubbelleven leiden op Second Life. Wanneer heb je hem voor het laatst in levenden lijve gezien?'

Adam kon soms heel irritant zijn. 'Nou, toen we in Rome waren.'

'Dus... je hebt hem vanaf juni niet meer gezien.'

'Ja, maar...'

'Juist,' zei Adam. Hij kon zijn gegniffel nauwelijks onderdrukken. 'Je hebt er wel wat voor over, Tess.'

'Hou je kop, Adam!' zei ze lichtgeraakt. 'We hebben het geprobeerd, maar er kwam van alles tussen. Zoals... nou, de begrafenis van je grootmoeder.'

'Dat was in augustus,' bracht Adam naar voren. 'En verder?'

'Nou, hij is een tijd weg geweest,' zei Tess. 'Voor zijn werk, in Californië.'

'Kon je niet naar hem toe vliegen?'

'Niet naar Californië, nee. Hij komt terug voor kerst, dat vertel ik je net.'

'Dus jullie skypen.'

'Jep,' zei Tess luchtig. 'Dat is fantastisch. We chatten de hele tijd.'

'Maar je hebt hem niet meer gezíén vanaf juni.'

Tess deed alsof ze dat niet hoorde. 'In elk geval ga ik met kerst naar hem toe. Vijf dagen. En het wordt fantastisch. Kerstmis in Rome, dat moet toch geweldig zijn!' Ze trok Adam aan zijn arm 'Warme chocolademelk op een terrasje, helemaal ingepakt! Wandelen langs de rivier! Naar de paus gaan kijken op 25 december, *urbi et orbi* en zo.'

Adam leek iets te willen zeggen, maar hield zich in. 'Fantastisch, Tess.'

Ze keek dankbaar naar hem op. 'Dank je, maatje.' Ze stak haar arm door de zijne en hij drukte hem even.

'Kom mee,' zei hij. 'Op naar de lichtjes.'

Arm in arm liepen ze naar de menigte en toen Tess gewend was aan het lawaai en het plotselinge donker – de straatverlichting was uitgezet – keek ze met stijgende verbazing om zich heen. Ze kende mensen, dat was vreemd. Ze kende veel mensen, dat was nog vreemder.

'Hoi, Tess!' riep iemand. Tess draaide zich om en zag Jen van de delicatessenzaak met een blad hapjes staan. 'Hoe gaat het?'

'Goed, dank je,' zei Tess.

'Aha,' zei Jen toen ze de man naast haar herkende. 'Adam.'

Ze bood Tess iets aan wat een vijg in prosciutto gerold bleek te zijn en draaide zich om voordat Adam iets kon pakken.

'Ik geloof dat ik maar beter kan vertrekken,' zei Adam berustend. 'Vroeg of laat zal iemand me een knal voor m'n kop willen verkopen, en ik wil niet het risico lopen dat er ineens een vuist in mijn oog zit.'

'Ha, Tess,' klonk een mannenstem in het donker. 'Hoe is het? Geniet je van de heerlijke hapjes?'

'Guy?' vroeg Tess onzeker. 'Ben jij dat?'

'Ja,' zei Guy Phelps.' Ik vertelde net iemand over je verrukkelijke huisgenootje en haar fantastische kwaliteiten.'

'O,' zei Tess. 'Nou, Francesca is vertrokken, Guy. Ik dacht dat je dat...'

'Nee, suffie!' zei iemand vrolijk naast haar. Tess deed verbaasd een stap naar voren en greep Adams arm stevig vast.

'Liz!' riep ze. 'O jee, sorry, ik dacht dat je bedoelde...'

'Nee,' zei Liz, die echt de grootste schat ter wereld was. 'Ik ben ervan overtuigd dat Francesca heel veel geweldige kwaliteiten heeft, veel meer dan ik!' Haar gezicht glansde in het kaarslicht van een raam vlakbij. 'Hier zijn de appels op stokjes, Tess. Neem er een! Volgens George zijn ze heel lekker, dus ik moet hem op zijn woord geloven! Hallo, Adam! Leuk om je hier te zien!'

'Ze zien er heerlijk uit,' zei Adam ernstig. Hij lachte. 'Hoe gaat het met je, Liz?'

'O, prima, dank je!' zei Liz opgewekt. 'Neem er een.'

'Ze zijn bijzonder lekker,' zei Guy Phelps stijfjes. 'Trouwens, ik zie Ron daar staan. Excuseer me even.'

Hij knikte naar Tess, negeerde Adam en baande zich een weg door de massa naar de rand van de stoep. Tess keek hem na en zag Ron Thaxton en Andrea naast elkaar staan praten met Diana en Jan. Vlak voor hen stond Jemima met een andere moeder te praten, allebei met hun kinderen aan de hand, terwijl ze geanimeerd knikten. Diana zag Tess kijken, en degene die naast haar stond. Ze verontschuldigde zich en kwam naar hen toe.

'Adam, lieverd,' zei ze, en ze omhelsde hem even. 'Wat heerlijk om je te zien.'

Adam bukte zich en gaf haar een kus op de wang. 'Fijn om jou te zien. Ik had je al gebeld.'

'Ik weet het, Richard zei het.' Diana klopte hem op zijn arm. 'Goed dat je terug bent. Woon je in het grote huis?'

'Ja.'

Ze knikte. 'Mooi. Er zijn een paar dingen die we moeten bespreken. Ik kom morgen langs.' Ze keek alsof ze nog iets wilde zeggen, maar ineens zei ze nogal luid: 'Ha, daar is Jan. Goed. Wat leuk.'

'Adam Mortmain, zo noem je jezelf tegenwoordig toch?' zei Jan tegen Adam. 'Hallo, Tess, lieverd,' voegde ze eraan toe. Achter haar stonden Ron en Andrea stilzwijgend als soldaten in het gelid aan het begin van *Gladiator*. 'Zo, Adam. Hoe staat het met het project, hm?'

'O, jee,' zei Diana, en ze ging met haar hand door haar haar, bijna precies zoals Adam deed.

'Hallo, Jan,' zei Adam joviaal, wat eigenlijk niet bij hem paste. Tess verstijfde naast hem. Ze wilde dat ze hem op de eerste avond dat hij terug was met rust zouden laten. 'Leuk je te zien, hoe gaat het?'

'Goed.' Jan wuifde even, afgeleid. 'Luister. Hoe zit dat nou? Je hebt beloofd dat je niet zo zou doen als die grootmoeder van je, dus waarom heb je dan het werk op de uiterwaarden in gang gezet?'

Adam legde even zijn hand op haar arm. 'Jan, het spijt me, maar ik ben vanochtend pas teruggekomen. Ik moet contact met ze opnemen. Ik had begrepen dat ze pas in januari zouden beginnen.' Hij boog zijn hoofd. 'Ik moet achterhalen wat er aan de hand is. Dat doe ik morgenvroeg. Je begrijpt het wel.'

'Eh, ja,' zei Jan. Tess keek haar vriend bewonderend aan. 'Dat... snap ik natuurlijk wel.'

'Je krijgt steeds meer van een conservatief parlementslid,' zei Tess toen Jan enigszins gerustgesteld wegliep, met Diana in haar kielzog. Adam keek haar vol afschuw aan.

'Dat moet je niet zeggen!'

'Toch zul je dat hier wel moeten zijn,' zei ze onomwonden. Ze stonden midden op de weg, in het gedrang van mensen die langsliepen en zich een paar meter verderop voor het kleine podium opstelden. Snel zei Tess: 'Besef je dat wel? Of je het leuk vindt of niet, de Mortmains waren jarenlang een invloedrijke familie, dat weet je, en er zijn mensen die jou nu beschouwen als de jonge heer en meester. Vooral nu je...' Ze zweeg abrupt. 'Maar goed. Zullen we verder lopen?'

'... het geld hebt,' vulde Adam grimmig aan. 'Vooral nu ik het geld heb.' Hij schudde zijn hoofd. 'Zielig gedoe.'

'Het gaat niet alleen om het geld,' zei ze. Ze probeerde redelijk te klinken. 'De mensen hier hebben een goed geheugen. De Mortmains waren de belangrijkste familie van de stad. Kijk naar iemand als mevrouw Store, die is jarenlang het dienstmeisje geweest bij je grootmoeder. Nu ze alles van je weten, zal het een tijd duren voordat ze je als iemand anders zien.'

Hij keek haar aandachtig aan. 'Sinds wanneer ben jij deskundige op dit gebied?'

Sinds jij en Francesca me allebei in de steek hebben gelaten, wilde ze zeggen, maar dat deed ze niet. Ze glimlachte naar hem. 'Kom mee. Ik zie een oude beroemdheid en een dik raadslid staan op een gammel provisorisch podium. Als dat niet de juiste ingrediënten zijn voor een lollige vertoning weet ik het niet meer. Kom op.'

Ineens klonk er luid gekraak, en de helft van de verzamelde menigte sprong op. 'Da-mes én heeee-ren,' klonk een zoete stem loeihard door de speakers. 'U worrrdt verrr-welll-komd doorrrr... de enige, echte...'

Tess knikte Adam toe. 'Hij kondigt zichzelf aan!'

En inderdaad, de kleine, gerimpelde Martin Riviere stond licht gebogen met zijn rug naar het publiek in een microfoon te praten.

'Uként hem van het klassieke tv-programma *Fall Out* en het legendarische *Blind Man's Bluff*... Hier is... Martin... Riviere!!!'

Het was het soort introductie waarna je wel móést klappen, ook al had je – zoals bij sommigen, vooral degenen onder de twintig, het geval was – geen idee om wie het ging. Toen hij uitgesproken was, liet Martin Riviere de microfoon los, draaide zich om en lachte breeduit naar het publiek, stralend als een ster. Hij gebaarde naar het forse raadslid dat naast hem stond de microfoon te pakken, dat hem verward van de grond graaide en teruggaf aan de kleine man, die nu op een normale toon zei: 'Goedenavond, dames en heren, jongens en meisjes! Vrolijk Kerstmis!'

'Vrolijk Kerstmis!' riep het publiek in koor, de kinderen het hardst. Een van hen begon te huilen.

'O jee. Ik heb nu al een stem verloren,' zei Martin Riviere. 'Wie huilt daar?' Een moeder aan de kant glimlachte berouwvol en wees op het kleine meisje dat op haar heup heen en weer gewiegd werd.

'Kom maar even hier,' zei Martin Riviere tegen de moeder. Ze schudde haar hoofd. 'Kom op,' zei hij. 'Ik bijt niet. Ik heb een cadeautje voor uw dochtertje.'

'Lepe tactiek,' zei Adam, en Tess beet op haar lip om een lach te onderdrukken.

Maar de moeder was overgehaald en liep naar voren. 'Hoe heet je?' vroeg Martin Riviere aan haar.

'Della,' zei de jonge vrouw. 'En dit is Katie.'

'Hallo, Katie,' zei Martin Riviere, en hij hurkte neer naast het meisje, dat niet meer huilde en nu vol aandacht naar de oude man keek. Ze had de capuchon van haar roze, met bont gevoerde parka over haar hoofd geslagen, waardoor ze eruitzag als een boze, kleine, roze eskimo. 'Hier, dit ezeltje is voor jou.'

'Hij doet maar wat,' fluisterde Adam tegen Tess.

'Kijk nou maar,' zei Tess. 'Net als ik.'

Martin Riviere gaf Katie een klein speelgoedezeltje. Het had een kerstslinger rond zijn nek.

'Little donkey, little donkey,' zong hij, en hij kwam moeizaam overeind. 'Allemaal meezingen!'

'Bethlehem, Bethlehem...'

Tess wilde weer lachen, maar ze merkte dat ze ontroerd was. Ze hield niet van de zwaarwichtige christelijkheid die mensen als Leonora Mortmain erop na hielden. Maar hier, op deze koude, heldere avond, tussen medebewoners die allemaal zongen, hun stemmen zacht in de winterlucht, zag ze de ezel voor zich op weg naar Bethlehem, in de lome warmte van de avond, geleid door Jozef, met Maria op de rug, allebei moe en uitgeput en op zoek naar een logeerplaats. Ze keek naar Katie, die op het podium Martin Rivieres hand vasthield en bedeesd meezong.

'Goed,' zei Martin Riviere toen het lied afgelopen was. 'Nu wil ik iemand vragen hier te komen om te helpen met het aansteken van de lichtjes. Wie is dat daar? Hoe heet je?'

'Maisie!' riep iemand hard. Tess vroeg zich af of Jemima de stem van haar eigen dochter zou kunnen imiteren om haar op het podium te krijgen.

'Jij bent een pittig ding, nietwaar, Maisie?' zei Martin Riviere. Hij streek zijn zilverkleurige zijden das glad. 'Wil jij op het podium komen om me ergens mee te helpen?'

'Hou op,' siste Tess toen Adam zijn vuist in zijn mond stak.

Maisie kwam het podium op en na een gefluisterd overleg kwam ook haar broertje Gideon erbij.

'Dan drukken we nu op de knop,' zei Martin Riviere, en Maisie, Gideon en Katie staken allemaal hun hand uit naar een grote rode knop die hij aanwees, en de menigte hield haar adem in. 'Vrolijk Kerstmis, allemaal,' riep hij, en hij gaf de man van het licht – Suggs – een teken. Suggs draaide een schakelaar om en ineens werd de hele straat verlicht door sneeuwvlokken, sterren, kerstbomen en kerstballen.

Er klonk een luid 'aaaaah'. Tess deed ook mee, en Adam keek haar met een glimlach aan.

'Sorry,' zei ze. 'Ik kan er niets aan doen. Het is zo mooi.'

'Je hoeft je niet te verontschuldigen,' zei hij, opkijkend naar de lichtjes om hen heen, en toen weer naar haar. Hij knikte. 'Je hebt gelijk. Het ís mooi. Echt.'

41

Tess deed niets liever dan kerstliedjes zingen terwijl ze in huis bezig was met de voorbereidingen voor kerst, zoals glühwein maken, of saucijzenbroodjes, of kerststukjes, maar in de dagen na Adams terugkeer spreidde Liz een huiselijke nijverheid tentoon die zelfs voor Tess een beetje te veel van het goede was. Ze maakte haar eigen *christmas crackers* (van crêpepapier en wc-rolletjes), ze versierde de hele kamer met mistletoe en hulst, zodat je niet zonder gevaar zomaar ergens je hand op kon leggen, en ze draaide voortdurend King's College Carols. Tess kreeg het idee dat ze zou gaan gillen als ze nog één keer 'I Saw Three Ships' zou horen.

'Ik heb een zanghoekje gemaakt!' riep Liz toen Tess die maandag van haar werk thuiskwam. 'Kijk!'

Ze wees naar de hoek achterin, die door Tess en Francesca de Dode Hoek was genoemd omdat daar alle stukjes huisraad naartoe gingen die nergens meer toe dienden. Alles voor de recycling stond er, en de doos waarin de flatscreen verpakt was geweest.

Nu stond er door Liz' liefdevolle zorg een kleine, ietwat wiebelige ronde tafel, die ze bij het grofvuil vandaan had gehaald. Na haar reddingsactie had hij met kerst eindelijk een functie als tafel met...

'Wat is dat in vredesnaam?' vroeg Tess. Ze zette haar tas neer op de stoel voor het bureau. 'Is dat een kartonnen huisje?'

'Ja!' zei Liz, en ze tikte tegen de kartonnen doos die ze behendig had omgetoverd in een huisje. 'Een snoephuisje!' Ze trok een overdreven gezicht en sprak op de toon van een verteller uit een film van Disney. 'Het is een oude, Oostenrijkse traditie van eeuwen geleden. We gaan hem bedekken met glazuur en daarna plakken we er kaneelkoekjes op, nét als bij het huis van Hans en Grietje!'

'Is dat niet de doos waar de dagcrème van Francesca in werd bezorgd?' vroeg Tess. Francesca had constant huid- en haarverzorgingsproducten besteld bij postorderbedrijven die vriendelijk één product gratis leverden, maar alleen als je vijftig pond uitgaf aan een heel klein tubetje dat beloofde je huid stralender te maken dan het graf van Toetanchamon. En dus stond het huis nog steeds vol smalle, hoge kartonnen dozen, geschikt voor het verpakken van bodylotion, cleansers en maskers, en kennelijk ook voor het maken van snoephuisjes.

'Hij is niet van mij,' zei Liz vrolijk. 'O, het wordt echt leuk. We doen er glazuur op en dan gaan we eromheen staan en kerstliedjes zingen. Net zoals ze in Oostenrijk doen.'

'Juist,' zei Tess aarzelend, want ze wilde het plezier voor Liz niet vergallen. Ze herinnerde zich in een flits de dag waarop ze was thuisgekomen, verdrietig om Will, en dat het riempje van haar schoen was geknapt, waardoor ze haar evenwicht was verloren en in een plas was gestapt. Toen ze de deur in kwam werd ze begroet door de geluiden van Francesca en Adam die boven zo luidruchtig seks bedreven dat Tess eerst had gedacht dat een van hen werd gekeeld.

'Aah,' mompelde ze nu in zichzelf, niet zonder weemoed.

'Het wordt leuk,' zei Liz. Ze fronste even haar wenkbrauwen toen ze Tess zag kijken. 'Ik heb een paar mensen gevraagd om langs te komen.'

'O ja?' zei Tess, die naar het huisje stond te kijken zonder echt te luisteren. 'Wie?'

'Nou, ik geloof om te beginnen dat Beth komt. Sorry, Tess. Ik had met je moeten overleggen.'

Ze klonk zo schuldbewust dat Tess haar hartelijk toelachte. Waarom was ze niet altijd net zo enthousiast over dingen als Liz? 'Ja! Geweldig! Dat wordt leuk. Enig. Zullen we mevrouw Store ook vragen? Voor een glas warme wijn en wat hapjes? O, ik ben nu echt in de stemming voor kerst, Liz!' Ze kneep even in de arm van Liz, die verbaasd opkeek door haar plotselinge stemmingsomslag.

'Geweldig,' zei Liz, een beetje voorzichtig. 'Ik maak even die glühwein af. Misschien wil jij alvast gaan vragen of mevrouw Store tijd heeft om te komen?'

'Vragen of mevrouw Store tijd heeft om te komen,' mompelde

Tess in zichzelf toen ze voor de deur van de kleine cottage naast hen stond en aanbelde. Alsof die het zo druk heeft! Hemel...

De deur ging open en op het lieve gezicht van mevrouw Store brak een hartelijke glimlach door toen ze zag wie er stond. 'Tess, lieverd! Kijk eens wie hier is!'

Tess keek over haar schouder en zag Adam zitten in een van de lage fauteuils waar mevrouw Store moeilijk in kon zitten nu ze last van haar knieën had. Hij stond op. 'Hé, meisje, hoe is het? Ik zit net wat met mevrouw Store te praten over mijn grootmoeder. Ze kende haar al vanaf hun prille jeugd, weet je.'

'Natuurlijk,' zei Tess blij verrast. 'Wat fijn. Dat is echt... fijn!'

'Wat kan ik voor je doen?' vroeg mevrouw Store. 'Kom binnen. Ga zitten.'

Tess wees het verzoek enigszins spijtig af. Ze legde uit wat ze kwam doen en nodigde hen allebei uit om langs te komen nadat ze uitgepraat waren, en ging toen weer naar huis. Ze wilde haar e-mails checken voordat de Liedjesavond – zoals die avond ongetwijfeld gedoopt zou worden – begon.

Ze had Francesca een paar dagen daarvoor gemaild en niets terug gehoord. Toen Liz zachtjes 'I Saw Three Ships' neuriede, klemde Tess haar kaken op elkaar en wachtte terwijl haar computer opstartte. Tussen de mails met tips over hoe ze gratis tv-programma's kon downloaden en over de nieuwste voorstellingen in het theater (ze had anderhalf jaar geleden online kaartjes gereserveerd, en nu kreeg ze nog steeds twee keer per week e-mails van het bespreekbureau, ondanks haar verwoede pogingen om ze te annuleren), zat er een van Francesca.

Hallo die Tess, hier Londen,
Ik schrijf je dit vanuit Kates flat. Heb nog steeds geen woning en de mensen die mijn flat huren gaan er pas in februari uit. Heel vervelend. Dus slaap ik bij iemand op de grond of in een logeerkamer. Het is wel lekker vrijgevochten. Zeg, jij kunt zeker geen medebewoonster gebruiken? Hahaha.
Ik heb die baan gekregen. Het is best maf. Ik werk weer als jurist. Voor een integer bedrijf. Mijn grootste cliënt is een agrarisch bedrijf uit de binnenstad. Iemand wil een stuk van hun grond voor het Olympische Dorp inpikken, een smerig zaakje. Ze waren vol lof over wat ik voor de actie voor het behoud van

de uiterwaarden heb gedaan. Vind je het niet mal, dat ik voor een boerderij werk? Alsof ik weer een plattelandsmeisje ben. Ik!
Tess, ik wil dit één keer zeggen en dan nooit meer – het spijt me dat ik die avond zo tekeer ben gegaan. Het had niets met jou te maken. Ik kon het niet meer aan. De toestand met Adam die laatste paar weken was me te veel geworden. Ik was die avond niet goed bij m'n hoofd, ik voel me echt schuldig. Ik geloof dat ik hem leuker vond dan ik hem ooit heb gezegd. En ik ben niet goed voor hem. Ik ga me misdragen als ik bij hem ben. Als een prinses. Als ik terugdenk aan sommige dingen… Bah. Nou ja, hij is ook niet goed voor mij. Dat zie ik nu wel in. Ik hoop dat we dat allebei kunnen inzien.
Volgens mij had mijn tijd in Langford lang genoeg geduurd, denk je ook niet? Nooit verwacht dat ik het zo lang zou uithouden. Het was een toffe tijd, ik zal het nooit vergeten. Kan ik binnenkort een keer langskomen? Wat doe je met oudjaar?
Kom naar Londen, al is het maar voor een dagje. Liefs, ik mis je, en nogmaals bedankt voor alles.
F

PS Heb jij mijn citrien oorbellen gezien? Ze lagen waarschijnlijk onder mijn bed. Dure dingen, maar maak je geen zorgen als je al gestofzuigd hebt. En mijn zijden slaapmaskertje? Ik geloof dat ik het heb gebruikt om de kastdeuren aan elkaar te knopen.
xxx

Er werd aangeklopt. Tess sprong op om open te doen, met haar blik nog op het scherm.

'O, hallo,' zei ze verbaasd toen ze Guy Phelps voor de deur aantrof, die angstvallig een fles wijn in zijn armen klemde.

'Eh… ja. Hallo,' zei Guy. 'Is… Liz thuis?'

Hij keek langs Tess heen, alsof ze het dienstmeisje was.

'Guy!' Liz verscheen uit de keuken terwijl ze haar handen afdroogde. 'Super dat je er bent!' Ze lachte hem toe met een stralende blik.

Guy stapte vergenoegd het huis binnen. 'Ik ben vereerd met de uitnodiging aan een eenzame kerel, alleen op de boerderij! Ik krijg niet vaak de kans om me in de stad te vertonen.' Hij gaf Tess de wijnfles, zonder haar aan te kijken. 'Eh. Alsjeblieft.'

'Dank u beleefd,' zei Tess zachtjes, met haar beste plattelands-accent. Hij draaide zich om, en zij maakte snel een buiging en mompelde iets binnensmonds.

'Zo!' Guy wreef in zijn handen en liep naar Liz. 'Waar hebben we dit festijn aan te danken?' Hij was vastbesloten zich te vermaken; voor hem was dit kennelijk echt een avondje uit.

'O, alleen maar een excuus om warme wijn te drinken en kerstliedjes te zingen,' zei Liz vergenoegd. 'Om in de kerstsfeer te komen.'

'Uitstekend. Uitstékend.' Guy keek de kamer rond, alsof hij andere feestgangers probeerde te bespeuren. 'Hé, ik zie mistletoe!' Hij liet zijn wenkbrauwen op- en neergaan. Tess schraapte haar keel en hij keek haar aan alsof hij haar voor het eerst zag. 'O, hallo, Tess. Hoe gaat het?'

'Helemaal super, dank je wel, Guy,' zei Tess vrolijk. 'Leuk dat je bent gekomen.'

'Geen probleem!' zei Guy, op zijn voorvoeten balancerend. 'Zoals ik al zei: een kerstfeest! Het is me een genoegen.'

'Ja,' zei Tess. Ze liep naar de keuken. 'Leuk dat je er bent op ons feest waar ik geen idéé van had,' siste ze tegen Liz. 'Wat doet hij hier?'

'Hij is aardig,' zei Liz kordaat. Ze schonk een glas warme wijn in. Tess keek haar aan. 'En ik wil in de kerstsfeer raken.' Ze gaf Tess het glas.

'Dank je.' Tess nam een slok. 'O, wat heerlijk.'

'Dat is voor Guy. O... de bel! Wie zou dat zijn?'

'Dat vraag ik me ook af,' zei Tess. 'Godsamme.'

Ze stampte naar de deur en duwde Guy in het voorbijgaan het glas in zijn handen.

'O,' zei ze. 'Hallo, Beth.'

Beth Kennett stampte haar voeten af op de stalen mat. 'Het is ijskoud buiten. Bedankt. Wat leuk!' Ze liep naar binnen.

'Beth!' riep Liz. 'Wat leuk dat je er bent! Welkom op de Liedjesavond.'

'O, nou,' zei Beth onzeker. 'Eh. Bedankt voor de uitnodiging voor de eh... Liedjesavond.' Ze keek naar Tess. 'Jij ook, Tess.'

'Ik heb er niets mee te maken gehad,' zei Tess.

'De saucijzenbroodjes zijn zo klaar,' riep Liz vanuit de keuken. 'Beth, ik zal vast wijn voor je inschenken.'

'Hallo, Beth,' zei Guy, duidelijk overweldigd door het schitterende vrouwelijke gezelschap. 'Wat bijzonder aardig! Heel genoeglijk om je weer te zien.'

Beth trok wat verlegen haar trui omlaag over de riem van haar spijkerbroek. 'Eh, bedankt,' zei ze.

'De drank komt eraan!' riep Liz vanuit de keuken.

'Fantastisch!' riep Guy terug. 'Kunnen we iets doen?'

'Nee, maar jullie kunnen een saucijzenbroodje nemen!' Liz legde een fraai opgestapelde hoeveelheid warme, knapperige goudkleurige saucijzenbroodjes op de bar. 'Straks zijn ze koud!'

Tess dacht aan haar fondantfiguurtjes, opgestapeld op de inmiddels gebroken etagère, en ze had ineens een flashback van de avond waarop zij en Francesca margarita's hadden gemaakt. Francesca was met de bus naar Thornham geweest – ze was vreemd genoeg dol op de bus – en had de juiste glazen gekocht, zout, ingrediënten voor de margarita's, een bruine zak vol limoenen, en tortillachips, wat later hun enige avondeten bleek te zijn. Ze hadden een dansje bedacht op 'Copacabana' en 'What Becomes of the Brokenhearted', en er een sketch van gemaakt in de geest van Morecambe en Wise die precies op de maat van een muziekje een ontbijt in elkaar flansen. Het was om te gillen geweest – alleen niet toen Francesca, die in haar enthousiasme met een soort guillotinebeweging limoenen had staan hakken, bijna haar eigen vinger had afgesneden en het mes met zoveel kracht in de snijplank had gedreven dat ze hem er met twee man uit hadden moeten trekken. Ze ging in het donker op de trap zitten terwijl Beth en Guy een beleefd gesprekje voerden, om snel een sms'je te sturen naar Francesca, omdat ze het ineens het gevoel had dat ze geen minuut langer kon wachten om haar te vertellen hoe geweldig ze was.

Dank voor je mail. Dacht net aan margarita-avond. Mis je! Tuurlijk kun je hier logeren. Tot later, veel liefs T x

Intussen ging de bel. 'Ik ga wel,' riep Tess zonder veel enthousiasme. Ze gooide de deur open. Suggs stond op de drempel, met zijn arm om zijn collegaatje Kirsty. 'Hallo allemaal,' zei hij. 'We hebben ook wat bier meegebracht.'

Kirsty, die eruitzag als een dochter van Bob Geldof – heel veel eyeliner, in zichzelf gekeerd maar met een nukkige uitdrukking – knikte en mompelde een soort groet.

'Hallo! Wat fijn dat jullie er zijn!' Liz stormde op hen af. Ze gaf Suggs een kus op zijn wang en toen ze hetzelfde wilde doen bij Kirsty, deinsde die vol afschuw naar achteren.

'Hoi.' Tess legde haar telefoon weer op de tafel. 'Wanneer had je het gehoord?' vroeg ze aan Suggs. Kirsty keek haar nieuwsgierig aan terwijl ze kauwgom kauwde en een hand in haar zij zette.

'O, vanochtend,' zei hij luchtig. 'Op het laatste moment.'

'Vertel mij wat!' Tess liep de keuken in.

'Wie heb je nog meer uitgenodigd?' vroeg ze terloops aan Liz. 'Dan weet ik in elk geval met wie ik straks kerstliedjes sta te zingen. Ik wil graag dat mijn stem harmonieert en zo.'

'O, het spijt me zo dat ik het niet fatsoenlijk heb aangekondigd,' zei Liz wanhopig. 'Het spijt me echt. Het was allemaal een beetje last minute, en ik kwam de hele dag mensen tegen en iedereen bleek tijd te hebben... Het gaat maar om een paar liedjes en wat hapjes, je vindt het toch niet écht erg?'

'Natuurlijk niet!' zei Tess toen ze het ongeruste gezicht van Liz zag. 'Helemaal niet! Geweldig idee! Alleen... wie komt er verder nog?'

'Nou, Jen komt wat later, en Joanna, en...'

'Joanna de predikant?'

Opnieuw ging de bel. 'Ik ga wel!' riep Guy op de rand van hysterie. 'Ik heb alles onder controle!'

'Geweldig!' riep Tess terug. 'Bedankt!' Ze draaide zich weer om naar Liz.

'Ja,' zei Liz onschuldig. 'Joanna de predikant. Hoezo?'

'Zomaar,' zei Tess. Ze dacht aan het hoogtepunt van hun dans op 'Copacabana', waarbij Francesca als Lola – natuurlijk – op een stoel zat, met haar benen bevallig over elkaar, terwijl Tess – als Tony, de gepassioneerde barman annex minnaar van Lola – opdook van achter de trap en de kamer door vloog om haar eer te verdedigen tegenover Rico. Ze hadden ergens een waaier gevonden, waarmee Francesca verleidelijk wapperde, en Tess had met de voorkant van haar vest gedaan alsof het het jasje van een matador was en was op de grond gezakt toen ze was neergeschoten door de denkbeeldige Rico. (Ze hadden Adam opgebeld, maar die had dienst in de pub en liet zich niet overhalen om mee te doen.) Was die avond leuker geweest? Natuurlijk niet.

Er werd weer op de deur geklopt. 'Ik ga wel,' zei Tess, vastbesloten om aardig te doen. Ze baande zich een weg door de gasten in de kleine zitkamer. Ze wist zeker dat het aantal bezoekers was toegenomen.

'Hallo, hallo!' zei ze, zich langs de anderen heen persend. Was dat Claire? En Ryan, van de groenteboer? En Alice Gilkes, van de Packhorse en Talbot in Thornham? Het leek wel een flashmob. Wanneer waren die allemaal binnengekomen?

Ze deed open. Daar stond Joanna, met *Kerstliederen voor koren* en een doos koekjes in haar handen, en naast haar, met een pak amarettobiscuits en een fles wijn, stond Jen.

'Hallo!' zei Jen opgewekt.

'Kijk eens aan, allebei met jullie eigen specialiteit,' zei Tess. Ze probeerde joviaal en hartelijk te doen. Ze keken haar niet-begrijpend aan. 'Joanna heeft kerstliedjes meegebracht, en Jen delicatessekoekjes! Kom binnen!'

'Fijn,' zei Joanna vriendelijk. 'Wat een gezellige drukte. Hallo...'

'Kunnen we er nog bij?' klonk een stem achter de laatste twee gasten, die meteen omkeken.

'Adam. Mevrouw Store. Natuurlijk,' zei Tess opgelucht. 'Kom binnen. Het is allemaal een beetje uit de hand gelopen sinds ik jullie uitnodigde.' Ze had het idee dat ze klonk als oude theetante. Adam keek haar aan. 'Ik vrees dat het een beetje vol is.'

'Nou, ik hou wel van een feestje,' zei mevrouw Store vergenoegd. 'Wat gezellig.' Ze liep energiek de kamer in.

'Heb je fijn met haar gepraat?' vroeg Tess aan Adam.

'Eh... ja,' zei hij. 'Ik heb van alles gehoord over het leven in de Hall. Ik vertel het je later wel. Het klonk nogal deprimerend.'

Jen en Joanna staarden naar Adam. Hij glimlachte beleefd.

'Goedenavond samen.'

'Goedenavond,' zeiden ze. Tess glimlachte naar hem.

Hij stak uitnodigend zijn arm uit. 'Na u,' zei hij. Ze schuifelden naar binnen en werden begroet door verheugde kreten van Liz, terwijl Adam in de deuropening bleef staan.

'Wat stelt dit in godsnaam voor?' mompelde Adam zachtjes tegen Tess.

'Je mag geen "in godsnaam" zeggen waar een dominee bij is.'

'Wat is dit?'

'Geen idee,' zei Tess bedaard. 'Mag ik je iets vragen?'

'Ja,' zei Adam. Hij keek rond naar de gasten, die hem nors aankeken. Hij zag Suggs en stak een hand op. Suggs grijnsde terug.

'Het gaat over omgangsvormen.'

'Ga je gang. Je weet dat ik daar een expert in ben.'

'Hoe lang moet ik in mijn eigen huis op een feestje blijven voordat ik ertussenuit kan?'

Adam keek op zijn horloge. 'Tien minuten.'

'Denk je? Hoe moet ik...' Tess voelde zich afschuwelijk. 'Hoe kom ik hier dan weg?'

Adam dacht even ernstig na. 'Maak je geen zorgen. Je zegt gewoon tegen Liz dat je al had afgesproken om met mij iets te gaan drinken. Ik moet je trouwens echt even spreken.'

Tess bedacht hoe rechtdoorzee mannen waren. Geen omwegen, geen verwikkelingen waardoor je in de knoop raakte. 'O, geweldig,' zei ze, toen Joanna een draagbaar keyboard uit haar tas haalde.

'Hoera!' riep Liz, en ze klapte in haar handen. 'Jongens! Jongens! Hier is de muziek!'

'Top,' zei Guy Phelps waarderend. 'Mieters feestje, Liz.'

'Jippie!' zei Tess. Ze klapte luid om te compenseren dat ze er straks tussenuit zou knijpen. Ze dronk een glas warme wijn leeg dat op tafel stond. Adam wierp haar een afkeurende blik toe.

'Het is mijn huis,' zei ze knorrig. 'Tien minuten, toch?'

'Ja,' zei hij. Iemand pakte hem bij de schouder. 'Hé, hallo... Liz. Leuk je weer te zien. Ja, leuk feestje.'

Tess keek naar hem, naar de kamer vol lachende en pratende mensen, naar Liz die drankjes inschonk en Guy die vol waardering naar haar keek, naar mevrouw Store die grote ogen had van pret om iets wat Joanna tegen haar zei, naar Suggs die tersluiks in Kirsty's achterste kneep zodat ze niet meer zo stoïcijns voor zich uit staarde; en ze voelde een vreemde afstand, alsof het andere mensen overkwam. Misschien kwam het door het koffertje dat onder de trap uit de kast stak en dat ze binnenkort zou pakken voor Italië. Misschien kwam het doordat ze kerst hier niet wilde missen. Ze had alle reden om zich gelukkig te voelen, en ze wist niet waarom ze dat niet was.

42

Een uur later stonden Tess en Adam aan de bar van de Feathers uit te blazen alsof ze zojuist een uitputtende marathon hadden gelopen.

'Zo, jongedame, jongeman,' zei Mick, die aan kwam lopen. Hij gaf Adam een hand. 'Goed je te zien, jongen. Ik was er niet toen je hier laatst was, hè? Hoe is het?'

'Niet verkeerd,' zei Adam, en hij greep Micks hand met beide handen vast. 'Goed om je te zien, Mick.'

'En, moet ik je op het dienstrooster zetten voor de volgende week?' vroeg Mick met een twinkeling in zijn ogen. 'Ik heb je nog niet echt vervangen, weet je. Wanneer kom je terug?'

'Daar moet ik het misschien even met je over hebben,' zei Adam. Hij lachte verlegen terug.

'Goed hoor,' zei Mick. 'Wat kan ik intussen voor jullie inschenken?'

'Een glas Butcombe alsjeblieft,' zei Adam. 'Tess?'

'Ik hetzelfde graag,' zei Tess. 'Misschien met een tequila ernaast.'

'Meen je dat?' vroeg Mick.

'Bijna,' zei Tess. 'Nee hoor.'

'Zo, ik hoorde dat er vanavond een feestje is bij je thuis,' zei Mick terwijl hij het glas naar Tess schoof.

'Dus jij wist ervan,' zei Tess humeurig. Ze nam een slokje. 'Mooi is dat. Ik hoorde het pas toen de halve stad al bij me op de stoep stond.'

'O,' zei Mick.

'Kom.' Adam gebaarde naar een tafeltje. 'Kom mee en hou op met klagen.'

Ze volgde hem met een glimlach. 'Wil je iets eten?' vroeg ze toen ze aan het tafeltje zaten.

'Misschien, wat denk jij?'

'Ik weet niet. Er is thuis nog van alles. En misschien ga ik over een uurtje als een brave huisgenote terug. Dan maak ik het einde van het feestje nog mee. Ik wil Liz niet het idee geven dat ik het niet leuk vond of dat ik kwaad ben omdat ze heeft geprobeerd *Songs of Praise* in mijn woonkamer op te voeren.'

'Maar daar ben je wel kwaad om,' voerde Adam aan.

'Ja, maar ik wil niet dat ze dat dénkt!' Tess was geschokt om zijn naïveteit.

Adam schudde zijn hoofd. 'Vriendinnen,' zei hij. 'Die zal ik nooit begrijpen.'

'Liz is geen vriendin, maar mijn huisgenote,' zei Tess, 'en het is eerlijk gezegd veel belangrijker om een goede relatie te hebben met je huisgenote. Vriendschap – nou ja – als het goed zit, zit dat gewoon goed.' Ze klonk met hem.

'Aha,' zei Adam. 'Ik snap het. Mooi.'

Er viel een ontspannen stilte, waarin ze allebei hun glas leeg-dronken. Adam krabde in zijn nek en keek rond in de pub alsof hij die voor het eerst echt zag. Het plafond hing vol kerstversie-ringen van rode en goudkleurige folie, en op de vierkante ruitjes was nepsneeuw gespoten.

'We hebben hier die eerste avond met Francesca ook gezeten,' zei Tess voordat ze het wist. Ze schraapte haar keel. 'Weet je nog? Londontown,' voegde ze er peinzend aan toe.

Hij keek haar verbaasd aan, maar zij tuurde in haar lege glas.

'Waar denk je aan?' vroeg Adam na een paar seconden. Tess keek op.

'O, aan die avond in Londen,' zei ze. Ze haalde diep adem. 'Ik denk dat er intussen genoeg tijd is verstreken om het daarover te kunnen hebben, toch?'

De pub was verder vrijwel leeg; alleen het gerammel van gla-zen die werden opgeruimd was nu te horen, en het vage geronk van een auto die langsreed.

'Zeker.' Adam knikte. 'Ik ben echt blij dat je dat zegt. Ik voel-de me...'

'Ik heb je zo gemist toen je weg was, maat,' gooide Tess er ineens uit. 'Weet je, ik heb gewoon geen zin om zo lang met wrokgevoelens tegenover jou rond te blijven lopen. Dat is het probleem als je iemand al zo lang kent.'

Hij legde zijn hand op haar knie. 'Ik weet het.'

Ze draaide zich ineens naar hem toe zodat ze hem recht kon aankijken. 'Ik heb je dit nooit eerder gezegd, maar toen je in dat hotel in Rome stond...' Ze schudde haar hoofd en tuurde naar haar glas. 'Ach, laat maar.'

'Nee,' zei hij geïntrigeerd. 'Wat toen?'

Tess bloosde en knikte. 'Oké. Nou... ik verwachtte je daar niet.'

'Natuurlijk niet,' zei Adam.

'En toen je daar ineens stond... zag ik je zoals anderen je zien.'

'Hoe bedoel je?'

Tess keek naar de plank boven de bar waar een rij bierpullen van vaste klanten hing. Er waren kerstslingers langs gedrapeerd. 'Je weet wel, als je iemand ziet die je niet verwacht. Zonder... vooroordelen.'

Hij knikte. 'Dat ken ik.' Hij glimlachte. 'Wat raar! Ik had precies hetzelfde met jou.'

'Echt?'

'Ja,' zei hij. 'Toen je daar boven aan de trap stond herkende ik je niet. Je zag er zo... anders uit. Ik zie het nog voor me. Ik keek alleen maar naar je. Terwijl al die dingen door mijn hoofd gingen. Grappig, zeg.'

'Waarom?' zei Tess. 'Hoe zag ik er dan uit?'

'Tja, moeilijk uit te leggen,' zei hij ongemakkelijk. 'Hoe zag ik eruit?'

'Als een man.' Tess beet op haar lip.

Adam lachte even voluit. 'Een man? Ik zag eruit als een man. Nou, dat is fraai.'

'Ik bedoel...' Ze knikte hem toe. 'Ik zie je altijd in het licht van de jaren, weet je wel. Hoe we waren toen we allebei vijf waren, dertien... achttien.' Ze keek hem aan. 'Ik zag je als een volwassen man. Ik weet dat het raar klinkt. Maar ik geloof dat ik dat niet eerder had gezien.'

'Nou,' zei Adam, ineens serieus. 'Zo zag ik jou ook, Tess. Wat merkwaardig.'

'Als een man? Je wordt bedankt.'

'Nee.' Hij haalde zijn schouders op; ineens wist hij zich niet goed raad. 'Je zag eruit... als een betoverende vrouw. Zo mooi. Je had een wit bloesje aan en je streek je haar uit je gezicht. Je zag er zo... ernstig uit. Volwassen. Mooi.' Hij lachte om haar ongelovige blik. 'Echt! Ik neem aan dat dat komt door...' Hij zweeg.

'Wat?'

'Doordat je verliefd bent.'

'Ik?'

'Eh... ja. Dat wil zeggen... Ik bedoel... jij, jij en Peter.'

'O... natuurlijk,' zei ze. 'Ja, dat kan best.'

'Wanneer ga je naar Rome?'

'Over tien dagen. De drieëntwintigste,' zei Tess. 'Ik popel.'

'Dat snap ik,' zei hij met een lach. 'Je bent een geluksvogel. En hij helemaal. Ik hoop dat hij dat beseft.'

'Dank je,' zei ze. Ze legde haar hand op de zijne en keek hem aan. 'Heel erg bedankt, Adam. Ik heb geen idee of hij dat weet. Eerlijk gezegd zal het me verbazen als hij me nog kent. Na zes maanden...' Ze schudde haar hoofd. 'Ik weet het niet. Ben ik gek?'

'Je zou gek zijn als je niet ging,' zei Adam. 'Dan zou je het nooit weten. En ik heb je met hem gezien.' Hij dronk zijn glas leeg. 'Het is goed. Dat zeg ik je.'

Tess haalde haar schouders op. 'Dank je.' Ze huiverde. 'Ik vind het spannend.'

'Dat moet ook.' Hij stond op. 'Nog een biertje?'

'Ja, graag,' zei Tess. 'Lekker.'

'Zo,' zei ze, toen hij even later terugkwam. 'Weet je al hoe lang je in Leda House blijft?'

'De eerstvolgende paar maanden. Daarom wil ik daar kerst vieren.' Hij kauwde nadenkend op de binnenkant van zijn lip. 'Trouwens, ik ga volgende week naar Londen. Wil je mee?'

'Je maakt zeker een geintje?' Tess keek hem onderzoekend aan.

'Nee, echt niet. Ik moet erheen, voor iets zakelijks over het landgoed,' zei hij vaag.

'Wat dan?'

Hij reageerde niet. 'En... Nou, ik dacht eraan om dan alvast voor kerst een cadeautje voor je te kopen. Om je te bedanken.' Hij krabde gegeneerd in zijn nek. 'Voor alles.'

'Waarvoor dan?' vroeg Tess lachend. 'Ik ben het afgelopen jaar een verschrikkelijk slechte vriendin voor je geweest.'

'Nee,' zei hij ernstig. 'Niet waar. Een betere vriendin had ik me niet kunnen wensen. En je hebt me ook geconfronteerd.'

'Hoe bedoel je?'

Hij leek niet op zijn gemak. 'Ik heb mensen slecht behandeld. Ik heb jou slecht behandeld.'

Ze schudde haar hoofd.

'Jawel,' zei hij vriendelijk. 'Dat heb ik wel. En er zijn er nog veel meer. Meisjes, voornamelijk.'

'Iedereen doet het met jan en alleman,' zei Tess niet erg overtuigend. Ze kuchte.

'Ik ben tot het inzicht gekomen dat dat niet goed was,' zei Adam. 'Je weet wel. Een manier om over de dood van mijn moeder heen te komen, en om om te gaan met dat geheim dat ik altijd bij me droeg. Ik geloof dat ik de naam van mijn moeder heb bezoedeld.'

'Dat is niet waar,' zei Tess met onvaste stem. 'Dat is belachelijk.'

'Ja?' Adam glimlachte alleen met zijn mond. 'Ik kan er niets aan doen, maar als ze me nu kon zien, zou ze niet trots zijn op wat ik heb gedaan. Hoe ik de afgelopen dertien jaar heb doorgebracht.'

Tess zei niets. Ze was er een tijdlang niet voor hem geweest, zo kwaad was ze op hem geweest, wat moest ze hierop zeggen?

Rustig zei Adam: 'Neem de manier waarop ik Francesca heb weggejaagd. Hoe ik haar deze zomer heb behandeld. Man!' Hij keek naar het plafond. 'Ik voel me echt rot als ik daaraan denk.'

'Adam!' Tess tikte zacht tegen zijn arm. 'Hou daarmee op. Ze wist waar ze aan begon. En ze wilde graag terug naar Londen. Ze moest hier weg.'

Het was waar. Maar hij had ook gelijk, dat wist hij, en zij ook.

'Ik heb haar onlangs gesproken,' zei Adam. 'Ik denk dat ik haar in Londen wel zal zien.'

'Echt? Dat is... Wauw.'

'Jep,' zei Adam. 'Ik heb haar gebeld voor ik naar mevrouw Store ging.'

'Wauw,' zei Tess weer. 'Wat goed. Goed van je.' Ze wist niet zeker of het goed was voor Francesca, maar ze wist nu genoeg om het verder bij hen te laten. 'Denk je...'

'Denk ik wat?'

'Vind je haar nog steeds leuk?' vroeg Tess na een korte aarzeling.

'Wat stelt dit voor?' vroeg Adam. '1989? Zijn we ineens terug in de tijd? Hou je van Bros of heb je liever Wet Wet Wet? Ga jij nog steeds met Daniel Mathias?'

'Ach, hou op.'

'Vind je haar léúk!' Adam maakte een spottend geluid. 'Niet te geloven.'

'Dus... wel,' zei Tess.

'Daarom ga ik niet naar Londen.'

'Ik geloof je,' zei Tess lachend. Ze was blij, blijer dan ze kon zeggen, dat het oké was, dat alles oké was. Ze hief haar glas naar hem op. 'Een heleboel mensen zouden dat niet doen.'

'Goed,' zei hij. 'Laten we het over iets anders hebben.'

'Graag,' zei Tess, die moed had gevat. 'Wat ga je nu doen?'

'Je bedoelt nu, op dit moment?' Adam keek een beetje verward.

'Ik bedoel na kerst. Wat ga je doen met de rest van je leven?'

'Daarvoor ga ik ook naar Londen. Om iets, ehm... te regelen. Een beetje raar tijdstip, vijf dagen voor kerst, maar het is vast wel goed.'

'Leuk,' zei Tess, die maar met een half oor luisterde. 'Dus... Francesca, hm?'

'Je wilt niet echt weten wat ik daar ga doen, dus,' zei hij. 'Mooi is dat.'

'Natuurlijk wel,' zei Tess, die zich op de vingers getikt voelde. 'Sorry. Wat gaat er gebeuren?'

'Nou,' zei hij. 'Het stelt eigenlijk niet heel veel voor. Maar ik heb de cottage te koop gezet en het project met de uiterwaarden geannuleerd – ze dreigen nu met een rechtszaak, net als de gemeente.'

Ze keek verontrust.

'Het stelt echt niet veel voor, maar Francesca heeft een vriend die jurist is en gespecialiseerd is in dit soort zaken, en die kan me helpen.'

'Je gaat er echt niet mee door?'

'Nee,' zei Adam simpelweg. 'Weet je, ik zou mezelf er wel van kunnen overtuigen dat het oké is. Maar dat is het niet. Ze moeten met rust worden gelaten.'

Ze haalde haar schouders op en keek hem met een warme blik aan. 'Wat fantastisch. Dat is echt een goed besluit, dat weet je.'

Hij keek verlegen. 'En...' Hij schraapte zijn keel en ging door alsof hij een boodschappenlijst voorlas. 'Eh, ik ga van Leda House een gemeenschapscentrum maken, een kunstcentrum, met zalen voor toneelstukken en concerten en zo. En er wordt een fonds in het leven geroepen om... eh, om plaatselijke bewoners te helpen die hun oude huis willen kopen maar dat niet kunnen vanwege de vreselijke mensen die uit Londen komen, zoals jij.' Hij hief zijn handen. 'Dat laatste was een grapje.'

Tess gaapte hem met open mond aan. 'Meen je dat?' vroeg ze ten slotte.

Adam knikte. 'Ja.'

'Jezus.' Tess kneep haar lippen op elkaar om te voorkomen dat ze breeduit zou grijnzen, hysterisch zou lachen, opspringen, in tranen uitbarsten en zich in zijn armen werpen. 'Ik moet me inhouden.'

'Dus ik ga een cursus kunstbeheer doen,' ging Adam verder. 'Ik moet weten hoe je een goed doel opzet en zo'n fonds moet beheren. We hebben mensen nodig... Ik ga met Beth praten, om te vragen of ik een paar lokalen bij haar kan huren als kantoor. De symmetrie daar staat me wel aan.' Hij zweeg en fronste zijn voorhoofd. 'Wat denk jij, Tess, is dat een goed idee? Zeg iets.'

Tess sloot even haar ogen, deed ze weer open en pakte zijn hand. Ze was sterk ontroerd. 'Het is briljant,' zei ze eenvoudigweg. 'Je moeder zou trots op je zijn, weet je dat?'

Hij knikte. 'Bedankt, Tess. Dat laatste weet ik niet, maar ik hoop dat ze er blij om zou zijn.'

'En je grootvader ook, gok ik. Wie weet duiken er via je grootvader nog wel veel meer familieleden op. Die zouden ook trots op je zijn, dat weet ik zeker.'

Adam drukte even haar hand en knikte.

'En ik ben trots op je,' zei ze zachtjes. 'Ik ben echt trots op je...'

Maatje, wilde ze zeggen, net als vroeger, maar toen ze die rustige, volwassen Adam zag kon ze het niet – ze besefte dat ze hem nog steeds wel kende, maar dat er iets aan hem was veranderd, voorgoed. Hij was niet langer een maatje. 'Ik ben echt trots op je, Adam,' zei ze eenvoudigweg. 'Proost.'

'Proost,' zei hij glimlachend. Ze dronken. 'Dit is het leven, nietwaar.' Hij keek zuchtend de pub rond. 'Dit is alles wat ik ooit heb gewild. En na volgende week... wordt alles nog beter.' Hij knikte haar toe. 'Ik ben zo blij dat je met me meegaat naar Londontown, Tess. Francesca zal het ook tof vinden.'

'Ja,' zei Tess wat aarzelend. Toen hakte ze de knoop door. 'Natuurlijk ga ik mee. Het klinkt allemaal fantastisch.'

'Dat is het ook. En jij gaat daarna meteen naar Italië,' zei hij, haar bemoedigend toeknikkend. 'Het is bijna kerst. Alles loopt zoals het moet!'

Tess aarzelde weer. 'Ja, inderdaad. Alles loopt zoals het moet.'

Hij hief zijn glas op naar het hare. 'Daar drink ik op.'

43

Een van de mooie dingen van weggaan is dat je afstand schept. De mensen voor wie je geen genegenheid meer voelt maar een knagend gevoel van verantwoordelijkheid kun je langzamerhand uit je leven schrappen: de oude schoolvriendin met wie je het over alles kon hebben, van haarverf tot tampons, maar met wie je nu absoluut niets meer gemeen hebt. In Londen zou het in stand houden van zo'n vriendschap opmerkelijker zijn dan wanneer je een arme lerares bent die honderdvijftig kilometer van Londen woont, zonder auto, zonder boeiende contacten en zonder verhalen over de beau monde. Maar toen Tess de kerstkaart van haar oude vriendin Fiona ontving, dacht ze eraan hoe ze dertien jaar geleden waren geweest: twee onhandige, verlegen studentes, samen in de grote stad, en hoe angstaanjagend het was geweest, hoe ze hun vriendschap hadden gebaseerd op de schok van het nieuwe – en wat voor meisje Fiona tegenwoordig was. En hoe was zijzelf intussen geworden?

Vrolijk kerstfeest, Tess! Ik hoop dat het platteland je bevalt en dat je nog steeds geniet van je nieuwe leven. We waren onlangs bij een hotel bij jullie in de buurt, is het niet van dezelfde eigenaar als Soho House? Echt prachtig. Wanneer kom je eens naar Londen? Wij gaan met kerst en Nieuwjaar naar Thailand, maar kom daarna een keer langs. Toms werk gaat goed en we hebben pas een nieuwe auto! Gelukkig Nieuwjaar!
Liefs,
Fiona

Je beste vriendin toen je pas begon als lerares, met wie je na je werk naar de pub ging en hopeloos dronken werd van goedkope witte wijn, en met wie je de vreugde en droefheid deelde; zij vertrok vijf jaar geleden om voor het parlement te gaan werken, en hoewel ze elkaar plichtsgetrouw elk halfjaar een keer hadden gesproken, werd het elke keer iets moeilijker. Omdat die vriendschap in wezen alleen was gebaseerd op het feit dat ze hetzelfde werk deden. En daarmee hield het op.

Lieve Tess,
Vrolijk kerstfeest!
Ik wens je het beste voor 2009... We moeten snel een nieuwe datum prikken voor een drankje als je weer in Londen bent!!!
Pippa
xx

En natuurlijk het ex-vriendje, met wie je twee jaar bent omgegaan en met wie je verschillende vrienden hebt gedeeld, een paar fantastische vakanties en een belangrijke periode in jullie beider leven: als Tess in Londen was gebleven, zou ze dan gedwongen zijn geweest een soort vriendschap te onderhouden met Will en Ticky?

Lieve Tess,
Vrolijk Kerstfeest en een Gelukkig Nieuwjaar.
Ik hoop dat het leven in Langford je nog steeds bevalt. Ik hoop ook dat alles tussen jou en Adam nog steeds goed gaat; hij lijkt me een aardige vent. Ticky en ik hebben ons verloofd. Dat wilde ik je even laten weten. Ik hoop echt dat dit nieuws je plezier doet. Dat klinkt nogal aanmatigend, maar ik heb de laatste tijd aan je gedacht en ik kwam tot de conclusie dat, ook al paste ik niet bij jou, ik wel geluk heb gehad dat ik mijn leven in die periode met jou heb gedeeld. Ik heb vaak het gevoel dat jij en ik misschien niet de dingen tegen elkaar hebben gezegd die we hadden moeten zeggen. Dat wilde ik je in elk geval even laten weten.
~~Met de beste wensen~~
(Sorry!)
Liefs,
Will x
(en Ticky)

Dit kaartje kwam op de dag dat Tess met Adam naar Londen ging, een paar dagen voor haar vertrek naar Rome. Ze las het met een lichte huivering terwijl ze op de bank zat en er een bleek winterzonnetje door de ramen naar binnen scheen. Ze probeerde zich voor te stellen wat ze terug kon schrijven om een en ander recht te trekken.

> *Hartelijk bedankt voor je mooie kerstkaart. Eerlijk gezegd is Adam niet mijn vriend. We hebben jullie voorgelogen zodat ik niet als een loser overkwam, maar achteraf zit me dat niet lekker. De waarheid is dat ik met kerst naar Rome ga logeren bij een goddelijke Amerikaan, Peter, en ik hoop dat we die vakantie voor een groot deel in bed zullen doorbrengen. Hij is ook niet echt mijn vriend, we hebben alleen samen een fantastische week gehad, hoe mal het ook klinkt, en als ik aan hem denk, denk ik aan die schitterende tijd waarin ik weer mezelf werd – want na die twee jaar met jou was er niet veel van me over. Maar goed, ik wens jullie allemaal het beste en een fijne kerst...*

Er klonk een harde roffel op de deur. 'Tess?' riep iemand buiten. 'Ik ben laat, sorry.'

'Hoi,' zei ze, overeind komend. 'Ik kom eraan.'

Ze deed open en lachte naar Adam; hoewel hij inmiddels twee weken terug was, deed het haar nog steeds plezier hem te zien. Hij gaf haar een kus op haar wang en keek even over haar schouder. 'Wat stelt dat voor?'

Tess draaide zich om. 'O, jee. Dat moet ik inpakken.'

Adam nam de gigantische rommel op de vloer in zich op: een wirwar van leggings, panty's en onderbroekjes. 'Juist,' zei hij beleefd. 'Wanneer gaat je vlucht?'

'Overmorgen om elf uur,' zei ze. 'Hopelijk kom ik net op tijd aan voor een late lunch.'

'Wauw.' Adam wreef zijn handen. 'Spannend hè, vind je niet?' Hij legde zijn arm om haar heen. 'Je zult er wel erg naar uitkijken.'

'Ja.' Ze schopte somber een verdwaalde panty weg en gooide haar tas over haar schouder. 'Kom, we gaan.'

'Hoe vind je het om hem weer te zien?' vroeg Adam terwijl hij zijn handen in zijn zakken stak. 'Hebben jullie nog plannen gemaakt?'

Tess keek hem aan terwijl ze haar sleutels pakte. 'Wie ben jij in vredesnaam? Oprah Winfrey?'

Adam keek verbaasd. 'Hoezo?'

'Al die vragen,' zei Tess verontwaardigd. Ze deed de deur open. 'Ik weet er geen antwoord op. Ik heb hem in maanden niet gezien, weet je. En hij is ook weg geweest. Ik heb geen idee hoe het gaat worden.'

Na een korte stilte knikte Adam. 'Sorry, natuurlijk. Ik ben vandaag alleen nogal vrolijk.'

'Waarom?'

Hij keek haar aan. 'Nou... je weet wel. Dat we naar Londen gaan... en zo. En... dat ik eindelijk iets meer te weten kom over die cursus. Maar,' haastte hij zich eraan toe te voegen, 'ik snap waarom je een beetje zenuwachtig bent. Je kijkt ernaar uit om Peter terug te zien, maar je vraagt je ook af hoe het zal zijn.' Hij floot.

'Inderdaad.' Tess knikte. Ze was opgelucht dat hij het had verwoord; het voelde niet goed om zelf toe te geven dat ze iets negatiefs voelde over haar reisje, over Peter, over alles wat ermee te maken had. Ze keek hem aan en vroeg zich af of hij hetzelfde gevoel had nu ze naar Londen gingen, waar hij Francesca weer zou zien. 'Ja, dat is het precies...' Ze deed de deur achter zich op slot en samen liepen ze de straat door. Ze beet peinzend op een nagel. Hij keek haar aan.

'Nou, het is goed om te weten dat het niet alleen maar een vakantieliefde was.'

'Ja, ik...' begon Tess, maar toen zweeg ze. 'Wat bedoel je?' zei ze fel.

Adam gebaarde, nog steeds met zijn handen in zijn zakken. 'Nou, zoals je al zei was het een fantastische tijd en zo, en was je bang dat het nergens op zou uitdraaien. Dat zei je zelf,' zei hij mild.

'O, ja,' antwoordde Tess weifelend. 'Ja, nou ja... Zo is het inderdaad.'

Aan het eind van de straat sloegen ze links af, in de richting van het stadhuis en het station. Tess keek om naar de hoofdstraat, naar de kerstverlichting die op deze bewolkte dag een omfloerst licht gaf, naar de dikke taxusbomen langs het kerkhof, naar Langford midden op de ochtend. Ze wilde niet naar Londen. Ze was boos, chagrijnig, alsof er een irritatie op de loer lag die elk moment kon doorbreken, als een soort eczeem. Adam liep al voor haar uit.

'We zijn laat,' riep hij. 'Schiet op, Tess, we mogen die trein niet missen.'

Het was nevelig; Tess rilde, zette haar kraag op en rende naar hem toe. Ze gingen weer naar Londen.

Tess was een paar dingen over Francesca vergeten. Ze was vergeten hoe fris haar huid was, hoe lekker ze rook – naar jasmijn? Het was in elk geval heerlijk. En hoe opvallend onaangedaan ze leek; dat je haar goed moest kennen voordat je wist hoe ze over iets dacht. Tess herinnerde zich de laatste keer dat ze haar had gezien, die vreselijke dag in augustus na de begrafenis van Leonora Mortmain; dat was de enige keer geweest dat ze haar van haar stuk gebracht had gezien. Ze schreeuwde niet om aandacht. Vanbinnen was ze misschien een vat vol onzekerheden, maar vanbuiten leek ze een koele kikker.

Op station Waterloo stond ze te wachten. Onder de beroemde klok stonden mensen van de plaatselijke kerk kerstliedjes te zingen, begeleid door een opname met krakende achtergrondmuziek. Francesca stond ernaast en leek enigszins geïrriteerd door hun aanwezigheid. Een nieuwe tas, een prachtig exemplaar van blauw leer van Anya Hindmarch, hing aan haar arm. Ze droeg een donkerblauwe spijkerbroek, zwartleren schoenen en een dikke zwarte capeachtige wollen jas met capuchon. Ze leek meer dan ooit een beroemdheid, iemand uit een film, en Tess dacht even aan Liz, die die ochtend vrolijk pannenkoeken had gebakken en haar handen afveegde aan haar schort terwijl ze opgewekt met Tess kwebbelde over de dag die voor haar lag. Grappig om te bedenken hoe verschillend die twee waren.

'Hallo, troel,' zei Francesca, en ze wierp een laatste blik vol ongenoegen op het koortje terwijl ze op hen af liep. Ze gaf Tess een zoen op haar wang. 'Ha, Adam, kerel. Fijn om jullie te zien.'

Adam gaf ze geen kus, maar ze drukte even zijn arm en liet haar katachtige grijns zien. 'Zin in een lunch?' zei ze. 'Ik sterf van de honger.'

'Het is pas twaalf uur,' zei Adam met een lach. 'Heb je wel ontbeten?'

'Ja hoor, en ook iets bij de koffie gegeten,' zei Francesca. 'Sinds ik weer ben gaan werken is mijn eetlust enorm toegenomen. Langford was niet zo goed voor mijn spijsvertering. Ik krijg al honger als ik de trap op loop.'

'Ik snap niet dat je dat verbaast,' zei Tess. 'Die vijf maanden heb je vrijwel geen vinger uitgestoken.'

Francesca zette even grote ogen op en begon toen te lachen. 'Ach, schei uit. Wie heeft er toen alles ingeslagen om margarita's te maken? En het karaokeapparaat in huis gehaald?'

'En de flatscreen-tv,' zei Tess. 'En al die enorme dozen shampoo en gezichtsreiniger die ik altijd voor je ophaalde bij het postkantoor als jij aan het... eh, als jij sliep.'

'O, ja,' zei Francesca. 'Die heb ik allemaal laten staan, sorry. Ik had ze nog op willen ruimen. Het zijn er vast een heleboel. Ze kunnen hergebruikt worden,' zei ze genereus.

Tess keek naar Adam. 'Maak je geen zorgen,' zei ze tegen Francesca. 'Dat is inmiddels gebeurd.'

Ze liepen nog steeds pratend over de Hungerford Bridge naar de oever van de rivier. Tess keek uit op het golvende, schuimende water, het enorme uitzicht van Londen overal om haar heen, en dacht aan Rome, hoe klein dat hierbij vergeleken was. Het was nog geen halfeen, dus gingen ze naar Gordons wijnbar, waar ze nog een tafel konden krijgen. Het was vijf dagen voor Kerstmis – het centrum wemelde van de winkelende mensen en toeristen, niet van de werkende mensen, en er hing een wat rommelige sfeer.

In de bar was het vreemd leeg, misschien vanwege het vroege uur. Het donkere, houten interieur was gezellig en winters, stampvol wijnflessen en posters. Ze liepen naar een rond tafeltje en Tess nam de kruk, zodat Francesca en Adam samen op het houten bankje konden zitten. Ze lachte hen toe toen ze er plaatsnamen.

Ze vormden een mooi stel, dat stond buiten kijf. Ze waren allebei lang en hadden ongeveer dezelfde teint; hij had lichtbruin haar dat vroeger witblond was geweest; zij had prachtige karamelkleurige lokken die over haar smalle schouders tuimelden.

'Laten we iets te drinken halen,' zei Adam, en hij legde zijn hand op de tafel net toen Francesca hetzelfde deed. Hun handen waren allebei smal, met lange, mooie vingers; ze draaiden zich naar elkaar en Tess bedacht dat het bijna komisch was hoe perfect die twee bij elkaar pasten.

'Ja,' zei Francesca. Ze trok haar jas uit, tilde haar haar omhoog en liet het met één hand vallen zodat het als een zijden gordijn uitwaaierde. 'Ik loop even mee.'

Ze lachten naar elkaar toen ze opstonden, zo kort nadat ze waren gaan zitten. 'Is dat goed, Tess?' zei Adam. Hij legde vriendelijk zijn hand op haar schouder.

'Tuurlijk,' zei Tess, die haar telefoon uit haar tas pakte. 'Ik moet Peter even bellen om een paar details over mijn reis door te geven.' Ze zweeg toen ze besefte dat ze zat te raaskallen. 'Ik red me wel!' riep ze, maar ze stonden al aan de bar te kletsen. Tess keek hen na en draaide haar mobieltje om en om. Ze zag dat ze allebei nerveus waren; Francesca keek bedeesd een paar keer naar haar tas en toen de barman hun bestelling had opgenomen en Adam haar op de arm tikte, keek ze naar hem op en lachte ze oprecht. Haar ogen straalden, haar wangen kregen kleur en haar lippen weken uit elkaar.

Ze is nog steeds verliefd op hem. Het was overduidelijk. Het was ook overduidelijk voor de barman, die verveeld toekeek terwijl hij wachtte tot Adam hem het geld overhandigde. Waarom was het hun niet duidelijk, vroeg Tess zich af. Ze wist het antwoord niet, en al helemaal niet wat ze eraan moest doen. Ze keek op haar mobieltje.

Geland! Terug in mijn flat. Nog maar twee dagen en dan zijn we bij elkaar. Ik ben bijna vergeten hoe je eruitziet. P xx

Ik ben ook vergeten hoe jij eruitziet, dacht Tess. Ze keek naar Francesca's geanimeerde gezicht bij de bar en voelde zich misselijk. Ze wist niet waardoor.

Het was een ontspannen maar tamelijk korte lunch, waarbij alleen algemeenheden ter tafel kwamen, zoals Francesca's nieuwe baan, Tess' nieuwe cursisten, plannen voor de kerst, en het weer. Er werd geen woord gezegd over de laatste keer dat ze elkaar hadden gezien, wat dat aan het licht had gebracht, en wat er nu zou kunnen gebeuren. Ze betaalden de rekening en trokken hun jas aan. Bij de deur legde Adam zijn hand op de knop en zei: 'O ja, trouwens – Francesca en ik moeten ergens naartoe. Om iets te regelen, datgene waar ik het laatst over had. Weet je nog?'

Hij knikte veelbetekenend naar Tess.

Tess wist het niet meer maar ze wilde niet zo warrig overkomen als ze zich voelde. 'Goed, waar gaan we naartoe?'

'Het punt is – ik ben bang dat we er met z'n tweeën naartoe moeten,' zei Adam. 'Sorry, Tess.'

'O! Ja... natuurlijk!' Tess probeerde haar opgelaten gevoel te verbergen door heel joviaal te doen. 'Uitstekend! Ik moest toch een paar boodschappen doen. Dus dat komt goed uit... eh... Waar gaan jullie precies naartoe?'

Ze wilde het antwoord liever niet horen, maar ze had het gevoel dat ze de vraag moest stellen. En ook al was het duidelijk dat ze met z'n tweetjes wilden zijn, toch was ze een beetje kwaad op hen allebei.

'We gaan alleen even naar een straat bij Albemarle Street,' zei Francesca, met een exactheid die Tess verbaasde. 'Zullen we over een uurtje afspreken? We blijven niet lang weg, echt.' Ze glimlachte naar haar.

'Prima,' zei Tess. 'Dan ga ik naar Burlington Arcade. Moest ik toch al naartoe!' Ze wilde dat ze iets minder uitbundig deed. 'Ik moet een hele hoop kopen, ik heb nog niet eens een cadeautje voor Peter!'

'Wat ga je voor hem kopen?' vroeg Francesca terwijl Adam de deur opendeed.

'O...' Tess knipperde even toen ze van de donkere ruimte in het felle licht kwam. 'Waarschijnlijk... Ik weet het eigenlijk niet.'

'Mooie vriendin ben jij.' Adam schoof haar zachtjes opzij toen een fietser in hoog tempo over de kade op hen af kwam. Tess keek hem kwaad aan. Ze voelde zich boos en opstandig, een beetje verhit door de bar en de wijn die ze had gedronken.

'Ik zie jullie om vier uur in Burlington Arcade,' zei ze. 'En succes met wat jullie ook maar gaan doen.' Ze sloeg haar blik ten hemel en liep met stevige tred naar Northumberland Avenue in een poging niet te laten merken hoe ze zich werkelijk voelde.

De wandeling in de kou deed haar goed. Ze liep Pall Mall af, over St James's Square, en bewonderde de mooie, hoge gebouwen, de smaakvolle kerstversiering, de oude herenzaken waar ze tabak en echte panamahoeden verkochten, de clubs waaruit oude heren in vest opdoken na een lange lunch. Ze dacht aan Londen, hoe ze het had gemist en dat ze nog steeds van deze stad hield, maar toen ze op Piccadilly aankwam besefte ze dat het niet meer als thuis voelde. En ze besefte tijdens de wandeling in de frisse lucht ook dat ze had gedaan wat ze altijd deed; ze had zich verzoend met een stad omdat het moest. Ze had Londen op haar achttiende in haar hart gesloten om over Adam heen te komen na de abortus, en om opnieuw te beginnen.

Ze had de stad in haar hart gesloten omdat ze Langford had moeten afwijzen, het deel van haar jeugd achter zich had moeten laten dat haar zoveel verdriet had gedaan. Ze had van de koele, klassieke belijning van het universiteitsgebouw gehouden; van de witgestuukte zuilen, de ordentelijkheid van dat alles, de imposante Londense pleinen, de witte muren en zwarte leuningen van het British Museum. Geen schots en scheef staande, op elkaar gepakte cottages, geen kronkelstraatjes, geen zandpaden waarlangs bramen groeiden, hagen in een bonte kleurenpracht... In de ogen van de achttienjarige, gekwetste, eenzame Tess was Londen de perfecte klassieke stad geweest. En tot dat laatste jaar had zelfs de lange, rechte straat in Balham iets ordelijks gehad wat haar aansprak.

Haar telefoon ging; ze greep hem snel uit haar zak, waar ze hem zonder dat ze het beseft had al die tijd al vasthield. PETER MOB.

Ze nam niet op.

Ze keek langs de spijlen van het hek naar St James, waar een kerstconcert in volle gang was; ze zongen 'God Rest Ye Merry Gentlemen' in mineur; het klonk krachtig en melancholiek. Sirenes jammerden in de verte in verschillende toonaarden door elkaar heen. De telefoon zweeg. Ergens werden kastanjes gepoft; de lichte rooklucht kriebelde in haar neus. Iemand stootte tegen haar aan en mompelde een verontschuldiging terwijl hij zich verder haastte. Het was niet een echt belangwekkend moment, maar toen ze naar haar telefoon staarde en daarna met een bedroefd hart opkeek, wist Tess ineens met een stelligheid die zich niet liet verdringen dat ze niet naar Rome zou gaan.

Ze belde hem terug. De telefoon ging over, hij nam meteen op. Ze dook een portiek in om aan het lawaai van de straat te ontsnappen.

'Hé, schatje,' zei Peter. Ze kende zijn stem inmiddels zo goed. Maar ze kon zijn gezicht niet voor zich halen. 'Ik probeerde je net te bellen.'

'Hoi,' zei ze. Ze draaide zich om en keek naar de voorbijsnellende auto's. De sirenes klonken weer op de achtergrond. 'Dat weet ik. Hoor eens, Peter... ik moet je iets vertellen.'

44

'Je kunt het niet zomaar uitmaken door de telefoon,' zei Peter op een toon waar een en al ergernis uit sprak. 'Zo werkt het niet, Tess...'

'Sorry, Peter.' Ze smeekte bijna, omdat ze hem wilde laten inzien dat ze het enige juiste deed en hem geen pijn wilde doen. 'Echt, het spijt me. Ik dacht dat ik verliefd op je was...'

'Ja – ik ook,' zei hij kort. 'Ik word niet op iedereen verliefd, weet je. Ik was er klaar voor om...' Hij zweeg even. 'Ik dacht echt dat je van me hield, Tess.'

'Dat deed ik ook,' zei ze bedroefd. Ze wist dat het zwak klonk. Maar ze wist ook dat ze gelijk had. Net als Londen was Rome een afleiding voor haar geweest. Ze was verliefd geworden op het vakantiegevoel, de romance, de stad... en ook een beetje op Peter, natuurlijk. Maar hij was niet degene om wie het eigenlijk ging, dat was het probleem. Met kerst bij hem zijn in de wetenschap dat dat een leugen was – nee. Tess had dat eerder gedaan: passief toekijken en een ander de beslissingen laten nemen, en dat had haar geen goed gedaan. Dit was de beste manier om zijn gevoelens te sparen, maar ook de hare. Ze deed hem liever nu een beetje pijn dan later een heleboel. Ze tuurde de straat af en vroeg zich af wanneer Francesca en Adam terug zouden komen van hun rendez-vous.

'Waar ben je?' vroeg Peter. 'Je klinkt alsof je onder water zit.'

'Ik sta op Piccadilly,' zei ze. 'Vlak bij Burlington Arcade.'

'O, wat enig,' zei Peter met zijn beste Britse accent. '*I'm Burlington Bertie, I rise at ten thirty*,' zong hij.

'Hoe weet jij...' begon Tess.

'Tijdens mijn studententijd zat ik in een vierstemmig mannenkwartet. Je zou mijn "Mr. Sandman" eens moeten horen.'

'Echt?' Tess lachte een beetje overrompeld. 'Nou moe. Soms heb ik het gevoel dat ik je helemaal niet ken.'

Er viel een stilte toen ze besefte wat ze had gezegd. 'Ja, dat is waarschijnlijk ook zo,' zei Peter. 'Zeg iets terug, Tess.'

'Sorry,' zei ze hoofdschuddend; ze zag zichzelf in de etalage terwijl er mensen achter haar langs liepen.

'Denk je dat je verliefd op me zou zijn geworden als we niet in Rome waren geweest?' vroeg hij. 'Als ik een gewone vent was geweest die op een avond de pub was binnengewandeld bij jullie in het dorp?'

'Dat is het probleem, Peter,' zei Tess bedroefd. 'Je zou die pub niet binnengewandeld zijn. Je zou nooit naar die pub gewild hebben.' Hij wilde iets zeggen, maar ze was hem voor. 'Sorry, ik wil je niet aanvallen, echt niet. Ik bedoel alleen – het gebeurde daar, op dat moment. Denk je niet? Jij bent er ook weggegaan.'

'Ja,' zei hij. 'Dat denk ik ook. Ik heb er ook over nagedacht, weet je. Toen ik weg was, besefte ik het. Ik vind het hier heel fijn, maar alleen als er hier iets bijzonders te doen is. Ik ben hierheen gekomen voor Chiara. Ik kwam hier terug voor jou. Maar wil ik hier wonen, nu ik terug ben?' Hij lachte. 'Waarschijnlijk heb ik last van jetlag.'

'Zou je terug kunnen naar de Verenigde Staten, als je wilde? Bieden ze je die mogelijkheid?'

'Bij de krant? Ja, ik denk het wel.' Hij schraapte zijn keel. 'Ik geloof wel dat ze me willen houden. En ik wil het geloof ik ook wel.'

Dus ze hadden allebei besloten dat Rome het niet voor hen was.

'En Chiara?' vroeg ze dapper. 'Ik vroeg me af of...'

'Nee,' zei Peter vastberaden. 'Dat is voorbij.'

'Echt?'

'Tess,' zei Peter na een korte stilte. 'Het is makkelijk voor jou om op die manier "Echt?" te zeggen. Maar je kunt niet bij iemand blijven... als je verliefd bent op een ander.' Hij klonk vragend. 'Denk je niet?'

'O, je bedoelt Leon, van Chiara,' zei Tess.

'Nee,' zei hij. 'Ik bedoel jou. Denk er maar eens over na, schat. Bel je me met Kerstmis bij Nicoletta?' Dat was een buurvrouw van hem die fantastisch kon koken. Hij klonk hartelijk. 'Ik wil weten of je je dan nog schuldig voelt. Ciao, schoonheid.'

En de verbinding was verbroken.

Ze liep Burlington Arcade in terwijl ze 'Burlington Bertie' neuriede en wreef met haar hand over haar maag. Ze kocht voor Stephanie exclusieve bitterkoekjes van Ladurée in de prachtigste kleuren, in knisperende papiertjes, geleverd in een goud- met pistachekleurig tasje. Ze ging naar Penhaligon's en kocht parfum voor Liz, badolie voor haar zus, en ouderwetse zeep aan een touw voor Mike, haar zwager. Toen ze de winkel uit liep, viel haar oog op de etalage van een juwelier, waar antieke broches, ringen en halssnoeren in weelderige fluwelen doosjes uitgestald lagen. Het was een wonder dat het haar opviel, omdat het helemaal achterin lag: een broche van drie bloemen aan gouden takjes, elke bloem in een andere kleur, de eerste ambergeel, de tweede maansteenblauw, de derde amethistpaars, met piepkleine groene blaadjes van glas. Het was een prachtig, verfijnd sieraad. Onderaan stond op een klein kaartje PRIMULA BROCHE, CA 1920. MERKTEKEN OP ACHTERZIJDE. £45,-

Tess ging met een glimlach naar binnen.

Toen ze had gepind en het pasapparaatje teruggaf aan de oude winkelier, werd ze op haar schouder getikt. Ze sprong op. Het was een klein winkeltje en de eigenaar keek boos en geschrokken, alsof ze door te veel bewegen alle doosjes, de diamanten verlovingsringen en parelsnoeren van hun plaats zou stoten.

'Hé Tess,' klonk een stem achter haar. 'Sorry dat we je hebben laten wachten.'

Ze draaide zich om. 'Hé,' zei ze, en ze gaf Adam een kus op zijn wang. 'Alles oké?'

Hij glimlachte. 'Meer dan oké, bedankt.'

Tess keek uit het raam en zag Francesca naar hen staan kijken. Ze hief haar hand ter begroeting; haar gezicht was niet goed te zien door de spiegeling. 'En?' vroeg Tess nieuwsgierig zo opgewekt mogelijk. 'Wat is er gebeurd?'

'Dat vertel ik je later,' zei Adam. 'Maar het is goed om je te zien, meisje.'

Ze namen afscheid van de winkelier en Adam deed de deur open: op dat moment draaide ze zich naar hem toe met het cadeautje. 'Adam… dit is je kerstcadeautje. Het is een beetje vroeg. En het is eigenlijk niet voor jou… Je zult het waarschijnlijk weggeven. Maar ik zag het net liggen en…'

'Niet voor mij en ik ga het weggeven? Mooi is dat,' mompelde Adam. Ze moest lachen maar bekeek nieuwsgierig zijn gezicht toen hij het fluwelige doosje opendeed. Hij staarde naar de broche die hem toestraalde, pakte hem op en draaide hem met een vragende blik om, terwijl ze hem bemoedigend toeknikte. '"Primula Broche",' las hij hardop. 'O... Tess.' Hij pakte het sieraad op. 'Wat...'

'Die kun je aan je oudtante geven. Wanneer je haar vindt. Want ik weet zeker dat je haar zult vinden.' Ze kneep even in zijn arm. 'Dat weet ik gewoon.'

Adam staarde haar aan. 'Tess. Je weet niet hoeveel dat voor me betekent.'

'Is al goed,' zei Tess kortweg. Hij legde zijn vinger onder haar kin zodat ze hem aan moest kijken.

'Waar heb ik dit aan verdiend?'

'Nergens aan,' fluisterde ze. Ineens dacht ze aan Peter. Haar hart was vervuld van pijn en ook van liefde, en ze vroeg zich af waarom ze zich zo voelde. Ze keek naar Francesca, die nog steeds naar hen stond te kijken, en lachte naar haar.

'Heel aardig,' zei de winkeleigenaar. Hij knikte, waardoor zijn snor op- en neerging. 'Maar buiten staan mensen te wachten, dus als u het niet erg vindt...'

'Natuurlijk,' zei Adam. Hij hield de deur weer open en Tess liep naar buiten. 'Dat is een schitterend cadeau, Tess. Ik heb ook iets voor jou. Maar niet hier. O, man. Ik weet niet...' Hij schudde zijn hoofd.

'Daar heb je vrienden voor, zeg ik altijd,' zei Tess.

Francesca zei niets. 'Kijk eens wat Tess voor me heeft gekocht,' zei Adam. 'Het is...'

'Adam,' zei Francesca. Ze zag lijkbleek en had tranen in haar ogen. 'Kan ik... kan ik even met je praten?' Ze keek Tess aan. 'Alleen?'

'Natuurlijk,' antwoordde Tess in zijn plaats. 'Ik wacht wel hier.'

'Is dat goed?' vroeg Adam haar zachtjes.

'Ga nou maar,' zei ze. 'Trouwens...' Ze keek op haar horloge en deed alsof het haar allemaal niets kon schelen. Adam en Francesca – het zou altijd een dramatisch stel blijven. 'Zullen we gewoon afspreken dat we elkaar in de trein zien? We zijn vlak bij Piccadilly Circus, je kunt in Bakerloo op de trein stappen. Ik ga vast vooruit, maar voor het geval ik je niet meer zie...'

'Het duurt niet lang,' zei Adam. Hij greep haar even bij haar elleboog. 'Echt niet.'

Francesca stond achter hem en draaide een lok om haar vinger. 'Dag schat,' zei ze.

Tess zwaaide naar haar zonder iets te zeggen. Ze keek hen na toen ze wegliepen en bleef nog even staan kijken naar de twinkelende lichtjes, de zijden linten en de versieringen. Toen draaide ze zich om en liep terug. Het kerstconcert in St James was nog steeds bezig. Luide snaarmuziek in mineur zweefde haar tegemoet; licht scheen achter de ramen. Aan alle kanten liepen mensen, allemaal in een zwarte of donkere jas, met tassen aan hun arm. Niemand zei iets tegen een ander. Iedereen repte zich gehaast ergens naartoe. Ze wist dat Adam hun trein niet zou halen. Ze besefte dat ze de grote winkel van Waterstone's in moest om een tijdschrift te kopen; ze had niets te lezen bij zich. Ze had kunnen weten wat er zou gebeuren. Vermoeid, maar met een merkwaardig bevrijd gevoel liep ze verder. Mensen liepen constant tegen haar aan terwijl de muziek harder werd en hoog boven hun hoofd de kerkklok in de donkere hemel zes keer sloeg.

45

Nadat ze aanvankelijk had afgegeven op het snoephuisje, moest Tess toch toegeven dat ze er steeds meer door bekoord werd. Het was een mooi sierstukje. Het was er altijd: als je uit Londen kwam na een rit met vertraging, hongerig en een tikje bedroefd, werd je verwelkomd door de heerlijk zoete, glanzend bruine kaneelkoekjes. Het was er wanneer je de volgende ochtend met een triest gevoel naar beneden liep en niemand aantrof. Het was er als je op kerstavond tijdens het inpakken van de cadeautjes trek had in iets lekkers. Tess had haar ouders hun kerstcadeau al meegegeven toen ze met de cruise vertrokken, maar nu zou ze kerst doorbrengen met haar zus en Mike, en ze moest ook nog voor een paar andere mensen iets inpakken.

Ze was nog steeds een beetje down. Haar kerststemming was totaal verdwenen nadat Liz die ochtend naar haar ouders in Nantwich was vertrokken.

Liz had heerlijke kerstmuffins gebakken voor het ontbijt en toen Tess beneden kwam en nog slaperig in haar ogen wreef, had ze haar opgetogen twee pakjes en een zak bollen in haar handen geduwd. 'Voor de tuin, om het voorjaar wat kleur te geven.'

Tess had haar ontzet aangekeken. 'O jee, Liz. Ik heb alleen maar een kaart voor jou. O! En...' Ze had een la van de kast opengetrokken. 'Alleen dit.' Ze haalde het parfum tevoorschijn dat ze in Burlington Arcade had gekocht. 'Vrolijk kerstfeest, huisgenoot.'

Liz had haar een kus gegeven. 'Nee, voor jóú een vrolijke kerst, Tess.' Haar ogen glansden van ingehouden tranen. 'Wat fantastisch,' zei ze, toen ze het tasje zag dat Tess haar aanreikte. 'Heerlijk. Dank je wel.'

'Waarvoor?' Tess ging aan de tafel zitten; haar benen deden pijn.

'Voor álles.' Liz zette een koffiepot voor haar neer. 'Voor je goede lessen. Voor het feit dat ik hier kan wonen. En omdat je zo'n goede vriendin bent.'

Daarom hief Tess met een ruk haar hoofd en lachte. 'Ik ben een verschrikkelijke vriendin geweest!'

'Nee, niet waar,' zei Liz stellig. 'Ik vind dat je dit jaar heel wat op je bordje hebt gekregen, en je hebt je kranig geweerd.'

Maar ik zeg achter je rug botte dingen over je en ik vertrek vroegtijdig op je feestje en ik had helemaal niet zo'n zin om jullie Rome te laten zien, ik ben helemaal niet aardig, wilde Tess zeggen. Alsof Liz haar gedachten kon lezen, gaf ze haar een beker.

'Je hebt het afgelopen jaar zoveel aan je hoofd gehad, met terug verhuizen en een nieuwe baan, en met ons allemaal naar Rome. Om nog maar te zwijgen,' zei ze rustig, 'over al dat gedoe met Adam.'

'Maar dat was zijn probleem,' bracht Tess te berde. 'Dat had niets met mij te maken.'

'Soms is het moeilijker om machteloos toe te kijken dan om je zelf in het oog van de storm te bevinden,' zei Liz kordaat. 'Dan weet je tenminste waar je je bevindt.' Tess keek haar met fronsende wenkbrauwen aan. 'Aan de zijlijn moeten toekijken zonder dat je iets kunt doen voor iemand van wie je werkelijk houdt – dat is zwaar.'

Ze deed de oven open; een warme, kruidige geur kwam Tess tegemoet. Ze snoof diep. 'Ik denk dat dat voor een deel wel waar is,' zei ze. 'Maar dan nog is het veel gemakkelijker om mij te zijn dan... o, tal van anderen.'

'En trouwens,' zei Liz, terwijl ze de plaat met muffins boven op het fornuis zette zodat het metaal rammelde. 'Ik vind het moeilijk om onze leeftijd te hebben. Hoe oud ben jij?'

'Nou, ik ben eenendertig,' zei Tess. 'Oud genoeg om beter te weten.'

'Dat bedoel ik,' zei Liz nadenkend. 'Dat is een jaar jonger dan ik. En jij hebt een verantwoordelijke baan, waarin je volwassen moet zijn en mensen opdrachten moet geven. Dat lijkt mij zwaar. Het maakt het moeilijk om normaal te doen. Ik heb geen idee wat ik met mijn leven wil. Ik voel me niet volwassen, erg hè. Hoe moet ik nu een man krijgen of kinderen grootbrengen als ik niet weet wat een bougie is of een hedgefund of...'

'Kun je een gloeilamp verwisselen?'

'Ja,' zei Liz. 'Natuurlijk.'

'En weet je het nummer van je bankrekening?'

'Ja, natuurlijk weet ik dat.'

'Nou dan,' zei Tess. 'Ik denk dat je beter zoiets kunt weten dan wat een hedgefund is, en ik heb ook geen idee waar een bougie voor dient. Iets in een auto. Maak je er maar niet druk om.' Ze staarde hoopvol naar de schaal muffins. 'Dat heb ik het afgelopen jaar geleerd. Je maakt fouten, je leert ervan en je gaat weer verder.' Ze schonk haar huisgenote een kop koffie in. 'En zolang jij zo lekker kunt koken zou ik me geen zorgen maken. Ik heb altijd met iemand als jij in huis willen wonen.' Ze klonk met haar beker tegen die van Liz. 'Vrolijk kerstfeest, lieve schat. En bedankt.'

'O, lieve Tess,' zei Liz, en haar ogen blonken al weer. 'Jíj bedankt.' Ze stopte een flink brok muffin in haar mond; het was te groot en de kruimels vielen op haar bord. Tess schoot in de lach.

'Oeis agam?' zei Liz onverstaanbaar.

'Wat?' zei Tess. Liz probeerde te slikken maar kreeg een lachbui.

'Oeis agam?' zei ze weer.

'Eet eerst je mond maar leeg,' zei Tess. 'Ik begrijp geen woord van wat je zegt, Elizabeth. Hemel, je eet als een zwijn! Langzaam kauwen.'

Liz lachte zich tranen. Ze slikte, schraapte haar keel, slikte nogmaals en nam een slok koffie. 'Ik zei: hoe is het met Adam?' piepte ze uiteindelijk. 'Dat heb je nog niet verteld. Hoe ging het winkelen?'

'O!' Tess sloeg met haar vlakke hand op de tafel. 'Dat was geweldig. Fantastisch. Schitterend.'

'Mooi!' zei Liz. Ze keek Tess enigszins bevreemd aan. 'Dat is goed. Hebben jullie Francesca nog gezien?'

'Ja. Het was enig om haar te zien,' zei Tess. Ze beet op haar lip en knikte alsof ze het sombere gevoel dat haar in de trein naar huis had bekropen van zich wilde afschudden. 'Het was gewoon fantastisch. Ze is nog precies dezelfde. Schitterend. Ik ben dol op haar.'

'Huh-huh,' humde Liz iets te snel. 'Wauw, wat geweldig.' Ze zweeg even. 'Ja, ik heb Francesca altijd een heel aardige meid gevonden. Ze leek me zo grappig en vrolijk.'

Tess keek met een blik vol genegenheid naar haar huisgenootje. Ze wachtte even voordat ze behoedzaam haar woorden koos.

'Ja, ze is geweldig, en het was leuk om bij te praten. We blijven contact houden.' Ze brak een stukje van een muffin af. 'Maar het was ook heerlijk om weer naar huis te gaan, snap je wat ik bedoel?'

'Jep,' zei Liz op even nonchalante toon. 'Nou, dat snap ik helemaal.' Er klonk een bons op de vloer. 'Kerstkaarten!' riep ze opgetogen en ze rende eropaf. 'We hebben er... een, twee... vier, vijf! Kijk, een van Francesca!' Ze kwam de keuken weer in. 'O, geweldig!'

'O, die lees ik later,' zei Tess. 'Wil je dat ik het waterpeil van je auto voor je nakijk voordat je vertrekt?'

'Dat zou ik eerlijk gezegd wel heel fijn vinden,' zei Liz beschaamd. 'Laat maar zien hoe je dat doet. En neem *un autre* muffin.'

'*Merci*.'

Later die ochtend, toen Liz was weggereden, zat Tess omringd door pakpapier voorzichtig stukjes plakband op de rand van de tafel te plakken, nadat ze al een paar keer aan het papier of aan het cadeautje vast was blijven plakken. Ze was naar Jacquetta's winkel gegaan en had voor een hoop geld geschikte versieringen voor haar cadeaus gekocht. Het inpakken van de cadeaus voor haar ouders had haar een paar weken geleden uren gekost, en ze was bang dat het nu weer zo lang zou duren. Ze had de *Messiah* opgezet om in de kerstsfeer te komen, maar ze kon de eerste cd niet vinden. Dus hoorde ze niet het verhaal over de herders die op de velden lagen, en de mensen die in het donker een ster ontwaarden, om maar te zwijgen over het koor dat opgetogen 'For Unto Us a Son Is Born' zong. Nee, ze hoorde alleen 'He Was Despised and Rejected' en over het kruisigen van Jezus, niets over het kindje Jezus dat werd geboren in een stal met een os en een ezel en... Tess worstelde zuchtend met de fles sherry, een doos bonbons voor mevrouw Store en de twee stukjes plakband die ze weliswaar voorzichtig van de tafel had gehaald, maar die toch tegen elkaar plakten.

Francesca's kaart lag ernaast. Tess keek vol genegenheid naar het hellende handschrift. Goed dat zij en Adam weer bij elkaar waren. Het was echt goed omdat ze van haar hield, en het betekende dat zij, Tess, haar vaker zou zien. Ze voelde zich vreselijk dat ze eraan twijfelde alleen om wat er eerder was gebeurd. Ze waren veranderd, en ze wisten allebei wat ze deden; hij was gelukkig anders geworden. Hij verdiende het gelukkig te worden: meer vroeg ze niet voor hem. Ze klemde de envelop tussen haar tanden en scheurde hem met één vinger open.

Liefste Tess,
Vergeef me mijn gedrag van gisteren! Ik moet je schrijven om te vertellen dat Adam en ik...

Er klonk een luide bons op de deur. Tess zette haar hand op de grond en duwde zichzelf overeind, waarbij ze onbedoeld twee andere stukjes plakband aan een groot stuk vloeipapier vastplakte, dat scheurde toen ze het los wilde halen.

'Hallo?' klonk een stem. 'Tess? Alles goed met je?'

'Adam?' Er klonk opluchting in haar stem. Ze trok de deur open met het stuk vloeipapier om haar hand gewikkeld. 'Sorry,' zei ze. 'Ik heb hier totaal geen talent voor. Mijn dagen van huiselijke nijverheid liggen ver achter me. Ik weet niet hoe het kan.' Ze keek hem aan. 'Hé, wat kijk je ernstig. Alles goed?'

Adam keek somber en donkere kringen onder zijn ogen verrieden dat hij moe was. Hij had een kaart en een dikke envelop in zijn hand. 'Ik wilde je iets laten zien,' zei hij. Hij stak de kaart omhoog.

'O ja?' zei Tess, haar vingers heen en weer bewegend. 'Verdomme, dat rottige plakband ook!'

'Waarom heb je me niet verteld dat je niet naar Italië gaat?' vroeg Adam.

Tess was het vergeten. 'O,' zei ze, worstelend met de stukjes vloeipapier. Ze trok het laatste stukje plakband van haar vingers. 'Sorry. Ik dacht dat het je niet zou verbazen. Ik ga in plaats daarvan naar Stephanie. Ik wilde rond de lunch bij je langskomen om het te vertellen. En om je...' Ze tikte met haar voet tegen zijn kuit. 'Niet achter me kijken. Je cadeautje ligt ertussen, ik heb het nog niet ingepakt, en als ik niet opschiet gaat dat nooit lukken.'

Adam zei geen woord. Hij stond daar maar zwijgend naar haar te kijken. 'Je had het me moeten zeggen, Tess.'

Tess keek hem vol verbazing aan. 'O, Adam. Het spijt me. Peter...' Ze haalde haar schouders op. 'Het kon nooit iets worden. We hebben het allebei moeten inzien.' Ze slikte. 'Niet dat hij geen schat was. Maar... je weet wel.' Ze pakte een foto van de bank. 'Gisteren heeft hij me deze foto gemaild. Hij zei dat het zijn kerstkaart voor mij is en dat ik hem moest uitprinten. Kijk wat hij eronder heeft geschreven.' Ze las hardop. Adam keek en zei niets.

'Dank je wel voor de fijne herinneringen en je hulp in moeilijke tijden. Ik zal altijd con molto affetto aan je denken, en met een klein beetje spijt. Vrolijk *kerstfeest, mooie Tess.* Wat *dacht je ervan om naar Rome te komen voordat ik vertrek?'*

Ze tikte vergenoegd tegen haar borstbeen en daarna op de foto. 'Kijk, dat ben ik, leunend op zijn brommer bij de Spaanse Trappen. Vind je het niet net iets uit *Roman Holiday*? Is het niet vreselijk lief van hem?'

'Ik zie dat jij het bent,' zei Adam tussen opeengeklemde kaken. 'Ik ben niet gek, al lijk je dat wel te denken. Maar jij wel, als ik zo vrij mag zijn.' Hij gooide de foto terug op de bank, samen met de kaart die hij bij zich had. De envelop viel fladderend op de kussens. 'Waarom heb je het niet verteld?'

Tess keek hem weer vol verbazing aan toen ze zag dat hij echt boos was. 'Ik dacht niet dat het je zou interesseren als ik er weer over zou lopen zaniken, Adam. Ik zou het je vandaag toch vertellen! Je bent mijn moeder niet.'

'Ik ben je...' begon hij, en hij zweeg. 'Denk je niet dat ik dat had willen weten? Dat het mij ook een beetje aangaat?'

'Waarom?' vroeg Tess dwars.

'O jezus, Tessa Tennant.'

'Luister.' Ze probeerde redelijk te klinken, al dacht ze dat hij hoogstwaarschijnlijk zijn verstand verloren was. 'Gaat het wel goed met je, Adam? Waarom ben je zo van streek? Heb je ruzie gehad met Francesca?'

Hij keek niet-begrijpend. 'Met Francesca? Waarom zou ik daar ruzie mee maken?'

'Ja, precies,' zei Tess. 'Het gaat de tweede keer vast veel beter tussen jullie.' Ze liep naar de keuken en duwde een verdwaalde tak hulst die was losgeraakt uit de weg. 'Of eigenlijk de derde keer, als je heel precies bent.' Ze kakelde maar door. 'Maar echt, Adam, ik ben zo blij dat jullie weer bij elkaar zijn. Wil je koffie? Of misschien een glaasje? Een slokje van de pruimenjenever die mevrouw Store heeft gemaakt?'

Adam legde zijn hand op haar pols, zodat ze zich met een ruk omdraaide. 'Waar heb je het over?' Hij schreeuwde bijna. 'Ben je nou helemaal gék geworden?'

'Adam, hou op!' Ze sloeg zijn hand van haar arm. 'Wat ís er nou?'

Hij liet haar onmiddellijk los en bleef op een paar centimeter van haar af staan met fonkelende ogen. Zijn haar stond rechtop. 'Ik ben niet terug bij Francesca. Waar heb je het over?'

Ze keek hem aan. 'Wat? Jawel, toch.'

Adam balde zijn vuisten en kreunde van ergernis. 'Waarom dénk je dat in vredesnaam?'

'Omdat...' Tess gooide haar handen in de lucht. 'Nou ja. Dat voelde ik, om te beginnen.'

'Dat voelde je?'

'En... omdat jij steeds zei dat je naar Londen moest en omdat het er allemaal zo mysterieus aan toeging.'

Adam kermde. 'Het was zo mysterieus omdat... ik iets moest regelen, ik moest dat verrekte project stilleggen!'

'In Albemarle Street?'

'Daar zitten de juristen van de Mortmains,' zei hij. Hij haalde moeizaam adem en keek haar indringend aan. 'Er was het een en ander te regelen. En ik wilde je iets geven: dit!'

Hij duwde de dikke bruine envelop die hij nog vasthad in haar hand. 'Dit is jouw kerstcadeautje. Een raar cadeau, iets van papier, maar ik denk dat je het wel snapt.'

Ze maakte met een vragende blik de envelop open. '*Heden, in het jaar zeventien zesentachtig, besluit ik, George Mortmain,*' las ze. 'Wat is dit?'

'Dat is de koopakte,' zei Adam. 'De koopakte van de uiterwaarden. Ze zijn jouw eigendom.'

Tess liet de papieren op de grond vallen. 'Ze... Wat?'

'Ze zijn van jou.' Hij glimlachte. 'Het is afgeblazen. De hele toestand is afgeblazen. Het ligt officieel vast. En ik doe ze nu aan jou over.' Hij bukte zich om de stapel papier op te rapen en toen hij op de grond geknield zat, lachte hij haar toe. 'Het stelt niet veel voor en je kunt er in feite niets mee, vrees ik. Ze staan voor iets speciaals. Je moet in een comité zitting hebben.'

Tess stond voor hem met open mond, letterlijk sprakeloos.

'Je mag me bedanken wanneer je dat wilt,' zei Adam.

'Adam...' Ze legde haar hand op de zijne toen hij overeind kwam. 'Dat is... Meen je dit werkelijk?'

'Ja.' Hij stond weer overeind en zuchtte. 'We zullen de ontwikkelaars een vergoeding moeten betalen. Maar dat vind ik niet erg. Dit is de juiste handelwijze. Ik had het al veel eerder moeten doen.'

Ze raakte voorzichtig met haar wijsvinger de papieren aan. 'Adam, dit is niet te geloven.' Hij gaf haar de papieren terug, die ze tegen zich aan drukte. 'Ik dacht dat je met Francesca...'

'Ik nam haar mee om me te helpen met de overdracht en het annuleren van de verkoop. Ze deed het fantastisch.'

'Maar... je bent bij haar gebleven!' Tess schudde haar hoofd. 'Zij huilde, en jij bleef bij haar om met haar naar bed te gaan en ik moest met die rottige trein terug naar huis!' Ze glimlachte en probeerde te kijken alsof het haar niet echt iets deed. 'Ik vond het niet erg, echt niet, ook niet toen iemand vlak na Winchester moest overgeven. Het was oké.'

Adam sloeg met zijn hand tegen zijn voorhoofd. 'O god... Tess. Ze vroeg of ik bleef omdat ze me iets wilde vertellen, en ze had gelijk!' Hij greep de papieren terug, gooide ze op tafel en pakte haar handen. 'Ze heeft gevraagd of ik bleef omdat ze me wilde zeggen dat ik een idioot was!'

'Dat ben je ook,' zei Tess openhartig. 'Ik bedoel, dit hier is geweldig, jij bent geweldig. Maar sorry hoor, in het algemeen ben je best een beetje een idioot.'

Adams ademhaling ging weer moeizaam, maar hij hield Tess' handen vast en keek in haar ogen. 'Tess. Ik ben niet terug bij Francesca. Ze vroeg of ik bleef om de lucht tussen ons te zuiveren. Dat was nodig. En toen zei ze tegen me...' Hij wachtte even om diep adem te halen. 'Ik zal het voor je moeten spellen, dat zie ik al. Ze noemde me een idioot, omdat het voor iedereen overduidelijk is dat ik verliefd ben op jou, en jij op mij, en dat ik daar iets mee moest doen.'

Er viel ineens een diepe, oorverdovende stilte in de koude, zonnige kamer. Tess pakte zijn handen stevig vast en keek hem verbijsterd aan.

'En ze had gelijk,' zei hij. Hij boog zich naar haar toe en kuste haar zacht op haar lippen. 'Althans, voor een deel. Ik ben een idioot. Ik ben verliefd op jou, altijd al geweest. Ik besefte toen ik weg was hoeveel je voor me betekent, dat ik nooit meer zonder jou wilde leven.' Hij rilde even, alsof hij pijn had. 'Dat mijn leven niet compleet is zonder jou... Maar ik had je al zoveel pijn gedaan, en er was zoveel gebeurd.' Hij lachte even. 'En jij was gek op die zogenaamde Gregory Peck. Ik maakte mezelf wijs dat het genoeg zou zijn als ik je af en toe zou zien, weer bevriend met je was, dat we samen dingen konden doen. Want het is nieuw, het is nu allemaal anders tussen ons. Maar als het al mogelijk is, hou ik nu nog meer van je dan ooit.'

Ze maakte zich van hem los. Haar hart ging zo tekeer dat het bijna pijn deed, en ze vroeg zich af of hij het hoorde bonken.

'Adam...' begon ze rustig. 'Dit... dit moet je niet doen, tenzij je er echt van overtuigd bent. Zeg het alsjeblieft niet als je er niet zeker van bent.'

'Ik ben er zeker van,' zei hij. Hij streelde haar haar. 'De vraag is, lieve Tess, ben jij dat ook?'

Tess legde haar handen tegen zijn borst. 'Ik weet het niet,' zei ze. 'Dit komt allemaal zo... plotseling.' Ze slikte. 'En er is zoveel gebeurd, Adam. Ik weet niet of we ooit...'

Adam knikte heftig. 'Ik weet het. Ik weet het, lieverd. Maar...' Hij haalde zijn schouders op. 'Het heeft me wel een paar dingen geleerd.'

Ze pakte zijn handen, zijn prachtige, sterke grote handen, die ze zo goed kende. 'Wat heeft het jou geleerd?' vroeg ze. Ze wilde niets liever dan dat hij haar overtuigde.

Hij kuste haar in haar hals. 'Ten eerste, dat ik uit het leven moet halen wat erin zit, al is het nog zo moeilijk. Ik wil niet zo eindigen als mam. Afgewezen door mensen die van haar hadden moeten houden. Dat heeft haar leven verpest. En dat van Leonora.' Hij knikte. 'Weet je, door met mevrouw Store te praten en het graf van Philip Edwards te bezoeken geloof ik niet dat ze altijd zo is geweest. Haar vader was een verschrikkelijke man en ze heeft weinig geluk gehad. Heel weinig geluk. Ik geloof dat ze ooit een lief meisje is geweest, voordat alles fout liep. En ze had niemand die van haar hield, die voor haar zorgde, die haar weer op het juiste pad kon brengen.'

Hij kneep in haar vingers. 'Ik heb jou, en jij hebt mij, en we zullen er altijd voor elkaar zijn, zo is het altijd geweest en zo zal het altijd blijven. Dat is mijn laatste reden.'

'Wat?' Ze keek in zijn ogen en probeerde het niet uit te schateren van puur geluk.

'Het is gewoon goed,' zei hij. 'Ja toch? Vind jij niet dat het goed voelt?'

Ze knikte. 'Ja.' Ze slaakte een sidderende zucht. 'Het voelt goed.' Ze keek hem aan. 'Je bent het afgelopen jaar veranderd. Ik geloof dat ik weer helemaal opnieuw verliefd op je ben geworden.'

'Ik moest weg om terug te kunnen komen,' zei hij. 'Ik heb er veel over nagedacht. Het klinkt goedkoop, maar het is waar. En ik heb altijd van je gehouden. Alleen liep het eerst helemaal verkeerd. Nu is het goed.' Hij knikte ernstig. 'Tess, schat, ik beloof je dat ik de rest van mijn leven zal proberen jou waard te zijn.'

'Dat hoeft niet.'

'Jawel. Jawel. Want... het is goed, toch? Het is gewoon goed. Het juiste moment.'

Tess liet een klein, bijna bedroefd lachje zien. Adam bracht haar hand naar zijn lippen en kuste bedachtzaam de binnenkant. 'Ik hou van je, Tess.'

Ze haalde diep adem. Ze zag de jongen die ze haar hele leven al kende, de jongen van wie ze had gehouden en de volwassen man die nog steeds dezelfde was, en toch volkomen anders.

'Ja,' zei ze. 'Ik hou ook van jou.'

Ze bleven geruime tijd zwijgen. Ze hoorde zijn ademhaling, haar eigen hartslag en ook de zijne. Na een minuutje deed ze een stap naar achteren en met betraande ogen keek ze hem aan.

'O ja.' Hij streelde haar wang. Hij pakte de kaart die hij eeuwen geleden in zijn hand had gehad en die nu op de bank lag. 'Die had ik voor je meegebracht om aan je te laten zien. Voordat ik werd afgeleid.'

Hij gaf haar de kaart, waar een roodborstje op stond.

'Lees maar voor.' Hij wreef over haar rug. 'Het is geweldig.'

'*Lieve Adam,*' las ze. '*Het was zo fijn om iets van je te horen. We hebben nooit geweten of je wel of niet bestond, en uit Langford hoorden we ook niet veel, maar het is gewéldig om te weten dat je leeft!*'

Ze zweeg. 'Van wie is dat?'

'Wacht. Lees hem eerst helemaal.' Adam streelde haar nek en ze las verder terwijl hij over haar schouder meekeek.

'*Ja, ik ben je oudtante...*' las Tess met trillende stem. 'O, Adam.' Ze kneep in zijn hand en leunde tegen hem aan.

'Ga door!'

'*... en dat klinkt heel zwaarwichtig, maar ik ben er bijzonder trots op. Ik hield van mijn broer. Ik was heel trots op hem en dat zou jij ook zijn geweest. Hij was de liefste broer die ik me maar kon wensen, en ik mis hem elke dag... Elke dag.*

We wonen even buiten Bath, eigenlijk niet zo ver van jou, en ik heb twee kinderen en zes kleinkinderen, allemaal familieleden van je – verre familie, maar dat maakt niets uit. We zouden het heel erg vinden als je deze uitnodiging niet aanvaardt, namelijk of je Tweede Kerstdag bij ons wilt komen, en daarna wanneer je maar wilt! Mijn telefoonnummer staat hieronder. Heel veel liefs van mij en ons allemaal! Dag lieve Adam.

Primula Jordan (geboren Edwards!)

PS Ik popel om je van alles over je grootvader te vertellen. Je zou dol op hem zijn geweest.'

Een poosje later kwam Adam uit Easter Cottage tevoorschijn. Hij hield nog steeds Tess' hand vast.

'Tot straks dan.'

'Ja,' zei ze. 'Ik moet die pakjes nog inpakken... Ik wil alles in rood met goud doen, het gaat eeuwen duren. Liz heeft me van dat sierlint geleend dat je met een schaar moet laten krullen. En ik heb hulsttakjes. Maar het kost zo ontzettend veel tijd.' Ze zuchtte. 'Ik word me ervan bewust dat ik hier helemaal niet goed in ben, weet je. Dát heeft dit jaar me geleerd.'

'Precies,' zei Adam. 'Ik dacht dat je de tijd van inpakken en krullinten nu wel achter je had gelaten, Tess.' Hij ademde diep in en raakte met zijn vinger haar lippen aan. 'Ik weet er wel iets op, schat. Gooi die linten en hulst aan de kant en drink liever een glas wijn.'

'Je hebt waarschijnlijk gelijk,' zei Tess blij. 'Verdomd, je hébt gelijk.'

Hij kuste haar nogmaals tegen de houten lijst van de voordeur, en ze voelde hoe warm hij was, hoe sterk en zacht zijn handen waren, hoe vertrouwd het was dat ze hier stonden op Kerstavond, nu ze eindelijk iets heel belangrijks tot zich hadden laten doordringen.

Ik hou van je, wilde ze tegen hem zeggen. Het is zo eenvoudig, nu ik het zie. Ik wil alle dingen opnoemen waarom ik van je hou. Ik voel me zo gelukkig als ik bij je ben. Alsof me niets kan gebeuren, alsof de wereld gered kan worden, alsof ik een geheime kern in me meedraag die maakt dat ik mensen wil omhelzen, de vlag wil hijsen midden in de stad en dankjewel schreeuwen vanaf de heuvels. Ik wil dat iedereen net zo gelukkig is als ik, nu ik jou weer heb gevonden. Omdat ik van je hou.

Ze zuchtte en hij hield haar nog steviger vast toen hij zijn lippen op de hare drukte, totdat ze zich plotseling losmaakte.

'Hallo, mevrouw Store!' riep Tess toen ze haar buurvrouw langs zag schuifelen met een volle boodschappentas. 'Eh... we waren net...'

Adam stapte naar achteren, wreef gegeneerd in zijn nek en tuurde naar het meisje wier hand hij nog steeds vasthield en die in de deuropening gelukzalig naar mevrouw Store lachte.

'Let maar niet op mij, schatten!' Mevrouw Store knikte en liep door, bijna alsof ze hen niet had gezien. Maar ze lachte zachtjes in zichzelf toen ze haar eigen voordeur opendeed en het stel elkaar weer begon te kussen. Ze deed de deur dicht en zette haar tas voorzichtig neer, keek om zich heen in haar knusse, kleine cottage en haar ogen werden vochtig bij de herinneringen die bij haar bovenkwamen.

Maar een ogenblik later glimlachte mevrouw Store al weer. Iedereen wist per slot van rekening dat Tessa Tennant en Adam Smith voor elkaar bestemd waren. Altijd al! Het enige raadsel voor Langford was waarom ze er zo lang over hadden gedaan om daarachter te komen.

Dankwoord

Ik bedank iedereen bij HarperCollins: de lieve Wendy Neale, Clive Kintoff en alle dames van de afdeling Verkoop (bedankt voor de lunch); de geniale Lee Motley, Lucy Upton en Sarah Radford, en de hele redactie van de fantastische Victoria Hughes-Williams, de geweldige, inspirerende Claire Bord, en zoals altijd mijn fantastische redacteur – want wat ik zou ik moeten zonder Lynne Drew?

Heel veel dank ook aan de enige echte JLo, Jonathan Lloyd, en iedereen bij Curtis Brown, met name Alice Lutyens en Camilla Goslett.

Tevens bedank ik mijn ex-collega's aan Euston Road, omdat ze me hebben verdragen, vooral Jane Morpeth, Kerr MacRae en Clare Foss. Ik mis jullie allemaal.

Dank voor de tips over Rome, voor de adviezen in het algemeen, zoals over het wijn drinken in Rome, of gewoon voor hun geweldige steun: Chris Handley, Thomas Wilson, Pamela Casey, Ariona Aubrey, Tamara Oppenheimer, James Lo, Nicole Vanderbilt, Maria Rodriguez en Vicky Watkins.

Ten slotte bedank ik mijn vader, Phil, die gek is op Italië, vooral op de Italiaanse wijn.